d

Anton Čechov

Briefe

1892–1897

Herausgegeben
und übersetzt von
Peter Urban

Diogenes

Umschlagfoto: Anton Čechov, Moskau, 1899

10/98/4/1
ISBN 3 257 06193 5

Inhalt

Briefe
März 1892 bis August 1897

—

»Mein Leben«
»Die Insel Sachalin«
»Die Möwe«

1892

379) AN I. L. LEONTJEV-ŠČEGLOV MELICHOVO, 9. 3. 1892

9. März.

Mein lieber Jean, Ihr Wunsch soll in Erfüllung gehen: ich werde eine Erzählung an die »Nedelja« schicken. Und ich tue dies um so lieber, als mir diese Zeitschrift sympathisch ist. Richten Sie dem Steuermann aus, daß ich spätestens im April eine Kajüte auf seinem Schiff belegen werde.

Ja, Leute wie Račinskij gibt es sehr wenige in der weiten Welt. Ich kann Ihre Begeisterung verstehen, mein Lieber. Nach all der Schwüle, die in der Umgebung der Burenins und Averkievs herrscht – und von denen ist die Welt voll –, erscheint einem der idealistische, humane und reine Račinskij wie der Frühlingsäther. Ich bin bereit, mein Leben für Račinskij hinzugeben, aber, liebster Freund... gestatten Sie mir dieses »aber« und seien Sie mir nicht böse – ich würde meine Kinder nicht zu ihm in die Schule schicken. Warum nicht? Ich habe als Kind eine religiöse Bildung erhalten und eine ebensolche Erziehung – mit Kirchengesang, Apostelgeschichte und Psalmen in der Kirche, mit regelmäßigem Besuch der Morgenmesse, mit der Pflicht, am Altar zu helfen und die Glocken zu läuten. Und? Wenn ich jetzt an meine Kindheit zurückdenke, dann erscheint sie mir ziemlich finster; eine Religion habe ich heute nicht. Wissen Sie, wenn ich manchmal mit meinen beiden Brüdern mitten in der Kirche das Trio »Er richte sich auf« oder »Stimme des Erzengels« sang, dann sahen uns alle voller Rührung an und haben meine Eltern beneidet, wir dagegen haben uns gefühlt wie kleine Katorgasträflinge. Jawohl, mein Lieber!

Ich kann Račinskij verstehen, aber ich kenne die Kinder nicht, die bei ihm unterrichtet werden. Ihre Seelen sind für mich ein dunkler Wald. Wenn in ihren Herzen Freude ist, dann sind sie glücklicher als ich und meine Brüder, deren Kindheit eine Qual war.

Es ist schön, Lord zu sein. Man hat viel Platz, hat es warm, niemand rennt einem die Tür ein, aber leicht kann ein Lord auch zur Concierge oder zum Portier werden. Das Gut, mein Herr, kostet 13 Tausend, und ich habe nur ein Drittel bezahlt. Der Rest bleibt eine Schuld, die mich noch lange, lange an die Kette legen wird.

Hier meine Adresse: *Stat. Lopasnja,* Str. Mosk.–Kursk, Dorf Melichovo. Das ist für einfache Briefe und Telegramme.

Kommen Sie zu mir, Jean, zusammen mit Suvorin. Verabreden Sie sich mit ihm. Was ich für einen Garten habe! Was für einen primitiven Hof! Was für Gänse!

Schreiben Sie öfter.

Viele Grüße an Ihre gastliche Frau. Bleiben Sie gesund und munter. *Ihr A. Čechov.*

Schicken Sie mir ein Exemplar Ihrer letzten Novelle.

380) AN A. S. SUVORIN MELICHOVO, 11. 3. 1892
Mittwoch.

Die Arbeit eines Arbeiters kostet so gut wie nichts, deshalb geht es mir gut. Ich beginne die Vorzüge des Kapitalismus zu entdecken. Den Ofen in der Gesindeküche abreißen und dort einen Küchenofen setzen mit allem Drum und Dran, dann im Haus den Küchenofen abreißen und einen normalen dafür hinsetzen – das alles kostet 20 Rubel. Der Preis für zwei Schaufeln – 25 Kop. Einen Eiskeller anlegen – 30 Kop. pro Tag im Tagelohn. Ein junger Arbeiter, der lesen und schreiben kann, nicht trinkt und nicht raucht, der pflügen muß und Stiefel putzen und die Mistbeete warten, kostet 5 R. im Monat. Regale, Trennwände, Tapezieren – alles ist billiger als Pilze. Und ich bin befreit. Aber wenn ich für die Arbeit auch nur ein Viertel dessen zahlen würde, was ich für meinen Müßiggang bekomme, dann würde ich binnen eines Monats zum Schornstein hinausfliegen, denn die Zahl der Ofensetzer, Zimmerleute, Tischler usw. droht nie ein Ende zu nehmen infolge periodischer Kleinarbeiten. Ein geräumiges Leben, das nicht in vier Wände eingezwängt ist, verlangt auch eine geräumige Tasche. Ich falle Ihnen bereits auf die Nerven, aber ich sage noch eins: der Kleesamen kostet 100 R., und für den Hafer kostet das Saatgut über hundert. Da kann man sich drehen und wenden! Man prophezeit mir Ernte und Reichtum, aber was soll ich damit? Lieber jetzt ein Fünfkopekenstück in der Hand, als einen Rubel in der Zukunft. Ich muß mich hinsetzen und arbeiten. Für alle möglichen Lappalien muß ich mindestens fünfhundert Rubel verdienen. Die Hälfte habe ich schon verdient. Und der Schnee schmilzt, es ist warm, die Vögel singen, der Himmel ist klar, Frühling.

Ich lese eine Menge. Habe die »Legendären Charaktere« von Leskov gelesen, »Russkoe obozrenie«, Januar. Göttlich und pikant. Ein Konglomerat aus Tugend, Ehrwürde und Unzucht. Aber sehr interessant. Lesen Sie es, wenn Sie es noch nicht gelesen haben. Ich habe Pisarevs Puškinkritik wiedergelesen. Das ist schrecklich naiv. Dieser Mensch stürzt Onegin und Tatjana vom Thron, und Puškin bleibt dabei heil und unversehrt. Pisarev ist der Großvater und Papa aller heutigen Kritiker, auch Burenins. Dieselbe Kleinlichkeit im Entthronen, derselbe kalte und eitle Scharfsinn, dieselbe Grobheit und derselbe Mangel an Feingefühl in bezug auf die Menschen. Wild machen können einen nicht die Ideen Pisarevs, die er gar nicht hat, sondern sein grober Ton. Seine Einstellung zu Tatjana, besonders zu ihrem lieben Brief, den ich innig liebe, finde ich einfach ekelerregend. Diese Kritik stinkt nach einem böswilligen, intriganten Staatsanwalt. Übrigens, zum Geier mit ihm!

Wann kommen Sie zu mir? Vor Mariä Verkündigung im Schlitten, oder danach – auf Rädern? Wir sind mit den Aufräumungsarbeiten beinahe zu Ende, noch nicht fertig sind nur die Regale für meine Bücher. Wenn wir die Rahmen eingesetzt, und alles neu gestrichen haben, dann wird das Haus ein ganz wohlanständiges Aussehen annehmen. Im Sommer werden wir ein Wasserklosett einbauen.

Im Garten gibt es Lindenalleen, Apfelbäume, Kirschbäume, einen Pflaumenbaum, Himbeeren.

Sie schrieben, ich sollte Ihnen ein Sujet für eine Komödie geben. Ich möchte so gern, daß Sie eine Komödie schreiben, daß ich bereit bin, Ihnen alle Sujets zu geben, die ich nur im Kopf habe. Kommen Sie, wir reden darüber an der frischen Luft.

Bleiben Sie bis dahin gesund und munter. Einen Gruß an die Ihren. Es ist gut, daß Aleksej Alekseevič aufs Land gefahren ist.

Ihr A. Čechov.

381) AN AL. P. ČECHOV MELICHOVO, 21. 3. 1892

21. März. St. Lopasnja.

Feuerwehr-Saša! Deine Zeitschrift bekommen wir und lesen darin mit Begeisterung die Biographien der großen Brandmajore und Listen der ihnen verliehenen Orden. Wir wünschen auch dir, Sašečka, den Löwen und Sonnenorden.

Wir leben auf unserem eigenen Gut. Wie ein gewisser Cincinnatus verbringe ich die ganze Zeit mit Arbeit und esse mein Brot im Schweiße meines Angesichts. Mamaša war heute gottesfürchtig und ist mit dem eigenen Pferd zur Kirche gefahren; Papaša ist aus dem Schlitten gefallen – so stürmisch war der Rosse Lauf!

Papaša philosophiert wie früher und stellt Fragen dieser Art: Weshalb liegt hier Schnee? Oder: warum steht dort ein Baum, und nicht hier? Er liest die ganze Zeit Zeitung und erzählt dann der Mutter, daß in Petersburg eine Gesellschaft zum Kampf gegen die Klassifikation der Milch gegründet worden sei. Wie alle Taganroger ist er zu jeder anderen Arbeit unfähig, außer zum Anzünden von Kerzenleuchtern. Mit den Bauern spricht er in strengem Ton.

Vom Onkel haben wir einen großartigen Brief bekommen mit Glückwünschen und der Versicherung, daß »Irinuška geweint« habe.

Ja, und was meine Geldgeschäfte betrifft, so steht es damit sehr schlecht, weil die Ausgaben für das Gut die Einkünfte ums Zehnfache übersteigen. Ich muß an Turnefor denken: die Frau muß niederkommen, und keine Kerzen im Haus. So geht es mir auch: ich muß säen, und habe kein Saatgut. Die Gänse und Pferde missen essen, da helfen nicht die Wände eines Hauses. Ja, Sašečka, nicht nur Moskau liebet das Geld.

Der Teich befindet sich im Garten, 20 Schritt vom Haus entfernt. Er ist 6 Aršin tief. Was für ein Vergnügen, den Schnee hineinzuschaufeln und die Zeit vorauszuahnen, wenn aus seinen Tiefen erst einmal die Fische hervorspringen. Und die Gräben?... Ist Gräben zu graben etwa weniger angenehm, als den »Feuerwehrmann« zu redigieren? Und um 5 Uhr aufzustehen mit dem Bewußtsein, daß man nirgendwohin gehen muß und daß niemand zu einem kommt? Und zuzuhören, wie die Hähne, Stare, Lerchen, Meisen singen? Und aus einer fremden Welt Pakken von Zeitungen und Zeitschriften zu bekommen?

Aber wenn mein Gut auf einer Versteigerung verkauft wird, Saša, dann kaufe ich mir ein Haus in Nežin und werde dort bis ins hohe Alter wohnen. Noch ist nicht alles verloren! sage ich, wenn sich auf meinem Gut ein Fremder ansiedelt.

Du handelst niederträchtig und ekelhaft, wenn du im Sommer nicht zu uns kommst, um wenigstens einen Tag das Leben Cincinnatus' zu leben. Vor ein paar Tagen wurde direkt nebenan ein hübsches Gut für 3 Tausend verkauft. Haus, Wirtschaftsgebäude, Garten, Teich, 50 Desjatinen... Das wäre was für dich gewesen! Wieviele Himbeeren, Erdbeeren!

Heute haben Miša und ich, während wir Schnee in den Teich schaufelten, daran denken müssen, wie du Bessčinskij vorgesungen hast: »Naum, naum, ferkatsche« usw. Warst mal ein kluger Junge, Saša!

Der Anblick meiner Scheunen ist überaus primitiv.

Bleib gesund. Grüß Natalja Aleksandrovna und deine pueri.

Was macht der Kopf von Michajlo? Ist es vorbei oder ist der

Schorf noch da? Wenn etwas ist, soll Nat. Aleks. mir detailliert schreiben: ich geb ihr einen Rat (gratis). *Dein Cincinnatus.*

Die 2. Nummer des »Feuerwehrmanns« ist besser als die 1.

Deinen Verwandten schmeichelt es sehr, daß du zusammen mit einem Grafen die Geschäfte führst und die Porträts von Fürsten veröffentlichst. Grüß, mein Herz, die Durchlauchtigen Herren und bitt sie um ein Rubelchen unter Brüdern, mein Herrz.

Was würde mir der Graf zahlen, wenn ich eine Feuerwehrgeschichte schickte? 100 Rub.?

382) AN E.P. GOSLAVSKIJ MELICHOVO, 23. 3. 1892

23. März. St. Lopasnja.

Verehrter Evgenij Petrovič, Ihre »Soldatenbraut« ist eine sehr gute Sache. Zuvor hatte ich im »Artist« Ihren »Reichen Mann« gelesen, und ich muß gestehen, er hat mir nicht gefallen: in diesem Stück sind Sie alles andere als originell, und Ihre Personen, angefangen mit dem längst abgedroschenen Kulaken bis hin zu dem ebenfalls schon tausendmal durchgekauten dummen Gänschen, fand ich uninteressant. Die »Soldatenbraut« ist ganz etwas anderes. Ich habe lange kein so gutes Stück mehr gelesen. Von Theater verstehe ich wenig, und beurteilen, inwieweit Ihr Stück sich fürs Theater eignet oder nicht, kann ich nicht, aber von der literarischen Seite hat es mich voll befriedigt. Seine literarischen Qualitäten sind derartig mitreißend, daß ich das Stück, ohne zu überlegen, zu unseren besten Stücken aus dem Volksleben zähle und, wie Sie sehen, nicht habe an mich halten können und Ihnen schreibe. Das sind lebendige Menschen, einfach und klar geschildert. Gut sind alle, mit Ausnahme von Kirill, der ein bißchen ausgefallen und gesucht wirkt, was mit seiner Hexerei zu tun hat. Die Sprache ist großartig! Musterhaft das Gefühl für Maß und Takt.

Verzeihen Sie, ich bin ein schlechter Kritiker; vielleicht bin ich auch ein guter, aber ich bin außerstande, meine kritischen Gedanken auf dem Papier darzulegen. Deshalb kann ich Ihnen nichts schreiben, was Sie als Autor gern lesen würden.

Wenn die Zensur das Stück nicht durchläßt, nur weil darin ein Soldat und seine Braut vorkommen, dann können Sie den Soldaten durch einen Fabrikarbeiter oder einen Moskauer Kutscher ersetzen. Der Kern des Stückes bleibt derselbe. Sie schreiben ja keine Kritik auf das Soldatentum, sondern lebendige Menschen. Es geht nicht um die Uniform, und nicht ums Unterhemd.

Am Schluß des III. Akts ist Kirill zu schroff. Ich finde, er müßte zärtlich sein, damit Afimja an seinem Ton erkennen kann, was los ist. Ich weiß es nicht, vielleicht ist dieser schroffe Übergang auch absichtlich eine Konzession an die Bühne, aber im Leben und in der Novelle geht so etwas nicht ohne Zwischentöne. Und es besteht auch keine Notwendigkeit, Kirill als Bösewicht hinzustellen. Junge Kerle, wie die Weiber sie lieben, sind meistens nicht böse, sondern geistig träge, weich und nicht von scharfem Verstande, wie die Weiber selbst, – das bezaubert sie. Ein unglückliches und leidendes, von Schwiegermutter und Leben eingeschüchtertes Weib erobert man nicht durch Frechheit und Phantastereien.

»Brauchen« ohne »zu« beeinträchtigt die schöne gesprochene Sprache sehr. Soweit ich es anhand von Gogol und Tolstoj beurteilen kann, beeinträchtigt die Richtigkeit den umgangssprachlich-volkstümlichen Charakter der Rede durchaus nicht. »Brauchen« ohne »zu« macht auf mich immer den Eindruck von mouches volantes, die einen daran hindern, den klaren Himmel zu sehen. Ein irgendwie überflüssiger und ärgerlicher Eindruck.

Was noch? Der Soldat verzeiht seinem Weib – das ist wunderbar in jeder Hinsicht, wahrscheinlich auch im Hinblick auf die Bühne. Aber weshalb spricht er bei Ihnen in solch einem Spitzbubenton? Ist das notwendig, charakteristisch? Ein solch großmütiger, schöner Akt wie das Verzeihen – und diese Sprache, das ist vielleicht im Leben miteinander vereinbar, aber in einem

Kunstwerk verbreitet dies den Geruch von Unwahrheit. Das Gespräch über den Getränkeausschank und die Prozente zerstört den ganzen Reiz des Verzeihens und jene gute Vorstellung, die wir alle von Offiziersburschen haben. Der junge Mann fängt bei Ihnen zu früh an, vom Trinken und vom Kredit zu reden. Das ist schrecklich. Er hatte noch gar keine Gelegenheit, sich die Finger schmutzig zu machen, und Sie schreiben schon, der Junge sei verloren. Lassen Sie ihn erst einmal leben! Oder fangen Sie von Anfang an damit an, daß er ein Räuber ist, damit es jeder sieht.

Ich wiederhole, das Stück ist sehr gut, und ich freue mich von Herzen, daß Sie es mir geschickt haben. Ich würde mich freuen, mit Ihnen zu sprechen und Sie näher kennenzulernen.

Das Gespräch im IV. Akt vor dem Auftritt Afimjas ist mit bemerkenswertem Feingefühl gemacht. Nur glauben Sie nicht, daß Afonka stört? Die Galerie wird doch lachen und die Schauspieler nicht in Ruhe spielen lassen. Und der Schauspieler tut einem leid, der aus Afonka keinen sympathischen Dummkopf, sondern einen Narren machen wird. Eine gefährliche Rolle.

Ich wünsche Ihnen von Herzen alles Gute, vor allem Erfolg und volles Erblühen. Ich wünsche es Ihnen ehrlich, wie ich ehrlich glaube, daß Sie ein echtes dramatisches Talent besitzen.

Hochachtungsvoll *A. Čechov.*

383) AN L.S. MIZINOVA MELICHOVO, 25. 3. 1892

25. März.

10 Grad Frost.

Maša bittet Sie, in der Karwoche zu kommen und Parfum mitzubringen. Ich würde das Parfum ja selbst kaufen, aber ich komme erst in der Woche nach Ostern nach Moskau.

Wir wünschen alles Gute. Die Stare sind weggeflogen. Die Kellerschaben sind noch da, und den Feuerlöscher haben wir uns trotzdem angeschaut. *Mašas Bruder.*

Dunja sollten Sie kennenlernen!

384) AN L.S. MIZINOVA MELICHOVO, 27. 3. 1892

Lika, es herrscht grimmiger Frost draußen wie in meinem Herzen, und darum schreibe ich Ihnen nicht den langen Brief, den Sie bekommen wollten.

Nun, wie haben Sie die Frage der Sommerferien gelöst? Sie sind eine Lügnerin, und darum glaube ich Ihnen nicht: Sie wollen überhaupt nicht in unserer Nähe wohnen. Ihr Sommerhaus liegt im Stadtteil Mjasnickaja an der Stadtwache – dort sind Sie mit Herz und Seele. Wir dagegen sind für Sie nichts. Wir sind die Stare vom vorigen Jahr, deren Gesang längst vergessen ist.

Zwei Tage war A. I. Smagin bei uns zu Gast. Heute kam der Dorfpolizist. Das Quecksilber im Thermometer ist auf –10 gesunken. Alle Schimpfwörter, die mit dem Buchstaben S anfangen, lasse ich an die Adresse dieses Quecksilbers los und bekomme als Antwort nur ein kaltes Blitzen seiner Augen... Wann wird endlich Frühling? Lika, wann wird endlich Frühling?

Die letzte Frage verstehen Sie bitte buchstäblich, und suchen Sie darin nicht nach einem Hintergedanken. O weh, ich bin bereits ein alter junger Mann, meine Liebe ist keine Sonne, sie bringt niemandem den Frühling, weder mir noch den Vögeln, die ich liebe! Lika, nicht dich liebe ich so feurig. Ich lieb in dir vergangne Leiden und die verlorne Jugend mein.

385) AN L.S. MIZINOVA MELICHOVO, 29. 3. 1892

Sonntag.

Liebe Melitta, bringen Sie mir meine »Unschuldigen Worte« mit und befreien Sie bitte meine »Bunten Erzählungen« aus der Gefangenschaft!

Wir alle warten voller Ungeduld auf Ihre Ankunft. Die Zimmer haben ein wohlgefälliges Aussehen angenommen, es ist viel Platz, und gestern haben wir den ganzen Tag die Scheune geputzt, in der wir unsere Gäste unterbringen.

Ach! Heute nacht ist neben uns, Seite an Seite, das Gut der Gutsbesitzerin Kuvšinnikova (einer Namensvetterin von Sappho) abgebrannt bis auf die Grundmauern. Das als Warnung. Unser Haus und Garten waren hell erleuchtet, die Kirchenglokken haben geläutet, die Leute haben Lärm gemacht, und wir haben nichts gehört und nichts gesehen, weil wir tief geschlafen haben. Wir haben einen gesunden Schlaf! Wir gehen um 8 Uhr abends zu Bett und stehen um 7 auf. Wir essen auch gesund. Überhaupt kann man garantieren, daß wir etwa in einem Jahr schon ganz schöne Rindviecher sein werden.

Ich leiste physische Arbeit; meine Muskeln erstarken, mit jeder Stunde werde ich kräftiger, so daß ich, wenn mein Gut einmal versteigert wird, als Athlet im Zirkus Salomonskij werde auftreten können.

Welche Qualen werden wir uns ausdenken müssen für Sie, wenn Sie nicht kommen? Ich werde Sie mit kochendem Wasser verbrühen und Ihnen mit glühenden Zangen ein Stück Rindfleisch aus dem Rücken reißen.

Wanzen und Kellerschaben haben wir die Menge. Wir schmieren sie aufs Butterbrot und essen sie. Schmeckt gut.

Schreiben Sie mir, Melitta, und seien es nur zwei Zeilen. Überantworten Sie uns nicht dem vorzeitigen Vergessen. Erwecken Sie zumindest den Anschein, als dächten Sie noch an uns. Betrügen Sie uns, Lika. Betrug ist besser als Gleichgültigkeit.

Sie werden es bei uns bequem haben. Wenn unser Landsitz auch keinerlei Bequemlichkeiten bietet, werden wir uns jedoch jede Mühe geben, daß es Ihnen an keiner dieser Bequemlichkeiten mangelt.

Wir haben eine sehr schöne Lindenallee. Auf der kann man auch schon spazierengehen, weil wir den Schnee abgeräumt und in den Teich geschaufelt haben. Teich wird hier eine kleine Grube genannt, auf deren Grund ein bißchen kaffeebraunes Eis liegt.

Kein Geld, Melitta. Ein bißchen verraucht. Kein Klappfenster. Vater hat Weihrauch geschwenkt. Ich stinke nach Terpentin. Aus der Küche dringen aromatische Düfte. Kopfschmerzen habe ich. Ich kann mich nicht zurückziehen. Aber die Hauptsache – Melitta ist nicht da und auch nicht die Hoffnung, daß ich sie heute oder morgen sehe.

Bleiben Sie gesund. Betrügen Sie uns, Melitta.

Grüßen Sie Levitan.

Und die Übersetzung? Was macht die Übersetzung? Sie glauben doch nicht, ich würde Ihnen Geld umsonst geben?

Vom Scheitel bis zur Sohle, mit ganzer Seele, ganzem Herzen, Haut und Haar, bis ans Grab, bis zum Selbstvergessen, zur Bewußtlosigkeit, zur Raserei Ihr *Antoine Tiekòf.*

(Betonung des Fürsten Urusov.)

386) AN A. S. SUVORIN MELICHOVO, 31. 3. 1892

31. März. St. Lopasnja.

Es war kalt, alle ließen die Nase hängen, die Vögel waren wieder gen Süden geflogen, und ich habe Ihnen nicht geschrieben, um Sie nicht mit meiner schlechten Laune anzustecken. Jetzt sind die Vögel zurückgekehrt, und ich schreibe. Alles ist wie früher: weder langweilig noch lustig. Ich führe ein vorwiegend vegetatives Leben, ständig vergiftet von dem Gedanken, daß ich schreiben muß, ewig schreiben. Ich schreibe an einer Novelle. Bevor ich sie veröffentliche, möchte ich sie Ihnen zur Zensur schicken, weil Ihre Meinung für mich Gold wert ist, aber ich muß mich beeilen, denn ich habe kein Geld. Die Novelle enthält viel Gerede, und das Element der Liebe fehlt ganz. Sie hat eine Fabel, Schürzung und Lösung des Konflikts. Die Richtung – liberal. Umfang – 2 Druckbogen. Ich sollte Sie konsultieren, ich fürchte, sonst nur unsinniges und langweiliges Zeug zusammenzuschreiben. Sie haben einen hervorragenden Geschmack, und Ihrem ersten Eindruck vertraue ich wie dem, daß am Himmel die Sonne steht. Wenn man es nicht allzu eilig hat mit der Veröffentlichung meiner Novelle und mir ein, zwei Monate Zeit läßt für die Korrekturen, dann erlauben Sie mir, daß ich Ihnen die Fahnen schicke. In heutigen Zeiten ist diese Vorsichtsmaßregel notwendig. Wenn Jean Ščeglov seine wilde, fanatische Novelle »Um die Wahrheit«

vor der Veröffentlichung Ihnen oder mir zu lesen gegeben hätte, dann hätte sie nicht diesen jetzt für alle jungen Schriftsteller so unrühmlichen Eindruck gemacht. Wenn man in seiner eitlen, egoistischen Schale abgekapselt lebt und am geistigen Leben nur von ferne teilnimmt, läuft man Gefahr, weiß der Teufel was zusammenzuschreiben, ohne es zu wollen. Erlauben Sie mir, daß ich Ihnen die Fahnen schicke?

Versuchen Sie auf alle Fälle, Ihre Prosa noch vor Ihrer Abreise nach Feodosija erscheinen zu lassen. Ein gebundenes Exemplar schicken Sie mir über meinen Bruder Ivan oder bringen es selbst mit. Kommen Sie, wenn mein Garten in Blüte steht, – das fällt zusammen mit dem Konzert der Frösche und Nachtigallen. Wegen der Unterbringung machen Sie sich keine Gedanken.

Auf dem Lande ist das Leben billiger als in der Stadt, aber ich habe die ungünstigste Zeit erwischt. Der Hafer kostet statt 15 Kop. 80, Heu gibt es keins, Grasfutter nur in spe, und ich habe 6 Gäule, die Vögel nicht gezählt. Sie fressen mich auf.

Wie gern hätte ich einen Bienenstand! Ich hätte sehr schöne Plätze dafür. Ich könnte 200 Körbe aufstellen. Und das ist sehr unterhaltsam.

Aus mir spricht trotz allem das Blut des Kleinrussen. Ich habe die kultivierte Pumpe entfernen lassen, weil sie kreischt, wenn sie Wasser pumpt, und will statt ihrer einen knarrenden Kranich setzen lassen, der bei den hiesigen Bauern Erstaunen hervorrufen wird. Ich habe auch die Gesinderäume weißen lassen. »Lassen« klingt schon allzu sehr nach Gutsbesitzer; richtiger wäre – ich habe gebeten, da alle Arbeiten wie das Anstreichen, kleinere Reparaturen usw. von meinen Hausgenossen verrichtet werden mit Miša an der Spitze. Die Mistbeete haben wir selber bepflanzt, gesät haben wir selbst, ohne Tagelöhner; im Frühling werden wir auch selber Bäume pflanzen, und auch den Gemüsegarten bepflanzen. Das ist immerhin eine Ersparnis! In der ersten Zeit tat mir alles weh von der physischen Arbeit, aber jetzt geht es gut, ich habe mich daran gewöhnt. Zum Arbeiter und Gutsbesitzer bin ich absolut untauglich. Ich kann Schnee in den Teich schaufeln und Gräben ziehen. Aber wenn ich einen Nagel einschlage – sitzt er schief.

Da ich zur Zeit viel schreibe, hatte ich damit gerechnet, Ihnen für die Osternummer eine Erzählung schicken zu können. Aber ich habe es nicht geschafft. Ich schicke sie später.

Diesen Brief bekommen Sie wahrscheinlich einen Tag vor Ostern. Christ ist erstanden! Gott schenke Ihnen alles Gute. Anna Ivanovna und den Kindern sende ich einen herzlichen Gruß und tausend gute Wünsche. Wenn ich ein Stück schreiben soll, brauche ich den Börne. Wo kann ich ihn bekommen? Das ist einer jener sehr klugen Geister, die von den Juden und beschränkten Menschen so geliebt werden.

Daudets neue Novelle »Nach der Scheidung« enthält drei hervorragende Frauenporträts, aber sie ist heuchlerisch, zumindest in ihrem Finale. Wenn ein Raskolnik oder Araber gegen die Ehescheidung zu Felde zöge, so würde ich das verstehen, aber Daudet in der Rolle des Moralisten, der fordert, daß Ehegatten, die einander nicht mehr ausstehen können, nicht auseinandergehen, – das ist furchtbar komisch. Die Franzosen haben die nackten Mädchen satt, darum verspüren sie jetzt Lust, sich aus gastronomischen Gründen ein bißchen an der Moral zu delektieren.

Ihr A. Čechov.

387) AN A. S. SUVORIN MELICHOVO, 8. 4. 1892

8. April.

In Moskau bin ich am Mittwoch und am Donnerstag der Woche nach Ostern. Das steht fest. Wenn Sie nach Moskau kommen, telegraphieren Sie: »Moskau, Tverskaja zastava, Miussker Lehranstalt, Čechov.« Das ist Ivans Adresse. Ich wäre auch früher gekommen, aber die Erzählung ist noch nicht fertig. Von Karfreitag an bis heute hatte ich Gäste, Gäste, Gäste ... und habe keine einzige Zeile geschrieben.

Wenn Šapiro mir die gigantische Photographie geschenkt hätte, von der Sie schreiben, ich hätte nicht gewußt, wohin damit.

Ein unförmiges Geschenk. Sie sagen, ich sei einmal jünger gewesen. Ja, stellen Sie sich vor! So merkwürdig es auch ist, aber ich bin schon über 30 und spüre bereits die Nähe der 40. Ich bin nicht nur körperlich gealtert, sondern auch seelisch. Ich bin irgendwie auf dumme Weise gleichgültig geworden gegenüber allem auf der Welt, und aus irgendeinem Grunde fiel der Beginn dieses Gleichgültigwerdens mit der Reise ins Ausland zusammen. Ich fühle mich, wenn ich morgens aufstehe und mich abends hinlege, als sei mein Interesse am Leben versiegt. Das ist entweder die Krankheit, die in den Zeitungen Übermüdung genannt wird, oder aber die fürs Bewußtsein nicht faßbare seelische Arbeit, die in den Romanen seelische Wende genannt wird; wenn es das letztere ist, kann also alles nur besser werden.

Gestern und heute hatte ich Kopfschmerzen, die mit einem Flimmern vor den Augen einsetzten, – eine Krankheit, die ich von meiner Mutter geerbt habe.

Bei mir zu Gast ist der Maler Levitan. Gestern abend war ich mit ihm auf dem Schnepfenstrich. Er schoß auf eine Schnepfe; diese fiel, in den Flügel getroffen, in eine Pfütze. Ich hob sie auf: der lange Schnabel, die großen schwarzen Augen, und ein wunderschönes Gefieder. Sie schaut mich erstaunt an. Levitan runzelt die Stirn, bedeckt die Augen und bittet mit bebender Stimme: »Lieber, schlag sie mit dem Kopf gegen den Schaft...« Ich sage: das kann ich nicht. Er zuckt weiter nervös die Achseln, schüttelt den Kopf und bittet. Und die Schnepfe schaut mich weiter erstaunt an. Es blieb mir nichts anderes übrig, als Levitan zu gehorchen und sie zu töten. Ein schönes, verliebtes Wesen weniger auf der Welt, und zwei Idioten gingen nach Hause und setzten sich an den Abendbrottisch.

Jean Ščeglov, mit dem Sie sich jeden Abend lang gelangweilt haben, ist ein großer Gegner jeglicher Ketzerei, unter anderem auch von Frauen mit Verstand. Wenn man ihn dabei, zum Beispiel, mit der Kundasova vergleicht, erscheint er neben ihr wie eine kleine Nonne. A propos, wenn Sie die Kundasova sehen, dann grüßen Sie sie und sagen ihr, daß wir ihren Besuch erwar-

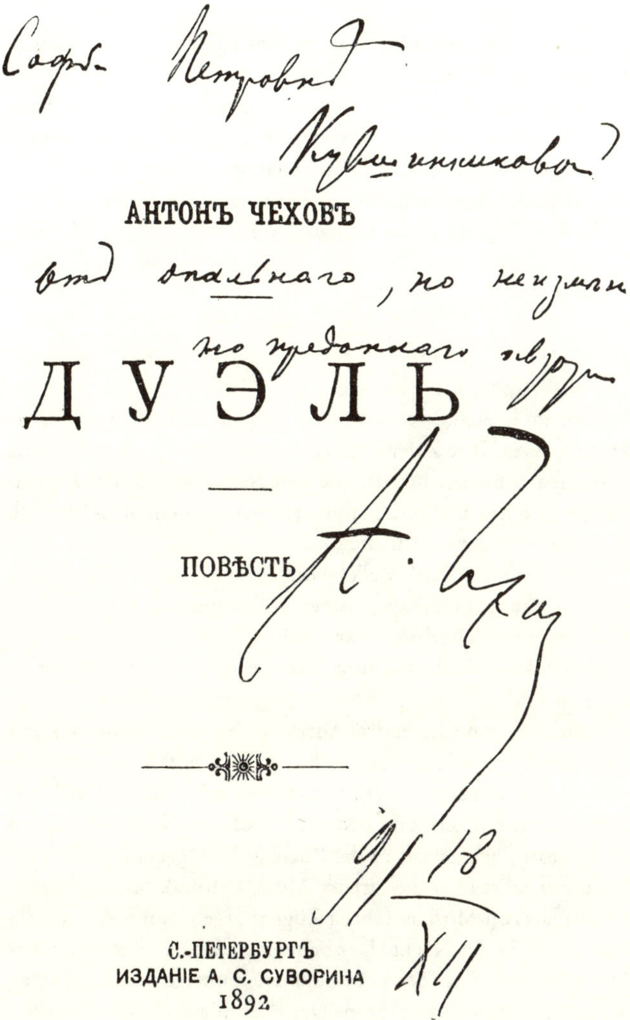
Софье Петровне Кувшинниковой

АНТОНЪ ЧЕХОВЪ

от опального, но неизменно преданного автора

ДУЭЛЬ

ПОВѢСТЬ

А. Чехов

9/18 XII

С.-ПЕТЕРБУРГЪ
ИЗДАНІЕ А. С. СУВОРИНА
1892

»Das Duell«.
Titelblatt der Einzelausgabe im Verlag A.S. Suvorin, Petersburg 1892, mit persönlicher Widmung an S.P. Kuvšinnikova.

ten. An der frischen Luft ist sie meistens sehr interessant und weit klüger als in der Stadt.

Giljarovskij war bei mir. Was der hier aufgeführt hat, mein Gott! Er hat alle meine Mähren geritten, ist auf die Bäume geklettert, hat die Hunde erschreckt und hat, um seine Kraft zu beweisen, Baumstämme zerhackt. Er hat geredet ohne Pause.

Bleiben Sie gesund und wohlauf. Auf Wiedersehen in Moskau!

Ihr A. Čechov.

388) AN N. A. LEJKIN MOSKAU, 26. 4. 1892

26. April. Moskau.

In meinem letzten Brief, verehrter Nikolaj Aleksandrovič, hatte ich vergessen, Ihre Zweifel zu zerstreuen, was die Übersendung Ihrer neuen Bücher betrifft. Ja, eingeschriebene Streifbandsendungen werden in Lopasnja nicht angenommen, aber habe ich denn keine anderen Adressen?

1) Serpuchov, Dorf Melichovo.

2) Moskau, Tverskaja zastava, Miussker Lehranstalt, I. P. Čechov, zur Weiterleitung an mich.

3) Moskau, Buchhandlung »Novoe vremja«, zur Weiterleitung an mich.

Wählen Sie eine dieser drei Adressen. Nach Serpuchov kommt samstags aus der Bezirksverwaltung der Landkommissar, und von Moskau aus gibt es 2 und sogar 3 mal wöchentlich eine Gelegenheit. Für Bücher ist die bequemste Adresse Nr. 2, weil sie von dort sofort nach Erhalt in die Buchbinderei gehen.

Zu mir fährt man die Strecke Moskau-Kursk bis zur Station Lopasnja. Von Moskau fahren Züge morgens um 9, um 3, 6, 9 und um 12 in der Nacht. Der bequemste Zug ist der Neunuhr-Morgenzug. An der Station finden Sie immer Kutscher. Lassen Sie sich bis Melichovo fahren. Der Preis für den Kutscher 1 R., und 1 R. 25 K. ist sehr gut bezahlt.

Ich habe nicht auf Sie gehört, ich habe keine Obstbäume gepflanzt. Das hat einen zweifachen Grund. Erstens habe ich kein

Geld, und zweitens ist es in meinem Garten zu eng, und der Platz, der für den neuen Garten ausersehen ist, ist noch nicht fertig. Und es ging auch alles so schnell, daß wir es gar nicht geschafft hätten. Seit Ostern ist paradiesisches Wetter, und Arbeit bis an den Hals. Es ist eine kümmerliche, kleine Wirtschaft, drei Groschen wert, aber so viel an allen möglichen Kleinigkeiten, daß es einfach schlimm ist. Das Gut habe ich mit allem Schmutz übernommen, alles war verrottet und kaputt, wir haben reparieren und reinigen müssen, jetzt die Aussaat usw.

Nach der Neva und Tosna wird es Ihnen bei mir gar nicht gefallen. Haus und Hof gehen ja noch, aber das Land ringsum ist eben, flach, ohne Naturschönheiten, und es gibt wenig Wasser.

Orangerien und Gewächshäuser habe ich keine. Ich habe Mistbeete, und alles andere bleibt in spe. Eine Orangerie werde ich ganz bestimmt bauen; auch ein Treibhaus, denn ich habe eine Schwäche für Obstbäume.

Sie schreiben, die Belletristen seien zur Zeit welk und schlaff. Ja, das sind sie. Aber wer ist heute schon straff und stark? Der Hauptgrund – es fehlt die Courage. Ohne Leidenschaft arbeiten, für leidenschaftslose Leser, wissen, daß von deinem Schreiben weder dein noch das Leben deiner sechs Kinder besser wird, – da wird man eben welk und schlaff.

Ich schreibe Ihnen diesen Brief im »Slavjanskij bazar« sitzend, im Zimmer Suvorins, der schläft. Morgen früh fahre ich nach Melichovo zurück.

Bleiben Sie gesund und wohlauf. Wann fahren Sie nach Hause an die Tosna? *Ihr A. Čechov.*

389) AN L. S. MIZINOVA MELICHOVO, 27./28. APRIL 1892

Likusja, wenn Sie zu uns kommen, vergessen Sie nicht, bei Mochin die Auskultationshämmerchen mitzunehmen usw. Natürlich nur, wenn Sie Geld haben.

Sie sind mir böse, meine Liebe, aber ich versichere Sie, ich hatte nicht einmal den leisesten Gedanken daran, Ihnen irgend etwas Kränkendes oder Unhöfliches zu sagen. Ich habe mich geärgert, daß Sie weggefahren sind.

Lassen Sie uns in Frieden leben, Likusja.

Ihr Anton Ivanyč.

Schreiben Sie mir zwei Zeilen.

390) AN L. A. AVILOVA MELICHOVO, 29. 4. 1892

29. Apr. St. Lopasnja.

Verehrte Lidija Alekseevna, seit ich denken kann, habe ich keine Gedichte geschrieben. Das heißt, nur ein einziges Mal habe ich einem kleinen Mädchen eine Fabel ins Poesiealbum geschrieben, aber das ist sehr, sehr lange her. Die Fabel ist noch heute lebendig, viele kennen sie auswendig, aber das kleine Mädchen ist bereits 20 Jahre alt, und ich selbst bin, dem allgemeinen Gesetz gehorchend, in der Literatur bereits ein alter Hund, der auf das Verseschmieden mit einem verächtlichen Gähnen herabsieht. Wahrscheinlich hat da unter meinem Ladenschild ein Namensvetter geschrieben oder ein Usurpator. Čechovs gibt es viele.

Ja, auf dem Lande ist es jetzt schön. Nicht nur schön, sondern sogar wunderschön. Es ist richtiger Frühling, die Bäume schlagen aus, es ist heiß. Die Nachtigallen schlagen, und die Frösche quaken in den verschiedensten Stimmlagen. Ich habe keinen Groschen in der Tasche, aber ich denke so: reich ist nicht, wer viel Geld hat, sondern wer die Mittel hat, jetzt in der üppigen Umgebung zu leben, die der Frühling bietet. Gestern war ich in Moskau, aber ich wäre dort beinahe erstickt an Langeweile, an allen möglichen Schreckgespenstern. Stellen Sie sich vor, eine Bekannte von mir, eine 42jährige Dame, hat sich in der zwanzigjährigen Heldin meines »Flattergeists« (»Sever«, Nr. 1 und 2) wiedererkannt, und nun bezichtigt mich ganz Moskau, eine Schmähschrift verfaßt zu haben. Hauptindiz – die äußerliche Ähnlichkeit: die Dame malt, ihr Mann ist Arzt, und sie lebt mit einem Maler zusammen.

Ich beende gerade eine Novelle, eine sehr langweilige, weil in ihr eine Frau und das Element der Liebe fehlen. Ich kann solche Novellen nicht leiden, ich habe sie irgendwie aus Versehen, aus Leichtsinn geschrieben. Ich kann Ihnen ein Exemplar schicken, wenn ich Ihre Adresse für die Zeit nach dem Juni weiß.

Ich möchte auch eine Komödie schreiben, aber die Arbeit an Sachalin hindert mich daran.

Ich wünsche Ihnen alles Gute; Hauptsache – bleiben Sie gesund.

Ja! Irgendwann hatte ich Ihnen geschrieben, man müsse gleichgültig sein, wenn man traurige Erzählungen schreibt. Und Sie haben mich mißverstanden. Man kann über Erzählungen weinen und stöhnen, man kann gemeinsam mit ihren Helden leiden, aber ich finde, man muß das so machen, daß der Leser nichts davon bemerkt. Je objektiver, desto stärker wird der Eindruck. Das ist, was ich habe sagen wollen.

Ihr aufrichtig ergebener A. Čechov.

391) AN P. V. BYKOV MELICHOVO, 4. 5. 1892

Sehr geehrter Pëtr Vasiljevič!

Ieronim Ieronimovič schrieb mir, daß Sie der Redaktion der »Vsemirnaja illjustracija« nahestünden. Seien Sie so gut, der Redaktion bei Gelegenheit mitzuteilen, daß die Anzeige, in der man mich als »hochtalentiert« bezeichnet und den Titel meiner Erzählung mit Buchstaben in Ladenschildergröße gedruckt hat, – daß diese Anzeige auf mich einen sehr unangenehmen Eindruck gemacht hat. Das ist wie Reklame für einen Zahnarzt oder eine Masseuse und in jedem Fall unintelligent. Ich weiß den Wert der Reklame zu schätzen und habe nichts dagegen, aber für einen Literaten bedeuten Bescheidenheit und literarischer Umgang mit dem Leser und den Kollegen die beste und verläßlichste Reklame. Überhaupt habe ich mit der »Vsemirnaja illjustracija« kein Glück gehabt: ich hatte um einen Vorschuß gebeten, und man hat mir eine Anzeige spendiert. Den Vorschuß hat man mir nicht geschickt – Gott mit ihm, aber mein Renommee hätte man wahren müssen. Entschuldigen Sie, daß dieser mein erster Brief an Sie so nörgelig und langweilig ist.

Ich bitte Sie dringend, mir zu verzeihen und zu glauben, daß ich mich mit meiner Beschwerde nur deshalb an Sie gewandt habe, weil ich Sie aufrichtig achte. *A. Čechov.*

4. Mai.

St. Lopasnja, Dorf Melichovo.

392) AN A. S. KISELËV MELICHOVO, 11. 5. 1892

11. Mai. Melichovo.

Meine Familie hat mir mit Begeisterung Ihren Besuch in Melichovo beschrieben, und ich war wütend, daß ich nicht zu Hause war. Also sehen Sie zu, lieber Zemstvovorsitzender, halten Sie Ihr Wort, das Sie gegeben haben: wir werden Sie im Juni erwarten. Wenn Sie nicht kommen, dann beschreibe ich Sie im »Moskovskij listok«. Ihnen zu Ehren werde ich große Lustbarkeiten vorbereiten und eine Menge Anekdoten aus unserer landwirtschaftlichen Praxis. Bei uns geschehen Wunder im Quadrat: Wallache werden zu Hengsten, und Stuten, die abends von einem Wallach befruchtet wurden, erweisen sich am nächsten Morgen als Hengste. Ehrenwort, das ist kein Witz. Unser Weißbeinchen, eine Stute, die in Anwesenheit von Zeugen von einem Wallach befruchtet worden ist, hat sich danach als Hengst erwiesen. Sie dürfen uns beneiden: solche Wunder gibt es in Babkino nicht.

Gesät haben wir 10 Des. Hafer und ebensoviel Klee mit Timotheusgras. Wir säen 3 Des. Kartoffeln, die wir nach der Ernte im Kloster und in Serpuchov einkellern. Wir säen Linsen, Erbsen, Buchweizen und, auf dem Parnaß, auch weiterhin die Samen des Ruhms. Ihre Ratschläge bezüglich der Kleebewirtschaftung werden wir uns natürlich zu Herzen nehmen. In der Aussaat von Roggen und Hafer sehe ich keinen Sinn, das macht nur Scherereien und Hoffnungen, die einen Groschen wert sind. Im kommenden Jahr säe ich noch 10 Des. Klee usw., und wenn ich auf dem anderen Teil eine Hütte gebaut habe, dann bestelle ich auch dort 30 Des. mit Klee.

Sie haben recht, ohne Fluß ist es sehr schlecht. Aber was tun? Wir müssen uns trösten mit den Worten Voltaires, der sagte, in Rußland sei 9 Monate Winter, und 3 Monate schlechtes Wetter. Im Winter ist der Fluß unterm Schnee nicht zu sehen, und bei schlechtem Wetter ist das Fehlen eines Flusses nur ein Vorzug. Aber verlieren Sie nicht den Mut, Euer Hochwohlgeboren! Wenn ich in dem Waldstück (150 Des.) einen Hof baue, dann werden wir auch fließendes Wasser haben. Ich werde dort eine Bienenzucht einrichten, 2000 Hühner, einen Kirschgarten und werde leben wie der Starez Serafim. Und einen Hof bauen muß ich dort unbedingt, weil die 150 Des. Wald, unbeaufsichtigt, in 10 Jahren statt der erwarteten Reichtümer nur Kummer einbrächten.

Gestern hat es bei uns nach langer Trockenheit geregnet. Heute ebenfalls. Alles ist fröhlich geworden. Dem Gras tut das gut.

Also, das heißt, Ihr Ehrenwort als Edelmann, daß Sie, Vasilisa Pantelevna und der hochverehrte Bosco, will sagen Sergej, im Juni zu uns kommen. Wenn sich auch Marija Vladimirovna einverstanden erklärte, meine armselige Hütte zu besuchen, so wäre unsere Freude grenzenlos. Ich könnte für Sie eine gefederte Equipage bekommen. Eigentlich sollte ich mir so eine Equipage kaufen. Nicht wahr? Mir ist es in Sibirien so auf die Nerven gefallen, meine sündigen Gedärme im Tarantas durchrütteln zu lassen, daß mir der Weg von Melichovo nach Lopasnja jedesmal als Folter erscheint.

Es regnet.

Einkünfte und Ausgaben halten sich die Waage, aber es ist komisch, mit dem Geldempfang habe ich Schwierigkeiten wie ein angehender Literat. Mal ist der Verlagsnotar weggefahren, mal hat man meine Adresse verloren, mal das Geld nach Serpuchov geschickt. An einem Tage hatte ich keine Kopeke in der Tasche und wäre dem Notar beinahe hinterhergefahren. Nebenbei bemerkt, das Leben in Melichovo ist billiger als in Moskau, aber alle möglichen Kleinigkeiten nehmen überhand: da muß ein Zimmer neu tapeziert, da muß ein Brunnen gereinigt, da eine Bank aufgestellt werden, und im ganzen kosten all diese Lappalien Hunderte.

Das Nachbargut hätte ich nicht kaufen können, weil es (38 Des.) über 100 R. pro Desjatine gekostet hat. Aber die Nachbarn engen uns nicht ein. Im Gegenteil. Es sind ein Er und eine Sie, nette Turteltauben, in grenzenloser Liebe vereint. Sie ist 10 Jahre älter als er. Sie haben sich landwirtschaftl. Maschinen angeschafft, außergewöhnliche Pflüge, und sie bauen ohne Ende. Sie halten *neun* Arbeiter und vier Dienstboten. Den Klee säen sie in Winter- und Sommersaat. Sie wissen ja, wir können nicht leben, ohne irgendwo eine Zielscheibe für unsere humoristischen Pfeile zu haben. Wir können das Witzeln einfach nicht lassen. Wenn bei unseren Nachbarn die verbrecherische Liebe erkaltet, wird auch die landwirtschaftliche Wühlarbeit aufhören. Dann werden wir es kaufen (wenn nicht vorher wir gekauft werden).

Ich sende tausend Grüße. Gott schenke Ihnen alles Gute.

Ihr A. Čechov.

Bald kommt Egorov nach Voskresensk.

393) AN A. S. SUVORIN MOSKAU, 19. 5. 1892

19. Mai.

Ich habe Ihnen geschrieben, wahrscheinlich ist mein Brief verlorengegangen, oder er hat sich mit Ihrem gekreuzt. Daß Burenin krank ist, ist nicht schlimm: Leiden führen zur Vollkommenheit. Aber die arme Nastja tut mir leid. Das hat mit ihrem Wachstum zu tun, sie wird bald so groß sein wie Sie, ihr Gesundheitszustand ist nicht der beste; wahrscheinlich wird sie, bis sie gekräftigt und über 20 ist, noch oft krank sein. Wenn sie nur zuwenig Blut hat, warum dann die 39°? Wenn sie Influenza hat, wäre es dann nicht besser, mit ihr aufs Land zu fahren, statt ins Ausland, wo ebenfalls die Influenza grassiert? Ich glaube nicht an die Heilkraft von Auslandsreisen. Das dauernde Gerüttel im Eisenbahnwagen, die schlechten Tables d'hôte, das Fehlen von Öfen, der harte Boden unter den Füßen, die Jagd durch die Geschäfte – all das ist, meiner Meinung nach, nur für den Gesunden unschädlich. Entschuldigen Sie, daß ich mich einmische, aber für Nastja wäre Feodosija besser.

Und Ihretwegen packt mich Trübsinn und Ärger. Jetzt in Petersburg leben! So schlecht und langweilig es auf dem Lande auch sein mag, aber es ist hundertmal besser als in der Stadt. Sie schreiben, Sie wollten nach Kiev fahren und dort den erstbesten Bauernhof kaufen. Aber das entspricht nicht Ihrem Charakter. Erstens werden Sie keinen kaufen, weil Ihnen nichts gefallen wird, und wenn, dann würden Sie sich drei Tage später schon anfangen zu langweilen und zu ärgern wegen Ihres Kaufs. Sie brauchen keinen Bauernhof, sondern einen großen Landsitz. Wissen Sie was? Packen Sie all Ihre Manuskripte zusammen, fahren Sie nach Troickaja Lavra und mieten Sie sich dort im besten Hotelzimmer ein. Das wäre für Sie das schönste Sommerhaus, und es bindet Sie nicht. Bethanien ist großartig. Die Umgebung von Lavra ebenfalls. Es gibt viele Equipagen, und viel Nahrung für Geist und Auge. In den Hotels bekommt man auf Bestellung alles, was man nur will, sogar Artischocken und Nachtigallenzungen. Und ich würde Sie besuchen kommen. Und Sie mich, wenn Ihnen Melichovo nicht endgültig über ist.

Über die Kundasova würde ich mich sehr, sehr freuen, wie über einen Engel des Himmels. Wenn ich ein bißchen reicher wäre, würde ich extra für sie einen Seitenflügel mit Mezzanin anbauen.

Ich bin in Moskau. Herbeigerufen durch einen Brief des Fürsten Certelev. Er schreibt, er wolle mir Geld geben. Morgen werde ich vorbeigehen, und wenn man mir sagt, er sei verreist oder etwas in der Art, dann werde ich abwinken und zurückfahren zu meinen Penaten.

Was soll ich nur machen? Ihre Buchhandlung will mir »Kaštanka« nicht geben, dabei habe ich doch dem Bildungskomitee

50 Expl. gespendet, und das ist auf einer Sitzung noch vor Weihnachten verkündet worden! In der Moskauer Buchhandlung gibt es nur 2 Expl. Sagen Sie Zandrok telephonisch Bescheid, er möge mir den Packen gesondert an die Buchhandlung schicken mit der Aufschrift »für Čechov«.

Es gibt schon Pilze. Ich bekomme zu jeder Mahlzeit welche. Es hatte geregnet, ein böser Wind wehte, jetzt ist es still und klar, aber ein bißchen kalt, wie ein Mittag im September. Nastja schießt in die Höhe, und ich – schrumpfe. Wie ein alter Knaster wache ich um 3 Uhr morgens auf. Man steht also auf, zieht sich an und weiß nicht, was man mit dem Leben anfangen soll; der Tag erscheint einem endlos lang. Schreiben Sie mir, vergessen Sie mich nicht. Wenn ich einmal Mönch werden sollte (ich habe einen Hang zur Vereinsamung), dann werde ich für Sie beten. Bleiben Sie gesund. *Ihr A. Čechov.*

394) AN A. S. SUVORIN MELICHOVO, 28. 5. 1892

28. Mai. Melichovo.

Das Leben ist kurz, und Čechov, von dem Sie Antwort erwarten, wünschte es flöge mit Glanz und Gloria vorüber; er würde auf die Prinzeninseln und nach Konstantinopel und wieder nach Indien und Sachalin fahren ... Aber erstens ist er nicht frei; er hat eine edle Familie, die seines Schutzes bedarf. Zweitens hat er eine große Dosis Feigheit im Leib. Das Vorausschauen in die Zukunft nenne ich nicht anders als Feigheit. Ich fürchte, mich in Schulden zu verstricken, und jede Reise würde meine finanzielle Lage beträchtlich komplizieren. Nein, führen Sie mich nicht in Versuchung! und schreiben Sie mir nichts vom Meer.

Ich wünschte, Sie kämen im August oder September aus dem Ausland zurück; dann würde ich mit Ihnen nach Feodosija fahren, sonst komme ich diesen Sommer gar nicht ans Meer. Ich möchte schrecklich, schrecklich gern Dampfer fahren und überhaupt – Freiheit. Es ist mir zuwider, das gleichmäßige, wohlanständige Leben.

Bei uns ist es heiß. Es fallen warme Regen. Die Abende sind hinreißend. Eine Verst von hier entfernt ist ein schöner Badeplatz, sind schöne Plätze für Picknicks, aber ich habe weder Zeit zum Baden noch für Picknicks. Entweder schreibe ich zähneknirschend, oder ich löse mit den Zimmerleuten und Arbeitern Groschenfragen. Miša hat von seinen Vorgesetzten einen bösen Rüffel bekommen, weil er die Sonntage bei mir verbringt und nicht bei sich zu Hause sitzt, jetzt muß ich mich also mit der Wirtschaft allein befassen, einer Wirtschaft, an die ich nicht glaube, denn sie ist miserabel und sieht eher nach einem herrschaftlichen Vergnügen aus als nach Geschäft. Ich habe drei Mausefallen gekauft und fange damit bis zu 25 Stück pro Tag und bringe sie in den Wald. Im Wald ist es schön. Die Gutsbesitzer begehen einen großen Fehler, in Parks und Obstgärten zu leben, statt in den Wäldern. Im Wald spürt man die Anwesenheit des Göttlichen, ganz zu schweigen davon, daß es auch von Vorteil wäre, dort zu leben – dann würde nicht heimlich Holz geschlagen, und es wäre leichter, den Wald abzugehen. Ich an Ihrer Stelle würde mir 200–300 Des. guten Wald kaufen, Wege und Schneisen hineinschlagen und mir in der Mitte ein Schloß errichten. Waldschneisen sind majestätischer als Alleen.

Was soll ich mit dem Monte Christo machen? Ich habe ihn so stark gekürzt, daß er aussieht wie jemand, der den Typhus überstanden hat. Aus einem Dicken ist ein dyskratisches Subjekt geworden. Der erste Teil, solange der Graf noch nicht reich ist, ist sehr interessant und gut gemacht, der zweite dagegen ist, mit geringen Ausnahmen, unerträglich, weil Monte Christo da nichts anderes tut und sagt als hochtrabende Dummheiten. Aber im ganzen ist der Roman sehr effektvoll. Soll ich ihn bis zum Herbst weglegen?

Zu uns sind mit einem Mal drei junge Damen gekommen. Die eine ist Gräfin, und Miša bemüht sich um sie *faire la carrière*. Die zweite ist die Ihnen bekannte Nataša Lintvarëva, die aus dem Süden ihre Lebensfreude und ihr gutes Lachen mitgebracht hat.

Den Zeitungen nach zu urteilen, ist das Leben überall langweilig. Man schreibt, in Transkaukasien wüte die Cholera, und sie sei auch schon in Paris gewesen. Bevor Sie nach Konstantinopel fahren, vergewissern Sie sich, ob dort für Schiffe aus dem Schwarzen Meer keine Quarantäne verordnet ist. Quarantäne, das ist eine Überraschung, die ich niemandem wünsche. Schlimmer als Arrest. Man nennt das heutzutage gnädig »dreitägige Observation«.

In Zentralrußland haben die Pferde Influenza. Sie krepieren daran. Wenn man an die Zweckmäßigkeit all dessen glaubt, was in der Natur geschieht, so hat die Natur alle Kraft darangesetzt, sich von allen dyskratischen und überflüssigen Organismen zu befreien. Der Hunger, die Cholera, Influenza... Übrigbleiben werden nur die Gesunden und Starken. Und man kann nicht umhin, an diese Zweckmäßigkeit zu glauben. Bei uns sind mit einem Mal alle Stare weggeflogen, die alten wie die jungen, irgendwohin. Das hat uns Rätsel aufgegeben, weil es bis zum Vogelflug noch lange Zeit ist. Aber plötzlich erfahren wir, daß vor ein paar Tagen schwärmeweise Libellen aus dem Süden über Moskau hinweggezogen sind, die man für Heuschrecken gehalten hat. Da fragt man sich: wie haben unsere Stare erfahren, daß genau an dem und dem Tage, und so und so viel Verst von Melichovo entfernt, Insekten vorbeifliegen würden? Wer hat ihnen das ausgerichtet? Wahrlich, das Geheimnis ist groß. Aber ein weises. Dieselbe Weisheit, sollte man meinen, waltet in den Hungergebieten in Form von Krankheiten. Wir und unsere Pferde sind die Libellen, der Hunger und die Cholera sind – die Stare.

Ich habe mir in Ihrer Buchhandlung ein sehr schönes Krocket gekauft.

Die Ware ist gut, und der Preis sehr redlich.

Also schreiben Sie mir, wann Sie fahren. Gott schenke Ihnen einen Lotteriegewinn oder eine Erbschaft von 300 Tsd., damit Sie in der Umgebung von Lopasnja ein Gut kaufen.

Ihr A. Čechov.

395) AN A. S. SUVORIN MELICHOVO, 4. 6. 1892

4. Juni. Melichovo.

Sie sind nicht bei mir vorbeigekommen, weil, wie Sie schreiben, die drei Jungfrauen Sie in Verlegenheit gebracht hätten. Aber erstens sind die Jungfrauen längst wieder abgefahren, und zweitens – soviel Jungfrauen es auch sein mögen, meine beiden Zimmer stehen Ihnen immer zur Verfügung, und dort haben weder Jünglinge noch Jungfrauen Zutritt.

Sehen wir uns nun etwa bis zum Herbst nicht mehr? Das ist sehr traurig. Mir ist ohnehin nicht froh zumute, und ohne die Hoffnung, Sie bald zu sehen, wird es mir erst recht langweilig werden. Vergessen Sie zumindest nicht, mir Ihre Adresse zu schicken, damit ich Ihnen schreiben kann.

Es ist heiß, und es gibt keinen Regen. Die Natur verschmachtet, die Menschen ebenfalls. Der Roggen erreicht bei uns Mannshöhe, in 20 Tagen muß er geerntet werden, der Hafer dagegen ist kaum einen Veršok hoch. Das sieht noch nicht nach Ernte aus. Aber dafür gibt es keine Mücken. Als ich erfuhr, daß Jean Ščeglov zu seinem ständigen Wohnsitz Vladimir erkoren hat, packte mich das Entsetzen: da werden ihn die Mücken doch auffressen, und die Langeweile dort ist doch hoffnungslos, historisch! Das ist die langweiligste Gouvernementsstadt, dort gibt es nicht mal ein Theater. Wäre er lieber nach Tula oder nach Voronež gegangen.

Ich schreibe an einer Novelle – einer kleinen Liebesgeschichte. Ich schreibe mit Vergnügen, empfinde Befriedigung im Prozeß des Schreibens selbst, dabei ist dieser Prozeß bei mir mühselig, langwierig. Wenn ich Kopfschmerzen habe oder um mich herum Unsinn geredet wird, dann schreibe ich unter Zähneknirschen. Kopfschmerzen habe ich oft, und Unsinn mitanhören muß ich noch öfter. Ich habe ein interessantes Sujet für eine Komödie, habe aber noch keinen Schluß dafür gefunden. Wer neue Schlüsse für Theaterstücke erfindet, der wird eine neue Ära einleiten. Die gemeinen Schlüsse gelingen mir einfach nicht! Der Held kann entweder heiraten oder sich erschießen, einen anderen Ausweg gibt es nicht. Meine künftige Komödie heißt: »Das Zigarettenetui«. Ich werde sie aber erst schreiben, wenn ich einen Schluß gefunden habe, der genausoviel Haken und Ösen hat wie der Anfang. Habe ich den Schluß gefunden, schreibe ich sie binnen zwei Wochen.

Der künftige Schwiegervater des Barons, Stahl von Holstein, ist langweilig. Das ist ein Sarg, und Särge sind um so langweiliger, je reicher sie ausgestattet sind. Das ist der tausend und einste Beweis dafür, daß Geld nicht glücklich macht, – eine banale Wahrheit, aber trotzdem eine Wahrheit. Vejnberg kann interessant erzählen. Mir gefallen seine schlauen Augen.

Ich würde mit Vergnügen nach Feodosija fahren. Natürlich solo. Schreiben Sie auf jeden Fall dorthin, daß ich komme und man mich dort nicht als Usurpator ansehen solle. Ich werde meine Novelle beenden und dann dorthin ausreißen, um die Komödie zu schreiben. Ich liebe große Häuser. Im Meer zu baden, würde nicht schaden, denn meine Gesundheit ist nicht die beste. In welchem Monat kommen Sie zurück? Um Himmels willen, könnten wir nicht den ganzen September oder Oktober gemeinsam in Feodosija verbringen? Für mich wäre das herrlich, ich wäre im siebten Himmel. Wenn ich Ihnen noch nicht auf die Nerven falle, überlegen Sie es sich und antworten Sie mir. Bis zum Herbst werde ich meine finanziellen Angelegenheiten geordnet haben, und ich werde nicht mehr jammern über das Thema, daß ich »schreiben muß«. Wenn wir uns vorher brieflich verabreden, komme ich Sie in Feodosija abholen.

Unser Stubenmädchen, das uns durch seinen Arbeitseifer in Erstaunen versetzt hatte, hat sich als professionelle Diebin erwiesen. Sie hat Geld gestohlen, Tücher, Bücher, Photographien ... Jeder Gast hat 5–10 Rubel vermißt. Ich kann mir vorstellen, wieviel Geld sie mir gestohlen hat! Ich habe nicht die Angewohnheit, meinen Schreibtisch abzuschließen und das Geld nachzuzählen. Ich glaube, sie hat mir an die zweihundert gestohlen; ich weiß noch, wie ich mich im März und im April immer gewundert habe, daß ich so viel Geld verbrauche.

»Russkoe obozrenie« wird nicht erscheinen.

Von Svobodin habe ich einen Brief bekommen; er beklagt sich, daß die Mücken ihn aufgefressen hätten. Und er lebt doch im Gouv. Vladimir.

Schreiben Sie mir bitte so lang wie möglich.

Grüßen Sie Ihre Schwester und Pëtr Sergeevič. Der sympathischen Hebamme sagen Sie, sie sei ein Schatz.

Gott beschütze Sie. *Ihr A. Čechov.*

396) AN A.S. SUVORIN MELICHOVO, 16. 6. 1892

16. Juni. St. Lopasnja.

Haben Sie mich aber erstaunt. Ich dachte, Sie gingen längst am Bitjug spazieren oder badeten irgendwo im Ausland, und habe Ihnen vor langer Zeit schon einen Brief nach Bobrov geschickt, dabei frieren Sie immer noch in Petersburg. Wenn Sie so lange in Piter waren, warum haben Sie mir dann nicht geschrieben?

Im August würde ich mit Freuden mit Ihnen nach Feodosija fahren. Ich würde dort bei Ihnen, wenn Sie mögen, mit Genuß den ganzen September und Oktober verbringen. Und sogar den Winter über dortbleiben. Wirklich, wenn Sie im August zurückkämen! Für mich wäre das sehr, sehr schön. Schreiben Sie mir ganz ausführlich über Ihre Herbstpläne. Was die Cholera betrifft, so braucht man sie nicht zu fürchten. Sie wird nicht weit kommen und im September wahrscheinlich bereits vorüber sein. In unserer Zeit hat sie kein langes Leben.

Ich warte auf Ihre Novelle und werde mich beeilen, dem Wunsch ihres Autors nachzukommen. Wenn Sie auch noch irgendetwas aus dem Ausland schicken, würde ich mich sehr freuen, denn ich habe Sehnsucht nach Literatur. Ich möchte schreiben, möchte lesen und Kritik üben.

Die Astronomin ist noch nicht gekommen.

Sie wollen, daß ich Ihnen meine Eindrücke beschreibe. Melichovo ist kein Ausland. Bei mir überwiegen zur Zeit zwei Eindrücke: ein sehr schöner von der Heumahd, und ein anderer widerwärtiger von dem weibischen, fettigen und hungrigen Sorochtin, meinem Vorgänger, der noch immer nicht zur Ruhe gekommen ist und mich auf jede Weise übers Ohr zu hauen versucht.

Mein Herz sehnt sich nach Weite und Höhe, aber ungewollt muß ich ein Leben in Bedrängnis führen, eines, das auf die gemeinen Rubel und Kopeken hinausläuft. Es gibt nichts Abgeschmackteres als das Kleinbürgerleben mit seinen Groschen, seinem Essen, seinen unsinnigen Gesprächen und seiner konventionellen Tugend, die niemand braucht. Mein Herz ist verkümmert in dem Bewußtsein, daß ich fürs Geld arbeite und daß im Zentrum meiner Tätigkeit das Geld steht. Dieses jammervolle Gefühl, zusammen mit dem Gerechtigkeitssinn, macht meine Schriftstellerei in meinen Augen zu einer verächtlichen Beschäftigung, ich habe keine Achtung vor dem, was ich schreibe, ich bin schlaff und finde mich selbst langweilig, und ich bin froh, daß ich die Medizin habe, die ich, warum auch immer, jedenfalls nicht des Geldes wegen betreibe. Man sollte ein Bad in Schwefelsäure nehmen, sich die Haut abziehen und sich ein neues Fell wachsen lassen.

Schreiben Sie mir mehr. Sie haben doch viel freie Zeit. Sie sind müde, aber schreiben Sie trotzdem. Ich bin wirklich traurig, daß Sie so weit weggefahren sind. Mein Leben hat sich jäh verändert: ich schreibe zur Zeit niemandem außer Ihnen. Manchmal wechselt man einen kurzen Brief mit dem kranken Svobodin, aber die anderen guten Freunde sind verstummt, als Antwort auf mein Schweigen. Die Sujets der Freundschaft sind versiegt.

Es fällt kein Regen. Das Sommergetreide ist verloren. Der Roggen trägt schlecht.

Es sind Kranke gekommen. Ein altes Weib mit einem kranken Auge. Sie hat mir ein Handtuch geschenkt.

Nun denn, ich wünsche Ihnen alles Gutes, Hauptsache heiteren Sinn und guten Schlaf.

Stimmt es, daß uns ein Triumph der Literatur bevorsteht – das 50jährige Jubiläum von Grigorovič? *Ihr A. Čechov.*

Direkt in Lopasnja wird das große Landgut des Adelsmarschalls Rjumin verkauft, mit Palästen, mit Wäldern, einem Fluß und mit Tausendundeiner Nacht. Es stehen auch Güter mit 30-40 und 50 Tausend zum Verkauf, unter denen, glaube ich, kein einziges ist, das nicht renoviert werden müßte. Das Rjuminsche Gut ist vollkommen in Ordnung, es hat sogar einen zoologischen Garten.

397) AN L.S. MIZINOVA MELICHOVO, 28. 6. 1892

28. Juni, 4 Uhr morgens.

Edle, wohlanständige Lika! Als Sie mir schrieben, daß meine Briefe mich zu nichts verpflichteten, habe ich erleichtert aufgeseufzt, und so schreibe ich Ihnen jetzt einen langen Brief ohne die Angst, daß irgendeine Tante, nachdem sie diese Zeilen gelesen hat, mich mit solch einem Ungeheuer wie Ihnen verheiratet. Ich meinerseits beeile mich ebenfalls, Sie zu beruhigen, daß Ihre Briefe in meinen Augen lediglich die Bedeutung von duftigen Blumen, nicht von Dokumenten besitzen; übermitteln Sie dem Baron Štakelberg, Ihrem Cousin und den Dragoneroffizieren, daß ich ihnen nicht im Wege stehen werde. Wir Čechovs hindern, im Gegensatz zu ihnen, den Ballassen, junge Mädchen nicht daran zu leben. Das ist bei uns Prinzip. Sie sind also frei.

Uns ist ein verirrtes Bologneserhündchen zugelaufen, von dem niemand weiß, wem es gehört. Semaško ist gekommen. Die Gräfin ist weggefahren und wird bald wiederkommen. In der Luft liegt der starke Geruch nach dem, was in Mišas Sprache Karriere heißt. Was sonst noch? Die Kirschen werden reif. Gestern haben wir schon Kirschpiroggen mit Stachelbeervarenje gegessen. A propos Varenje: mein Nachbar Varenikov will mir um jeden Preis diesen Teil des Guts abkaufen. Er will alle Gebäude abreißen lassen, würde uns bis zum nächsten Winter (1894) hier wohnen lassen und uns wahrscheinlich mindestens 10 Tausend zahlen. Was sagen Sie dazu? Ich lechze danach, auf den anderen Teil überzusiedeln. Wenn es mir gelingt, mit Varenikov handelseinig zu werden, dann werde ich schon im Herbst in meiner Waldeseinsamkeit anfangen zu bauen, und um mein Glück vollkommen zu machen, würden mir die Dreitausend, von denen ich Ihnen sagte, nicht reichen. Kantalupe, ich weiß: nachdem Sie ins reifere Alter getreten sind, haben Sie aufgehört mich zu lieben. Aber aus Dankbarkeit für vergangenes Glück – schicken Sie mir die Dreitausend. Das verpflichtet Sie zu nichts, und ich werde Ihnen nichts schuldig bleiben und Ihnen im Winter Sahnebutter und Dörrkirschen schicken.

Bei uns ist alles still, friedlich und einträchtig, wenn man von dem Lärm absieht, den die Kinder meines älteren Bruders machen. Aber das Schreiben ist trotzdem schwer. Ich kann mich unmöglich konzentrieren. Um nachzudenken und zu dichten, muß ich in den Gemüsegarten gehen und das arme Gras abrupfen, das niemanden stört. Ich habe eine sensationelle Neuigkeit: die »Russkaja mysl« in Person Lavrovs hat mir einen Brief geschickt voll der feinsinnigen Gefühle und Beteuerungen. Ich bin gerührt, und wenn ich nicht die schlechte Angewohnheit hätte, Briefe nicht zu beantworten, so würde ich antworten, daß ich das Mißverständnis, das vor ungefähr zwei Jahren zwischen uns entstanden war, für beendet halte. Auf jeden Fall schicke ich die liberale Novelle, die ich in Ihrer Gegenwart, mein Kind, begonnen habe, an die »Russkaja mysl«. Das nenne ich eine Geschichte!

Träumen Sie von Levitan mit seinen schwarzen Augen voll der afrikanischen Leidenschaft? Bekommen Sie weiterhin Briefe von Ihrer siebzigjährigen Rivalin und antworten ihr voll Heuchelei? In Ihnen, Lika, sitzt ein großes Krokodil, und eigentlich tue ich gut daran, auf den gesunden Menschenverstand zu hören und nicht auf die Stimme des Herzens, das Sie angebissen haben. Hinweg, hinweg von mir! Oder nein, Lika, seis drum: erlauben Sie, daß Ihr Parfum mir den Kopf verdreht, und helfen Sie mir, die Schlinge fester zu ziehen, die Sie mir bereits um den Hals geworfen haben.

Ich kann mir vorstellen, wie schadenfroh Sie triumphieren und wie dämonisch Sie lachen werden, wenn Sie diese Zeilen lesen...

Ach, ich glaube, ich schreibe dummes Zeug. Zerreißen Sie diesen Brief. Entschuldigen Sie, daß der Brief so unleserlich geschrieben ist, und zeigen Sie ihn niemandem. Ach, ach!

Basov schrieb mir, daß Sie wieder zu rauchen angefangen haben. Das ist gemein, Lika. Ich verachte Ihren Charakter.

Jeden Tag regnet es ein wenig, aber die Erde ist dennoch trokken.

Also, auf Wiedersehen, Kukuruz meines Herzens. Ich küsse ehrerbietig wie ein Bauer Ihr Puderdöschen und beneide Ihre alten Stiefel, die das Glück haben, Sie jeden Tag zu sehen. Schreiben Sie mir von Ihren Erfolgen. Bleiben Sie wohlauf und vergessen Sie nicht den von Ihnen besiegten *König der Meder.*

398) AN A. S. SUVORIN MELICHOVO, 3. 7. 1892

3. Juli. Melichovo.

Notwendige Korrektur. »Fin du siècle« ist mir geschickt worden. Ich habe es gestern abend bekommen mit drei Tagen Verspätung, weil das fin drei Tage in Serpuchov herumgelegen hat. Einstweilen kann ich nur eins sagen: das Format ist sehr hübsch. Das Buch ist äußerlich sympathisch. Heute abend werde ich es zu lesen anfangen und Ihnen in ein paar Tagen eine Kritik mit tiefsinnigen Anmerkungen schreiben.

Die Cholera kriecht höher und höher, aber träge und unentschlossen. Es gibt keine Stadt, in der die Zahl der täglichen Erkrankungen 200 erreichte. Überall 7 oder 8, und nur in Astrachan und Baku zählt man sie in Dutzenden und kommt insgesamt auf ein Hundert. Die Zeitungen schreiben viel Unsinn, aber im allgemeinen wird viel getan. Das »Novoe vremja« verhält sich in bezug auf die Cholera sehr gut. Die Aufsätze von Dr. Galanin sind vollauf befriedigend. Die Leute in den Städten sind beunruhigt, und auch auf den Dörfern fängt man bedrückt von der Cholera zu sprechen an. Die Gefahr wird übertrieben gesehen, die Cholera ist nicht so schlimm, wie sie hingestellt wird, aber es liegt etwas Ekelhaftes, Bedrückendes und Unsauberes im Wort

Cholera selbst. Wenn die Krankheit einen anderen Namen hätte, würde man sie weniger fürchten.

Aber gut ist das alles trotzdem nicht. Im vergangenen Jahr der Hunger, jetzt die Angst. Das Leben verlangt viel von dem Volk, und was gibt es ihm? Man sagt: Du mußt kämpfen! Aber ist es denn die Mühe wert?

Ich habe das Projekt der neuen Theatergesellschaft bekommen, ausgearbeitet von Grigorovič, Vsevoložskij, der Savina u.a. Meiner Meinung nach eine vollkommen überflüssige Gesellschaft. Ihnen wird man 100 R. abknöpfen, mir 5, wird 2137 R. 42 Kop. kassieren und dahinsiechen. Die Funktionen der Gesellschaft äußerst unbestimmt. Der Ton des Statuts spitzbübisch.

Schreiben Sie mir doch Ihre Adresse, wenn Sie Franzensbad verlassen.

Ich habe eine literarische Neuigkeit. Ich habe von der »Russkaja mysl« einen Brief bekommen; man schlägt mir vor, das zwischen uns bestehende Mißverständnis zu vergessen. Ich habe gerührt geantwortet und eine Novelle versprochen.

Was soll ich Ihnen noch schreiben? Kirschen haben wir so viele, daß wir nicht wissen, wohin damit. Die Stachelbeeren kann keiner ernten. Noch nie war ich so reich. Ich stehe unter einem Baum und esse Kirschen, und mir kommt es merkwürdig vor, daß mich niemand davonjagt. Früher, als Kind wurden mir jeden Tag die Ohren langgezogen wegen der Beeren.

Ein Cholera-Anzeichen: das Geflügel legt schlecht und brütet kaum. Drei Gänse haben bei uns nur drei Junge ausgebrütet, und die Enten haben gar nichts zustandegebracht. Die Hennen verlassen die Nester. Und überall ist es so. Die Blumen gehen schlecht an, und alles gerät zwergenhaft klein. Zdekauer hatte recht, als er die Influenza eine Vorbotin der Cholera nannte, aber sein Artikel im »Nov. vremja« ist ein bißchen naiv. Man könnte meinen, da schreibt kein Professor, sondern irgendein Stabsarzt a.D. im Stile von Bazarov-père.

Miša treibt mich: schnell! schnell! Frol fährt zur Station! Also

– bleiben Sie gesund. Kommen Sie bald und antworten Sie mir, wo Sie im Herbst sein werden. *Ihr A. Čechov.*

399) AN A.S. SUVORIN MELICHOVO, 6. 7. 1892

6. Juli. Melichovo.

Ehrenwort, Ihre Novelle hat mir außerordentlich gut gefallen. Ich habe sie zweimal hintereinander mit derselben Aufmerksamkeit und demselben Interesse gelesen, mit dem man nur wirklich packende Sachen liest. Sie hat viel Frisches, Neues und ein verteufeltes Maß an Können. Den ersten Teil bis zum Auftritt des jungen Murin fand ich in seiner Originalität bemerkenswert, und ich hätte beinahe gebrüllt vor Entsetzen, als der Kirchenmann Murin auftrat mit seiner Keuschheit, die niemand braucht und niemanden interessiert, und das Bild der sündigen, aber in unserer Literatur einzigartigen Varja verstellte und verdüsterte. Varja ist schön, sogar sehr schön, und ich glaube der Savina jetzt, die irgendwem einmal gesagt hat, daß Sie die Frauen kennen. Vielleicht kennen Sie die Frauen auch überhaupt nicht, aber Sie verfügen über die feine Fähigkeit des Andeutens oder die Gabe der Intuition, wie sie nur einem echten Talent eigen ist. Der Roman mit Vitalin, das Kloster, Anja, die heiligen Väter, Varjas Gedanken – all das ist kunstvoll, klug, kultiviert und interessant, und hier ist keine einzige Zeile zu streichen. In Ihren Briefen äußerten Sie beständig den Wunsch, daß ich Ihre Novelle »durchkämme«, aber ich habe nur ein paar Verbesserungen im Sinne stilistischer Korrekturen anbringen können, mehr nicht. Die Novelle hat Mängel, aber die kann nur der Autor selbst korrigieren, ein Außenstehender kann da nur Schaden anrichten. Je besser eine Sache ist, desto schärfer fallen ihre Mängel ins Auge und desto schwieriger ist es, sie zu korrigieren. Meiner Meinung nach müßten Ihnen zehn Minuten genügen, um das zu korrigieren, was, meiner Meinung nach, der Korrektur bedarf, ich dagegen würde fünf Tage damit verbringen und nur Verwirrung stiften. Die Mängel liegen darin:

1) Man sieht, daß Sie sich 20mal mit Ihrer Novelle befaßt haben; sie hat Ähnlichkeit mit einer glatten, malerischen Straße, die an 20 Stellen von Tunnels unterbrochen wird. Von dem alten Bau ist ein einsamer Pfeiler stehengeblieben – Nataša; dann ein neuer, aber umgestürzter Pfeiler – die Gutsbesitzerin aus Rostov. Dann der tiefe Graben, den Sie in der Mitte gezogen haben, – das ist der Bereich des Wunders. Aus der Vergangenheit stehengeblieben sind auch die Hinweise auf die Heirat Vitalins usw.

2) Es beginnt der Akt im Theater mit den Erinnerungen Vitalins. Alles, was am Anfang geschieht, ist sozusagen Produkt der Erinnerungen Vitalins, dem ich glauben kann oder nicht. Seine Art, sich zu erinnern und seine Vergangenheit zu zeichnen, gereicht ihm zur Ehre: er hat künstlerische Phantasie. Er ist Künstler und sogar Psychologe. Aber ich zögere, ihm zu glauben, Varja sei so und so; ich warte darauf, daß der Autor etwas dazu sagt. Sie sagen ja auch etwas, aber wo die Erinnerung Vitalins aufhört und wo Sie anfangen, ist ungewiß, weil Sie keine äußerliche Grenze gezogen haben.

3) Zwei Helden, die zu verschiedener Zeit handeln; der zweite erscheint erst, nachdem der erste bereits von der Bühne abgetreten ist. Das zerteilt die Novelle, zerteilt auch das Bild von Varja. Mir wäre es angenehmer, wenn anstelle von Murin Vitalin käme. Vitalin hindert doch niemand daran, eine Metamorphose durchzumachen und den Wunsch zu verspüren, Pope zu werden. Angenehmer wäre mir das auch deshalb, weil der keusche Murin farblos ist, und auch der Leser wird ihm nicht glauben, denn er hat ja noch nichts erlebt und hat keinerlei Vorstellung von der Sünde, also auch nicht vom Leiden. Es ist leicht für jemanden, von Keuschheit zu reden, der noch nie mit einer Frau geschlafen hat! Ein Quartalssäufer, der über den Segen der Nüchternheit spricht, verdient mehr Vertrauen als ein anständiger junger Mann, der sein Leben lang nichts anderes getrunken hat als Milch und Limonade. Die Moralisten, die alles nur aus der Theorie kennen, reizen mich und mein sündiges Wesen dermaßen, daß ich, wenn ich Ihre Novelle schriebe, Murin sich unbedingt an ei-

nem Stubenmädchen vergehen lassen würde. Ja, wirklich – ist es nicht möglich, anstelle von Murin Vitalin auftreten zu lassen? Soll Vitalin sich am Ende erschießen, aber das ist auf jeden Fall besser als Murin. Und Sie spüren es auch selbst, daß an Murin etwas nicht stimmt, denn sein Gespräch mit Varja ist die uninteressanteste Stelle der ganzen Novelle – nicht vom Inhalt, sondern von der Trägheit der Handlung.

4) Die Tiradc über Tolstoj muß unbedingt entfallen. Erstens geht es nicht, daß Varja, die, wie Sie schreiben, viel Vernünftiges gelesen hat, die Lehre Tolstojs nicht kennt, und zweitens entzieht diese Tirade dem Gespräch über die Religion die allgemeine Grundlage, d. h. das Interessanteste. Und ich finde auch, daß Namen von Lebenden nur die Aufsätze in Zeitungen und Zeitschriften zieren sollten, nicht aber Novellen. Namen sind dem unerbittlichen Gesetz der Mode unterworfen. Heute versetzt es einem irgendwie einen Stich, wenn man von einer Dame mit Turnüre oder in Krinoline liest, und genauso könnte es einem Leser in 10–15 Jahren gehen, wenn er eine Auseinandersetzung mit der Lehre Tolstojs liest. Und ich wiederhole noch einmal: niemand wird Ihrem Murin glauben. Was soll er schon sagen können über das »Widerstehe nicht dem Übel«? Man wird es ihm nicht glauben und wird alles, was er sagt, in Zusammenhang bringen mit Ihrem Wunsch, Stellung zu beziehen, und es Ihnen zuschreiben. Und Tolstoj ist es, auch wenn er ein großer Mann ist, nicht wert, daß Sie sich mit ihm befassen, schon gar nicht, wenn Sie eine Novelle schreiben, d. h. in einem Augenblick, wo Sie am objektivsten und freiesten sind.

Mehr Anerkennung habe ich nicht, und wenn Sie mich totschlagen.

Die Halluzination Murins ist großartig gemacht. Schade nur, daß Varja ihm nicht den Kerzenhalter über den Kopf haut. Alles ist sehr schön, und ich bin zutiefst davon überzeugt, daß die Novelle Erfolg haben wird, und freue mich darüber, weil Sie ja vielleicht an der Belletristik Geschmack und in ihr Erholung finden werden. Ich kann Ihnen keine bessere Arbeit gegen Langeweile und gegen schlechte Laune so bereitwillig empfehlen wie das Schreiben von Stücken und Novellen. Das ist eine stille, mühselige und schon deshalb interessante Beschäftigung, weil man es da nicht mit Zahlen und nicht mit Politik zu tun hat, sondern mit Menschen, die man nach eigenem Gutdünken auswählen kann. Und auch das Talent wird in Ihrem Herzen hüpfen und sich regen, solange Sie ihm nicht Genüge getan haben. Es ist wirklich nichts Schlechtes daran, daß Sie »Tatjana Repina« geschrieben haben, wohl aber sehr viel Gutes; dasselbe kann man auch von der Novelle sagen. Die Novelle erscheint also im September oder Oktober? Das muß sie unbedingt.

Neues gibt es bei mir nicht. Ich habe Ihnen viele Briefe nach Franzensbad geschickt, aber keine Antwort bekommen. Schreiben Sie mir bitte so lang wie nur möglich.

Die Cholera ist in status quo: nicht stärker, nicht schwächer.

Alles Gute. *Ihr A. Čechov.*

400) AN N. A. LEJKIN MELICHOVO, 13. 7. 1892

13. Juli. St. Lopasnja.

Verzeihen Sie, bester Nikolaj Aleksandrovič, daß ich Ihren Brief so lange nicht beantwortet habe. Aus Anlaß der Cholera, die noch nicht bis zu uns vorgedrungen ist, bin ich vom Zemstvo zum Sanitätsarzt bestellt worden, man hat mir ein Revier gegeben, und ich fahre jetzt durch die Dörfer und Fabriken und sammle Material für den Sanitätskongreß. An literarische Arbeit ist gar nicht zu denken. Im Jahre 1848 hat in meinem Revier die Cholera grausam gewütet; wir rechnen damit, daß sie auch in diesem Jahr nicht weniger wüten wird, obwohl im übrigen – es ist Gottes Wille. Die Reviere sind groß, so daß die Ärzte all ihre Zeit nur für anstrengende Reisen verbrauchen. Baracken gibt es keine, die Tragödien werden sich in den Hütten oder unter freiem Himmel abspielen. Es gibt keine Helfer. Desinfektionsmittel und Medikamente verspricht man uns in unbegrenzter

Menge. Die Straßen sind miserabel, und die Pferde, die ich habe, noch schlimmer. Was meine Gesundheit betrifft, so spüre ich bereits gegen Mittag Ermüdung und den Wunsch, mich hinzuhauen, um zu schlafen. Das schon ohne Cholera; was sein wird, wenn die Cholera erst einmal hier ist, – wir werden sehen.

Außer der Epidemie erwarte ich eine weitere epidemieartige Krankheit, von der mein Gut unbedingt befallen werden wird. Das ist – die Geldlosigkeit. Mit dem Aussetzen meiner literarischen Arbeit haben auch meine Einkünfte ausgesetzt. Wenn ich absehe von den drei Rubel, die ich heute für einen Tripper bekommen habe, sind meine Einkünfte gleich null.

Der Roggen ist auf allen 14 Desjatinen angegangen. Er wird schon geerntet. Der Hafer hat sich nach den letzten Regen erholt. Buchweizen steht großartig. Kirschen in rauhen Mengen.

Es ist gerade acht Uhr abends. Ich muß zum Zemstvovorsitzenden fahren, der meinetwegen eine Versammlung einberufen hat. Dieser Zemstvovorsitzende, mein Nachbar (3 Verst), Fürst Šachovskoj, ist ein junger Mann von 27 Jahren – eine Gestalt von kolossalen Ausmaßen und mit einer schallenden Stimme. Er und ich, beide ergehen wir uns auf den Versammlungen in Schönrednerei, wobei wir die Skeptiker von der Heilkraft der Percovka, der Gurken usw. zu überzeugen versuchen. Die Kinder haben alle ausnahmslos Durchfall, oft mit Blut.

Nun denn, bleiben Sie gesund. Das Honorar schicken Sie nach Serpuchov, weil Lopasnja keine Poststation hat. Serpuchov, Dorf Melichovo – das ist alles.

Seien Sie nochmals gegrüßt. Grüßen Sie die Ihren. Dr. Sirotinin bewohnt ein Landhaus in meiner Nachbarschaft.

Ihr A. Čechov.

401) AN E.P. EGOROV MELICHOVO, 15. 7. 1892

15. Juli. St. Lopasnja.

Bester Evgraf Petrovič, ich kann Ihnen nichts Gutes schreiben, da ich keinen einzigen Arzt kenne, der zur Zeit nicht beschäftigt wäre, und Medizinstudenten kenne ich keine. Selbst wenn ich irgendeinem Mediziner begegnen würde, so wären meine Vermittlungsversuche ohne Erfolg, weil wohl kaum ein Arzt einwilligen würde, für 250 Rub. ein Revier zu übernehmen.

Wir mühen uns ebenfalls nach Leibeskräften. Bei uns im Kreis Serpuchov gibt es so wenig Ärzte, daß, wenn hier die Cholera ausbricht, der ganze Kreis fast ohne Hilfe dasitzen wird. Man hat auch mich Knecht Gottes geschnappt und zum Sanitätsarzt bestellt. Ich fahre jetzt über die Dörfer und halte Vorträge. Übermorgen ist ein Sanitätskongreß, auf dem wir die Frage lösen werden: wo kann man Ärzte und Studenten herbekommen. Und wahrscheinlich werden wir diese Frage in keiner Weise lösen.

Sie werden also auch nach dem Hungerjahr keine Ruhe finden. Eine ärgerliche und traurige Geschichte.

Ich fahre jetzt zum Kloster, um zu bitten, daß man dort eine Baracke baut. Bleiben Sie gesund und gottbefohlen. Einen Gruß an die Ihren. *Ihr A. Čechov.*

402) AN L.S. MIZINOVA MELICHOVO, 16. 7. 1892

16. Juli

Sie suchen Streit, Lika. In jedem Buchstaben meines Briefes sehen Sie Ironie oder Tücke. Sie haben einen sehr schönen Charakter, man kann es nicht anders sagen. Sie glauben doch nicht im Ernst, daß Sie eine alte Jungfer werden. Ich wette, aus Ihnen wird mit der Zeit ein böses, keifendes und zänkisches Weib, das Geld mit Wucherzinsen verleiht und den Nachbarskindern die Ohren langzieht. Der unglückliche Titularrat im rotbraunen Schlafrock, der die Ehre haben wird, Sie seine Gattin zu nennen, wird Ihnen dauernd den Likör entwenden und damit den Kummer des Familienlebens hinunterspülen. Ich stelle mir oft vor, wie zwei hochverehrte Personen – Sie und Sappho – am Tisch sitzen, Likör trinken und in Erinnerungen schwelgen, während im Nebenzimmer am Ofen mit eingeschüchterter und schuldbewußter Miene Ihr Titularrat sitzt und Schach spielt mit dem kleinen Juden mit der großen Glatze, dessen Namen ich nicht nennen will.

Maša ist längst nach Luka gefahren, zusammen mit der Mamuna. Ein Arzt, der auf der Durchreise hier war, sagte mir, daß er selbst in der Gegend von Charkov, und zwar in Meref, zwei Cholerafälle beobachtet habe. Wenn die Gerüchte darüber bis nach Sumy dringen, wird Maša von dort fliehen. Ich erwarte sie um den 20. Juli zurück. Wegfahren kann ich nicht, weil ich vom Kreis-Zemstvo zum Sanitätsarzt bestellt worden bin (unbesoldet). Arbeit habe ich bis an den Hals. Ich fahre durch die Dörfer und Fabriken und predige dort die Cholera. Morgen ist in Serpuchov ein Sanitätskongreß. Die Cholera verachte ich, aber irgendwie bin ich verpflichtet, mit allen anderen vor ihr Angst zu haben. An die Literatur ist natürlich nicht zu denken. Müde bin ich und höllisch gereizt. Ich habe kein Geld, und um welches zu verdienen, habe ich weder die Zeit noch die Stimmung. Die Hunde heulen unaufhörlich. Das bedeutet, daß ich entweder an Cholera sterbe oder eine Versicherungsprämie bekomme. Man hat mir 25 Dörfer zugeteilt, und keinen einzigen Gehilfen. Ich allein reiche nicht, und so gebe ich einen großen Dummkopf ab. Kommen Sie zu uns, Sie können mich zusammen mit den Bauern verprügeln.

Und Sie, liebes Mädchen, vergeben sich sehr viel, daß Sie in Toržok leben und nicht bei uns. Anläßlich der Cholera, die noch nicht bis zu uns gedrungen ist, habe ich alle meine Nachbarn kennengelernt. Darunter gibt es interessante junge Leute. Zum Beispiel meinen Nachbarn Fürst Šachovskoj, 27 Jahre alt. Er sitzt ganze Tage bei mir.

Wenn die Choleraängste sich gelegt haben, fahre ich auf die Krim, und Kantalupa bleibt in Toržok und versauert dort bei ihren Verwandten, und sauer wird sie dann nach Moskau fahren und sich harmlosen Vergnügungen hingeben – sie wird Sappho besuchen fahren, rauchen, sich mit ihren Verwandten herumzanken, Vorstellungen der Fedotova besuchen ... Wie nett!

Ist das Stück fertig? Nein?

Bei uns sind Regen und Hitze. Der Roggen steht sehr gut, aber wir haben niemand, der ihn erntet. Desgleichen die Kirschen. Aber all diese Reichtümer verlocken mich nicht. Mich erfreut nur das eine: der Gedanke, nicht nach Moskau fahren zu müssen. Lika, kommen Sie den Winter über zu uns! Mein Gott, wir werden ein herrliches Leben führen. Ich werde mich Ihrer Erziehung annehmen und Ihnen alle schlechten Angewohnheiten austreiben. Und vor allem werde ich Sie vor Sappho beschützen.

Nun, bleiben Sie gesund. Ich schreibe Ihnen diesmal keine zarten Worte, weil Sie dahinter nur wieder Ironie sehen werden. Und natürlich unterschreibe ich auch nicht mit meinem Namen. Aus Trotz nicht.

P.S. Eine Bekannte von mir, ein ziemlich häßliches aber sympathisches Fräulein, hat zu rauchen aufgehört, aber Gerüchten zufolge wieder damit angefangen. So ein starrköpfiges Biest! Schreiben Sie mir. Hören Sie? Ich flehe Sie auf Knien an.

403) AN A.S. SUVORIN MELICHOVO, 1. 8. 1892

1. Aug. Melichovo.

Meine Briefe verfolgen Sie, aber Sie sind nicht zu fangen. Ich habe Ihnen oft geschrieben, unter anderem auch nach St. Moritz. Doch Ihren Briefen nach zu urteilen, haben Sie nichts von mir bekommen. Erstens grassiert in Moskau und Umgebung die Cholera, und in unserer Gegend wird sie dieser Tage erwartet. Zweitens bin ich zum Choleraarzt bestellt worden, und mein Revier umfaßt 25 Dörfer, 4 Fabriken und 1 Kloster! Ich organisiere, baue Baracken usw., und ich bin allein, denn alles, was mit Cholera zu tun hat, ist meinem Herzen fremd, und die Arbeit, die ständig Fahrten, Gespräche und kleinliche Scherereien mit sich bringt, ermüdet mich. Zum Schreiben habe ich keine Zeit. Die Literatur ist längst bereits vernachlässigt, und ich bin bettelarm, da ich es um meiner Selbst und Selbständigkeit willen für richtig befunden habe, auf alle Entlohnungen zu verzichten, die man als Revierarzt bekommt. Ich langweile mich, obwohl die

Cholera, aus der Vogelperspektive betrachtet, sehr viel Interessantes birgt. Material für die Kleinen Briefe geht ungenutzt verloren. Es gibt mehr Gutes als Schlechtes, und darin unterscheidet sich die Cholera vom Hunger, den wir im Winter beobachtet haben. Jetzt arbeitet jeder. Und arbeitet hart. In Nižnij auf dem Markt geschehen Wunder, die sogar Tolstoj veranlassen könnten, mehr Achtung zu haben vor der Medizin und überhaupt vor der Einmischung kultivierter Menschen ins Leben. Es sieht so aus, als habe man der Cholera die Schlinge um den Hals geworfen. Nicht nur die Zahl der Erkrankungen ist zurückgegangen, sondern auch die Sterblichkeitsquote. Im riesengroßen Moskau gibt es nicht mehr als 50 Fälle pro Woche, und am Don sind es Tausende pro Tag – das ist ein eindrucksvoller Unterschied. Wir, die Kreisärzte, sind vorbereitet; wir haben einen festen Operationsplan, und haben Grund zur Annahme, daß auch wir in unseren Rayons die Cholerasterblichkeit senken werden. Helfer haben wir keine, wir müssen Arzt und Sanitäter in einem sein; die Bauern sind grob, unsauber, mißtrauisch; aber der Gedanke, daß unsere Mühen nicht umsonst sein werden, läßt einen dies kaum bemerken. Von allen Ärzten aus Serpuchov bin ich der ärmste; Pferde und Equipagen, die ich habe, sind kümmerlich, ich kenne die Straßen nicht, kann abends nichts sehen, habe kein Geld, werde sehr schnell müde, und vor allem – ich kann nicht vergessen, daß ich schreiben muß, und ich würde nur zu gern auf die Cholera pfeifen und mich ans Schreiben setzen. Und mit Ihnen möchte ich reden. Die totale Einsamkeit.

Unsere landwirtschaftlichen Bemühungen sind voll von Erfolg gekrönt. Die Ernte ist beträchtlich, und Melichovo wird uns, wenn wir das Getreide verkaufen, über Tausend einbringen. Der Gemüsegarten – hervorragend. Gurken bergeweise, und wunderbarer Kohl. Wenn die verdammte Cholera nicht wäre, dann könnte ich sagen, daß ich noch keinen Sommer so gut verbracht habe wie diesen.

Die Astronomin war bei mir. Sie lebt im Krankenhaus bei einer Ärztin und mischt sich nach Weiberart in die Choleraangelegenheiten. Sie übertreibt alles und sieht überall Intrigen. Eine merkwürdige Person. An Sie ist sie gewöhnt, Sie liebt sie, obwohl sie nicht zu denjenigen gehört, die die Zensur erlaubt, wie Čertkov sich auszudrücken pflegt. Und Ščeglov hat tatsächlich unrecht. Ich mag solche Literatur nicht.

Von Aufständen im Zusammenhang mit der Cholera ist nichts zu hören. Man spricht von irgendwelchen Verhaftungen, von Proklamationen usw. Man spricht davon, daß der Literat Astyrev zu 15 Jahren Katorga verurteilt worden sei. Wenn unsere Sozialisten die Cholera tatsächlich für ihre Zwecke ausbeuten, so kann ich sie nur verachten. Abscheuliche Mittel, für gute Zwecke eingesetzt, machen auch die Zwecke abscheulich. Sollen sie herumreiten auf den Ärzten und Heilgehilfen, aber wozu das Volk belügen? Wozu ihm einreden, es habe in seiner Unwissenheit recht und seine Vorurteile seien die heilige Wahrheit? Als könnte eine schöne Zukunft diese Lüge sühnen! Wäre ich Politiker, ich würde mich nie entschließen, meine Gegenwart auf Kosten der Zukunft zu desavouieren, und wenn man mir für ein Zolotnik gemeiner Lüge einhundert Pud Seligkeit verspräche.

Sehen wir uns im Herbst? Werden wir zusammen in Feodosija sein? Sie – nach einer Auslandsreise, und ich – nach der Cholera, wir könnten einander viel Interessantes erzählen. Lassen Sie uns den Oktober auf der Krim verbringen. Wirklich, das ist nicht langweilig. Wir werden schreiben, uns unterhalten, essen... In Feodosija wird keine Cholera mehr sein.

Schreiben Sie mir so oft Sie können, angesichts meiner außergewöhnlichen Lage. Meine Laune kann jetzt nicht gut sein, und Ihre Briefe entreißen mich dem Interesse an der Cholera und versetzen mich für kurze Zeit in eine andere Welt.

Bleiben Sie gesund. An meinen Schulkameraden Aleksej Petrovič einen Gruß. *Ihr A. Čechov.*

Ich werde die Cholera nach der Methode Cantani behandeln: große Klistierspritzen mit Tannin bei einer Temperatur von 40 Grad und Kochsalzinfusionen unter die Haut. Erstere haben hervorragende Wirkung: sie wärmen auf und verringern den Durchfall. Die Infusion wirkt manchmal Wunder, manchmal bewirkt sie aber auch Paralyse der Herztätigkeit.

404) AN A. S. SUVORIN MELICHOVO, 16. 8. 1892

16. Aug.

Ich werde Ihnen nicht weiter schreiben, und wenn Sie mich totschlagen. Ich habe Ihnen nach Abbazia, nach St. Moritz geschrieben, habe Ihnen mindestens zehnmal geschrieben. Bis heute haben Sie mir noch keine einzige Adresse geschickt, die stimmt, und darum ist kein einziger Brief von mir bei Ihnen angekommen, und meine langen Beschreibungen und Vorträge über die Cholera waren umsonst. Das ist ärgerlich. Aber das Ärgerlichste ist, daß Sie nach der ganzen Reihe meiner Briefe über unsere Scherereien mit der Cholera plötzlich, aus dem türkisblauen Biarritz, schreiben, Sie beneideten mich um meine fröhliche Muße! Allah möge Ihnen verzeihen!

Nun ja, ich bin am Leben und bin gesund. Der Sommer war wunderschön, trocken, warm, überreich an irdischen Früchten, aber sein ganzer Reiz wurde, vom Juli angefangen, zerstört durch die Nachrichten von der Cholera. Um die Zeit, als Sie mich in Ihren Briefen mal nach Abbazia, mal nach Wien einluden, war ich bereits Zemstvo-Revierarzt von Serpuchov, jagte nach dem Schwanzende der Cholera und organisierte mit Volldampf ein neues Revier. In meinem Revier liegen 25 Dörfer, 4 Fabriken und 1 Kloster. Morgens Empfang der Patienten, danach Fahrten über Land. Ich fahre, halte den Pečenegen Vorträge, behandle, ärgere mich, und da mir das Zemstvo für die Organisation von Sanitätsstellen keine Kopeke gegeben hat, bettle ich mir dieses und jenes bei den Reichen zusammen. Ich habe mich als vortrefflicher Bettler erwiesen; dank meiner Schönrednerei als Bettler verfügt mein Revier jetzt über 2 vortreffliche Baracken mit allen notwendigen Einrichtungen, und über fünf Baracken, die nicht vortrefflich, sondern miserabel sind. Ich habe das

Zemstvo sogar von den Ausgaben für Desinfektionsmittel befreit. Kalk, Vitriol und allen möglichen stinkigen Kram habe ich mir bei den Fabrikanten in meinen 25 Dörfern zusammengebettelt. Mit einem Wort, A.P. Kolomnin darf stolz darauf sein, dasselbe Gymnasium wie ich besucht zu haben. Mein Herz ist müde. Ich langweile mich. Nicht sich selbst zu gehören, sondern ausschließlich an Durchfall zu denken, nachts vom Hundegebell oder wenn jemand klopft, aufzuschrecken (kommen sie auch nicht, um dich zu holen?), mit ekelhaft schlechten Pferden auf unbekannten Straßen zu fahren und nur Vorträge über die Cholera zu halten und auf die Cholera zu warten und gleichzeitig gegenüber dieser Krankheit vollkommen gleichgültig zu sein und gegenüber den Menschen, denen man dient, – das, mein Herr, ist eine Suppe, die nicht kräftigt. Moskau und Umgebung hat die Cholera bereits erreicht. Man kann sie von Stunde zu Stunde hier erwarten. Ihrem Verlauf in Moskau nach zu urteilen, sollte man meinen, daß sie bereits im Abklingen und ihr die Spitze abgebrochen ist. Man sollte auch meinen, daß sie in starkem Maße abhängig ist von den Maßnahmen, die in Moskau und bei uns getroffen worden sind. Die Intellektuellen arbeiten hart, ohne Leben oder Geld zu schonen; ich begegne ihnen Tag für Tag und bin gerührt, und wenn ich dabei daran denke, wie Žitel und Burenin ihren Gallensaft verspritzt haben über diese Intellektuellen, dann wird mir ein bißchen schwül. In Nižnij haben die Ärzte und überhaupt die kultivierten Menschen wahre Wunder vollbracht. Ich war geradezu entsetzt vor Begeisterung, als ich über die Cholera las. In der guten alten Zeit, als die Menschen zu Tausenden erkrankten und starben, hat man nicht einmal träumen können von den verblüffenden Siegen, die heute vor unseren Augen errungen werden. Schade, daß Sie kein Arzt sind und meine Genugtuung nicht teilen, d.h. in gebührendem Maße empfinden, erkennen und einschätzen können, was alles geschieht. Übrigens kann man das nicht in kurzen Worten abhandeln.

Das Heilverfahren verlangt vom Arzt vor allem Ausdauer, d. h. er muß jedem Patienten 5–10 Stunden widmen, und manchmal auch mehr. Da ich die Methode Cantani anwenden will – Klistierspritzen mit Tannin und Kochsalzinfusionen unter die Haut, – wird meine Lage dümmer als die eines Idioten. Während ich mich mit dem einen Patienten herumplage, werden an anderer Stelle zehn krank und sterben. In den 25 Dörfern bin ich doch allein, abgesehen von dem Heilgehilfen, der mich Euer Hochwohlgeboren nennt, sich geniert in meiner Gegenwart zu rauchen und ohne mich keinen einzigen Schritt unternehmen kann. Bei Einzelerkrankungen werde ich stark sein, aber wenn sich die Epidemie auf fünf Erkrankungen täglich ausweitet, so werde ich nur gereizt und müde sein und mich schuldig fühlen.

Natürlich ist an die Literatur gar nicht zu denken. Ich schreibe nichts. Ein Gehalt habe ich abgelehnt, um mir wenigstens ein kleines Maß an Handlungsfreiheit zu bewahren, und darum habe ich keinen Groschen. Ich warte darauf, daß der Roggen gedroschen und verkauft ist, und bis dahin werde ich mich von meinem »Bären« ernähren lassen und von den Pilzen, die es bei uns in ungeahnter Menge gibt. A propos, ich habe noch nie so billig gelebt wie heute. Wir haben alles, was wir brauchen, sogar unser eigenes Brot. Ich glaube, in zwei Jahren werden meine häuslichen Ausgaben fürs Leben tausend Rubel pro Jahr nicht übersteigen.

Wenn Sie aus den Zeitungen erfahren, daß die Cholera aufgehört hat, so bedeutet dies, daß ich bereits wieder am Schreibtisch sitze. Vorläufig stehe ich in den Diensten des Zemstvo, zählen Sie mich nicht zu den Literaten. Man kann nicht zwei Hasen auf einmal nachjagen.

Sie schreiben, ich hätte Sachalin hingeworfen. Nein, dieses mein Kindsbalg kann ich nicht hinwerfen. Wenn mich die Langeweile der Belletristen ankommt, ist es mir oft angenehm, mich mit Nichtbelletristischem zu befassen. Die Frage, wann ich Sachalin abschließen und wo ich es veröffentlichen werde, erscheint mir unwichtig. Solange Galkin-Vraskij auf dem Gefängnis-Thron sitzt, habe ich keine große Lust, das Buch erscheinen zu lassen.

In allen meinen Briefen habe ich Ihnen boshaft die Frage gestellt, auf die Sie mir im übrigen auch nicht zu antworten brauchen: wo werden Sie im Herbst leben, und wollen Sie nicht einen Teil des Septembers und Oktobers mit mir in Feodosija und auf der Krim verbringen? Ich möchte furchtbar gern essen, trinken, schlafen und über Literatur sprechen, d. h. nichts tun und mich gleichzeitig als anständiger Mensch fühlen. Übrigens, wenn Ihnen mein Nichtstun zuwider sein sollte, so kann ich Ihnen auch versprechen, Ihnen Briefe zu schreiben, oder ein Stück in Ihrer Nähe, eine Novelle... Hm? Sie wollen nicht? Dann Gott mit Ihnen.

Die Astronomin war noch einmal da. Beide Male habe ich mich mit ihr gelangweilt. Svobodin war da. Ich mag ihn von Mal zu Mal lieber. Die schwere Krankheit hat ihn eine seelische Metamorphose durchmachen lassen.

Da sehen Sie, wie lang ich schreibe, obwohl ich kaum davon überzeugt bin, daß dieser Brief Sie erreichen wird. Stellen Sie sich meine Cholera-Langeweile vor, meine Cholera-Einsamkeit und meine erzwungene literarische Untätigkeit, und schreiben Sie mir länger und öfter. Ihr angewidertes Gefühl gegenüber den Franzosen teile ich. Die Deutschen sind ihnen weit über, auch wenn man sie aus irgend einem Grunde stumpf nennt. Aber die franco-russischen Sympathien liebe ich genauso, wie ich Tatiščev liebe. Diese Sympathien haben etwas Spitzbübisches. Dafür hat mir Virchows Rußlandbesuch schrecklich gut gefallen.

Bei uns sind sehr schmackhafte Kartoffeln gediehen, und wunderbarer Kohl. Wie können Sie leben ohne Šči? Ich bin weder neidisch auf Ihr Meer, noch auf Ihre Freiheit, noch auf die gute Laune, die Sie im Ausland haben. Der russische Sommer ist das Beste, was es gibt. Und nebenbei gesagt, es zieht mich nicht besonders ins Ausland. Nach Singapur, Ceylon und, nun ja, unserem Amur vermögen mich Italien und selbst der Krater des Vesuvs nicht zu verlocken. Nach Indien und China sehe ich keinen großen Unterschied zwischen dem Ausland und Rußland.

In Biarritz hält sich zur Zeit mein Nachbar auf, der Besitzer der berühmten Otrada, Graf Orlov-Davydov, der vor der Cholera Reißaus genommen hat; er hat seinem Arzt für den Kampf gegen die Cholera nur 500 Rub. gegeben. Seine Schwester, die Gräfin, die in meinem Revier lebt, hat sich, als ich zu ihr kam, um mit ihr über eine Baracke für die Arbeiter zu sprechen, mir gegenüber benommen, als ob ich mich bei ihr hätte einmieten wollen. Es hat mir wehgetan, und ich habe ihr vorgelogen, ich sei ein reicher Mann. Dasselbe habe ich auch dem Archimandriten vorgelogen, der ablehnte, eine Unterkunft für die Kranken bereitzustellen, die es im Kloster wahrscheinlich geben wird. Auf meine Fragen, was er mit ihnen zu machen gedenke, gab er mir zur Antwort: »Das sind wohlhabende Leute, die werden Sie schon selbst bezahlen...« Verstehen Sie? Da bin ich wütend geworden und habe ihm gesagt, es ginge mir nicht um Bezahlung, weil ich ein reicher Mann sei, sondern um die Erhaltung des Klosters... Es gibt die dümmsten und erniedrigendsten Augenblicke... Vor seiner Abreise habe ich den Grafen Orlov-Davydov mit seiner Frau gesehen. Riesenbrillanten im Ohr, Turnüre und schlechtes Benehmen. Eine Millionärin. Gegenüber solchen Personen kommt einen die dumme Seminaristenlust an, grundlos grob zu sein.

Bei mir ist oft und lange der Pope zu Gast, ein sehr guter Junge, Witwer, mit einer Schar unehelicher Kinder.

Schreiben Sie, sonst ergeht es Ihnen schlecht.

Ihr A. Čechov.

405) AN L. JA. GUREVIČ MELICHOVO, 10. 9. 1892

10. September. St. Lopasnja.

Sehr geehrte Ljubov Jakovlevna, Sie wollen eine bestimmte klare Antwort, und ich weiß wirklich nicht, was ich schreiben soll. Ich habe nichts fertig. In Erwartung der Cholera hat man mich zum Revierarzt bestellt, und fast der ganze Sommer ist mit medizinischen Sorgen vorbeigegangen. Zwar ist im Kreis Serpuchov noch keine Cholera aufgetreten, die Organisation von Sanitätsstellen jedoch, die Ambulanz und die Fahrten (mein Revier umfaßt 27

Dörfer) haben mir Zeit und Lust zum Schreiben genommen. Jetzt habe ich zwar weniger Arbeit, und zum 1. Oktober, wenn die Cholera abgeklungen sein wird, werde ich meinen medizinischen Krämerladen schließen können. Dann werde ich mich an die Literatur setzen und werde Ihnen dann, vielleicht, eine befriedigendere Antwort geben können als diese. Aber einstweilen – verzeihen Sie und seien Sie mir nicht böse.

Vor meiner Ernennung zum Cholera-Äskulap habe ich eine kleine Novelle geschrieben und eine zweite begonnen. Aber beide sind für Sie nicht recht geeignet: die eine – wegen ihrer erstklassigen Qualitäten, und die zweite – wegen der Zensur.

Ich bitte Sie nochmals, mich zu entschuldigen und mir Verlängerung zu gewähren.

Ich wünsche Ihnen alles Gute. Einen Gruß an Michail Nilovič.

Ihr aufrichtig ergebener A. Čechov.

406) AN A. S. SUVORIN MELICHOVO, 10. 10. 1892

10. Okt.

Ihr Telegramm vom Tode Svobodins erreichte mich, als ich zum Hof hinausfuhr, um Krankenbesuche zu machen. Sie können sich meine Stimmung vorstellen. In diesem Sommer war Svobodin bei mir zu Gast; er war sehr lieb, sanft, still und gutmütig und sehr anhänglich mir gegenüber. Mir war klar, daß er bald sterben würde; es war ihm aber auch selbst klar. Er hatte wie ein Greis Verlangen nach gewöhnlicher Bequemlichkeit und haßte bereits die Bühne und alles, was mit der Bühne zu tun hat, und hatte Angst vor der Rückkehr nach Petersburg. Natürlich sollte ich zur Beerdigung kommen, aber erstens kam Ihr Telegramm gegen Abend, während die Beerdigung wahrscheinlich schon morgen sein wird, und zweitens ist 30 Verst von uns Cholera, da kann ich mein Revier nicht im Stich lassen. In einem Dorf sind 7 Mann erkrankt, und 2 sind schon gestorben. Die Cholera kann auch auf mein Revier übergreifen. Merkwürdig, daß auf den Winter zu die Cholera einen immer größeren Bereich erfaßt.

Ich habe mein Wort gegeben, bis zum 15. Oktober Revierarzt zu bleiben – an diesem Tage wird mein Revier offiziell geschlossen. Ich werde den Heilgehilfen entlassen, die Baracke schließen und, wenn dann ein Cholerafall auftritt, eine komische Figur abgeben. Fügen Sie dem hinzu, daß der Arzt eines benachbarten Reviers an Pleuritis erkrankt ist und ich, wenn bei ihm ein Cholerafall auftreten sollte, aus Kollegialität noch für lange auch sein Revier werde übernehmen müssen.

Bis heute hatte ich noch keinen einzigen Cholerafall, dafür aber Typhus, Diphtherie, Scharlach u. a. Zu Beginn des Sommers war viel Arbeit, aber auf den Herbst zu immer weniger.

Ich möchte Sie sehen und mit Ihnen sprechen. Wann werden Sie in Moskau sein? Ich werde am 15., 16. und 17. Oktober dort sein. Schreiben Sie, wenn Sie mögen, an die Adresse: Moskau, Novaja Basmannaja, Petrovsko-Basmannoe Lehranstalt. Am 20. werde ich wieder zu Hause sein, am 29. in Serpuchov auf dem Sanitätskongreß, und wohin Fortuna mich danach entführt, weiß ich nicht. Schön, wenn es Japan wäre!

Meine literarischen Resultate von vergangenem Sommer sind dank der Cholera beinahe gleich null. Geschrieben habe ich wenig, und an Literatur gedacht noch weniger. Übrigens habe ich zwei kleine Novellen geschrieben – eine leidliche, und eine andere, die miserabel ist und die ich wohl in der »Russkaja mysl« veröffentlichen werde. Ich habe von Lavrov einen sehr sympathischen Brief bekommen und mich vollkommen aufrichtig mit ihm ausgesöhnt.

Den Sommer über war das Leben schwer, aber jetzt kommt es mir so vor, als hätte ich noch nie einen Sommer so schön verbracht wie diesen. Trotz Cholera und Geldlosigkeit, die mich bis zum Herbst in den Fängen hielten, hat es mir gefallen und Spaß gemacht zu leben. Wieviel Bäume ich gepflanzt habe! Dank unserem Kulturbewußtsein ist Melichovo für uns nicht wiederzuerkennen und erscheint einem jetzt ungewöhnlich gemütlich und schön, obwohl es in Wirklichkeit vielleicht keinen Pfifferling wert ist. Groß ist die Macht der Gewohnheit und des Bewußtseins vom Eigentum. Und erstaunlich, wie angenehm es ist, keine Miete mehr zahlen zu müssen. Neue Bekanntschaften und neue Beziehungen haben sich ergeben. Unsere früheren Ängste vor den Bauern erscheinen inzwischen unsinnig. Ich habe im Zemstvo gearbeitet, habe an Sitzungen des Sanitätskongresses teilgenommen, bin von Fabrik zu Fabrik gefahren – und es hat mir gefallen. Man hält mich bereits für einen Hiesigen und übernachtet bei mir, wenn man über Melichovo kommt. Fügen Sie dem hinzu, daß wir uns eine neue bequeme Equipage mit Verdeck gekauft haben, eine neue Straße gelegt haben, so daß wir nicht mehr durchs Dorf zu fahren haben, daß wir einen Teich ausheben... Noch etwas? Mit einem Wort, bis heute war alles neu und interessant, was weiter sein wird, weiß ich nicht. Es schneit bereits, es ist kalt, aber nach Moskau zieht es mich nicht. Das Gefühl der Langeweile hat mich noch nicht heimgesucht.

Mein Nachbar, Fürst Šachovskoj, ein junger Mann, der sehr oft bei mir ist und sehr viel redet, erwartet Sie, um Ihnen Briefe von Dekabristen zu zeigen, die er geerbt hat. Er sagt, es seien sehr viele Briefe.

Die Intellektuellen hier sind sehr nett und interessant. Vor allem – anständig. Unsympathisch ist nur die Polizei.

Wir haben sieben Pferde. Ein Kalb mit breiter Schnauze, ein allgäuisches. Die Hunde Mure und Marielouise.

Ich warte voller Ungeduld auf einen Brief von Ihnen. Schreiben Sie bitte. Ich habe den »Monte Christo« gekürzt. Was soll ich damit machen? *Ihr A. Čechov.*

407) AN V. M. LAVROV MELICHOVO, 12. 10. 1892

Lopasnja. 12. Okt.
Sehr geehrter
Vukol Michajlovič!

Ich werde am 15. um halb zwei bei Ihnen in der Redaktion sein. Und meine Arbeit mitbringen. Wenn Sie um diese Zeit nicht in der Redaktion sein sollten, so hinterlassen Sie mir eine Nach-

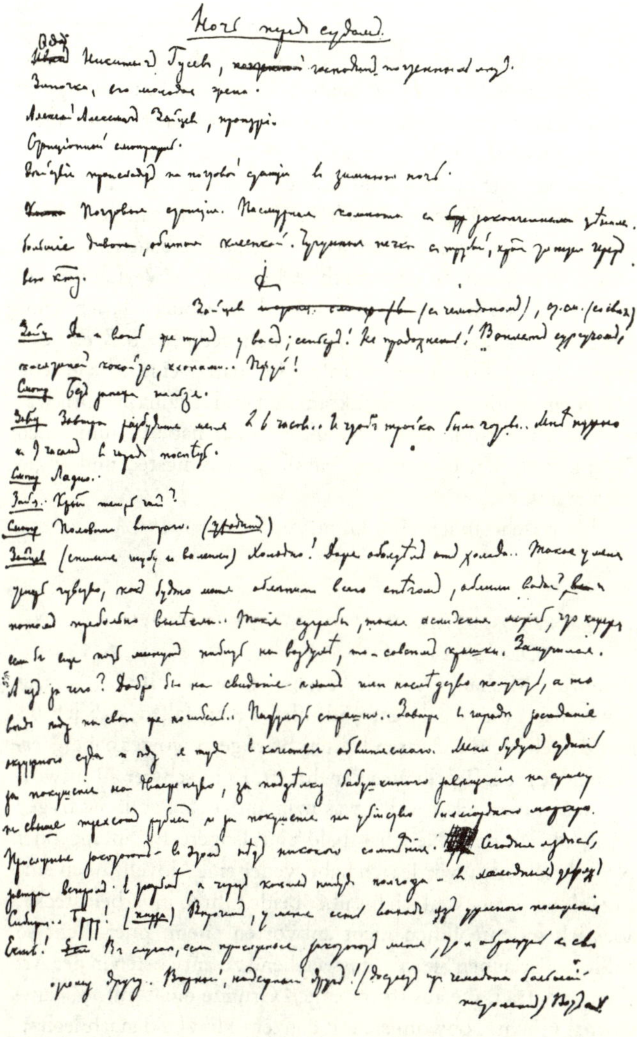

»Die Nacht vor der Verhandlung«.
Erste Seite des Fragment gebliebenen Manuskripts.

richt, wo ich Sie finden kann? Wahrscheinlich kann ich in Moskau nicht länger als 1–2 Tage bleiben. In 30 Verst Entfernung von mir ist Cholera aufgetreten, und es wäre mir unangenehm, mein Revier zu verlassen.

Was sagt man zu Svobodin? Ein unheimlicher Gedanke. Und wir hatten zwei Tage vor Erhalt des Telegramms mit der Todesnachricht beschlossen, draußen ein Badehaus zu bauen mit einem »Svobodin«-Zimmer, das ausschließlich ihm zur Verfügung stehen sollte. Ich hatte mit seinem Tod gerechnet, da ich seine Krankheit kannte, aber ich hatte doch gedacht, daß er noch zwei, drei Jahre leben würde. Er hatte eine chronische Nierenentzündung. Die Herzkrankheit und Angina pectoris waren nur Symptome dieser Krankheit. Ich habe in ihm einen Freund verloren, und meine Familie den ruhigsten und angenehmsten Gast.

Ich wünsche Ihnen alles Gute. *Ihr A. Čechov.*

408) AN M. O. MENŠIKOV MELICHOVO, 12. 10. 1892

12. Okt. St. Lopasnja.

Verehrter Michail Osipovič, soeben habe ich Ihren Aufsatz »Über das Lesen« gelesen, und mir ist eingefallen, daß ich bis heute noch nicht auf Ihren letzten Brief geantwortet habe. Verzeihen Sie mein flegelhaftes Benehmen. Es ist schwer zu antworten, wenn man nicht weiß, was man antworten soll. Sie fragen mich, ob ich der »Nedelja« bald eine längere Erzählung oder Novelle schicken würde; ich habe weder eine Novelle noch eine Erzählung fertig, weil ich bis über beide Ohren in Arbeit stecke, aber ich möchte Ihnen nicht antworten »nein, oder nicht so bald«... Erlauben Sie mir, ausweichend zu antworten in der Art einer Jungfrau, die aus irgendeinem Grunde nicht mit »ja« antworten möchte, obwohl sie mit ganzem Herzen danach lechzt. Wenn ich Ihnen Anfang November nichts schicke, will ich mich bemühen, im Dezember etwas zu schicken.

Ihr Aufsatz ist interessant, klug und überzeugend. Wenn ich

Herausgeber einer Zeitschrift wäre, würde ich Sie unbedingt zur Mitarbeit auffordern und wäre betrübt, wenn Sie mir absagten. Ihr Aufsatz hat – eine Lücke. Sie haben der Natur der Sprache sehr wenig Raum gegeben. Für Ihren Leser ist es doch wichtig zu wissen, warum ein Wilder oder ein Verrückter nur ein- bis zweihundert Wörter benützt, während Shakespeare ihrer Zehntausende zur Verfügung hatte. So schreiben Sie (S. 155), wie die Sprache, so sei auch das kulturelle Niveau eines Volkes. Das klingt, als wollten Sie sagen, je reicher die Sprache, desto höher die Kultur. Meiner Meinung nach ist es aber umgekehrt: je höher die Kultur, desto reicher die Sprache. Die Zahl der Wörter und Wortverbindungen befindet sich in direkter Abhängigkeit von der Summe der Wahrnehmungen und Vorstellungen: ohne diese letzteren kann es weder Begriffe noch Definitionen geben, folglich auch keine Anstöße zur Bereicherung der Sprache. Weiter sind auf derselben Seite zwei Punkte, die man, in ihrer verkürzten Darstellung, wohl nicht so verstehen wird, wie Sie es wollen: erstens können rückständige Bauern und Wilde über keine reiche und verfeinerte Sprache verfügen – das bedeutet, Reichtum der Sprache und Rückständigkeit haben in ein und demselben Pelz nicht Platz? und zweitens ist nicht ganz klar, was bedeutet »die Sprache verdirbt«? Soll man darunter ihre Degeneration verstehen oder etwas anderes? Es kommt doch vor, daß sie nicht nur verdirbt, sondern sogar untergeht. Wenn die reiche großrussische Sprache im Kampf ums Dasein die burjätische oder estnische Sprache vom Erdboden vertilgt, ist dies dann ein Verderben der letzteren? Der Starke verschlingt den Schwachen, und wenn die Sprache der Fabriken und Kasernen einmal die Oberhand gewinnen sollte, so sind nicht sie daran schuld, sondern die natürliche Ordnung der Dinge.

Ich weiß nicht, ob ich mich klar ausdrücke. Entschuldigen Sie, ich hatte Lust am Kritisieren. Auf den übrigen Seiten ist alles bestens, und ich bin in allen Punkten mit Ihnen einig. Und der Ausblick auf das Schulwesen erscheint mir nicht utopisch.

Ich danke Ihnen für die Adresse von Ivan Leontjevič.

Ich wünsche Ihnen alles Gute.
In aufrichtiger Hochachtung *A. Čechov.*

409) AN A.S. SUVORIN MELICHOVO, 18. 10. 1892

18. Oktob.

Das »Novoe vremja« in Paris herauszugeben, ist eine prachtvolle Idee, und es ist natürlich schade, daß Sie, nach Hause zurückgekehrt, ihr gegenüber erkaltet sind. Finanzielle Überlegungen sind eine große Sache, aber ich glaube, man sollte sie nicht in allen Fällen des Lebens an die erste Stelle setzen. Ein Verliebter muß lieben, ein Jäger schießen, und ein Journalist muß schreiben und publizieren, unabhängig davon, wieviel das Haus und seine Renovierung kosten.

Sumbatovs Stück hatte in Moskau einen soliden Erfolg und ist sogar in einer der Publikationen der Gesellschaft der Liebhaber der Literatur gedruckt worden. Der Fürst hat seine »Chronik« geschrieben, weil er von Geschichte keine Ahnung hat; das ist der Grund, weshalb sie in Moskau gefallen hat, und weshalb die Universitätsgesellschaft sie gedruckt hat, ist unbegreiflich. Sie sind mit der Chronik hart ins Gericht gegangen, und ich muß zugeben, der Fürst tut mir ein bißchen leid. Das Stück ist schlecht, aber wenn kluge und gelehrte Leute Sumbatov nicht gesagt hätten, es sei großartig, dann hätte er es doch nicht inszenieren lassen. Ich weiß noch, mit welcher Zaghaftigkeit er es geschrieben hat und wie hoch er später die Nase trug, als Autoritäten der Geschichte und Literatur es als Perle anerkannten. Neulich ist mir folgende Geschichte passiert. Kommt zu mir ein gewisser Šuf, ein Jüngling, mit einem dicken Heft und bittet mich unter Tränen, sein Poem in Versen, ich glaube »Der Balkan«, zu lesen und ihm meine Meinung darüber zu sagen. Er sagt, er habe es Literaturprofessoren vorgelesen und die hätten es sehr gelobt. Ich lese, und – oh, himmlische Heerscharen! Ein entsetzlicher Mist, und dabei durch und durch dumm. Der Autor kommt wieder, um sich die Antwort zu holen, und ich sage ihm ehrlich meine Meinung, rate ihm, keine langen Poeme zu schreiben. Und was glauben Sie? Einen Monat später erscheint dieses Poem im »Vestnik Evropy«. Ich war der Gelackmeierte, aber nicht das ist das Schlimme. Schlimm ist, daß nach dem Professorenlob und dem »Vestnik Evropy« dieser Jüngling jetzt aus menschlicher Schwäche in jeder Kritik einen Anschlag auf sein Genie sehen wird. Schade, daß Sie nicht die Muße haben, sich eines der letzten Hefte des »Vestnik Evropy« vorzunehmen, ich glaube, das Juliheft, und dort das Poem von Šuf zu lesen. Sie sollten es lesen und mir sagen: wenn Šuf sein Poem zu einem Stück umgearbeitet und es auf die Bühne gebracht hätte, wäre er dann allein daran schuld?

Meine Schwester hat nicht geheiratet, aber der Roman wird, glaube ich, in Briefen fortgesetzt. Ich verstehe das nicht. Es gibt Vermutungen, daß sie auch dieses Mal abgelehnt hat. Das ist das einzige junge Mädchen, das ehrlich nicht heiraten will. Jetzt zu mir. Ich will nicht heiraten, und ich wüßte auch nicht, wen. Ach, zum Kuckuck mit ihnen. Es wäre mir langweilig, mich mit einer Ehefrau herumzuplagen. Aber mich wieder einmal zu verlieben, würde nichts schaden. Es ist langweilig ohne eine starke Liebe.

Durch das Prisma meiner Offenherzigkeit haben Sie einen Blick werfen können in ein eintöniges, farbloses und tristes Leben. Ich lebe für mich, und mein Monrepos und die sieben Pferde leben für sich. Ich bin weit davon entfernt, mein Lieber, mich über die wahre Lage der Dinge hinwegzutäuschen; nicht nur, daß ich mich langweile und unzufrieden bin, ich bin sogar rein medizinisch, d.h. bis zum Zynismus davon überzeugt, daß man von diesem Leben nur Schlechtes zu erwarten hat – Fehler, Verluste, Krankheiten, Schwächen und alle möglichen Gemeinheiten, aber bei alledem, wenn Sie wüßten, wie angenehm es ist, keine Wohnungsmiete mehr zahlen zu müssen, und mit welchem Vergnügen ich gestern aus Moskau abgefahren bin. Es liegt etwas Neues für mich in dem Bewußtsein, daß ich nicht mehr in der und der Straße und dem und dem Haus wohnen muß. Heute bin ich draußen durch den Schnee gegangen, ringsum keine Menschenseele, und mir war, als ginge ich auf dem Mond spazieren.

Für eitle Menschen, Neurastheniker, gibt es kein angenehmeres Leben als das Einsiedlerdasein. Nichts stachelt hier die Eitelkeit an, und darum verschleudert man auch keine Blitze für nichts und wieder nichts. Hier hat man Platz sich zu bewegen, und man liest mehr. Nicht gut ist nur, daß es keine Musik und keinen Gesang gibt, und daß man Sie nicht mit zehn Pferden hierherbekommt, alles andere ist ersetzbar oder in Moskau leicht für Geld zu bekommen, und von mir bis nach Moskau ist es ja nur ein Katzensprung.

Es ist Winter. Mein Sanitätsrevier ist bereits geschlossen, aber die Kranken kommen immer noch. Gestern habe ich meine beiden Novellen zur »Russkaja mysl« gebracht. Ich werde den ganzen Winter arbeiten ohne Unterlaß, um im Frühling nach Chicago zu fahren. Von dort über Amerika und den St. Ozean nach Japan und Indien. Nach dem, was ich im Osten gesehen und empfunden habe, zieht es mich nicht nach Europa, obwohl, wenn ich Zeit und Geld hätte, würde ich auch wieder nach Italien und Paris fahren.

Ihre Gereiztheit wird sich unwillkürlich legen, aber das mit den Kopfschmerzen ist eine traurige Geschichte. Ich habe neulich einen alten Mann behandelt, der Kopfschmerzen hatte, ganz gebückt ging und unablässig stöhnte. Bei ihm dauert die Migräne bis zu vier Tagen. Zu mir kommt oft auch Avdotja, ein Weib, das mir schrecklich auf die Nerven fällt, ihr tut der Kopf schon ein Jahr lang weh – ununterbrochen; wenn es schlimmer wird, dann liegt sie halb bewußtlos im Bett, schwach, mit kümmerlichem Puls, und hat Ähnlichkeit mit einer Typhuskranken. Ihr hilft Natriumsalizyl, und um der 2–3 Pülverchen willen kommt sie 5 Verst weit zu mir gelaufen. Ich gebe ihr Jodkalium. Das hilft ebenfalls. Jodkalium ist überhaupt eine gute Sache.

In unserer Nachbarschaft sind schon 11 Cholerafälle aufgetreten. Das sind erst die Blüten, die Früchte kommen im Frühjahr. Die hohe Sterblichkeit ist eine schwere Hypothek. Wir sind doch arm und unkultiviert, weil wir viel Land und sehr wenig Menschen haben.

Schreiben Sie mir etwas über Lev Tolstoj.

Am 20. Okt. ist Zemstvoversammlung. Vorgesehen ist (ich habe es im Bericht gelesen), mir für die Organisation des Reviers zu danken. Von August bis 15. Oktober habe ich auf Karteikarten 500 Patienten notiert; im Ganzen habe ich vermutlich mindestens eintausend behandelt. Mein Revier war insofern ein Erfolg, als es in meinem Revier einen Arzt gab, einen Heilgehilfen, zwei ausgezeichnete Baracken, die Patienten wurden behandelt, die Krankenbesuche in aller Form durchgeführt, Berichte an das Sanitätsbüro geschickt, aber an Geld ausgegeben wurden lediglich 110 Rub. 76 Kop. Den Löwenanteil der Ausgaben habe ich auf meine Nachbarn, die Fabrikanten, abgewälzt, die für das Zemstvo bluten mußten.

Schreiben Sie mir bitte. Daß Sie nicht auf der Beerdigung von Svobodin waren, ist gut. Gehen Sie überhaupt nicht zu Beerdigungen.

Ich wünsche Ihnen Gesundheit und Ruhe. *Ihr A. Čechov.*

410) AN V.M. LAVROV MELICHOVO, 25. 10. 1892

25. Okt.

Sehr geehrter

Vukol Michajlovič!

Ihr Wille geschehe! Drucken Sie zuerst den »Krankensaal Nr. 6«, obwohl es mir ein bißchen peinlich ist, weil ich Boborykin gesagt hatte, ich nähme ihm die Novelle nur deshalb wieder weg, um sie noch ein Jahr bei mir zu behalten und zu überarbeiten. Ich habe ihn nicht belogen, aber jetzt wird es so aussehen, als hätte ich es doch. Ach, zum Teufel mit ihm. Aber ich sollte den »Krankensaal Nr. 6« tatsächlich neu streichen, sonst stinkt er zu sehr nach Krankenhaus und Toten. Ich bin kein Liebhaber von solchen Novellen...

Wenn es die Zeit erlaubt, dann warten Sie und schicken mir die Fahnen des »Krankensaals« nicht. Ich werde am 29. abends oder 30. morgens unbedingt in Moskau sein und sie dort im Hotelzimmer lesen. Das Korrekturlesen braucht zwei oder drei Tage. Ich glaube, wir werden es schaffen. Mir tun Ihre Boten leid, die so eine widerliche Straße fahren müssen.

Und wissen Sie was? Ich bin damals zu spät ins Muir & Merilees gekommen. Ich komme hin – alles verriegelt und verrammelt. Ich fahre in die Basmannaja, und plötzlich fällt mir ein, daß ich meine Aktentasche bei Ihnen vergessen habe. Ich rase zu Ihnen. Von Ihnen wieder in die Basmannaja.

Die »Russkaja mysl« auf das Jahr 92 habe ich nicht gelesen und freue mich, daß ich jetzt ein Fleckchen habe, an das ich mich vor der Langeweile zurückziehen kann. Alles auf einmal aufs ganze Jahr zu lesen ist schöner als monatlich. Schade nur, daß der Anfang des Sienkiewicz fehlt.

Ich grüße Viktor Aleksandrovič und Mitrofan Nilovič.

Ihr aufrichtig ergebener A. Čechov.

411) AN L. S. MIZINOVA MELICHOVO, 23. 11. 1892

Liebe Likusja, Sie schreiben, es habe Sie geärgert, aus Melichovo wegzufahren, und Sie wüßten in Moskau nicht wohin mit sich. Sie wollen, daß ich Ihnen das glaube? Also bitte, mein Engel! Sie haben mir dermaßen den Kopf verdreht, daß ich sogar bereit bin zu glauben, daß zweimal zwei fünf sei. Ich kann mir vorstellen, wie Sie, Ärmste, in der Gesellschaft von Archipov, Kupernik, Fürst Urusov usw. Sehnsucht haben, wie widerwärtig Ihnen der Kognak ist, und was für ein Paradies Melichovo für Sie darstellt, wenn Sie in der Symphonischen Ihr neues blaues Kleid ausführen, das Ihnen, wie ich höre, sehr gut steht.

Kommen Sie nicht so bald wieder? Nicht so bald? Nein?

Ihr A. Čechov.

23. November, Europa.

Schreiben Sie!

412) AN A. S. SUVORIN MELICHOVO, 25. 11. 1892

25. November.

Es ist nicht schwer, Sie zu verstehen, und Sie schimpfen ohne Grund auf sich, daß Sie sich unklar ausdrückten. Sie sind ein harter Trinker, und ich habe Ihnen süße Limonade vorgesetzt, und nun, indem Sie der Limonade Gerechtigkeit widerfahren lassen, bemerken Sie, daß die Limonade keinen Sprit enthält. In unseren Werken fehlt eben der Alkohol, der einen betrunken macht und versklavt, und das geben Sie durchaus klar zu verstehen. Weshalb fehlt er? Lassen wir den »Krankensaal Nr. 6« und mich persönlich beiseite, sprechen wir allgemein, das ist interessanter. Sprechen wir, wenn es Sie nicht langweilt, von den allgemeinen Gründen und erfassen die ganze Epoche. Sagen Sie ehrlich, wer von meinen Altersgenossen, d. h. den Leuten zwischen 30 und 45 Jahren, hat der Welt auch nur einen Tropfen Alkohol gegeben? Sind Korolenko, Nadson und alle heutigen Dramatiker etwa keine Limonade? Die Bilder von Repin oder Šiškin, haben die Ihnen etwa den Kopf verdreht? Das ist nett, talentiert. Sie sind entzückt und können gleichzeitig einfach nicht vergessen, daß Sie rauchen möchten. Wissenschaft und Technik erleben jetzt eine große Zeit, für unsereinen dagegen ist diese Zeit brüchig, sauer, langweilig, wir selbst sind sauer und langweilig, wir können nur Guttaperchakinder zur Welt bringen, und das sieht einzig Stasov nicht, dem die Natur die seltene Fähigkeit verliehen hat, sogar von Spülwasser betrunken zu werden. Die Gründe liegen nicht in unserer Dummheit, nicht in unserer mangelnden Begabung und nicht in der Unverschämtheit, wie Burenin meint, sondern in einer Krankheit, die für einen Künstler schlimmer ist als Syphilis und Impotenz. Uns fehlt das »Etwas«, das ist wahr, und das bedeutet, daß, wenn Sie unserer Muse den Rocksaum hochheben, Sie dort eine flache Stelle sehen werden. Denken Sie daran, daß Schriftsteller, die wir ewig oder einfach gut nennen und die uns betrunken machen, ein gemeinsames und sehr wichtiges Merkmal besitzen: sie kommen von irgendwo her und rufen Sie dorthin, und Sie spüren es nicht mit dem Verstand, sondern mit Ihrem ganzen Wesen, daß sie ein bestimmtes Ziel haben, so wie der Schatten von Hamlets Vater, der nicht ohne Grund erschienen ist und die Geister beunruhigt. Die einen haben, je nach Kaliber, nahe Ziele – die Leibeigenschaft, die Befreiung der Heimat, die Politik, die Schönheit oder einfach den Vodka, wie Denis Davydov, die anderen haben Fernziele – Gott, das Leben nach dem Tode, das Glück der Menschheit usw. Die besten von ihnen sind Realisten und beschreiben das Leben so, wie es ist, weil aber jede Zeile wie von Saft durchtränkt ist von dem Bewußtsein des Ziels, spüren Sie außer dem Leben, wie es ist, auch noch dasjenige Leben, so wie es sein soll, und das fesselt Sie. Wir dagegen? Wir! Wir beschreiben das Leben so, wie es ist, und weiter weder piep noch pup... Weiter prügeln Sie uns nicht mal mit der Peitsche. Wir haben weder Nah- noch Fernziele, unser Herz ist wie leergefegt. Wir haben keine Politik, an eine Revolution glauben wir nicht, wir haben keinen Gott, haben keine Angst vor Gespenstern, ich persönlich habe nicht einmal Angst vor dem Tod oder dem Erblinden. Wer nichts will, auf nichts hofft und vor nichts Angst hat, der kann kein Künstler sein. Ob dies eine Krankheit ist oder nicht – es geht nicht um die Bezeichnung, sondern um das Eingeständnis unserer Lage, die schlimmer ist als die eines Gouverneurs. Ich weiß nicht, was in 10–20 Jahren mit uns sein wird, dann werden sich die Umstände vielleicht geändert haben, aber vorläufig wäre es übereilt, von uns irgendetwas wirklich Vernünftiges zu erwarten, unabhängig davon, ob wir Talent haben oder nicht. Wir schreiben automatisch, indem wir uns nur der lange eingefahrenen Ordnung unterwerfen, nach der die einen dienen, die anderen Handel treiben, wieder andere schreiben... Sie und Grigorovič finden, ich sei klug. Ja, klug zumindest insofern, als ich meine Krankheit nicht vor mir verberge und mich nicht belüge und meine Leere nicht mit fremden Flicken bemäntele wie etwa den Ideen der 60er Jahre usw. Ich werde mich nicht wie Garšin in einen Treppenschacht stürzen, aber ich werde mir auch nicht schmeicheln mit Hoffnungen auf eine bessere Zukunft. Nicht ich bin schuld an meiner Krankheit, und nicht ich kann mich von ihr heilen, denn diese Krankheit hat, wie man annehmen sollte, ihre uns verborgenen guten Ziele und ist uns nicht grundlos geschickt worden... Nicht grundlos, nicht grundlos ließ der Husar den Hund los!

Nun zur Klugheit. Grigorovič ist der Meinung, Klugheit könne das Talent in den Hintergrund drängen. Byron war klug wie hundert Teufel, und sein Talent blieb heil und unversehrt. Wenn man mir erzählt, X habe Unsinn geredet, weil seine Klugheit sein Talent in den Hintergrund gedrängt habe, dann sage ich darauf: das bedeutet, X hat weder Klugheit noch Talent.

Amfiteatrovs Feuilletons sind bei weitem besser als seine Erzählungen. Die lesen sich wie Übersetzungen aus dem Schwedischen.

Ežov schreibt, er habe seine Erzählungen gesammelt oder, genauer, ausgewählt und wolle Sie bitten, sein Buch zu verlegen. Er hat Influenza, seine Tochter ebenfalls. Der Mann ist versauert.

Ich werde kommen und, wenn Sie mich nicht wegjagen, fast einen Monat lang in Petersburg bleiben. Vielleicht fahre ich nach Finnland weiter. Wann ich komme? Ich weiß es nicht. Es hängt alles davon ab, wann ich meine Novelle von fünf Bogen geschrieben habe, damit ich im Frühjahr nicht wieder um Kredit betteln muß.

Der Himmel beschütze Sie!

Was sagen Sie zu Schweden und Dänemark?

Ihr A. Čechov.

413) AN L. S. MIZINOVA MELICHOVO, ENDE NOVEMBER 1892

Trofim!

Wenn du Hundesohn nicht aufhörst, hinter Lika herzulaufen, dann stecke ich dir, du Lump, einen Korken in die Stelle, die sich auf Europa reimt. Ach du alter Dreckskerl! Weißt du etwa nicht, daß L. mir gehört und daß wir schon zwei Kinder miteinander haben? Schweinerüssel! Rotzflegel! Geh auf den Hof und wasch dich in einer Pfütze, bist du denn total verrückt geworden, Hundesohn! Ernähr deine alte Mutter und halt sie in Ehren, aber laß die Mädchen in Ruhe. Schwein!!! *Likas Liebhaber.*

Aus einem Stück:

1. DAME: Ist das Ihr Sohn?
2. DAME: Nein, im Gegenteil, das ist der Sohn von Aglaja Ivanovna.
1. DAME: Sie sind noch nicht verheiratet?
2. DAME: Nein, im Gegenteil, ich bin verheiratet.
1. DAME: Möchten Sie nicht eine Kleinigkeit essen?
2. DAME: Nein, im Gegenteil.

Vorhang

414) AN A. S. SUVORIN MELICHOVO, 3. 12. 1892

3. Dez.

Daß die jüngste Generation von Schriftstellern und Malern beim Schaffen keine Ziele hat, ist eine vollkommen gesetzmäßige, folgerichtige und interessante Erscheinung, und wenn die Sazonova aus heiterem Himmel vor einem Schreckgespenst erschrickt, so bedeutet dies nicht, daß ich in meinem Brief geheuchelt oder meinen Sinn verstellt hätte. Sie haben selbst die Unehrlichkeit aus ihrem Brief herausgelesen, gleich nachdem sie Ihnen geschrieben hatte, sonst hätten Sie mir ihren Brief nicht geschickt. In meinen Briefen an Sie bin ich oft ungerecht und naiv, aber ich schreibe nie etwas, das ich nicht im Sinn gehabt hätte.

Wenn Sie auf Unehrlichkeit aus sind, so enthält der Brief der Sazonova davon eine Million Pud. »Das größte Wunder ist der Mensch selbst, und wir werden nie müde werden, ihn zu studieren ...« oder »Der Sinn des Lebens – das ist das Leben selbst ...« oder »Ich glaube an das Leben, an seine lichten Augenblicke, um derentwillen man nicht nur leben kann, sondern sogar leben muß, ich glaube an den Menschen, an die guten Seiten seiner Seele« usw. Ist das nicht etwa alles unehrlich, und bedeutet es auch nur irgendetwas? Das ist keine Anschauung, das sind saure Drops. Sie unterstreicht das »kann« und »muß«, weil sie Angst hat, von dem zu sprechen, was ist und worauf man gefaßt sein muß. Soll sie zuerst sagen, was ist, dann höre ich auch zu, was »man kann« und was »man muß«. Sie glaubt »an das Leben«, und das bedeutet, daß sie an nichts glaubt, wenn sie klug ist, oder aber sie glaubt einfach an den Gott der Bauern und bekreuzigt sich im Dunkeln, wenn sie ein altes Weib ist.

Unter dem Eindruck ihres Briefes schreiben Sie vom »Leben um des Lebens willen«. Ergebensten Dank. Dieser lebensfrohe Brief von ihr ist einem Grab doch 1000 mal ähnlicher als meiner. Ich schreibe, es gibt keine Ziele, und Sie verstehen, daß ich diese Ziele für unerläßlich halte und gern auf die Suche nach ihnen gehen würde, die Sazonova dagegen schreibt, man solle den Menschen nicht mit allen möglichen Gütern locken, die er nie bekommen werde... »Sei zufrieden mit dem, was du hast«, und ihrer Meinung nach besteht unser ganzes Übel darin, daß wir dauernd nach irgendwelchen höheren und entfernten Zielen suchen. Wenn das keine Weiberlogik ist, dann ist es doch eine Philosophie der Verzweiflung. Wer ehrlich der Meinung ist, der Mensch brauche höhere und entfernte Ziele so wenig wie die Kuh, und in diesen Zielen liege »unser ganzes Übel«, dem bleibt nichts anderes übrig als zu essen, zu trinken, zu schlafen oder, wenn ihm das auf die Nerven fällt, Anlauf zu nehmen und mit der Stirn gegen eine Ecke der Truhe zu rennen.

Ich schimpfe nicht auf die Sazonova, sondern will nur sagen, daß sie durchaus keine lebensfrohe Person ist. Offenbar ist sie ein guter Mensch, aber Sie hätten ihr meinen Brief trotzdem nicht zeigen sollen. Sie ist für mich eine Fremde, und mir ist es jetzt peinlich.

Bei uns fährt man schon langgespannt und kocht Fasten-Šči von Stinten. Zweimal starker Schneesturm, der die Straße zugeweht hat, jetzt ist es still, und es riecht nach Weihnachten.

Haben Sie in der »Russkaja mysl« den Aufsatz von V. Krylov über das Theater im Ausland gelesen? Dieser Mensch liebt das

Theater, und ich glaube ihm, obwohl ich seine Stücke nicht mag.

Mir scheint, ich bin ein wenig schuldig vor Ihnen. Ich habe einen der Jungen, nämlich Ežov, den berühmten Belletristen, in Versuchung geführt. Ich sprach mit ihm einmal über einen Verleger für sein Buch und habe ihm in dieser Sache auch geschrieben, aber in unbestimmter Form, und heute auf einmal bekomme ich von ihm einen Brief, in dem er mir schreibt, er habe Ihnen schon die Satzvorlage für seinen Erzählungsband geschickt. Titel des Buches: »Wolken und andere Erzählungen«. Wolken! Das klingt wie Äpfel.

Es wird erzählt, 12 Moskauer Literaten hätten bei Ihnen gegen Amfiteatrov protestiert. Ist das wahr?

Bleiben Sie gesund, und schreiben Sie mir niemals wieder, Sie seien offener als ich. Ich wünsche Ihnen alles Gute.

Ihr A. Čechov.

415) AN A. S. SUVORIN MELICHOVO, 17. 12. 1892

17. Dez.

Diese Erzählung aus der Feder meines Bruders geben Sie Aleksej Alekseevič, der sie mir zur Überarbeitung geschickt hatte. Im Interesse der geneigten Leser bin ich bereit, nicht einmal den eigenen Bruder zu schonen, und ich habe ihn auch nur insoweit geschont, als das nötig und möglich war. Noch mehr kürzen kann man nicht. Natürlich täte A. A. gut daran, meinem Bruder nicht zu sagen, daß ich in seiner Erzählung gehaust habe.

Sie haben 2 mal in der Woche Kopfschmerzen, und nehmen übermäßig viel Phenacetin. Über dieses Mittel weiß ich wenig, und ich kann auch nirgends etwas darüber nachlesen, da ich keine Pharmakologie zur Hand habe, die auf dem neuesten Stand wäre. Sie sollten irgendeinen Petersburger Arzt konsultieren, z. B. Sokolov oder Afanasjev. Wenn er als Autorität erklärt, daß man Phenacetin ungestraft bis zum n e c p l u s u l t r a nehmen könne, dann tun Sie das. Wenn nicht, dann müssen wir uns ein anderes Mittel einfallen lassen.

Der öffentliche Vortrag von Merežkovskij enthält, den Zeitungsberichten nach zu urteilen, nicht wenig an Wahrheit und guten Gedanken. Aber er ist unpolitisch, oder, richtiger, unethisch. In jeder Gesellschaft, sei es eine Nationalität, Sekte, ein Stand oder einfach ein Kreis von Menschen, die durch den gemeinsamen Beruf miteinander verbunden sind, besteht unbedingt eine Ethik der Beziehungen, die, unter anderem, verbietet, daß man sich über seine Kollegen in Gegenwart Fremder schlecht äußert, es sei denn, man habe dafür einen hinreichend schwerwiegenden Anlaß wie Kriminalität oder lasterhaftes Betragen – einen Anlaß, den die Praxis ergibt. Merežkovskij hat sich ohne hinreichenden Anlaß über seine Kollegen pauschal in Gegenwart von Fremden schlecht geäußert, und das bedeutet vom Gesichtspunkt jener Ethik – er hat »unkollegial gehandelt«. Bei sich zu Hause, d. h. in einer Zeitschrift oder einer literarischen Gesellschaft kann jeder schimpfen und sich in die Brust werfen, solange er will, aber auf der Straße sollte er über der Straße stehen und sich nicht beklagen bei den Fräuleins, Polizisten, Studenten, Kaufleuten und allen übrigen Personen, die die Straße bevölkern. Das zum ersten. Zweitens, so tief die Literatur auch fallen mag, das Publikum wird immer noch unter ihr stehen. Wenn also die Literatur angeklagt und vor Gericht gestellt wird, so mag das Publikum dabei jede beliebige Rolle übernehmen, nur nicht die des Richters.

Wenn Sie Leskov sehen, dann sagen Sie ihm, bei Shakespeare in »Wie es euch gefällt« gibt es in Akt 2, Szene 1 einige schöne Worte über die Jagd.

Shakespeare war selbst Jäger, aber aus dieser Szene wird klar, welch schlechte Meinung er von der Jagd hatte und überhaupt vom Mord an Tieren.

Die »Innenseite des Fells«, vergangene Woche veröffentlicht, ist eine gute Erzählung.

Wann raffe ich mich auf nach Piter? Wann?

Ich habe ein langes Telegramm von der Gurevič bekommen. Die Zensur hat alles verboten und nur Schutt übriggelassen. Mit

Rückantwort. Ich habe so geantwortet: Verzeihen Sie, habe nichts fertig. Da soll man nun eine Zeitschrift machen!

Haben Sie die Erzählung von Botkin zurückbekommen?

Bleiben Sie gesund. *Ihr A. Čechov.*

416) AN L. S. MIZINOVA MOSKAU, 19. 12. 1892

19. Dez.

Likusja, ich bin eben angekommen und fahre noch heute weiter nach Petersburg, in Geschäften.

Wann wird es Sommer? Ich habe den Winter satt, bin durchgefroren und ein bißchen krank. Likusja, ich will Sommer, und wenn es nicht Sommer wird, dann bin ich ein Rindvieh.

Als ich aus Melichovo abfuhr, haben mir alle Meinigen aufgetragen, Sie zu bitten, *unbedingt* nach Melichovo zu kommen.

Zurückkommen werde ich – ich weiß nicht wann. Wahrscheinlich in einem Monat. Schreiben Sie mir wenigstens eine Zeile an die Adresse: Ml. Italjanskaja 18, Wohnung Suvorin. Ich schreibe Ihnen auch. Auf dem Rückweg werde ich Sie besuchen und unaussprechlich glücklich sein, wenn Sie... mir etwas zu essen geben. Ich wollte schreiben »mir was zu fressen geben«, aber das wäre unelegant gewesen. Und der eleganten Lika kann man nicht unelegant schreiben.

Die Engel mögen Sie beschützen! *Ihr A. Čechov.*

417) AN L. S. MIZINOVA PETERSBURG, 28. 12. 1892

28. Dez.

Likusja, wenn Sie tatsächlich nach Petersburg kommen, so geben Sie mir unbedingt Bescheid. Die Adresse ist immer noch dieselbe: Ml. Italjanskaja 18.

Die Geschäfte, die Sie in Ihrem Brief so giftig unterstreichen, hindern mich nicht daran, mit Ihnen einige Augenblicke zu verbringen, vorausgesetzt natürlich, daß Sie sie mir schenken. Ich wage nicht, auf mehr als ein, zwei Stunden zu hoffen oder einen ganzen Abend. Bei Ihnen hat sich ein neuer Freundeskreis eingestellt, neue Sympathien, und wenn Sie einem alten, langweilig gewordenen Anbeter zwei, drei Augenblicke gewähren, so ist er auch dafür schon dankbar.

In Petersburg ist es kalt, die Restaurants sind widerlich, aber die Zeit vergeht schnell. Ich habe eine Menge Bekannte.

Von der Gräfin Mamuna habe ich geträumt.

Ich reiße Ihnen aus einer Provinzzeitung eine Anzeige und beeile mich, sie Ihnen zu schicken für den Fall, daß Sie par dépit heiraten wollen. Den Bedingungen entsprechen Sie voll und ganz.

> Im Wunsch, eine Ehe zu schließen, und in Ermangelung geeigneter Bräute in unserem Kreis, bitte ich heiratswillige junge Mädchen, mir ihre Bedingungen zu schicken. Die Braut sollte nicht älter sein als 23 Jahre, blond, hübsch, von mittlerer Größe und lebhaftem, fröhlichem Charakter; Mitgift wird nicht verlangt. Adresse: Almetjevo, Kreis Bugulminsk.
>
> Evgenij Aleksandrovič Insarov.

Sie schrieben, Sie hätten aufgehört zu rauchen und zu trinken, aber Sie rauchen und trinken. Lika betrügt mich. Das ist schön. Schön insofern, als ich nun, wenn ich mit Freunden zu Tisch sitze, sagen kann: »Ich werde von einem blonden Mädchen betrogen...«

Bleiben Sie gesund. Schreiben Sie endlich. Schreiben Sie!

Ihr A. Čechov.

1893

418) AN L. JA. GUREVIČ PETERSBURG, 9. 1. 1893

9. Januar 1893, Ml. Italjanskaja, 18.

Sehr geehrte

Ljubov Jakovlevna!

Jeden Tag will ich zu Ihnen kommen, aber ich bin schwach wie ein leckgeschlagener Kahn, und die Wellen tragen mich nie dorthin, wohin sie sollten. Ich werde zu Ihnen kommen, um mit Ihnen zu sprechen und mich zu entschuldigen, vor allem aber, um Sie um Erlaubnis zu bitten, Ihnen keine Versprechungen machen zu müssen. Nichts ist schwerer, als Hoffnungen zu enttäuschen und die Leute durch Unpünktlichkeit zu verärgern. Alles, was ich im Herbst geschrieben habe, habe ich verworfen, zur Zeit schreibe ich überhaupt nichts, in der Hoffnung, daß mich die gute Muse einmal besucht und meine träge Seele durchschüttelt. Ich bin von allen Belletristen der faulste und unzuverlässigste. Verzeihen Sie diesen reuigen Ton, aber Sie haben mir ehrlich geschrieben, also antworte auch ich Ihnen ehrlich.

Wenn Michail Nilovič zurückgekommen ist, so grüßen Sie ihn. *Ihr ergebener A. Čechov.*

419) AN I. F. GORBUNOV-POSADOV PETERSBURG, 12. 1. 1893

12. Jan. Ml. Italjanskaja, 18.

Sehr geehrter

Ivan Fëdorovič,

die Belletristen, etwa 12–15 Mann an der Zahl (Jasinskij, Atava, Gnedič, Nemirovič-Dančenko, Mamin-Sibirjak u. a.), werden heute um 6 Uhr im »Malo-Jaroslavec« essen, um den Anfang zu »belletristischen« Essen zu setzen und bei der Gelegenheit den Tatjanentag zu feiern. Mir ist aufgetragen worden, mich an D.V.

Grigorovič und an Sie zu wenden mit der ergebenen Bitte – unsere Tafel mit Ihrer Gegenwart zu beehren. Dmitrij Vasiljevič hat versprochen zu kommen. Jetzt warten wir auf Ihre Antwort. Von den älteren Belletristen ist, außer Ihnen und Dmitrij Vasiljevič, auch S. V. Maksimov eingeladen.

In aufrichtiger Hochachtung Ihr ergebener *A. Čechov.*

420) AN L. S. MIZINOVA PETERSBURG, 14. 1. 1893

14. Jan.

Lika, ich komme an einem der Montage oder Dienstage in der Hoffnung, in der »Russkaja mysl« und bei Ihnen zu essen und am Freitag mit Maša nach Melichovo zu fahren. Ich kann Petersburg nicht verlassen, bevor ich nicht meine finanziellen Angelegenheiten geregelt habe. Vor einigen Tagen habe ich 2500 R. Schulden zurückgezahlt, jetzt muß ich noch mindestens eintausend auftreiben.

Ich habe verteufelt Sehnsucht. Schreiben Sie, Engel. Was die 10 R. betrifft, so fallen Sie mir damit langsam auf die Nerven; geben Sie sie Maša oder Ivan. Wenn Sie wollen, gebe ich Ihnen 1–2 Monate Aufschub.

Bleiben Sie gesund, schlimme Betrügerin. *Ihr A. Čechov.*

421) AN V. G. ČERTKOV PETERSBURG, 20. 1. 1893

20. Jan. 93.

Sehr geehrter

Vladimir Grigorjevič!

Ich hatte Herrn Chirjakov gesagt, ich würde Ihnen von zu Hause schreiben, da ich aber meine Abreise noch um einige Tage verschoben habe, schreibe ich Ihnen aus Petersburg.

Wenn Herr Ch. Ihnen schrieb, ich sei beleidigt, so hat er ein bißchen übertrieben, worin ich im übrigen nichts Schlimmes sehe; wir hatten ein geschäftliches Gespräch miteinander, und ich habe ihm eher meine Verwunderung ausgedrückt als meinen

Unwillen. Ich wunderte mich, daß der »Posrednik«, ein seit langem populäres Unternehmen, das fest auf den Beinen steht in bezug auf das Vertrauen und die Sympathie der Gesellschaft, seine Popularität nicht nutzen will und zögert, zögert... Die alten Ausgaben hat man sich längst übergesehen, und neue gibt es keine, Ihre Versprechen sind kärglich, und es besteht keine Hoffnung, daß die Entwicklung der Sache in ihrem Ausmaß ihren Aufgaben gerecht werden würde. Es sieht so aus, als seien Sie müdegeworden oder enttäuscht. Das ist es, was ich Herrn Ch. gesagt habe. Ich sagte ihm auch, daß es, wenn die Autoren noch leben, unmöglich sei, ihre Werke ohne deren Korrekturen herauszugeben. Ich hatte Ihnen meine Erzählungen in unkorrigierter Gestalt geschickt (ausgenommen übrigens den »Namenstag«) in der festen Annahme, daß Sie mir unbedingt die Fahnen schikken würden. Jedes Buch bei Ihnen braucht, bis es erscheint, 1–2 Jahre, und bei solchen Fristen kann man mehr als einmal Korrektur lesen. Was »Meine Frau« betrifft, so hatte ich Ihnen geschrieben, daß man sie in der jetzigen Gestalt unmöglich veröffentlichen könne und ich sie unbedingt überarbeiten müsse. In jedem Fall ist das Korrekturlesen eine sehr gute Sitte, die man nicht vernachlässigen sollte. Wenn ich Verleger wäre, würde ich, wenn ich ein Werk erwerbe, die Autorenkorrektur zur festen Bedingung machen. Das ist alles. Mehr habe ich, glaube ich, nicht gesagt.

Beide Bücher – »Meine Frau« und »Der Namenstag« – habe ich bekommen. Sie fragen, ob mir die Ausgaben äußerlich gefielen. Mir scheint, daß für ein Buch, das 20 Kopeken kostet, das Format zu groß ist. Das Buch nimmt im Ladenfenster und im Geschäft viel Platz weg. Je kompakter ein Buch, desto handlicher ist es, desto leichter blättert es sich darin und desto solider wirkt es. Die Inschrift in dem Kreis: »für den intell. Leser« ist vollkommen verfehlt. Sie ist unseriös, auch wenn sie einen seriösen Gedanken enthält. Ich würde sie entfallen lassen oder in die Verlagsanzeigen übernehmen, wo sie nicht so ins Auge sticht.

Sie schreiben von Gerüchten. Ich versichere Sie, bis heute habe ich über den »Posrednik« und über Ihre Tätigkeit nur Gutes gehört. Sowohl die Literaten als auch die Gesellschaft verhalten sich Ihnen gegenüber mit größter Sympathie. Der Kreis meiner Beobachtung und Bekanntschaften ist eng. Ich kann nur für die antworten, die ich kenne, glaube aber, wenn irgendetwas Gerüchtähnliches in der Luft läge, so wäre es gewiß an mein Ohr gedrungen. Also, ich wiederhole, ich habe nichts gehört, was Ihnen mißfallen könnte. Es steht alles zum Besten.

I. I. Gorbunov habe ich nicht gesehen. Man sagte mir, er sei krank und gehe nicht aus dem Haus.

Mit Ihrer Abrechnung (240 R.) bin ich einverstanden, obwohl ich mit Herrn Ch. nicht über Geld gesprochen habe. Schicken Sie es mir nach Serpuchov, wo es nötiger gebraucht wird, hier in Petersburg fürchte ich, es nur für nichts und wieder nichts auszugeben. Meine Adresse für einfache Briefe: St. Lopasnja, Strecke Mosk.–Kursk, für rekommandierte und Einschreibsendungen – Serpuchov, Gouv. Moskau.

Den »Krankensaal Nr. 6« habe ich in den Erzählungsband aufgenommen, der zur Zeit gedruckt wird und in einer Woche erscheint. Ihnen diese Erzählung zu überlassen, hätte für mich bedeutet, auf einen Erzählungsband zu verzichten, der mir mindestens tausend Rubel einbringen wird. Das Geld brauche ich verteufelt dringend, weil ich wenig schreibe und nur von der Literatur lebe. Verzeihen Sie mir dieses Kalkül.

Ich fahre in 3–4 Tagen nach Hause und werde bis Ende Mai fest dort bleiben.

Ich wünsche Ihnen alles Gute und bitte Sie, an meine aufrichtige Hochachtung und Sympathie zu glauben. Ich werde mich freuen, Ihrer Sache auch weiterhin nützlich zu sein, und wenn ich es bisher so wenig war, so liegt das weniger am mangelnden Wunsche als an dem Maß meiner Kräfte.

Ihr ergebener A. Čechov.

422) AN I.E. REPIN PETERSBURG, 23. 1. 1893

23. Jan.

Sehr geehrter Ilja Efimovič, ich schicke Ihnen meine Krankenhauserzählung, von der ich sprach.

Mit Ihrer Erlaubnis habe ich mich mit der Frage, ob im Garten Gethsemane der Mond geschienen habe, an einen jungen Geistlichen und Theologen gewandt, der althebräische Literatur usw. studiert hat. Vorgestern sprachen wir miteinander, wobei er mich auf das II. Buch Mose als die wichtigste literarische Quelle verwies, und heute bekam ich von ihm einen Brief, den ich beilege. Dieser Brief enthält zwei, drei Hinweise, die vielleicht von Nutzen sind. Die Werke Didons, von denen in dem Brief die Rede ist, sind bei Suvorin erhältlich.

Der Autor des Briefes ist ein studierter und vernünftiger Mann. Wenn ihm die Frage nicht klar ist, so ist sie also auch allen anderen Theologen nicht klar. Was die Astronomen betrifft, so werden wohl auch sie Ihnen nichts Bestimmtes sagen können.

Jedenfalls sollte man annehmen, daß der Mond geschienen hat. Auch Ge malt ihn aus irgendeinem Grunde mit dem Mond. Offenbar hat ihn das eingehende Studium des Gegenstandes (natürlich nur, wenn ein solches wirklich stattgefunden hat) zugunsten des Mondes beeinflußt.

Ich sehe Ihr Bild klar in allen Einzelheiten vor mir. Es hat also einen starken Eindruck auf mich gemacht. Und Sie sagten – ein langweiliges Sujet.

L.L. Tolstoj war bei mir, wir haben verabredet, gemeinsam nach Amerika zu fahren.

Ich wünsche Ihnen alles Gute und danke Ihnen nochmals.

In aufrichtiger Hochachtung *A. Čechov.*

423) AN A.S. SUVORIN MELICHOVO, 5. 2. 1893

5. F.

Mein Vater ist krank: er hat starke Schmerzen im Rücken, und die Finger sterben ihm ab – nicht für immer, sondern in Anfällen, wie bei Angina pectoris. Er philosophiert viel und ißt für zehn, und ich habe nicht die Kraft, ihn davon zu überzeugen, daß die beste Arznei für ihn – Enthaltsamkeit sei. Überhaupt habe ich in meiner Praxis als Arzt und in meinem häuslichen Leben bemerkt, daß alte Leute, wenn man ihnen rät, weniger zu essen, das fast als persönliche Beleidigung auffassen. Die Angriffe auf die Vegetarier und, besonders, Burenins Feldzüge gegen Leskov erscheinen mir in dieser Hinsicht sehr verdächtig. Wenn Sie anfingen, den Reis zu predigen, würde man in Gelächter über Sie ausbrechen. Und lachen würden, glaube ich, nur die Vielfraße.

Ich habe Kummer, mein Lieber – meine Schwester hat so etwas wie Typhus. Krankgeworden ist die Ärmste in Moskau. Als ich sie nach Hause brachte, war sie vollkommen heiser, geschwächt, 40°, Schmerzen im ganzen Körper, Depressionen... Ich habe mich zwei Nächte mit ihr herumgeplagt. Sie stöhnte: »Ich sterbe!«, was meine Familie in Aufruhr versetzte, besonders meine Mutter. Es gab einen Augenblick, wo es aussah, als würde Maša gleich sterben. Und jetzt hat sie bereits seit vier Tagen Kopfschmerzen, so daß ihr jede Bewegung Schmerzen bereitet. Es gibt nichts Schwereres, als seine Angehörigen zu behandeln. Man tut alles, was nötig ist, und meint doch jede Sekunde, man täte nicht das Richtige...

Mein Attestat – ich weiß nicht, wo es ist, aber meinen Paß habe ich hier. Wenn nötig, kann ich Ihnen eine Beglaubigung schikken, daß ich Arzt bin. Aber warten Sie bis Ende März. Unentschlossenheit hat sich in mein Herz eingeschlichen. Außerdem finde ich jetzt, daß der Titel »Die Möwe« nicht paßt. Glanz, Feld, Blitz, Kiste, Korken, Lange Hosen... das paßt alles nicht. Nennen wir sie so: Der Winter. Der Sommer ginge auch. Oder Der Monat. Sollten wir sie nicht einfach die Zwölf nennen?

Im Jan.-Heft des »Trud« ist das Stück »Nach dem Gewitter« von Merežkovskij abgedruckt. Wenn Sie keine Zeit und Lust haben, das ganze Stück zu lesen, dann kosten Sie nur den Schluß. Merežkovskij hat sogar Jean Ščeglov überboten. Bigotterie in der Literatur ist die mieseste Bigotterie.

Warum verfahren Sie so grausam mit Lesseps & Co.? Die Franzosen sind ein strenges Volk; sie haben die Guillotine, und aus ihren Gefängnissen wird man als entkräfteter Idiot entlassen; sie haben ein System der Einschüchterung, aber sie finden das Urteil über die Maßen hart oder sagen zumindest aus Feingefühl, daß ihnen das Urteil hart erscheine. Lesseps & Co. sind aus ihrer Höhe gestürzt, sind verurteilt und haben über Nacht schlohweißes Haar bekommen. Meiner Meinung nach sollte man der überflüssigen Sentimentalität und dem unpolitischen Verhalten einen Vorwurf machen, statt zu riskieren, grausam zu sein. Und Ihr Telegramm ist wirklich grausam. 5 Jahre Gefängnishaft, Aberkennung der bürgerlichen Rechte usw. – das ist das höchste Strafmaß, das sogar den Staatsanwalt zufriedenstellt, und in Ihrem Telegramm steht: »Wir finden dies zu nachsichtig.« Himmlische Heerscharen, ist das nötig? Und nötig für wen?

Die Sonne scheint aus Leibeskräften. Es riecht nach Frühling. Aber nicht in der Nase, sondern irgendwo in der Seele, zwischen Brust und Bauch. Nachts ist es kalt, tagsüber tropft es vom Dach.

Die Astronomin ist in Petersburg, wozu ich die Ehre habe Ihnen zu gratulieren. Ich wünschte, sie käme Sie besuchen und bliebe acht Stunden bei Ihnen sitzen. Sie will irgendwo zu studieren anfangen, und ihre Freundin, die Ärztin, glaubt, daß aus ihr etwas sehr Vernünftiges werden könne.

Wenn Sie tatsächlich ins Ausland fahren und dort Pleščeev sehen, dann sagen Sie ihm, er solle mir ein halbes Dutzend Stühle kaufen. Ich werde keine Ruhe geben, solange er sie mir nicht kauft. Die Stühle brauche ich nicht, aber er soll es spüren. Ziehen Sie auch Erkundigungen ein in Sachen Jungfräulichkeit.

Während ich bei Ihnen wohnte, bin ich dick und stark geworden, und hier bin ich gleich wieder aus dem Leim gegangen. Ich bin verteufelt gereizt. Ich bin einfach nicht geschaffen für Schuldigkeiten und heilige Pflichten. Verzeihen Sie mir diesen Zynismus. Recht hat der Doktor, ein Schulkamerad von mir, den ich ganz vergessen hatte und der mir aus der Einöde von Kazan unverhofft einen Brief schickte; er schreibt: »Alle besten Intellektuellen begrüßen Ihren Übertritt vom Pantheismus zum Anthropocentrismus.« Was bedeutet Anthropocentrismus? Seit ich denken kann, habe ich dieses Wort nie gehört.

Ich rauche weiter Zigarren.

Sagen Sie Anna Ivanovna unbedingt, daß ich sie grüße, sonst sagt sie wieder, daß ich mich in meinen Briefen an Sie immer in den Gemeinplatz flüchte – »einen Gruß an die Ihren«. An sie einen herzlichen Gruß und Dank für die Gastlichkeit, die ich nie vergessen werde. Ich hatte ein wunderbares Leben bei Ihnen.

Der Himmel, der Mond und die Sterne mögen Sie beschützen. Schreiben Sie.

Neuigkeiten gibt es keine. Alles Gute. *Ihr A. Čechov.*

424) AN AL. P. ČECHOV MELICHOVO, 6. 2. 1893

6. Febr.

Ich danke dir, Sašečka, dafür, daß du dich gekümmert hast. Wenn ich einmal Wirkl. Staatsrat werde, werde ich dir für deine jetzigen Bemühungen gestatten, mich ohne Titel anzureden, d. h. du brauchst mich nicht Euer Exzellenz zu nennen. Ich bin bereit, noch einen Monat zu warten, denn die Frist für meinen Paß ist der 21. Febr., aber länger zu warten bin ich nicht gewillt. Sag Ragozin, wenn er mir nicht bis zum 1. März meinen Paß schickt, schreibe ich Vukov einen Brief nach Taganrog.

Bei uns steht nicht alles zum Besten. Ich schreibe dir in Punkten:

1) Vater ist krank. Er hat starke Schmerzen im Rückgrat, und die Finger sterben ihm ab. All das nicht ständig, sondern in Anfällen, wie bei Angina pectoris. Wahrscheinlich Alterserscheinungen. Ich müßte ihn behandeln, aber »die Herrschaften speisen« voller Ingrimm, jede Mäßigung von sich weisend, tags Bliny, zum Abendbrot heiße Suppe und alle möglichen Zakuski. Er sagt von sich, er sei »vom Schlag gelähmt«, hört aber nicht auf das, was man ihm sagt.

2) Maša ist krank. Sie hat eine Woche im Bett gelegen, mit ho-

her Temperatur. Wir dachten, es sei Typhus. Jetzt geht es ihr besser.

3) Ich habe Influenza. Ich tue nichts und bin gereizt.

4) Das Kalb hat sich die Ohren abgefroren.

5) Die Gänse haben dem Hahn den Kamm abgefressen.

6) Es kommen oft Gäste, sie bleiben über Nacht.

7) Die Zemstvoverwaltung verlangt von mir einen medizinischen Bericht.

8) Das Haus hat sich stellenweise gesenkt, und einige Türen schließen nicht mehr.

9) Die Fröste halten an.

10) Die Spatzen kopulieren schon.

Übrigens, letzten Punkt brauchst du nicht zu rechnen. Übrigens, setz dich an den Tisch, da kannst du in der Nase bohren und Betrachtungen über die Amoral der Spatzen anstellen. Wenn du nicht willst, kannst du es auch bleiben lassen.

Die Photographien habe ich weitergegeben. Aber da bei uns im Hause sich auf allen Kommoden und Fensterbrettern die Photographien häufen, hat dein Geschenk gar keinen Eindruck gemacht. Auf dieser Welt halte ich zwei Beschäftigungen für besonders nutzlos: Laubsägearbeiten und die Photographie.

Richte Nikolaj und Anton Folgendes aus. Großmutter und Tante Maša haben gesagt, wenn sie gut lernen, Gebete und Gedichte auswendig lernen und wenn sie Miša nichts Böses tun und sich nicht zanken, bekommen sie zu den Großen Fasten Geschenke. Für den Fall, daß Natalja Aleksandrovna uns schreibt, daß sie sich nicht so benehmen, wie es sich für Kinder eines Gouvernementssekretärs gehört, bekommen sie einen feuchten Dreck. Anton hat eine Hühnerbrust und braucht unbedingt Gymnastik. Mit solch einer Brust kann man nicht leben.

Von der Influenza ist es mir im Kopf und im Herzen trüb. Im Haus herrscht Lazarettstimmung.

Einen Gruß an Natalja Aleksandrovna und die besten Wünsche – Geld, Frieden und Gesundheit. An die Kinder und Gagara ebenfalls einen Gruß. Bleib gesund. *Dein A. Čechov.*

Ваша эпиграмма, душа моя! Вукол Михайлович, разбудила меня в 3 часа утра. Я думал, думал и ничего не придумал, а уже 9 часов и пора посылать Вам ответ. „Рассказ моего пациента“ — и годится, (безусловно) пахнет больницей. „Лакей“ — даже не годится: не отвечает содержанию и грубо. Что же придумать?

1) В Петербурге.

2) Рассказ моего знакомого.

Первое — скучно, а второе — что будто длинно. Можно урез-ать „Рассказ знакомого“. Но дальше:

3) В восьмидесятые годы.

Это претенциозно.

4) Без заглавия.

5) Повесть без названия

6) Рассказ неизвестного человека.

Последнее, кажется, подходит. Хорошо? Если хорошо, то ладно.

Но что цензура? Я побаиваюсь.

Масленица прошла у меня худо, было невесело. Дома

Brief an V.M. Lavrov vom 9. Februar 1893 (vgl. Brief Nr. 425 dieser Ausgabe).

425) AN V. M. LAVROV MELICHOVO, 9. 2. 1893

9. Febr.

Ihr Telegramm, lieber Vukol Michajlovič, hat mich um 3 Uhr morgens geweckt. Ich habe überlegt, überlegt und nichts gefunden, inzwischen ist es schon 9 Uhr und Zeit, Ihnen zu antworten. »Erzählung eines meiner Patienten« – eignet sich auf keinen Fall: das riecht nach Krankenhaus. »Der Lakai« – taugt ebenfalls nicht: das entspricht nicht dem Inhalt und ist grob. Was fällt einem sonst ein?

1) In Petersburg.

2) Erzählung eines meiner Bekannten.

Das erste ist langweilig, das zweite irgendwie zu lang. Man kann einfach sagen »Erzählung eines Bekannten«. Aber weiter:

3) In den Achtziger Jahren.

Das ist prätentiös.

4) Ohne Titel.

5) Novelle ohne Titel.

6) »Erzählung eines Unbekannten«.

Das letzte, glaube ich, geht. Wollen Sie? Wenn ja, dann in Ordnung.

Aber was ist mit der Zensur? Ich bange.

Die Butterwoche war für mich alles andere als lustig. Ich hatte Kranke zu Hause. Jetzt geht es besser.

Ich wünsche Ihnen alles Gute. *Ihr A. Čechov.*

426) AN A. S. SUVORIN MELICHOVO, 24. 2. 1893

24. Febr.

Die »Russkaja mysl« habe ich noch nicht gesehen, aber ich ahne es schon. Protopopov mag ich nicht: das ist ein daherredender, sich Adern aus dem Hirn ziehender, manchmal gerechter, aber trockener und herzloser Mensch. Persönlich kenne ich ihn nicht und habe ihn nie gesehen; er hat oft über mich geschrieben, aber ich habe es kein einziges Mal gelesen. Ich bin kein Journalist: ich habe einen physischen Ekel gegen Beschimpfungen, gegen wen es sich auch richten mag; ich sage – physisch, weil ich nach der Lektüre von Protopopov, Žitel, Burenin und den anderen Richtern der Menschheit immer einen Geschmack von Rost im Munde habe und mir der Tag verdorben ist. Es tut mir einfach weh. Stasov hat Žitel eine Wanze genannt; aber wozu, wozu hat Ž. Antokolskij beschimpft? Das ist doch keine Kritik, keine Weltanschauung, sondern Haß, tierische, unersättliche Bosheit. Weshalb nimmt Skabičevskij Schimpfwörter in den Mund? Weshalb dieser Ton, als ginge es hier nicht um Maler und Schriftsteller, sondern um Arrestanten? Ich kann und kann es nicht.

Antworten Sie Protopopov bitte nicht; erstens lohnt es sich nicht, zweitens sind Lavrov und Golcev an den Schriften von Pr. ebenso schuldig wie Sie an denen Burenins, und drittens ist Ihr Standpunkt von Anfang an schwach. Sie schreiben mir und sind empört, daß man Ihren Sohn beschimpft, aber man beschimpft doch nicht den Sohn, sondern A. A. Suvorin, den Journalisten, der ein Palästina geschrieben hat, im »Nov. vr.« schreibt, selbst einmal Martens beschimpft, in Paris im Namen der russischen Presse gesprochen und ein Feuilleton über seine Reise mit seinem Namen unterschrieben hat. Er ist eine selbständige Größe und kann selbst für sich eintreten. In Ihrem Brief klingt es so, als sei A.A. vom »Nov. vr.« unabhängig, als würde er bestraft für fremde Sünden, als sei er am Pressewesen gänzlich unbeteiligt. Nein, antworten Sie nicht, Sie verirren sich sonst vor lauter Antworten, Fragen und weiteren Antworten in so einen Wald, daß Sie, bevor Sie da wieder herausfinden, zehnmal Kopfschmerzen bekommen. Der verleumderische oder, milder gesagt, unleserliche Artikel von Prot. bringt Ihnen nichts, nimmt Ihnen aber auch nichts; die Zahl Ihrer Freunde und Feinde bleibt die gleiche. Dabei kann ich Ihre Stimmung durchaus verstehen, sehr sogar... Gott mit Ihnen!

A propos Aleksej Alekseevič. Richten Sie ihm aus, daß das Manuskript, das er mir geschickt hatte, noch immer bei mir liegt und ich nicht weiß, was ich damit machen soll; irgendetwas werde ich schon draus machen. Er soll mir nicht böse sein wegen meiner Säumigkeit. Der Himmel möge ihn beschützen! Er soll nur nicht das Rauchen anfangen. Ich habe Bronchitis von den Zigarren.

Meine Novelle wird mit dem Märzheft abgeschlossen. »Fortsetzung« anstelle von »Schluß« ist mein Fehler, weil ich die Fahnen als letzter gelesen und statt des einen das andere hineingeschrieben habe. Der Schluß wird Ihnen nicht gefallen, weil ich ihn so stark komprimiert habe. Er müßte länger sein. Aber ihn zu lang auszudehnen wäre auch gefährlich gewesen, weil zu wenig Helden darin sind, und wenn einem, auf 2–3 Bogen, immer nur dieselben beiden Personen begegnen, wäre es langweilig und die beiden Personen würden zerfließen. Übrigens, wozu reden über uns alte Männer? Wann endlich schicken Sie mir Ihren Roman? Ich brenne darauf, Ihnen eine lange Kritik zu schreiben.

Mein Gott! Was für eine Pracht sind »Väter und Söhne«! Man möchte am liebsten nach der Polizei rufen vor Begeisterung! Die Krankheit Bazarovs ist so stark, daß ich ganz schwach wurde und mich fühlte, als hätte ich mich bei ihm angesteckt. Und das Ende Bazarovs? Und die Alten? Und die Kukšina? Das ist weiß der Teufel wie gemacht. Einfach genial. »Vorabend« gefällt mir nicht, außer dem Vater von Elena und dem Finale. Dieses Finale ist voller Tragik. Sehr gut ist der »Hund«: hier ist die Sprache wundervoll. Lesen Sie ihn bitte, wenn Sie ihn vergessen haben. »Asja« ist nett, die »Stille« ist gedrängt geschrieben und befriedigt nicht. »Rauch« gefällt mir ganz und gar nicht. Das »Adelsnest« ist schwächer als »Väter und Söhne«, aber das Finale gleicht ebenfalls einem Wunder. Außer der alten Frau bei Bazarov, d. h. Evgenijs Mutter und den Müttern überhaupt, besonders den Damen von Welt, die einander übrigens alle ähnlich sind (Lizas Mutter, Elenas Mutter), und der Mutter Lavreckijs, der ehemaligen Leibeigenen, und auch den einfachen Weibern, sind alle Frauen und Mädchen Turgenevs unerträglich in ihrer Affektiertheit und, verzeihen Sie, Verlogenheit. Liza, Elena – das sind keine russischen Mädchen, sondern irgendwelche Pythien, die viel orakeln, überquellen vor Prätentionen, die ihnen nicht zustehen. Irina im »Rauch«, die Odincova in »Väter und Söhne«, überhaupt die Salonlöwinnen, die feurigen, appetitlichen, unersättlichen, etwas Suchenden – sie sind alle Quatsch. Wenn man an Tolstojs Anna Karenina denkt, dann fahren all die Turgenevschen Fräuleins mit ihren verführerischen Schultern zur Hölle. Die negativen Frauentypen, wo Turgenev leicht karikiert (die Kukšina) oder scherzt (die Beschreibung der Tanzbälle), sind bemerkenswert gezeichnet und ihm dermaßen gelungen, daß, wie man so sagt, eine Mücke die Nase nicht naßmacht. Die Naturbeschreibungen sind schön, aber... ich spüre, daß wir uns dieser Art von Beschreibung bereits entwöhnen und etwas anderes brauchen.

Meiner Schwester geht es besser. Meinem Vater ebenfalls. Wir warten auf die Cholera, aber ohne Angst, denn wir sind bereit, aber nicht zu sterben, nein, sondern die Zemstvogelder auszugeben. Wenn die Cholera ausbrechen sollte, würde mich das viel Zeit kosten.

Bleiben Sie gesund, munter und ruhigen Gemüts. Einen besonderen Gruß an Anna Ivanovna. *Ganz Ihr A. Čechov.*

Man hat mir Speck und Würste aus Kleinrußland geschickt. Die Seligkeit!

Warum haben Sie kein Wort verloren über die Belletristentafel? Die habe ich doch schließlich erfunden.

427) AN A. S. SUVORIN MOSKAU, 4. 3. 1893

4. März. Moskau.

Ich bin gerade in Moskau, und morgen fahre ich nach Hause. Ihren Roman schicken Sie als eingeschriebenes Streifband nach Serpuchov. Überhaupt, wenn Sie mir eingeschriebene Briefe und Wertpapiere, Obligationen, Aktien usw. schicken, dann adressieren Sie diese nach Serpuchov. Da diese Stadt das Zentrum der dienstlichen Tätigkeit des Steuerinspektors bildet, ist die Kommunikation mit ihr ziemlich kontinuierlich. Übermitteln Sie dies auch Aleksej Alekseevič, dem ich gestern zwei Manuskripte geschickt habe. Den Aufsatz von Bacevič über die Erdölvorkommen von Sachalin müssen Sie oder A. A. in den Fahnen lesen. Das ist schon ziemlicher Kanzleistil.

Gestern habe ich bei Lavrov gegessen. O weh, früher habe ich ihm Schmähbriefe geschrieben, und jetzt bin ich Renegat!! Das Essen bei Lavrov war angenehm. Die spezifische Moskauer Mischung aus Kultiviertheit und patriarchalischem Gehabe – ein Eintopf, sozusagen. Wir tranken je fünf Gläser Vodka, und Golcev brachte einen Toast aus auf die Vereinigung der künstlerischen Literatur mit der Universitätswissenschaft. Über Sie und Ihren Brief – kein Wort. Wir tranken Madeira, Weißwein, Rotwein, moussierenden, Kognak und Likör, und Lavrov brachte einen Toast aus auf seinen lieben, guten Freund A. P. Čechov und küßte mich dauernd ab. Wir rauchten dicke Zigarren.

Gestern auf dem Essen habe ich den Literaten Ėrtel kennengelernt, den Organisator der Speiseküchen in Voronež. Er macht einen sehr guten Eindruck. Ein kluger und guter Mensch. Er bat mich, mit ihm zusammen zu Tolstoj zu fahren, der sich besonders mir immer gewogener zeigt, aber ich habe diesen Vorschlag abgelehnt, weil ich keine Zeit dazu habe, und vor allem – zu Tolstoj möchte ich s o l o gehen.

Gleich fahre ich zur »Russk. mysl«, um 500 R. zu erbitten. Ich brauche sie für Saatgut. Ich glaube, nach Erscheinen des Märzhefts schuldet mir jenes Denken genau so viel. Und nach diesen 500 R. werde ich aufhören müssen, Fleisch zu essen, weil ich noch nichts Neues angefangen habe und die reiche Braut nach wie vor nicht in Sicht ist. Wann verlieren Sie endlich 50 Tausend auf der Straße, damit ich sie finden kann! Wenn ich mir heute das Geld hole, kaufe ich mir einen schicken Hut und einen Sommermantel. Ich muß endlich einen Sommermantel haben. Einen wunderbaren Hut werd ich mir kaufen, und überhaupt habe ich die Absicht, mich als Geck einzukleiden.

Ich weiß nicht, was Sie zum Schluß meiner Novelle sagen werden. Er hat, glaube ich, keine Spannung, und die Handlung fließt leicht und gesetzmäßig dahin. Ich habe mich zu sehr beeilt, das ist schlecht. Sicher ist mir in der Eile irgendeine Gemeinheit herausgerutscht, die man erst nachher bemerkt, wenn sie mit keiner Axt mehr auszurotten ist. Ich wollte von mir aus einen kleinen Epilog hinzufügen, mit der Erklärung, wie das Manuskript des Unbekannten in meine Hände gelangt ist, ich habe diesen Epilog auch geschrieben, aber ihn für das Buch aufgehoben, d. h. bis zu dem Zeitpunkt, wo diese Novelle als einzelnes Buch erscheint. Und das Buch könnte schon im April in Druck gehen. Die Novelle hat über 5 Bogen, d. h. fast doppelt soviel wie der »Krankensaal Nr. 6«. Es würde also ein dickes Buch werden, und man müßte das Publikum nicht betrügen. Nur wird die Zensur das Buch wohl kaum durchgehen lassen. Aber, wir werden ja sehn.

Meiner Schwester geht es besser.

Bleiben Sie gesund und wohlauf. *Ihr A. Čechov.*

428) AN V. A. GOLCEV MELICHOVO, 8. 3. 1893

Timeo Danaos et dona ferentes.

Ov.

8. März.

Libgart & Co. schickt den Pflug am 20. März nach Šolkovka, den Frachtbrief bringt Ihnen der Bote in die Redaktion.

Le mouton hüpft und hüpft. Wenn ich in der Nähe von Šolkovka lebte, so würde ich Ihnen auch eine Egge, einen Hakenpflug, einen Leiterwagen, eine Gans männlichen Geschlechts, einen Hofhund und Kirschbäume schenken. Vergessen Sie nicht, sich in Moskau einen Wasserbehälter zu bestellen, weil man Ihnen dafür in Šolkovka viel zuviel abnehmen würde. Eisenschaufeln und überhaupt Geräte – bei Lindeman in der Mjasnickaja. Hohe Stiefel und Ledermantel (Pichlau auf der Petrovka) brauchen Sie unbedingt. Ohne Renndroschken ist das Glück nicht vollkommen. Mit einem Wort, Sie werden Ihre Taschen um anderthalb Tausend erleichtern müssen für dies und jenes, und für überhaupt. *Ihr A. Čechov.*

Der Pflug ist sehr schön. Wenn V. M. sich ein Gut kauft, schenke ich ihm auch so einen.

429) AN I. I. GORBUNOV-POSADOV MELICHOVO, 28. 3. 1893

28. März. St. Lopasnja.

Sehr geehrter Ivan Ivanovič, Wort und Tat gehen nicht immer Hand in Hand. Irgendwann habe ich mich über die Langsamkeit des »Posrednik« verbreitet, während ich selbst die Korrektur fast einen ganzen Monat behalten habe. Verzeihen Sie mir diese Verzögerung. Ich bin immer pünktlich, aber dies ist irgendwie unwillkürlich geschehen: mal die Wegelosigkeit, mal niemand, den ich nach Serpuchov hätte schicken können, usw.

Die Korrekturfahnen schicke ich Ihnen nicht, weil sie keine orthographischen Fehler enthalten. Ich schicke Ihnen nur die Zensurbögen. Wie schade, daß mir nicht eingefallen ist, Ihnen zu raten, nach der Ausgabe bei Suvorin zu setzen! Dort ist vieles verändert. Die Einteilung der Kapitel ist ganz anders, es gibt auch Zusätze. Zum Beispiel ist am Schluß der Novelle in der zehnten Zeile von unten ein Satz eingefügt, den ich beim Abschreiben der Novelle weggelassen hatte. Die zehnte Zeile – vgl. die Fahnen.

Die Beanstandungen der Zensur sind nicht weiter wesentlich.

Die Erzählungen, die in Ihrem Brief erwähnt sind, drucken Sie. Aber ich bin nicht der Meinung, daß »Angst« sich für den »Posrednik« eignet.

Mein Bruder I. P. ist zur Zeit bei mir zu Gast. Morgen fährt er nach Moskau und nimmt diesen Brief mit; am Mittwoch kommt er zurück. Sie können ihn in der Woche nach Ostern jederzeit erreichen. In dieser Woche werde auch ich in Moskau sein, wenn die Straße nicht zu schlecht ist.

Von V. G. Čertkov habe ich 150 R. und einen sehr liebenswürdigen Brief bekommen. Ich werde ihm antworten. Die Bücher, die Sie geschickt haben, habe ich noch nicht bekommen, weil die Benachrichtigung der Post noch immer auf meinem Tisch liegt und auf eine Gelegenheit wartet.

Ich hätte nicht gedacht, daß die Moskauer Zensur derart gnädig mit meinem »Krankensaal Nr. 6« verfährt.

Ich wünsche Ihnen alles Gute. Weshalb tun Ihnen die Augen weh?

Bei uns ist Winter, man kann mit dem Schlitten fahren.

In aufrichtiger Hochachtung *A. Čechov.*

430) AN AL. P. ČECHOV MELICHOVO, 4. 4. 1893

4. Apr.

Du, Sohn alla Tremontana, fragst, in welcher Situation sich der Frühling bei uns befindet. Ich antworte: der Sommer ist zum Greifen nah. Schnee, Wind, auf der Straße kein Durchkommen, Nachtfröste, und die Stare waren schon da, haben es sich aber überlegt und sind wieder weggeflogen. Ein ganz scheußliches Wetter. Ich bedaure, kein Säufer zu sein und mich nicht sternhagelvoll saufen zu können. Offenbar wird es kein kalter, giftiger Frühling. Außer poetischen Frühlingsüberlegungen beunruhigen mich auch landwirtschaftliche: das Vieh hat kein Futter, weil die Erde von Schnee bedeckt ist. Wir verkaufen Stroh zu unerhörten Preisen, fast 95 K. pro Pud. Heu keinen Halm, weder bei uns noch bei den Nachbarn. Und die Pferde und Kühe missen essen.

Wegen der Wegelosigkeit fährt niemand nach Serpuchov, und ich sitze weiter ohne Paß da.

Ich habe Suvorin schreiben wollen, habe aber keine Zeile geschrieben, und deshalb ist der Brief von mir, der den Dauphin und seinen Bruder so empört, die reinste Erfindung. Aber wenn schon darüber gesprochen wird, dann soll es wohl so sein: das alte Haus erbebt und wird einstürzen müssen. Um den Alten tut es mir leid, er hat mir einen reuigen Brief geschrieben; mit ihm sollte ich wahrscheinlich nicht endgültig brechen; was dagegen die Redaktion und die Dauphins angeht, so locken mich wie auch immer geartete Beziehungen zu ihnen überhaupt nicht. Ich bin in den letzten Jahren gleichgültig geworden und fühle meine animam derart frei von den Sorgen der eitlen Welt, daß es mir vollkommen egal ist, was in der Redaktion gesprochen und gedacht wird. Außerdem befinde ich mich mit meinen Überzeugungen 7375 Verst weit entfernt von Žitel & Co. Als Publizisten sind sie mir einfach widerwärtig, und dies habe ich dir auch schon mehrfach erklärt.

Wogegen ich allerdings nie gleichgültig werden kann, das sind die Scherereien, die man volens nolens beinahe jeden Monat erleben muß. Je weiter ich ins Alter vordringe, desto klarer sehe ich die Dornen der Rosen, mit denen unser Lebensweg besät ist, und desto grober erscheint mir der Stoff, aus dem die Unterhosen unseres Lebens genäht sind. Bis zum Erbrechen miserable Nerven, kein Geld und auch keines in Aussicht, zum Leben weder Mut noch Tüchtigkeit, eine miserable Gesundheit, gute Laune ist uns fast unzugänglich – kurz sagt, seid nicht wohlgesonnen, wie der Päderast Miška Čeremis immer sagte.

Über Ostern waren Ivan und Aleksej Dolženko bei uns. Ersterer heiratet und hatte seine Braut mitgebracht, um sie vorzuzeigen, ein Adelsfräulein aus Kostroma, zu der er schüchtern »du« sagte, der zweite, stell dir vor, spielt wunderschön Geige. Er spielt in Orchestern und gibt Unterricht. Wer hätte ahnen können, daß aus einem Abort solch ein Genie würde!

Bei unserem Nachbarn kriegt das Weib ein Kind. Bei jedem Hund, der bellt, schrecke ich hoch und horche, ob man mich da nicht holen kommt. Ich war schon dreimal da.

Egoruška schreibt, sein Vater, d. h. unser Onkel, unterwerfe sich dem Spruch der Zeit: er sei schwach und schlohweiß geworden und spreche nur noch leise. Vater Pavel, der Kirchenvorsteher von Michajlovo, richtet ihn auf im Geiste. Erinnerst du dich an Vater Pavel? Den könntet ihr in der Redaktion brauchen.

Bleib gesund und schreib öfter. Natalja Aleksandrovna grüße ich ergebenst und tausche christliche Küsse mit ihr. Die Kinder verprügle ich in Abwesenheit.

Neuigkeiten gibt es keine. *Dein A. Čechov.*

431) AN A. S. SUVORIN MELICHOVO, 26. 4. 1893

26. Apr.

Seien Sie gegrüßt, herzlich willkommen. Ich habe Ihnen nicht nach Berlin geschrieben, weil ich der schlechten Straßen wegen nur selten zur Station geschickt habe und Ihren Brief aus Venedig bekam, als Sie, meinen Berechnungen nach, schon in Berlin sein mußten.

Nun, ich will zuerst von meiner Person schreiben. Ich beginne damit, daß ich krank bin. Eine scheußliche, gemeine Krankheit. Nicht Syphilis, sondern schlimmer – Hämorrhoiden, [...], Schmerzen, Jucken, Druck, ich kann weder sitzen noch gehen, und im ganzen Körper eine solche Gereiztheit, daß man sich am liebsten aufhängen würde. Es kommt mir so vor, als wolle mich niemand verstehen, als seien alle dumm und ungerecht, ich bin böse, sage Dummheiten; ich glaube, alle meine Hausgenossen werden erleichtert aufatmen, wenn ich wegfahre. So ist das! Meine Krankheit läßt sich weder durch langes Sitzen erklären, denn ich war faul und bin es nach wie vor, noch durch ausschweifendes Lasterleben, noch durch Vererbung. Ich hatte einmal Bauchfellentzündung; ich muß annehmen, daß sich die Darmöffnung während der Entzündung verengt und der Druck irgendwo ein Gefäß abgeklemmt hat. Resümee – ich muß mich operieren lassen.

Alles andere steht bestens. Der kalte Frühling ist anscheinend zu Ende; ich gehe ohne Galoschen über die Felder und wärme mich an der Sonne. Ich lese Pisemskij. Das ist ein großes, großes Talent! Sein bestes Werk ist das »Zimmerleute-Artel«. Die Romane ermüden durch ihre vielen Details. Alles, was bei ihm zeitbezogenen Charakter besitzt, all die Spitzen an die Adresse der damaligen Kritiker und Liberalen, all die kritischen Anmerkungen, die auf Schlagfertigkeit und Modernität prätendieren, und alle die hier und da eingestreuten sogenannten tiefen Gedanken – wie kleinlich und naiv ist das aus heutiger Sicht! Es ist eben so: ein Romancier und Künstler soll alles meiden, was zeitbezogene Bedeutung hat. Die Menschen bei Pisemskij sind lebendig, ein starkes Temperament. Skabičevskij bezichtigt ihn in seiner »Geschichte« des Obskurantismus und des Verrats, aber mein Gott, ich kenne unter allen modernen Schriftstellern keinen einzigen, der ein so leidenschaftlicher und überzeugter Liberaler wäre, wie Pisemskij es war. Bei ihm sind alle Popen, Beamten und Generale – ausgemachte Schufte. Niemand hat auf das alte Gerichtswesen und das Soldatentum so gespuckt wie er. Übrigens: ich habe auch »Cosmopolis« von Bourget gelesen. Bei Bourget gibt es Rom, den Papst, Correggio, Michelangelo, Tizian, Dogen, Schönheit von 50 Jahren, Russen, Polen – aber wie dünn und angestrengt, wie süßlich und verlogen ist das alles im Vergleich zu unserem Pisemskij, und sei er noch so grob und schlicht.

Und jetzt eine Seite aus einem Roman. Das im Vertrauen. Mein Bruder Miša verliebte sich in eine kleine Gräfin, er begann mit ihr Bräutigamsamouren, und vor Ostern wurde er offiziell zum Bräutigam ernannt. Heftige Liebe, hochfliegende Träume... Zu Ostern schreibt die Gräfin, sie fahre nach Kostroma zu ihrer Tante. Bis zuletzt kamen keine Briefe von ihr. Und als der schmachtende Miša hört, daß sie in Moskau sei, fährt er zu ihr und – o Wunder! – sieht, daß sich an den Fenstern und in den Haustoren die Leute drängen. Was ist los? Und es stellt sich heraus, daß in dem Haus eine Hochzeit stattfindet, die Gräfin heiratet einen Goldgräber. Was sagen Sie nun? Miša kommt verzweifelt zurück und hält mir zärtliche, liebevolle Briefe der Gräfin unter die Nase, mit der Bitte, ich solle dieses psychologische Rätsel lösen. Soll der Teufel es lösen! Das Weib hat seine Schuhe noch nicht verbraucht und doch schon fünfmal gelogen. Übrigens hat das, glaube ich, schon Shakespeare gesagt.

Noch eine Neuigkeit, aber nicht aus einem Roman, sondern aus der Psychiatrie. Ežov wird anscheinend verrückt. Ich habe ihn nicht gesehen, sondern urteile aufgrund seiner Briefe: er ist gereizt und flucht in seinen Briefen an den unpassendsten Stellen wie ein Kutscher, was ihm früher nie passiert ist, denn er ist schüchtern, sanft und auf kleinbürgerliche Weise rein. Gröbster Zynismus. Er schreibt mir, er habe eine zotige Erzählung an eine

Redaktion geschickt, und um sein von Gewissensbissen geplagtes Herz zu erleichtern, bittet er mich, diese Erzählung in der Kopie zu lesen. Zwei philanthropische Damen gehen und begegnen einem zerlumpten Jungen. – »Wo wohnst du?« Der Junge antwortet: Im [...]. Das Buch hat seine Nerven völlig zerrüttet. Ich müßte nach Moskau fahren und ihn behandeln, ihn zum Arzt schicken, aber ich habe meine Hämorrhoiden, ich kann nicht fahren, ich kann nur gehen.

Nach Amerika fahren werde ich wahrscheinlich nicht, weil ich kein Geld habe. Im Frühjahr habe ich nichts verdient: ich war krank und böse auf das Wetter. Wie gut, daß ich aus der Stadt weggezogen bin! Sagen Sie den Fofanovs, Čermnyjs e tutti quanti, die von der Literatur leben, daß das Leben auf dem Lande unvergleichlich viel billiger ist als in der Stadt. Das erfahre ich jetzt jeden Tag. Meine Familie kostet mich nichts mehr, denn Wohnung, Brot, Gemüse, Milch, Butter, Pferde – alles haben wir selbst und brauchen es nicht zu kaufen. Arbeit allerdings so viel, daß die Zeit nicht reicht. Von der ganzen Familie Čechov liege allein ich oder sitze am Schreibtisch, alle anderen arbeiten von früh bis spät. Treiben Sie die Poeten und Belletristen aufs Land! Warum sollen sie ein Bettlerdasein führen und hungern? Für einen armen Menschen kann das Stadtleben doch kein reiches Material bieten im Sinne von Poesie und Kunst. Sie hausen in ihren vier Wänden, und Menschen sehen sie nur in den Redaktionen und den Bierhallen.

Es kommen viele Patienten. Aus irgendeinem Grunde viele Schwindsüchtige. Aber bleiben Sie gesund, mein Lieber.

Ihr A. Čechov.

Die Trockenheit hat eingesetzt.

432) AN L. JA. GUREVIČ MELICHOVO, 22. 5. 1893

22. Mai.

Verehrte Ljubov Jakovlevna, ich wollte Sie weder betrügen noch betrüben, und es macht mich traurig, daß Sie betrübt sind. Den

»Krankensaal Nr. 6« habe ich im März vergangenen Jahres geschrieben, und als ich Ihnen eine Erzählung versprach, befand sich diese Sache bereits bei der Redaktion des »Russkoe obozrenie«, von wo sie später an die »Russkaja mysl« überwechselte, wie ich Ihnen seinerzeit geschrieben habe. Die »Erzählung eines Unbekannten« hatte ich 1887–88 begonnen, ohne die Absicht, sie irgendwo zu veröffentlichen, habe sie dann liegen lassen; im vergangenen Jahr habe ich sie überarbeitet, in diesem Jahr abgeschlossen und sie Ihnen nicht gegeben, weil ich sie für den »Severnyj vestnik« aus Zensurgründen für ungeeignet hielt, wie ich Michail Nilovič geschrieben und auch gesagt habe. In jedem Fall war das Erscheinen beider meiner Novellen in der »Russkaja mysl« für Ihre Redaktion keine Überraschung; beide Male habe ich Sie schriftlich und mündlich darüber informiert, und wenn Sie jetzt unwillig sind, so haben Sie dies vergessen.

Feste Versprechen abgeben und einhalten kann ich nicht, da ich im allgemeinen langsam schreibe, schlaff, mit langen Entr'acten, ich schreibe und ändere um und lasse die Sachen oft unabgeschlossen liegen. Eine langweilige Arbeit, und darum arbeite ich auch jedesmal mit Langeweile. Zu sagen, wann ich eine Erzählung oder Novelle abschließen und abschicken werde, ist für mich ebenso schwer, wie eine Sonnenfinsternis vorherzusagen. Außerdem war ich von Februar bis heute krank und habe sehr wenig geschrieben.

Sie brauchen die Novelle von mir unverzüglich, und ich bringe Sie, wie Sie schreiben, durch meine Säumigkeit in eine peinliche Situation; aber da ich noch immer krank bin und mit der früheren Säumigkeit schreibe, so bitte ich Sie dringend, mich unter jene Mitarbeiter einzureihen, die ihre Artikel erst dann schicken, wenn sie können, und sei es einmal in drei Jahren. Und ich bitte Sie um Entschuldigung.

Für das Wohlwollen und die Aufmerksamkeit, an die Sie in Ihrem Brief erinnern, danke ich Ihnen außerordentlich, und glauben Sie mir, ich weiß sie zu schätzen.

Jetzt, verzeihen Sie, zwei Worte über die 400 R., die ich als Vorschuß bekommen habe. Wenn ich Ihnen nicht bald, sagen wir bis August, eine Novelle schicke, dann schreibe ich an die Buchhandlung, daß man Ihnen das Geld zustellt.

Ich wünsche Ihnen alles Gute.

Hochachtungsvoll A. Čechov.

433) AN L. JA. GUREVIČ MELICHOVO, 28. 6. 1893

28. Juni.

Verehrte Ljubov Jakovlevna, die Zeitungsmeldung über ein Stück aus dem sibirischen Leben ist die reinste Erfindung. Ich habe schon lange keine Stücke mehr geschrieben und denke auch nicht daran, welche zu schreiben.

Was meine Arbeit über Sachalin betrifft, an die Sie in Ihrem letzten Brief erinnern, so ist dies kein Tagebuch, sondern Material für ein Buch von etwa 30 Bogen, langweilig und für Sie aus Zensurgründen nicht geeignet. Aller Wahrscheinlichkeit nach werde ich es direkt als Buch veröffentlichen, und dann – in den Lethefluß damit. Ich habe es allmählich satt, mich mit dieser Katorga herumzuschlagen.

Verzeihen Sie, daß ich in meinem Brief den Vorschuß in einer Form erwähnt habe, die Ihnen kränkend erschien. Ich hatte keine böse Absicht.

Ich wünsche Ihnen alles Gute.

Hochachtungsvoll A. Čechov.

434) AN L. S. MIZINOVA MELICHOVO, 23. 7. 1893

Melichovo, 23. Juli.

Liebe Lika, China beschäftigt sich weiter mit Geographie, Brom hat sich neulich übergeben. Die Stachelbeeren sind reif.

Golcev war bei uns. Er sagte, Sie hätten ihn mit einnehmender Grausamkeit behandelt. Er sagte auch, Sie hätten einen intelligenten Ausdruck, von Ihrer Schönheit aber sagte er kein Wort.

Offensichtlich sind Sie nicht schön, was für mich überaus und überaus betrüblich ist, denn ich bin eine interessierte Person.

Ich war in Moskau, habe mit den russischen Denkern gegessen, mich mit ihnen geküßt, mir 600 R. von ihnen geholt, Champagner und Kognak getrunken und mich von ihnen auf den Bahnhof bringen lassen.

Auf der Volga verkehrt ein Dampfer »Anton Čechov«. Diese Entdeckung hat Golcev gemacht, der die Volgaprovinzzeitungen liest. Wenn ich einmal einen Dampfer baue, nenne ich ihn Lika.

Medizinische Neuigkeiten. Auf dem Gut des Fürsten ist Diphtherie aufgetreten. 4 Fälle, darunter der Fürst selbst. Ich habe einige Tage damit zugebracht. Und jetzt, besonders in der letzten Woche, treten oft schlimme Magen-Darmerkrankungen auf. Es riecht stark nach Cholera.

Bei uns ist es still. Wir leben in Frieden, vorläufig. Aber nichtsdestoweniger, Lika, vergessen Sie Ihr Versprechen nicht, einen Verwalter für mich zu finden. Dieser Mensch wird dringend gebraucht. Sie ernten den Roggen, bauen eine Küche, tragen Getreidegarben, Ziegel müssen gefahren werden, Frol und Vasilij liegen beide da mit aufgetriebenen Bäuchen und lassen sich behandeln – mit einem Wort, je früher sich ein Napoleon an die Spitze dieses Chaos' stellt, desto eher wird mein Schädel aufhören zu brummen.

Morgen fahre ich nach Serpuchov. Sanitätsrat, Gespräche über die Cholera und ein Essen.

Und wie geht es Ihnen? Was gibt es Neues? Wer macht Ihnen jetzt den Hof? Schreiben Sie in allen Einzelheiten. Ist Klenja nach Tiflis gefahren? Alles, was Sie betrifft, interessiert mich sehr. Der Lehrer von Krjukovo hat Ihr Photo immer noch nicht zurückgegeben. Er sagt, er habe es dem Fabrikanten Kočetkov gegeben, und der habe es bei sich im Salon aufgehängt und daruntergeschrieben: »Der Pfau«. Solche Rindviecher! Sie haben einfach keinen Respekt vor der Reinheit.

Potapenko wird mich besuchen. Die Langeweile in Person.

Im Kreis Podol gibt es Cholera.

Gedanken aller Art viele, aber wenig lustige.

Bleiben Sie gesund, liebe Lika, und vergessen Sie nicht den Menschen, dessen Namen ein Dampfer trägt. Keine Frau, sondern ein Dampfer. Das ist etwas Plumpes, kreischt dafür aber nicht.

Schreiben Sie mir 2–3 Wörtchen, und seien es böse.

Sie sind ein kluges Kind. *Ihr A. Čechov.*

435) AN A. S. SUVORIN MELICHOVO, 2. 8. 1893

2. Aug.

Ich nutze die Abreise Potapenkos, um Ihnen zwei, drei Zeilen zu schicken – als Antwort auf Ihren letzten bösen Brief. Um damit anzufangen, die Heilsarmee, ihre Prozessionen, Kirche usw. habe ich auf Ceylon in der Stadt Kendi gesehen. Ein origineller Eindruck, aber nervtötend. Ich mag das nicht.

Ach, wie gern ich Sie sehen würde! Ich frage mich: soll ich nicht einfach abhauen? Aber nein. Die Cholera rückt von zwei Seiten näher. Und ich wünschte mir nichts so sehr wie Zivilisation: einen neuen Rock kaufen, 1. Klasse fahren und nicht über die Cholera reden. Ich stehe gleichsam unter Arrest, oder – besser – ich bin Aufseher in einem Gefängnis. Wie ein lausiger kleiner Beamter, den man in eine Kreisstadt gesetzt hat, und da sitzt er nun. Ich müßte das alles abschütteln, und sei es nur, um Wein zu trinken – natürlich auf Ihre Rechnung, weil ich nur Ihnen erlaube, für mich in Restaurants zu zahlen. Die Gedanken über den Goldsack sind ungerecht. Amfiteatrov hat angefangen, Champagner zu trinken, und kann schon »nicht mehr ohne«. Ein Aristokrat. Die 1000 R. haben Sie ihm umsonst geschickt. Auch dreihundert wären für die Katz gewesen, weil er sie doch nur versäuft. Und Sergeenko holt sich überall Vorschüsse, aber wo er schreibt, weiß niemand. Wenn ich einmal Herausgeber einer Zeitschrift bin, wird er sich auch von mir Geld holen.

Es ist nicht schön, Arzt zu sein. Es ist furchtbar, langweilig, ekelhaft. Ein junger Fabrikbesitzer hat geheiratet, und eine Woche später läßt er mich zu sich rufen »unbedingt, jetzt gleich, bitte«: er hat [...] und seine junge Schöne hat [...]. Ein alter Fabrikbesitzer, ein Greis von 75 Jahren, heiratet und beklagt sich dann, daß ihm die »Kullerchen« wehtun, weil er sich »überanstrengt« habe. All das ist ekelhaft, muß ich Ihnen sagen. Ein Mädchen mit Würmern in den Ohren, Durchfall, Erbrechen, Syphilis – pfui!! Süße Klänge, Poesie, wo seid ihr?

Eine Idee: soll ich nicht für eine Woche einen Arzt einstellen, der mich vertritt? Ich setze ihn in mein Arbeitszimmer, und selbst komme ich Sie auf zwei Tage besuchen. Eine Idee, die sich glaube ich nicht verwirklichen läßt, aber sie gefällt mir.

Schreiben Sie mir, um Gottes willen, sonst bin ich, glaube ich, vollkommen einsam. Ich wünsche Ihnen alles Gute.

Ihr A. Čechov.

Aber schlafen kann ich großartig: ich habe kaum den Kopf aufs Kopfkissen gelegt, schon ist Morpheus da.

436) AN A.S. SUVORIN MELICHOVO, 18. 8. 1893

18. Aug.

Es weht kalt, und es ist scheußlich geworden; ich würde ebenfalls mit Vergnügen irgendwohin fahren, aber der Teufel hat mich geritten, im vergangenen Jahr mein Wort gegeben zu haben, daß ich mein Revier nicht verlasse, wenn Cholera auftreten sollte. Ich habe keinen Charakter, sondern einen Bastwisch. Čertkov habe ich den »Krankensaal Nr. 6« gegeben, weil ich gegen Ende des Winters und im Frühling in einer Stimmung war, in der mir alles egal war, wenn er mich gebeten hätte, ihm all meine Werke zu überlassen, ich hätte es getan, und wenn er mich gebeten hätte, ihn an den Galgen zu begleiten, ich hätte auch das getan. Solch ein unpersönlicher und willenloser Zustand hält sich bei mir manchmal monatelang. Daraus erklärt sich zum Teil auch meine Lebensweise.

Die Abrechnung aus der Buchhaltung hat mich in Trübsinn

gestürzt. 3482 R. Schulden! O je! In meinem Hirn hatte sich nur die Schuld von 5 Tausend festgesetzt, die ich mir für den Kauf des Guts geliehen hatte; jetzt, nach Abzug der Einkünfte aus dem Buch, hätten es unter Tausend sein sollen, aber zu meinem Entsetzen erinnere ich mich, daß ich mir noch 1000 R. für die Auslandsreise geliehen hatte, und daß ich womöglich auch die Schulden noch nicht zurückgezahlt habe, die ich für die Reise in die Katorga gemacht hatte. Übrigens, zum Teufel mit der Buchhaltung. Die muß sein. Aber daß wir in einem halben Jahr quitt wären, wird wohl kaum der Fall werden. Persönlich schulde ich Ihnen, abgesehen vom Kontor, noch 400 R. (Die hatte ich mir von Ihnen im »Slavjanskij bazar« in zwei Portionen geliehen: 200 + 200.) Um beim jetzigen Stand meines Buchhandels 3482 + 400 R. Schulden zu tilgen, brauche ich anderthalb Jahre mindestens. Und ich möchte so schrecklich gern keine Schulden haben. Wenn man von Bargeld lebt, so kennt man die Ufer des Meeres, das man tagein tagaus zu befahren hat, Kredit führt einen in dieser Beziehung in eine Wüste, deren Ende nicht abzusehen ist. Ich stelle in meinem Kopf alle möglichen finanziellen Berechnungen an, und herauskommt immer nur etwas wie der Vogel Strauß, der den Kopf in den Sand steckt und denkt, er habe sich ganz verkrochen. Wäre Ihre Buchhandlung nicht damit einverstanden, daß sie meine ganze Schuld tilgt und die 400 R. an Sie zahlt, und als Ersatz dafür das Recht erwirbt, für die nächsten 10 Jahre alle meine bisher bei Ihnen verlegten Bücher wieder aufzulegen und zu verkaufen? Über die Tilgung meiner Schulden hinaus verpflichtet sie sich, mir jährlich 300 R. oder 3000 auf einmal zu zahlen. Insgesamt würden die Bücher knapp 7000 ausmachen, und diese Zahl, geteilt durch 10, ergibt im Jahr 700. Wenn sie das als für sich nachteilig empfindet, soll sie die 7 Tsd. auf 6 herabsetzen, wenn sich hingegen diese Aufteilung, der Kalkulation entsprechend, als nachteilig für mich erweist, soll sie mir für jede zehnte Auflage 1000 R. zahlen, d. h. bei Erscheinen des zehnten Tausends von jedem Buch. Ein phantastisches Projekt? O weh! Ich spüre es selbst.

Die Sachalinfahnen sind über mich hereingebrochen. Im Herbst gebe ich die Medizin auf, im Januar werde ich »Sachalin« abschließen und mich dann bis über die Ohren der Belletristik hingeben. Von Neujahr an werde ich sonntags wieder regelmäßig bei Ihnen veröffentlichen, aber nicht jede Woche, sondern nur jede zweite. Ich werde Erzählungen von 600–700 Zeilen schreiben. Zu 150 R. – das ist billig. Wollen Sie nicht 200 geben? Für die anderen Sonntage fordern Sie Jasinskij auf, oder Potapenko, oder Vas. Nemirovič-Dančenko. Ich schreibe jetzt viel, und schneller als früher. Sujets haben sich haufenweise angesammelt – lauter lebensfrohe. Ich habe Ihnen auf Ihre Frage nach dem »Schwarzen Mönch« nicht geantwortet, weil ich vergessen hatte, sie zu beantworten. Ich werde Ihnen diese Erzählung nicht geben, weil ich beschlossen habe, an Zeitungen keine Erzählungen mit »Fortsetzung folgt« mehr zu geben. Die Zeitungsbelletristik soll nicht imitieren, was die Zeitschriften geleistet haben und leisten; ihre Praxis hat eine besondere Form hervorgebracht, dieselbe, die Merežkovskij, wenn er in Marmeladenstimmung ist, Novelle nennt. Die erste Sonntagserzählung bekommen Sie zu Neujahr, und bis dahin machen Sie sich auf die Suche. Ich habe keine Zeit, und auch meine Nerven sind verteufelt zerrüttet, wie Schiffstakelage bei Sturm. Sie fahren weg. Wann darf man Sie zurückerwarten? In Moskau werde ich im »Loskutnaja« wohnen, und in Petersburg werde ich mir ein warmes Hotelzimmer irgendwo weitab vom Zentrum nehmen und dort bis zum Frühling bleiben. Den Paß habe ich inzwischen. Ich bin Jüngerer außeretatmäßiger Medizinalbeamter beim Departement für Medizin. Das ist mein Titel. Orden habe ich noch keine, wohl aber das Recht, eine Kokarde zu tragen.

Wenn die Strecke nach Biarritz über Moskau führte, könnten wir uns sehen. Die Heilgehilfin, von der ich Ihnen schrieb (sie hatte Morphium genommen), ist in eine psychiatrische Anstalt eingewiesen worden.

Gegen Nesselfieber ist das beste Mittel a p t r o p i n u m s u l f u r i c u m zu 1/60 Gran pro Tag in Pillen. Diese Hautkrankheit ist eine Neurose der Hautgefäße, und darum helfen auch Brompräparate und Arsenik.

Wenn ich das Honorar für »Sachalin« bekomme, baue ich mir ein Haus im Wald – mit Kamin, weichen Fußböden, Bücherschränken usw. und stelle einen Lakaien ein. Ich kaufe Tulpen und Rosen für je 100 R. und pflanze sie rund um das Haus.

Es regnet. Bei so einem Wetter wäre es schön, Byron zu sein – das kommt mir so vor, weil ich Lust habe, böse zu sein und sehr gute Gedichte zu schreiben. Alles Gute! Glückliche Reise!

Ihr A. Čechov.

437) AN A. S. SUVORIN MELICHOVO, 24. 8. 1893

24. Aug.

Was die Erzählungen betrifft, so war das kein Scherz, weil ich kleine Erzählungen nur in einer Zeitung unterbringen werde, d. h. im »Novoe vremja«. Und ich habe die feste Absicht, kleine Sachen zu schreiben. Mein Traum: bei mir im Wald, den ich bereits habe, ein Haus zu bauen, Rosen zu pflanzen, niemanden zu empfangen und kleine Erzählungen zu schreiben. Der Platz, den ich für das Haus habe, ist wunderschön.

Mein Vorschlag ist ein dummer Scherz? Aber es wäre doch noch dümmer, wenn ich mit meinen Schulden gebeten hätte, mir weitere Tausend Rubel nach Serpuchov zu schicken. Sie schreiben, ich würde an meinen Büchern 20–30 Tausend verdienen. Sehr schön. Man sagt mir auch, ich würde ins Paradies kommen. Aber wann wird das sein? Indes, man möchte doch in der Gegenwart leben, möchte etwas haben von der Sonne, von der Sie schreiben.

Heute nacht bekam ich furchtbares Herzklopfen, aber ich hatte keine Angst, obwohl mir das Atmen schwerfiel, und ich machte mich an den »Pascal«, der Ihnen so gefallen hat. Der Roman ist sehr gut. Die beste Figur ist nicht der Arzt, der erfunden ist, sondern Clotilde. Ich spüre ihre Taille und ihre Brust. Also, ich wiederhole, ich hatte keine Angst, weil all diese Wahrnehmungen wie Stöße, Klopfen, Absterben usw. furchtbar trügerisch sind. Glauben auch Sie ihnen nicht. Der Feind, der den Körper tötet, schleicht sich gewöhnlich unbemerkt heran, maskiert, wenn Sie zum Beispiel Schwindsucht haben und meinen, das sei nicht Schwindsucht, sondern irgendeine Lappalie. Haben Sie auch vor Krebs keine Angst, weil er einem wie eine Lappalie vorkommt. Schrecklich ist demnach das, wovor Sie keine Angst haben; das, was Ihnen Besorgnis einflößt, ist nicht zum Angsthaben. Mir scheint, ich schreibe unklar. Die alles heilende Natur, die uns tötet, betrügt uns gleichzeitig kunstvoll wie eine Amme das Kind, wenn sie es aus dem Salon holt und ins Bett bringt. Ich weiß, daß ich an einer Krankheit sterben werde, vor der ich keine Angst habe. Daraus folgt: wenn ich Angst habe, werde ich also nicht sterben. Übrigens, Quatsch. Es fährt jemand zur Station. Bleiben Sie gesund!! *Ihr A. Čechov.*

24. Aug.
Man ist eilig zur Station gefahren und hat mich gehindert, diesen Brief zu Ende zu schreiben. Ich nehme einen neuen Bogen. Sie haben gut daran getan, die Zigaretten aufzugeben. Zigarren sind gesünder. Aber ich rauche nicht mehr als 2–3 pro Tag und, was wichtig ist, ich inhaliere nicht. Auch ohne zu inhalieren, befriedigt mich eine Zigarre bis zum Schlechtwerden.

Pasternackij hatte recht, wenn er sagte, Sie hätten eine gesunde Konstitution. Sie haben auch keinen Darmkatarrh, ganz zu schweigen von solchen Freuden wie einem dicken Bauch, Altmännerhusten, Angina pectoris usw. Ihr einzig unzweifelhaftes Leiden sind Ihre angegriffenen Nerven und die psychische Halbkrankheit, die die Seminaristen Maulhenkolie nennen. Aber tu l'as voulu George Dandin. Warum haben Sie Voronež verlassen und sich in die Journalistik stürzen müssen?

Sie schreiben, mein Bruder »klügele«. Was soll das bedeuten? Ist er wieder an ambulantem Typhus erkrankt? Ich habe schon lange keinen Brief mehr von ihm bekommen. Miša hat, nachdem er derart reingelegt worden ist, aufgehört, vom Heiraten zu sprechen, und redet Unsinn über sein Alter, die Eitelkeit usw. Er betreibt seine Versetzung nach Tarusa, weil er mit seinen Moskauer Vorgesetzten Streit hat. Er verfaßt einen Vortrag »über die gegenseitige Bürgschaft«; ich habe wild in dem ganzen Vortrag herumgestrichen und ihm ein neues Projekt vorgeschlagen, mit neuen Ideen, die ihn sehr zufriedengestellt haben... Somit fließt auch ein Tropfen meines Honigs ins Finanzministerium. Aber so etwas Scheußliches, die Beamtensprache! Ausgehend von der Sachlage... einerseits... andererseits hingegen – und das alles ohne jede Notwendigkeit. »Nichtsdestotrotz« und »nach Maßgabe dessen« haben die Beamten erfunden. Ich lese das und spucke aus. Und besonders lausig schreiben die jungen Leute. Unklar, kalt und ohne jede Eleganz; er schreibt, der Hundesohn, als läge er kalt im Sarg. Der Kern des Vortrags ist der: Abschaffung der gegenseitigen Bürgschaft, d. h. der Verantwortung der Gemeinde für ihre nichtzahlenden Mitglieder. Ich habe Miša veranlaßt, so zu schreiben: ja, die gegenseitige Bürgschaft ist ungerecht, und das Ministerium hat gut daran getan, die Frage ihrer Abschaffung aufzuwerfen, aber ausgehend von der Sachlage, daß die Gemeinde eine historische Erscheinung ist und daß die gegenseitige Bürgschaft eine ihrer Hauptvoraussetzungen ist, müssen wir unsere Ohnmacht ihr gegenüber eingestehen, denn was von der Geschichte geschaffen worden ist, wird nicht von Beamtenköpfen zerstört, sondern von der Geschichte selbst, d. h. den historischen Bewegungen im Leben des Volkes. Da wir nicht gegen die Gemeinde ankämpfen können, sollten wir weise sein und nach Mitteln für diesen Kampf in der Gemeinde selbst suchen usw.

Wir haben eine neue Küche und eine Gesindestube gebaut, was stark auf meine Tasche geschlagen hat. Wir haben die Kellerschaben beseitigt – ebenfalls schon eine historische Erscheinung. Der Regen wütet, das Sommergetreide verfault auf dem Feld.

Mit dem Bau des Hauses werde ich im April beginnen. Ein zweistöckiges Haus. Ich werde es allein bewohnen, ohne weibliche Dienstboten. Die Bauernweiber sind unsauber und reden mir zuviel von ihrem Arbeitseifer. Vor dem Haus liegt das freie Feld mit Blick in die Ferne, das Dorf zwei Verst entfernt. Etwa zwanzig Desjatinen Park. All das natürlich nur unter der Bedingung, daß ich das Geld nicht verbrauche, das ich für »Sachalin« bekomme. Und 1100 R. habe ich doch schon verfressen. Sagen Sie Vitte, er solle irgendein Projekt bei mir in Auftrag geben und mir dafür eine Rente aussetzen. Trotz allen meinen großen Plänen und Träumen von Einsamkeit, zweistöckigem Haus usw., bin ich mir doch klar darüber, daß ich früher oder später mit Bankrott enden werde, oder, genauer, mit Liquidierung aller Pläne und Träume.

Bei mir ist es eng. Sie können es sich vorstellen, Ivan und seine Frau sind da. Ivanenko lebt schon über ein Jahr in der Erwartung, daß man für ihn eine Stelle in Moskau findet. Während des Essens ergeht man sich in spitzen Bemerkungen. Es ist dumm und langweilig.

Ich wünsche Ihnen viel Geld und eine weiße Zimmerdecke im Arbeitskabinett. Gott erlöse Sie von einer goldenen auf rot. Das ist tatsächlich bunt und nicht geschmackvoll. *Ihr A. Čechov.*

438) AN L. S. MIZINOVA MELICHOVO, 1. 9. 1893

1. Sept.

Liebe Lika, Sie haben aus dem Fremdwörterbuch das Wort Egoismus herausgefischt und setzen es mir in jedem Brief vor. Taufen Sie auf dieses Wort Ihr Hündchen.

Ich esse, schlafe und schreibe zu meinem Vergnügen? Ich esse und schlafe, weil alle essen und schlafen; auch Sie sind nicht frei von dieser Schwäche, ungeachtet Ihres luftigen Körpergewichts. Was das Schreiben zu meinem Vergnügen betrifft, so haben Sie, Bezaubernde, das nur gezwitschert, weil Sie nicht aus eigener Erfahrung wissen, welch Gewicht und welch bedrückende Gewalt jener Wurm hat, der das Leben untergräbt, so klein er Ihnen auch erscheinen mag.

Mir gelingt alles? Ja, Lika, alles, außer der Tatsache vielleicht, daß ich gegenwärtig keinen Groschen Geld habe und Sie nicht sehe. Übrigens, ich will nicht mit Ihnen streiten. Sei es so, wie Sie sagen. Ich kann nur nicht umhin, mein Freund, Ihnen meine Verwunderung auszudrücken: wieso ist es Ihnen jetzt, mir nichts dir nichts, eingefallen, mich herunterzumachen?

Wenn ich nach Petersburg fahre, werde ich Sie ganz bestimmt besuchen, aber ich hoffe auf die Gnade des Schicksals: Sie werden doch noch einmal nach Melichovo kommen vor meiner Reise nach P.

In einem der Wintermonate werde ich mich in Moskau einmieten und 10–15 Tage dort leben.

Es ist kalt, Lika, widerlich. *Ihr A. Čechov.*

Nach Moskau komme ich wahrscheinlich um den 10. September.

439) AN L. S. MIZINOVA MELICHOVO, 10. 10. 1893

10. Okt.

Liebe Lika, ich weiß nicht, an welchem Tage genau wir uns sehen werden, aber ich komme jedenfalls sehr bald, weil es unbedingt notwendig ist.

Was soll die Maulhenkolie, Lika? Wir werden uns sehen, nicht 3 und nicht 4 Monate, wie Sie schreiben, sondern 44 Jahre lang, da ich hinter Ihnen herfahren, oder einfacher, Sie nicht loslassen werde. Wir werden uns sehen, solange Sie mich nicht davonjagen.

Sagen Sie allen Ihren Verehrern und unter anderen dem, der Ihnen 20 Rubel abgeknöpft hat, daß sie sich ihrer Seligkeit nicht mehr lange erfreuen werden.

Ich schreibe absichtlich mit so großen Abständen, aber es bleibt noch immer viel Platz. Lika, ich kann nicht schreiben! Ich kann nur essen und trinken.

Ich werde versuchen, am Tage zu kommen, gegen zwei Uhr, und vom Bahnhof direkt zu Ihnen, damit wir in irgendeinem Restaurant zusammen essen können. Wenn ich Sie nicht antreffe, hinterlasse ich eine Nachricht. Oder ich schicke Ihnen ein Telegramm aus Lopasnja. Wenn Sie dann nicht Ihren obligatorischen Unterricht haben, bleiben Sie bis 5 Uhr zu Hause und warten auf mich, dann gehen wir zusammen essen und verbringen den ganzen Abend zusammen. In dem Telegramm wird nur ein einziges Wort stehen: komme.

Auf Wiedersehen!

Bei uns sind die Stachelbeeren reif. *Ganz Ihr A. Čechov.*

440) AN V. A. GOLCEV MELICHOVO, 24. 10. 1893

Sonntag.

Lieber Viktor Aleksandrovič, ich komme am Mittwoch und bringe die Fahnen mit. Ich möchte noch einmal die »Sachalin«-Fahnen Kapitel IV und V lesen, die ich im vergangenen Monat gelesen habe, geben Sie sie deshalb, wenn möglich, nicht vor Mittwoch in Druck.

Das Wetter ist teuflisch, aus Moskau sind Gäste gekommen, sonst könnte man hier vor Langeweile verrecken. Diesen Brief bringt morgen jenes blonde Mädchen nach Moskau, das Sie eine intelligente »Person« genannt haben und das zur Zeit bei uns zu Gast ist.

Ich wünsche Ihnen alles Gute. Einen Gruß an Vukol Michajlovič und Mitrofan Nilovič. *Ihr A. Čechov.*

441) AN A. S. SUVORIN MELICHOVO, 11. 11. 1893

Melichovo. 11/XI

Wenn mein letzter Brief vom 24. Aug. datiert, so haben Sie offensichtlich die Briefe nicht bekommen, die ich Ihnen ins Ausland geschickt habe. Oder vielleicht haben Sie sie bekommen und vergessen? Übrigens, es ist ja egal.

Was die Miterbin Pleščeevs betrifft, so erinnere ich mich an ein Gespräch mit einem Rechtsanwalt, dem Stellvertreter von Plevako. Dieser Anwalt sagte mir, daß irgendwo noch eine Erbin existieren solle, aber sie habe man ausbezahlt. Ich hatte damals aus irgendeinem Grunde den Eindruck, als versuchten die Anwälte von sich aus, diese Miterbin ausfindig zu machen, um Pleščeev einen Schrecken einzujagen und ihm möglichst viel Geld abzuknöpfen.

Ich bin gesund und munter. Der Husten hat gegenüber früher zugenommen, aber ich glaube, bis zur Schwindsucht ist es noch sehr weit. Das Rauchen habe ich bis auf eine Zigarre pro Tag eingeschränkt. Den ganzen Sommer habe ich fest auf einem Fleck gesessen, habe Patienten behandelt, Krankenbesuche gemacht, die Cholera erwartet... Ich habe 1000 Patienten empfangen, viel Zeit verloren, aber die Cholera ist nicht gekommen. Ich habe nichts geschrieben, sondern bin während der ganzen von Medizin freien Zeit spazierengegangen, habe gelesen oder Ordnung in mein ungefüges »Sachalin« gebracht. Vorgestern bin ich aus Moskau zurückgekehrt, wo ich zwei Wochen wie im Rausch gelebt habe. Da mein Moskauer Leben aus einer ununterbrochenen Reihe von Gelagen und neuen Bekanntschaften bestand, hat man mich, um mich zu ärgern, Avelan genannt. Nie zuvor habe ich mich so frei gefühlt. Erstens habe ich keine Wohnung – ich kann wohnen, wo es mir gefällt, zweitens habe ich den Paß immer noch nicht und... Mädchen, Mädchen, Mädchen... Den ganzen Sommer bedrückte mich die Geldlosigkeit, ich verzehrte mich vor Kummer, jetzt, wo die Ausgaben geringer geworden sind, habe ich mich beruhigt. Ich fühle mich frei vom Geld, d. h. es scheint mir allmählich so, als bräuchte ich nicht mehr als Zweitausend im Jahr und als könnte ich schreiben, es ebensogut aber auch sein lassen.

Pascal ist gut gemacht, aber es liegt etwas Ungutes im Innern dieses Pascal. Wenn ich nachts Durchfall habe, dann lege ich mir eine Katze auf den Bauch, die mich wärmt wie eine Kompresse. Clotilde oder Abisag – das ist dieselbe Katze, die den König David wärmt. Ihr irdisches Los ist es, einen Greis zu wärmen, und nichts weiter. Wahrlich ein beneidenswertes Geschick. Mir tut diese Abisag leid, die zwar keine Psalmen geschrieben hat, aber vor dem Angesicht Gottes wahrscheinlich reiner und schöner war als der Entführer von Urias Frau. Sie ist ein Mensch, eine Persönlichkeit, sie ist jung und will natürlich Jugend, und man muß schon, entschuldigen Sie, Franzose sein, um aus ihr weiß der Teufel im Namen wovon eine Wärmflasche für einen grauhaarigen Cupido mit sehnigen Hahnenbeinen zu machen. Mich kränkt, daß Clotilde von Pascal benützt wird und nicht von jemand Jüngerem und Kräftigerem; der alte König David, erschöpft in den Umarmungen eines jungen Mädchens, – das ist eine Melone, die schon den ersten Herbstfrost abbekommen hat, aber immer noch zu reifen meint, jedes Gemüse hat seine Zeit. Und was für ein Quatsch: ist sexuelle Potenz etwa ein Zeichen für wahres Leben, Gesundheit?... Alle großen Denker waren mit 40 Jahren schon impotent, und Wilde halten sich noch mit 90 Jahren 90 Frauen. Die Leibeigenenbesitzer haben ihre Zeugungskraft bewahrt und die Agaškas und Gruškas bis zu dem Augenblick befruchtet, wo sie im hohen Alter der Schlag traf. Ich predige nicht Moral, und wahrscheinlich wird auch mein Alter nicht frei von Versuchen sein, »meinen Bogen zu spannen«, wie Apuleius im »Goldenen Esel« sagt. Vom Menschlichen ist es nicht übel, daß Pascal mit einem jungen Mädchen geschlafen hat – das ist seine Privatangelegenheit; übel ist aber, daß Zola Clotilde dafür lobt, mit Pascal geschlafen zu haben, und übel ist, daß er diese Perversion Liebe nennt.

Die Astronomin leidet Not. Sie ist gealtert, abgemagert, dunkle Ringe unter den Augen, die Nerven... Die Ärmste beginnt, den Glauben an sich selbst zu verlieren. Und das ist das Schlimmste. Selig ist, wer nicht glaubt und früher nie geglaubt hat. Es hat Versuche gegeben, ihr zu helfen, aber die sind alle an ihrer schrecklichen Eitelkeit gescheitert.

In letzter Zeit hat mich der Leichtsinn überkommen, und damit zugleich zieht es mich zu den Menschen wie nie zuvor, und die Literatur ist zu meiner Abisag geworden, ich war ihr so verbunden, daß ich angefangen hatte, die Medizin zu verachten.

Aber ich mag an der Literatur nicht die Romane und Novellen, die Sie von mir erwarten oder zu erwarten aufgehört haben, sondern daß ich viele Stunden lang auf dem Diwan liegen und lesen kann. Zum Schreiben fehlt es mir an Leidenschaft.

Ein Drama gedenke ich nicht zu schreiben. Ich habe keine Lust. Ich habe mich viele Male mit Potapenko getroffen. Der Potapenko aus Odessa und der aus Moskau – das sind Krähe und Adler. Ein schrecklicher Unterschied. Er gefällt mir mehr und mehr.

»Sachalin« wird an die Hpt.-Gefängnis-Verw. nicht in den Fahnen, sondern erst im Umbruch geschickt, obwohl man, als man mich nach Sachalin fahren ließ, die Fahnen zur Bedingung gemacht hatte. Ich habe von der Verwaltung einen läppischen Beamtenbrief bekommen: »Inverfolge Ihres Briefes usw.« Folgt die Eingangsnummer. Nicht infolge, sondern inverfolge. Schlimm.

Ich hörte, Sie schreiben ein neues Stück. Das freut mich sehr.

Aber einstweilen auf Wiedersehen. Wenn wir uns sehen, sprechen wir über die Erzählungen. Sie kommen doch im November oder Dezember nach Moskau?

Ich wünsche alles Gute. Wenn Sie kommen, steige ich auch im »Slavjansk. bazar« ab. Jasinskij ist in Moskau.

Hurraaaa! *Ihr A. Čechov.*

442) AN A. S. SUVORIN MOSKAU, 28. 11. 1893

28. November. Moskau. Novaja Basmannaja,
Basmannoe Lehranstalt.

Ich weiß, daß die Gurevič zur Zeit in Moskau ist, ich kenne auch ihre Adresse, aber da sie mir telegraphiert hat, daß die Zahlung in Petersburg zu erfolgen habe, muß sie das Geld auch nach Petersburg bekommen, sonst könnte der künftige Historiker glauben, die hohe Zahlung sei die reinste Erfindung.

Potapenko ist mit der freudigen Botschaft zurückgekommen, daß alle meine Bücher in den nächsten Tagen in neuer Auflage erscheinen. Das ist ein außergewöhnlicher Mensch. Er kann an einem Tag einen ganzen Druckbogen schreiben, ohne eine einzige durchgestrichene Stelle. Einmal hat er in 5 Tagen für 1100 Rub. geschrieben. Und meiner Meinung nach ist dieses Kurierzug-Schnellschreiben durchaus kein Makel, wie Grigorovič meint, sondern eine Besonderheit der Begabung. Das eine Weib heult zwei Tage lang, bis sie niederkommt, für ein anderes ist das Gebären dasselbe wie der Gang an den bewußten Ort.

Ich komme im Dezember nach Petersburg. Am festgesetzten Tag telegraphieren Sie mir, daß meine Anwesenheit in Petersburg dringend erforderlich sei. Das ist nötig, weil man mich sonst nicht fortläßt. Aus geheimnisvollen und wichtigen Gründen muß ich in Petersburg diesmal nicht bei Ihnen absteigen, sondern an der Mojka, im Hotel »Rossija«. Zweck meiner Reise nach Petersburg: ich will Sie und m-me Merežkovskaja beobachten, in die Sie verliebt sind. Dieser Roman interessiert mich sehr.

Die für meinen Körper schlimmste Zeit ist angebrochen. Ich kann die Kälte nicht vertragen.

Gott der Herr segne Sie. Schreiben Sie mir irgendetwas. An Anna Ivanovna meinen ergebensten Gruß und Dank dafür, daß sie mich, wie Sie schreiben, nach Petersburg einlädt.

Ihr A. Čechov.

443) AN A.S. SUVORIN MOSKAU, 18. 12. 1893

18. Dez.

Sie haben mich in Ihrem Brief nach dem »Grafen von Monte Christo« von Dumas gefragt. Er ist längst gekürzt, so sehr gekürzt, der Ärmste, daß der selige Svobodin, als er ihn sah, entsetzt war und eine Karikatur gezeichnet hat. Soll ich den Roman mitbringen oder Ihnen über die Buchhandlung schicken?

Das Stück von Potapenko hatte einen mittleren Erfolg. Dieses Stück hat etwas, aber dieses Etwas ist überlagert von allen möglichen Unsinnigkeiten rein äußerlichen Charakters (zum Beispiel, ein Ärztekonsilium, das geradezu lächerlich falsch ist) und von Sprüchen im Stile Shakespeares. Die Kleinrussen sind ein halsstarriges Volk; sie halten all das für großartig, was sie selbst sagen, und stellen ihre Kleinrussen-Wahrheiten so hoch, daß sie ihnen nicht nur die künstlerische Wahrheit opfern, sondern sogar den gesunden Menschenverstand. Da fällt sogar der Spruch: »die Fackel der Wahrheit wird ihm die Hand verbrennen, seine nichtstoffliche...« Den größten Erfolg hatte der zweite Akt, in dem es der Banalität des Lebens gelingt, ans Licht zu treten und die Sprüche und großen Wahrheiten zu durchbrechen.

Beim Kauf des Guts bin ich dem ehemaligen Besitzer 3 Tausend schuldig geblieben und habe ihm über diese Summe einen Pfandbrief gegeben. Im November bekam ich einen Brief: wenn ich den Pfandbrief jetzt einlöse, würde man mir 700 R. nachlassen. Ein vorteilhaftes Angebot. Erstens kostet das Gut damit nicht mehr 13 Tsd., sondern 12 300, und zweitens müßte ich keine Zinsen mehr zahlen. Ich habe mich abgehärmt und gegrämt, und gestern den Pfandbrief eingelöst und gezahlt, was nötig war, wozu ich mir aufrichtig gratuliere. Diese Schuld hat mir auf der Seele gelegen. Jetzt liegen auf dem Gut nur noch die Bankschulden, 5800 R., aber das sind Lappalien. Bei einer Bank Schulden zu haben, ist sogar angenehm, da man sich die Zinsen auf 6 Monate stunden lassen kann. Mit einem Wort, ich kann mich jetzt fühlen wie jemand, der überhaupt keine Schulden hat.

Im Januarheft der »Russkaja mysl« wird eine Erzählung von mir veröffentlicht – »Weiberreich«. Die Beschreibung eines jungen Mädchens. Im Jan.-heft des »Artist« finden Sie die Darstellung eines jungen Mannes, der an Größenwahn leidet; diese Novelle heißt: »Der schwarze Mönch.« Weiter gedenke ich das russische Publikum mit noch vielen Werken zu beglücken, aber da diese noch nicht geschrieben oder eben erst angefangen sind, will ich einstweilen noch nichts darüber sagen. Ich will wie Potapenko 60 Bogen pro Jahr schreiben.

In der Mosk. Buchhandlung gibt es meine Bücher schon lange nicht mehr. Es sieht so aus, als seien meine Werke liquidiert. Vor

Weihnachten ist für den Buchhandel die lebhafteste Zeit, aber meine Bücher sind entweder nicht neu aufgelegt, oder sie liegen im Lager wie ein Stein, unter dem kein Wasser hindurchfließt.

Morgen früh fahre ich nach Hause aufs Land und werde dort bis zum 12. Januar bleiben. Und danach also nach Petersburg.

Ihr Sohn ist gekommen, er wollte mit mir sprechen, hat mit mir und Potapenko Austern gegessen und ist wieder weggefahren, ohne auch nur über irgendetwas mit mir gesprochen zu haben.

Ich habe meinen Paß wieder. Das Medizin. Departement hat mir den Abschied gegeben, nicht ohne festzustellen, daß ich Junggeselle bin und an keinen Feldzügen und Schlachten teilgenommen habe.

Vor ein paar Tagen war ich bei Sytin und habe mich mit seiner Sache bekanntgemacht. Das ist hochinteressant. Das ist wirklich eine Sache des Volkes. Das ist wahrscheinlich die einzige Verlags-Firma in Rußland, wo es nach russischem Geist riecht und man den bäuerlichen Käufer nicht wie einen Hund wegjagt. Sytin ist ein kluger Mensch, und er kann interessant erzählen. Wenn Sie in Moskau sind, dann gehen wir zu ihm ins Lager und in die Druckerei, und in den Raum, wo die Käufer übernachten können. 2300 R. habe ich von ihm bekommen, weil ich ihm ein paar kleine Sachen für ein Buch verkauft habe.

Ich bin der Stadt müde. Ich fahre mit Vergnügen aufs Land zurück.

Schreiben Sie mir zum »Monte Christo«. Die Adresse ist die alte: Lopasnja. Bleiben Sie gesund, munter, wohlauf und barmherzig, und alle Heiligen mögen Sie beschützen. An Anna Ivanovna und die Kinder meinen ergebensten Gruß.

Ihr A. Čechov.

Gestern habe ich in einem sehr dummen Stück die Zankoveckaja gesehen. Sie hat mir leid getan, und ich habe mich geschämt.

444) AN V. A. GOLCEV MELICHOVO, 28. 12. 1893

28. Dez. Melichovo.

Eben sind Potapenko und Lika gekommen. Potapenko singt bereits. Aber wie traurig, daß du nicht kommen kannst! Das Wetter ist herrlich, Wein ist da, aber vor allem – du könntest dich ausruhen von den Moskauer Eindrücken, die dich offensichtlich grausam langweilen. Und es würde auch nicht schaden, über das eine oder andere zu reden, und sei es beispielsweise nur über die Fahnen, die auf dich gewartet haben und, nachdem du nicht gekommen bist, schlafengegangen sind; ich schicke sie übrigens noch vor Neujahr an dich ab.

Ach, meine Erzählung in den »Russkie vedomosti« haben sie so eifrig geschoren, daß mit den Haaren auch der Kopf abgegangen ist. Eine einfach kindische Keuschheit, und die Feigheit – erstaunlich. Hätten sie einige Zeilen gestrichen – meinetwegen, aber sie haben doch die ganze Mitte rausgeworfen, den Schluß abgenagt, und so ist meine Erzählung blaß, daß einem schlecht werden könnte.

Nehmen wir einmal an, sie wäre zynisch, aber dann hätten sie sie überhaupt nicht veröffentlichen sollen, oder sie hätten dem Autor wenigstens ein Wort sagen sollen oder ihm schreiben, um so mehr, als die Erzählung ja auch nicht in der Weihn.-Nr. erschienen ist, sondern auf unbestimmte Zeit verschoben worden war. Übrigens, das ist alles uninteressant. Verzeih, daß ich dich langweile.

Potapenko läßt grüßen, er ist heiterster Stimmung und ruft aus: endlich bin ich in einem Land, wo keine Vorschüsse gezahlt werden! (hat er mir diktiert.)

Schreib, wann du kommst. Außer Neujahr haben wir doch noch Taufe zu feiern.

Wir könnten über das Stück sprechen, das wir wohl auch schreiben würden, wenn du Lust hättest. Ich habe Lust. Überleg dirs.

Und Geld habe ich immer noch keins und werde so bald auch keins haben, der Teufel solls holen. Ich hatte mit einem Januarhonorar von den »Russkie vedomosti« gerechnet, aber nach dem Vorfall mit der Erzählung ist mir jeder Appetit auf dieses Honorar vergangen. Sag du Sablin nichts. Das Bequemste und Friedlichste wird sein, wenn ich die weitere Mitarbeit ablehne und mich dabei als Hauptgrund auf Zeitmangel berufe.

Bring deine Tochter mit. Unsere Dachshündin hat geworfen – wenn sie will, schenken wir ihr ein Junges. Wir werden Schlitten fahren.

Am 31. schließ mich in deine heiligen Gebete ein, wie ich dich. Bleib gesund, mein Lieber.

Lika hat zu singen angefangen. *Dein Antoine.*

1894

445) AN A.S. SUVORIN MELICHOVO, 2. 1. 1894

2. Jan. 94.

Sie spotten über meine Gründlichkeit, Trockenheit, Wissenschaftlichkeit und über die Enkel, die meine Arbeit würdigen werden, ich aber vergelte Böses mit Gutem: mit Entzücken lese ich Ihren letzten Brief über das Schisma und erteile Ihnen höchstes Lob. Ein großartiger Brief, und sein Erfolg ist völlig verständlich. Erstens ist er leidenschaftlich, zweitens liberal, und drittens sehr klug. Liberale Dinge gelingen Ihnen immer außerordentlich gut, wenn Sie dagegen versuchen, irgendwelche konservativen Ideen auszuführen oder sogar konservative Ausdrücke verwenden (wie »zu Füßen des Thrones«), dann haben Sie Ähnlichkeit mit einer tausendpudschweren Glocke, die einen kleinen Sprung hat, der einen falschen Ton erzeugt.

Mein »Sachalin« ist eine akademische Arbeit, ich werde dafür den Preis des Metropoliten Makarij bekommen. Die Medizin kann mir jetzt keinen Verrat mehr vorwerfen: ich habe der Wissenschaft den schuldigen Tribut entrichtet, und dem, was die alten Schriftsteller Pedanterie genannt haben. Und ich bin froh, daß in meiner belletristischen Garderobe auch dieser grobe Häftlingskittel hängen wird. Soll er dort hängen! »Sachalin« hätte man natürlich nicht in einer Zeitschrift veröffentlichen sollen, das ist keine Arbeit für eine Zeitschrift, als Buch dagegen, meine ich, taugt sie etwas. In jedem Fall ist Ihr Spott verfehlt. Wer zuletzt lacht, lacht am besten. Vergessen Sie nicht, daß ich mir bald Ihr neues Vaudeville ansehen werde.

Sergeenko schreibt eine Tragödie aus dem Leben des Sokrates. Diese halsstarrigen Bauern greifen immer nach dem Großen, weil sie das Kleine nicht fertigbringen, und haben unheimliche Prätentionen, weil sie keinen literarischen Geschmack besitzen.

Über Sokrates ist leichter zu schreiben als über ein Adelsfräulein oder eine Köchin. Davon ausgehend halte ich das Schreiben von Einaktern nicht für Leichtsinn. Und Sie ja auch nicht, obwohl Sie den Anschein erwecken, als sei das alles Leichtsinn und Lappalie. Wenn ein Vaudeville eine Lappalie ist, dann ist es eine fünfaktige Tragödie von Burenin auch.

Ich wünsche Ihnen und Anna Ivanovna Glück und alles Gute zum Neuen Jahr; ich wollte Ihnen ein Glückwunschtelegramm schicken, aber mir tat der Arbeiter leid, den ich zur Station hätte jagen müssen. Sie hatten versprochen, mir über die Moskauer Buchhandlung Ihren Roman in Luxuseinband zu schicken. Sie haben meine beiden Fragen nicht beantwortet: was soll ich mit dem »Grafen von Monte Christo« machen, und kann ich Ihnen über die Moskauer Buchhandlung Ihren Pisemskij zurückgeben, der immer noch bei mir liegt? Ich habe keine Glasschränke und fürchte, daß der Einband unter dem Staub leidet.

Gäste sind über mich hereingebrochen. Übrigens war auch ein angenehmer Gast da – Potapenko, der die ganze Zeit gesungen hat. Heute erwarte ich Nemirovič-Dančenko, den Dramatiker. Im Eßzimmer trinkt die Astronomin Kaffee und lacht hysterisch. Bei ihr ist Ivanenko, im Nachbarzimmer ist die Frau meines Bruders. Usw. usw.

Es ist traurig, daß Gajdeburov gestorben ist. Die »Knižki Nedeli« haben mir gut gefallen, und wer soll sie redigieren, wenn er nicht mehr ist? Und er soll auch gut gezahlt haben. Ich kannte ihn kaum und habe bei ihm nur einmal veröffentlicht.

Man fährt zur Station. Ich wünsche Ihnen alles Gute, im Himmel und auf Erden. Anna Ivanovna meinen herzlichsten Gruß. Ich wollte ihr als Antwort auf ihren Brief ein Gedicht schreiben, aber es ist nichts draus geworden.

Wie langweilig, Minister zu sein! Es scheint mir jedenfalls so.

Ihr A. Čechov.

446) AN A.S. SUVORIN MELICHOVO, 10. 1. 1894

10. Jan. 94.

Was Potapenko betrifft, so irren Sie sich wirklich: er hat nichts Falsches, nicht für einen Groschen. Was dagegen die unglückselige Astronomin angeht, die mir immer von Herzen sympathisch war, so weiß ich nicht, was ich Ihnen sagen soll. Sie redet so viel Unsinn, weil sie seelisch krank ist. Sie wird auch im ganzen Landkreis für eine Gerüchtemacherin gehalten, meiner Ansicht nach ist sie keine Gerüchtemacherin, sondern einfach eine ermüdende Person. In letzter Zeit war an ihr etwas wie Paralyse des Willens zu beobachten: sie hat jede Fähigkeit verloren zu arbeiten, anscheinend für immer. Jetzt ist sie irgendwo hingefahren.

Was den Akademiepreis des Metropoliten Makarij betrifft, so habe ich Ihnen das wirklich im Scherz geschrieben und nicht damit gerechnet, daß Sie mir so ernst darauf antworten würden. Unter alle meine materiellen Berechnungen, von denen Sie schreiben, habe ich bereits den Schlußstrich gesetzt: für die Reise und die Arbeit habe ich so viel Geld und Zeit investiert, wie ich in 10 Jahren nicht herausbekommen werde, und was ich bekommen habe, ist längst verbraucht. Die ganzen Feiertage über habe ich ohne Geld dagesessen, weil ich nirgends etwas zu bekommen hatte und weil ich im Dezember in den Restaurants in Moskau viel Geld auf den Kopf gehauen habe.

Sie sind böse auf Viktor Krylov. Schauen Sie ihm so aufmerksam wie möglich in seine bleigrauen Augen. Er ist ein Tier, mit der Blutbeimischung von einem Fuchs. Er sieht jeden Menschen als seine Beute an. Und so böse Sie auch auf ihn sein und sosehr Sie auch gegen ihn kämpfen werden, er wird in Ihnen immer nur seine Beute sehen.

Im März werde ich ein Stück schreiben. Im Sommer will ich versuchen, meinen Husten auszuheilen, der sich in stetigem Crescendo befindet. Im Herbst will ich für Fünftausend einen Roman schreiben, wie Maša Krestovskaja. Und im Winter komme ich nach Petersburg. Diesen Winter werde ich nicht kommen, weil in Petersburg, wie mir scheint, alle schlechte Laune haben und ich übrigens dieselbe bacchantische Stimmung habe. Ende März, wenn ich Geld bekomme, fahre ich für drei Wochen in den Süden und werde Sie um Erlaubnis bitten, in Ihrem Haus in Feodosija zu wohnen.

Ich rauche nur noch eine Zigarre am Tag, kann wie eh und je viel trinken, ohne alle sichtbaren Folgen für meine Gesundheit. Am 12. Jan. werde ich wahrscheinlich auf das Wohl der Wissenschaften trinken müssen, wenn sich eine entsprechende Gesellschaft zusammenfindet.

Der Himmel beschütze Sie. *Ihr A. Čechov.*

447) AN M. O. MENŠIKOV MELICHOVO, 15. 1. 1894

St. Lopasnja, 15. Jan.

Sehr geehrter Michail Osipovič, ich hörte, Sie seien neulich in Moskau gewesen, und bedaure sehr, daß wir uns nicht getroffen haben. Ich hätte mit Ihnen über Pavel Aleksandrovič reden, Ihnen mein Beileid aussprechen und Sie bitten wollen, seiner Familie zu kondolieren. Ich habe den Verstorbenen kaum gekannt, aber wenn man einen Redakteur nach seiner Zeitung beurteilen kann, so war er ein begabter und sehr sympathischer Mensch.

Ich stehe in Ihrer Schuld: ich habe Ihren Brief nicht beantwortet, in dem Sie mich über die Übersetzung meines »Krankensaals Nr. 6« ins Englische informieren. Ich gestehe, ich habe dies absichtlich getan, d. h. nicht geantwortet. Sie wünschten von mir eine Autobiographie, und das ist für mich ein scharfes Messer. Ich kann nicht über mich selbst schreiben.

Dafür, daß Sie mir die »Nedelja« auch dieses Jahr schicken wollen, danke ich Ihnen von Herzen. Bitte zählen Sie mich zu Ihren Mitarbeitern und seien Sie mir nicht böse wegen meiner Schwerfälligkeit. Es haben sich bei mir viele Sujets für Erzählungen und Novellen angesammelt, aber ich bin in Gefangenschaft und werde, wie mir scheint, nicht vor Juni aus dieser Gefangenschaft entlassen. Danach werde ich mich bis ans Ende meiner Tage ausschließlich mit Belletristik beschäftigen können. Dann werde ich sogar die Medizin aufgeben und, wie ich glaube, auch das Recht dazu besitzen, denn ich habe ihr mit meinem Buch über Sachalin den schuldigen Tribut entrichtet. Dieses Jahr fühle ich mich bereits viel freier als im vorigen und vorvorigen. Ich bin sogar übermütig geworden und habe der »Russkaja mysl« und dem »Artist« je eine Erzählung gegeben. Im letzten (dem Jan.-Heft) ist meine Erzählung »Der schwarze Mönch« veröffentlicht. Das ist eine medizinische Erzählung, eine historia morbi. Es geht darin um Größenwahn.

In diesem Jahr werde ich wohl kaum nach Petersburg kommen. Wenn Sie zufällig nach Moskau kommen sollten, so lassen Sie es mich wissen oder telegraphieren Sie aus Moskau.

Ich wünsche Ihnen alles Gute. *Ihr A. Čechov.*

448) AN A.S. SUVORIN MELICHOVO, 25. 1. 1894

25. Jan.

Fordern Sie die Nrn. 1 und 2 des »Arztes« an und lesen Sie dort »Zur Frage der Geschlechtsbeziehungen«. Der Aufsatz ist von einem wohlmeinenden Menschen geschrieben, der nicht mit seinem Namen unterzeichnet »auf Grund der vollkommen legitimen und gerechtfertigten Forderung meiner Frau«. Das ist nach Ihrem Geschmack, d. h. in dem Aufsatz werden Sie einige Ihrer Lieblingsgedanken wiederfinden. Da ist die Rede von dem Stempel, der der Jugend und dem menschlichen Genie von den Geschlechtsbeziehungen aufgedrückt wird. Sie, der Sie eine junge Frau geschaffen haben, die nach der Kopulation verwelkt und erloschen ist, müssen diesem wohlmeinenden Autor einen Luftkuß schicken. Lesen Sie es bitte unbedingt.

Ich glaube, ich bin psychisch gesund. Ich habe zwar keinen besonderen Wunsch zu leben, aber das ist vorläufig noch keine Krankheit im echten Sinne, sondern wahrscheinlich etwas Vorübergehendes und ganz Natürliches im Leben. Jedenfalls bedeutet es, wenn ein Autor einen psychisch Kranken darstellt, nicht, daß er selbst krank sei. Den »Schwarzen Mönch« habe ich ohne alle finsteren Gedanken geschrieben, aus kühler Überlegung. Ich hatte einfach Lust, den Größenwahn darzustellen. Den Mönch, der über das Feld dahineilt, habe ich geträumt, und als ich aufwachte, habe ich Miša von ihm erzählt. Sagen Sie also Anna Ivanovna, daß der arme Anton Pavlovič Gott sei Dank noch nicht verrückt geworden sei, zum Abendbrot aber zuviel esse und deshalb von Mönchen träume.

Immer wieder vergesse ich es Ihnen zu schreiben: lesen Sie im Dezemberheft der »Russkaja mysl« die Erzählung »Geisterseher« von Ėrtel. Sie hat Poesie und etwas Schreckliches im Geist alter Märchen. Sie ist eine der besten Moskauer Neuigkeiten. Wenn Sie noch irgendetwas Neues wünschen, bitte sehr: Iv.Iv. Ivanov ist zum Mitglied des Theat.-Lit. Komitees ernannt worden. Die Abonnentenzahlen bei den »Novosti dnja« sind gewaltig, beim »Mosk. listok« sind sie zurückgegangen... Und die, die für Grigorovič ein Essen gegeben haben, erzählen jetzt, wieviel wir zusammengelogen hätten auf dem Essen und wieviel *er* zusammengelogen hätte!

Die Belletristen hätten ihre monatlichen Essen nicht »Arzamas« nennen sollen. Das ist falsch und verlogen.

Gleich fahre ich nach Serpuchov zum Sanitätsrat, wo ich mich höllisch langweilen werde, da nur alltäglicher Kram zur Erörterung ansteht.

Wenn Sie auf mich hören und den »Arzt« lesen, werden Sie in denselben Nummern auch Ėrismans Rede über den Vegetarianismus finden. Ich begreife nicht, wen dieser arme Vegetarianismus stört.

Die Engel und Erzengel, Cherubime und Serafime mögen Sie beschützen. *Ihr A. Čechov.*

449) AN A.S. SUVORIN MELICHOVO, 16. 2. 1894

16. Febr.

N heiratet Frau Z und läßt sich dann formell von ihr scheiden: Frau Z nimmt die Schuld auf sich, und Hr. N erhält das Recht, ein zweites Mal zu heiraten. Fünf Jahre nach der Scheidung söhnen Hr. N und Frau Z sich miteinander aus, kommen sich wieder näher und lieben sich erneut. Wie soll man sie jetzt nennen – Gatten oder Geliebte? Das brauche ich für eine Erzählung. Und das brauche ich für das Stück, wenn ich es auf der Krim schreiben sollte: schicken Sie mir über die Mosk. Buchhandlung das Buch von Ludwig Börne, dem kalten jüdischen Besserwisser. Ich möchte in dem Stück einen Herrn vorführen, der sich beständig auf Heine und Ludwig Börne beruft. Zu Frauen, die ihn lieben, sagt er immer wie Insarov in »Vorabend«: »So sei gegrüßt, meine Frau vor Gott und den Menschen!« Wenn er auf der Bühne solo oder mit einer Frau allein bleibt, ziert er sich, markiert Lassalle, den künftigen Präsidenten der Republik; in Gegenwart von Männern dagegen schweigt er mit geheimnisvoller Miene und wird beim geringsten Zusammenstoß mit einem von ihnen hysterisch. Er ist russisch-orthodox, aber hat braune Haare und heißt Ginzeld. Er will eine Zeitung herausgeben.

Ich habe einen Brief von dem Literaten Dedlov bekommen. Er geht gern auf Reisen; im Frühjahr möchte er an die Volga fahren. »Ich habe«, schreibt er, »sie nur in der Gegend von Nižnij gesehen und größtes Interesse an ihr gewonnen. Dort gibt es Kultur, russische Kultur! Wer hätte das erwartet!« Er möchte zusammen mit einem Maler fahren, auf eigene Kosten; er will 150 R. pro Bogen nach Veröffentlichung. Und schließlich und endlich: »Wäre es nicht möglich, A.S. Suvorin einen entsprechenden Vorschlag zu machen, und wären nicht Sie damit einverstanden, ihm diesen Gedanken zu unterbreiten?« Ich unterbreite ihn Ihnen also, obwohl mir selbst der Gedanke nicht klar genug ist. Was will er? Daß Sie seine Korrespondentenberichte in der Zeitung veröffentlichen oder ein Buch mit Zeichnungen verlegen? Er nennt seine Reise Expedition. Seien Sie so gut, antworten Sie mir, ich werde ihm dann schreiben. Seine Korrespondenzen sind interessant.

Auf die Krim fahre ich nicht Mitte März, sondern schon am Ersten. Ich beeile mich so, weil mir der Husten sehr zu schaffen macht, besonders gegen Morgen, und ich habe diesen Husten verteufelt satt. Es ist vorläufig nichts Ernstes, und der Husten beunruhigt mich nicht moralisch, sondern sozusagen mechanisch. Das Rauchen habe ich endgültig aufgegeben; Willenskraft brauchte es dazu nicht, ich bin vielmehr mit der Zeit gleichgültig geworden und habe es sein lassen.

Wann werden wir uns sehen? Im Herbst? Im Winter? Oder sind Sie vielleicht im April in Feodosija? Meine Adresse auf der Krim lasse ich Sie wissen. Wenn Sie in den Süden fahren, telegraphieren Sie, ich komme Ihnen entgegen. Ein Wiedersehen mit Ihnen wäre ein wahrer Feiertag für mich.

Bleiben Sie gesund und wohlauf. Ich fahre morgen nach Moskau – für zwei Tage. Eine Wohltat, an unserer Station hält der Kurierzug. Miša hat es geschafft, nach Uglič versetzt zu werden. Er kann nicht stillsitzen. Seinen Dienst haßt er.

An Anna Ivanovna meinen herzlichsten Gruß.

Ihr A. Čechov.

450) AN A.S. SUVORIN MOSKAU, 26. 2. 1894

Potapenko reist ab, er will sich von Ihnen verabschieden...... Was die vielen Punkte bedeuten, müssen Sie sich selbst erklären.

A. Čechov.

451) AN M.P. ČECHOVA JALTA, 6. 3. 1894

Jalta, Hotel »Rossija«.

Ach, liebe Maša, wenn du die Familienfreuden der M-me Zvjagina teilen könntest! Sie hat sich von ihrem Mann scheiden lassen (er hat die Schuld auf sich genommen) und Beljaev geheiratet, einen jungen Menschen mit braunen Flecken. Zvjagin hat gestern 2 Stunden bei mir gesessen und sich die ganze Zeit über seine Einsamkeit beklagt.

Andere Neuigkeiten gibt es in Jalta nicht.

Das Wetter ist leidlich. Ich habe oft Kopfschmerzen.

Morgens huste ich nicht, habe aber trotzdem Husten.

Wenn zu Hause Briefe für mich da sind, steck sie in einen Umschlag und schick sie an obige Adresse. In Jalta werde ich bis April bleiben.

Aus Warschau habe ich ein Telegramm von der Javorskaja und Tanka bekommen.

Grüß die Unsern, Golcev, Lika und den Großvater. Bleib gesund. Mirov läßt grüßen, er verneigt sich, aber nicht zu tief, weil er, da er sehr groß ist, zerbrechen könnte, wenn er sich zu tief verneigen würde. *Dein A. Čechov.*

Der Stein kostet 12 Rubel im Kubik. Eine Sažen ist bereits bezahlt. Sollen sie, wenn sie wollen, noch zwei Kubik bringen, dann sind es insgesamt drei.

452) AN JULES LEGRAS JALTA, 18. 3. 1894

18. März. Jalta.

Sehr geehrter

Julij Antonovič!

Ich habe Husten und bin deshalb auf der Krim, in Jalta. Das Wetter ist kalt, auf dem Meer ist Sturm... Brrr!!

Kennen Sie bei sich in Bordeaux nicht einen Weinhändler, der bereit wäre, nach Moskau an die Redaktion der »Russkaja mysl« 100–150 Flaschen guten und nicht zu teuren Wein zu schicken? Wenn ja, dann soll er sagen, wieviel Geld wir ihm zu schicken hätten. Der Wein soll echter französischer Wein sein, nicht sauer, nicht süß, von der Sorte Lafite und Bordeauxweine. Das Geld schicken wir im voraus, gleich nach Erhalt Ihrer Antwort.

100–150 Flaschen nennt man französisch, glaube ich, 1/4 barique (sic).

Potapenko ist nach Paris gefahren. M-lle Mizinova, die füllige Blondine, die Sie bei Golcev kennengelernt haben, ist ebenfalls nach Paris gefahren, sie wird dort leben und Gesangsunterricht nehmen.

Ich werde bis zum 15. April (alten Stils) in Jalta bleiben, danach fahre ich nach Melichovo zurück. Meine Adresse: Jalta, A. P. Čechov.

Ich hoffe, daß wir uns im Sommer in Melichovo sehen werden.

Bleiben Sie gesund, glücklich. Ich wünsche Ihnen, daß sich ein sehr hübsches Mädchen in Sie verliebt. *Ihr A. Čechov.*

453) AN L. S. MIZINOVA JALTA, 27. 3. 1894

27. März. Jalta.

Liebe Lika, ich danke Ihnen für den Brief. Auch wenn Sie mir damit einen Schrecken einjagen wollen, daß Sie bald sterben würden, auch wenn Sie mich damit aufziehen, daß ich Sie verstoßen hätte, ich danke Ihnen trotzdem. Ich weiß sehr wohl, daß Sie nicht sterben werden und daß niemand Sie verstoßen hat.

Ich bin in Jalta, und ich langweile mich, sehr sogar. Die, wenn man so sagen will, hiesige Aristokratie inszeniert den »Faust«, ich gehe auf die Proben und genieße dort den Anblick eines ganzen Blumenbeets von schwarzen, roten, flachs- und dunkelblonden Köpfen, lausche dem Gesang und esse; bei der Direktorin des Mädchengymnasiums esse ich Fladen und Hammellende mit Brei; in vornehmen Häusern esse ich grüne Šči; ich esse in der Konditorei, desgleichen bei mir im Hotel. Ich gehe um 10 Uhr schlafen, stehe um 10 auf, lege mich nach dem Mittagessen hin, aber ich langweile mich trotzdem, liebe Lika. Nicht, weil ich »meine Damen« nicht um mich hätte, sondern weil der Frühling im Norden schöner ist als hier und weil mich keinen Augenblick der Gedanke losläßt, daß ich unbedingt schreiben muß. Schreiben, schreiben und nochmal schreiben. Ich bin der Meinung, daß wahres Glück ohne Müßiggang unmöglich ist. Mein Ideal: müßig zu sein und ein fülliges Mädchen zu lieben. Der höchste Genuß für mich ist – spazierenzugehen oder dazusitzen und nichts zu tun; meine Lieblingsbeschäftigung ist, Dinge zu sammeln, die niemand braucht (Blätter, Gräser usw.), und Nutzloses zu tun. Ich bin aber Literat und muß schreiben, sogar hier in Jalta. Liebe

Lika, wenn aus Ihnen eine große Sängerin geworden ist und Sie ein gutes Gehalt bekommen, dann schenken Sie mir ein Almosen: heiraten Sie mich und geben Sie mir zu essen, damit ich nichts zu tun brauche. Wenn Sie allerdings tatsächlich sterben, dann soll es Varja Ėberle tun, die ich, wie Sie wissen, liebe. Ich habe mich derart zerfasert im beständigen Denken an die obligatorische, unausweichliche Arbeit, daß ich schon seit einer Woche unregelmäßigen Herzschlag habe. Ein widerliches Gefühl.

Meinen Fuchspelz habe ich für 20 Rubel verkauft. Er war einmal 60 Rub. wert, aber da für 40 R. schon das Fell ausgegangen war, waren 20 Rub. kein schlechter Preis. Die Stachelbeeren hier sind noch nicht reif, aber es ist warm, hell, die Bäume schlagen aus, das Meer sieht aus wie im Sommer, die Mädchen lechzen nach Gefühlen, aber der Norden ist trotzdem schöner als der russische Süden, zumindest im Frühling. Bei uns ist die Natur trauriger, lyrischer, levitaniger, hier ist sie weder Fisch noch Fleisch, wie ein schönes, klangvolles, aber kaltes Gedicht. Wegen des unregelmäßigen Herzschlags trinke ich seit einer Woche keinen Wein mehr, und deshalb erscheint mir die hiesige Umgebung noch armseliger. Wie geht es Ihnen in Paris! Was sagen Sie zu den Franzosen? Gefallen sie Ihnen? Halten Sie sich ran.

Mirov hat hier ein Konzert gegeben und 150 Rubel Reingewinn erzielt. Er hat geheult wie ein Hund, aber der Erfolg, den er hatte, war riesengroß. Ich bedaure sehr, daß ich nicht singen gelernt habe; heulen könnte ich genauso, da meine Kehle überreich ist an heiseren Elementen und ich, wie man sagt, eine echte Oktave habe. Dann hätte ich mein Auskommen und Erfolg bei den Damen.

Im Juni werde nicht ich nach Paris, sondern Sie nach Melichovo kommen; das Heimweh wird Sie treiben. Ohne einmal nach Rußland zu kommen, und sei es nur auf einen Tag, kann die Sache nicht gutgehen. Besprechen Sie sich mit Potapenko. Im Sommer kommt er auch nach Rußland. Mit ihm zusammen wird die Reise billiger. Er soll die Fahrkarte kaufen, und Sie vergessen sie ihm zu bezahlen (das wäre nicht das erste Mal bei Ihnen).

Aber wenn Sie nicht kommen, dann komme ich nach Paris. Aber ich bin überzeugt, daß Sie kommen werden. Es ist kaum anzunehmen, daß Sie Großvater Sablin nicht besuchen werden.

Bleiben Sie gesund, Lika, ruhig, glücklich und zufrieden. Ich wünsche Ihnen Erfolg. Sie sind ein kluges Kind.

Wenn Sie mich mit einem Brief verwöhnen wollen, dann adressieren Sie ihn nach Melichovo, wohin ich bald fahren werde. Ich werde Ihre Briefe pünktlich beantworten. Ich küsse Ihnen beide Hände. *Ihr A. Čechov.*

An V. A. Ėberle meinen herzlichsten Gruß.

454) AN A. S. SUVORIN JALTA, 27. 3. 1894

27. März. Jalta.

Seien Sie gegrüßt!! Ich bin schon fast einen Monat in Jalta, im überaus langweiligen Jalta, im Hotel »Rossija«, in Nr. 39, und in der 38 wohnt Ihre Lieblingsschauspielerin Abarinova. Frühlingswetter, es ist warm und hell, das Meer ist das Meer, aber die Menschen sind im höchsten Grade stumpfsinnig, trübe, matt und farblos. Ich habe eine Dummheit begangen, den ganzen März der Krim zu widmen. Ich hätte nach Kiev fahren und mich dort der Betrachtung der heiligen Stätten und des kleinrussischen Frühlings hingeben sollen.

Mein Husten ist nicht vergangen, aber am 5. April bewege ich mich dennoch gen Norden zurück zu den Penaten. Länger kann ich hier nicht bleiben. Und ich habe auch kein Geld. Ich habe nur 350 R. mitgenommen. Wenn man die Kosten für die Hin- und Rückfahrt abzieht, bleiben 250 R., und mit diesem Geld kann man keine großen Sprünge machen. Hätte ich tausend oder anderthalb, dann wäre ich nach Paris gefahren, und das wäre schön gewesen aus vielen Gründen.

Im allgemeinen bin ich gesund, krank nur in einigen Einzelheiten. Zum Beispiel der Husten, der unregelmäßige Herzschlag, die Hämorrhoiden. Der unregelmäßige Herzschlag dauerte irgendwie 6 Tage, ununterbrochen, und das war die ganze Zeit ein widerliches Gefühl. Nachdem ich das Rauchen ganz aufgegeben habe, bin ich nicht mehr in jener düsteren und sorgenvollen Stimmung. Vielleicht hat, weil ich nicht mehr rauche, die Tolstojsche Moral aufgehört mich zu rühren, im tiefsten Innern meines Herzens bin ich ihr gegenüber feindselig eingestellt, und das ist natürlich ungerecht. In meinen Adern fließt Bauernblut, mit Bauerntugenden setzt mich darum niemand in Erstaunen. Ich habe von klein auf an den Fortschritt geglaubt und gar nicht anders gekonnt, als an ihn zu glauben, denn der Unterschied zwischen der Zeit, als ich geschlagen wurde, und der Zeit, als man aufhörte mich zu schlagen, war schrecklich. Ich liebte kluge Menschen, Nervosität, Höflichkeit, Scharfsinn, daß dagegen Leute an ihren Hühneraugen herumpulten und ihre Fußlappen einen atembenehmenden Geruch verbreiteten, war mir ebenso gleichgültig, wie wenn junge Fräuleins morgens mit Lockenwicklern im Haar herumlaufen. Aber die Tolstojsche Philosophie hat mich stark berührt, hat mich 6–7 Jahre lang beherrscht, und beeindruckt haben mich nicht die Grundthesen, die mir früher schon bekannt waren, sondern Tolstojs Art sich auszudrükken, seine Bedachtsamkeit und, wahrscheinlich, eine besondere Art von Hypnose. Jetzt dagegen protestiert etwas in mir; Überlegung und Gerechtigkeitssinn sagen mir, daß in Elektrizität und Dampfkraft mehr Menschenliebe liegt als in Keuschheit und Ablehnung des Fleischgenusses. Der Krieg ist ein Übel, Gerichtsverhandlungen sind ein Übel, aber daraus folgt nicht, daß ich in Bastschuhen gehen und neben dem Arbeiter und seiner Frau auf dem Ofen schlafen müßte usw. usw. Aber darum geht es ja nicht, nicht um das »für und wider«, sondern darum, daß es so oder anders sein mag, nur daß Tolstoj für mich bereits dahin ist, er ist nicht mehr in meinem Herzen, er ist von mir gegangen mit den Worten: siehe, ich verlasse euer leeres Haus. Ich bin von Einquartierung frei. Alle Erörterungen langweilen mich, und solche Schwätzer wie Max Nordau lese ich einfach mit Widerwillen. Kranke, die Fieber haben, möchten nichts essen, aber etwas möchten sie doch, und sie äußern ihren unbestimmten Wunsch meist so: »irgendetwas Saures«. So möchte ich etwas Saures. Und das ist kein Zufall, denn genau dieselbe Einstellung bemerke ich überall um mich her. Es sieht so aus, als wären alle verliebt gewesen, die Liebe wäre erloschen, und jetzt suchten alle nach neuen Verlockungen. Es ist sehr gut möglich und sieht sehr danach aus, als erlebten die Russen wieder die Verlockung durch die Naturwissenschaften und als käme die materialistische Bewegung wieder in Mode. Die Naturwissenschaften vollbringen zur Zeit Wunder, und sie können gegen die Menschen anstürmen wie Mamaj und sie durch ihre Masse, ihre Großartigkeit unterwerfen. Übrigens, dies liegt alles in Gottes Hand. Fang an zu philosophieren, und dir wird schwindlig.

Ein Deutscher aus Stuttgart hat mir 50 Mark für die Übersetzung einer Erzählung von mir geschickt. Wie gefällt Ihnen das? Ich bin für die Konvention, aber irgendein Schwein hat in den Zeitungen geschrieben, ich hätte mich im Gespräch gegen die Konvention geäußert. Da werden mir Sätze zugeschrieben, die ich nicht einmal aussprechen könnte.

Schreiben Sie mir nach Lopasnja. Wenn Sie Lust haben, mir ein Telegramm zu schicken, so würde es mich noch in Jalta erreichen, da ich bis zum 5. April bleibe.

Bleiben Sie gesund und ruhig. Was macht Ihr Kopf? Sind die Kopfschmerzen häufiger als früher? Bei mir sind sie heftiger – weil ich nicht mehr rauche.

An Anna Ivanovna und die Kinder meinen herzlichsten Gruß.

Ihr A. Čechov.

455) AN A. M. SKABIČEVSKIJ MELICHOVO, 7. 4. 1894

St. Lopasnja, Str. Mosk. Kursk.

Sehr geehrter

Aleksandr Michajlovič!

Den ganzen März habe ich auf der Krim verbracht und erst aus den Zeitungen von Ihrem Jubiläum erfahren und habe Ihnen deshalb nicht rechtzeitig ein Grußtelegramm geschickt. Ich bin mit Ihnen persönlich nicht bekannt, desto leichter war es für Sie, mein Fehlen unter den Gratulanten nicht zu bemerken, aber dennoch beunruhigt mich der Gedanke, schlecht gehandelt zu haben. Wie dem auch sei, verzeihen Sie mir meine ungewollte Nachlässigkeit und weisen Sie diesen verspäteten Glückwunsch nicht zurück. Ich wünsche Ihnen noch ein langes Leben.

In aufrichtiger Hochachtung *Anton Čechov.*

94 $\frac{7}{IV}$

456) AN AL. P. ČECHOV MELICHOVO, 15. 4. 1894

15. Apr. St. Lopasnja.

Unwürdiger Bruder!

Ich bin zurück aus dem feurigen Tauris und sitze bereits wieder an den kühlen Gestaden meines Teichs. Übrigens ist es sehr warm, das Thermometer klettert bis auf 26° plus, die Stare kopulieren zum Wohle der Allgemeinheit, Span paart sich mit Spänchen usw.

Ich befasse mich mit Landwirtschaft: ich ziehe neue Alleen, pflanze Blumen, fälle abgestorbene Bäume und verjage Hühner und Hunde aus dem Garten. Die Literatur spielt die Rolle von Erakita, der sich stets im Hintergrund hielt. Ich habe keine Lust zu schreiben, und außerdem ist der Wunsch zu leben auch schwer vereinbar mit dem Wunsch zu schreiben.

Ich schreibe dir diesen Brief des Glückwunschs halber. Ich gratuliere Natalja Aleksandrovna, Anton und Michail, sozusagen den Ölbäumen, die an deiner Tafel stehen, zum Feiertag und wünsche euch allen Gesundheit und Geld.

Von Vladimir Tichonov bekam ich die Nachricht, daß er nicht mehr Redakteur des »Sever« sei. Das ist schade. Er war ein trinkender, prahlsüchtiger, aber sehr, sehr tüchtiger Redakteur. Er hatte ein Talent – zu insistieren. Er insistierte so lange, daß es am Ende unmöglich war, ihm keine Erzählung zu geben.

Bleib gesund und sei kein Bügeleisen. Denke immer daran, daß du mir zahlreicher Wohltaten halber verpflichtet bist und daß du, wie dem auch sei, ein armer Verwandter bist, der mich zu ehren hat, denn ich habe eigenen Besitz und eigene Pferde. Du dagegen hast Kummer und Thränen. Außerdem eine Schwäche für alkoholische Getränke. Bessere dich!

Dein mitfühlender Bruder, Gutsbesitzer und nützliches Glied der Gesellschaft *A. Čechov.*

457) AN A. S. SUVORIN MELICHOVO, 9. 5. 1894

9. Mai.

Wann fahren wir denn nun nach Kiev und an die Volga? Nachdem Sie nicht gekommen sind, habe ich mir eine Arbeit auferlegt und kann jetzt nicht mehr vor dem 20. wegfahren. Das zum ersten. Zweitens, telegraphieren Sie mir nicht nach Lopasnja, ich habe nämlich verboten, mir die Telegramme mit Extrapost zuzustellen: sie bringen zuviel Unruhe – bei Tag und bei Nacht. Schicken Sie mir Briefe, ich lasse fast jeden Tag jemanden auf die Post fahren. Drittens, wenn Sie nicht vor dem 25. fahren, dann ist es besser, an die Volga zu fahren, weil es an diesem Fluß um diese Zeit nicht mehr kalt ist. Von der Volga aus fahren wir noch irgendwo anders hin.

Bei mir gibt es keinerlei Neuigkeiten. Das Wetter ist herrlich, und in der Nähe des Hauses im Grünen hat sich eine Nachtigall eingenistet, die ununterbrochen schlägt. 17 Verst von mir entfernt gibt es das Dorf Pokrovskoe-Meščerskoe; hier ist in einem alten Herrenlandsitz jetzt die psychiatrische Heilanstalt des Gouvernements-Zemstvo eingerichtet; Direktor ist Dr. Jakovenko. Am 4. Mai trafen sich hier die Zemstvoärzte des gesamten Gouvernements Moskau, etwa 75 an der Zahl. Auch ich war da. Viele Patienten, aber als Material interessant für den Psychiater, nicht für den Psychologen. Ein Patient, ein Mystiker, predigt, die heilige Dreifaltigkeit sei auf die Erde herabgestiegen in Gestalt des Kiever Metropoliten Ioannikij. »Es ist uns eine Frist von zehn Jahren gegeben; acht sind bereits vergangen, es bleiben nur noch zwei. Wenn ihr nicht wollt, daß Rußland untergeht wie Sodom, so ziehet hin in einem Kreuzzug durch ganz Rußland nach Kiev, wie Moskau einst nach Troica gezogen, und betet dort zu dem göttlichen Märtyrer im Range des Metropoliten Ioannikij.« Dieser Kauz ist davon überzeugt, daß ihn die Ärzte in der Heilanstalt vergiften und daß er durch ein Wunder gerettet werden würde, durch ein Eingreifen Christi in Gestalt Ioannikijs. Er betet unentwegt nach Osten und singt und flicht, wenn er sich an Gott wendet, unbedingt die Worte ein »im Range des Metropoliten Ioannikij«. Er hat einen sehr schönen Gesichtsausdruck.

Tichonov, der Redakteur des »Sever«, hat aufgehört, Redakteur zu sein, und leidet jetzt Not. Er ist ein bißchen Säufer und ein bißchen Chlestakov, aber ein anständiger, gerechter und guter Kerl, und als Redakteur war er sehr gut. Haben Sie nicht in Ihrer Redaktion oder in der Buchhandlung irgendeine Stelle für ihn? Für ihn bitte ich gern. Ich habe heute einen Brief von ihm bekommen, in dem er schreibt, daß er sich geniert, selbst mit Ihnen über seine Notlage zu sprechen, und hofft auf mich. Seine Adresse: Nikolaevskaja 73, Wohnung Nr. 6.

Aus der Irrenanstalt kehrte ich spät abends in meiner eigenen Trojka zurück. $^2/_3$ des Weges mußte ich durch Wald fahren, bei Mondschein, und ich fühlte mich wunderbar, wie schon lange nicht, so als kehre ich von einem Rendezvous zurück. Ich glaube, daß Nähe zur Natur und Müßiggang unverzichtbare Elemente des Glückes bilden; ohne sie geht es nicht.

Ich bin vollkommen gesund, was ich auch Ihnen wünsche.

Schreiben Sie mir: wann und wohin wir fahren.

Es ist heiß. Gott beschütze Sie! *Ihr A. Čechov.*

458) AN JU. A. LEGRAS — MOSKAU, 19. 5. 1894

19. Mai.

Sehr geehrter Herr!

1) Ihre Briefe, in denen Sie betreffs des Weines schreiben, habe ich an die Redaktion der »Russkaja mysl« geschickt. Der Redak-

teur ist zur Zeit nicht in Moskau: er wird in 4–5 Tagen zurückkommen und sich dann beeilen, Ihnen mit einem Telegramm oder Brief zu antworten. Mir scheint allerdings, es wäre bequemer und billiger, den Wein nicht in Flaschen, sondern im Faß zu schicken. Für Flaschenwein zahlt man höheren Zoll.

2) Ich habe begonnen, ein Nebengebäude zu bauen. Ich hoffe, er wird bis zum 20. Juni fertig, und ich hoffe auch, daß er Ihnen gefallen wird. Er wird zwei Zimmer haben; das eine von beiden gehört Ihnen. Er wird einen hohen Dachboden mit Balkon bekommen.

3) Marija Pavlovna hat Ihren Brief bekommen und läßt danken.

4) Ich schreibe dies in Moskau, im »Hotel Loskutnaja« sitzend. Der Himmel ist bedeckt. Es ist langweilig. In vier bis fünf Tagen fahre ich nach Melichovo.

5) Bald wird es Reizker geben.

6) Brom und China sind ungewöhnlich klug geworden.

7) Nikolaj Petrovič Gladkov ist mit seiner Familie nach Kurnikovo gezogen.

8) Seien Sie so gut, wenn Sie in Paris sind, treffen Sie sich mit m-lle Mizinova, lassen Sie sich von ihr die Adresse von Ignatij Nikolaevič Potapenko geben, der ebenfalls in Paris lebt, und laden Sie ihn ein, nach Melichovo zu kommen. Er langweilt sich sehr in Paris.

Ich wünsche Ihnen alles Gute. *Ihr A. Čechov.*

459) AN AL. P. ČECHOV MELICHOVO, 21. 5. 1894

21. Mai.

Undankbarer Bruder!

Ich habe dir so lange nicht geantwortet – erstens aus Stolz, weil ich eigenen Besitz habe, du dagegen arm bist, und zweitens aus Unkenntnis, was und wie ich auf den Hauptpunkt antworten soll, denn: im »Artist« geschehen derzeit dieselben Perturbationen wie im »Sever«, und es ist einfach nicht herauszukriegen, wer dort Redakteur ist. Beim »Artist« war Kumanin Redakteur, der jetzt gegangen ist und Novikov die Zügel übergeben hat; die Redaktion ist auf den Arbat umgezogen. Wie dem auch sei, die Zeitschrift existiert, und man kann dort mitarbeiten (ich bekomme von dort sogar monatlich 40 Rubel), aber satt wirst du davon nicht: allen neuen Mitarbeitern zahlen sie dort einen Fünfziger, d. h. 50 pro Bogen.

Das Wetter ist schön. Wenn dir einfallen sollte zu kommen, so tätest du uns damit einen großen Gefallen: ich würde dich den Stier weiden und die Enten aufs Wasser treiben lassen. Gehalt zahle ich keins, dafür sind Kost und Logis frei.

Alle sind gesund und wohlauf. Vater philosophiert und nörgelt an Mutter herum, Mutter sagt »So weit ist es nun gekommen« usw.

Grüß die Deinen und bleib gesund. Aber sei keine Reißzwecke. *Dein A. Čechov.*

Ich habe bei der Sparkasse 23 Rubel angelegt. Da wird sich ein schönes Kapital ansammeln. Aber wenn ich sterbe, bekommst du keine Kopeke, denn dich werde ich in meinem Testament nicht berücksichtigen.

460) AN A. S. SUVORIN MELICHOVO, 22. 6. 1894

22. Juni.

Wo sind Sie? Einerseits hätten Sie schon am Samstag ins Ausland fahren sollen, andererseits jedoch habe ich so eine Ahnung, als seien Sie noch nicht gefahren und säßen noch in Petersburg. Wie dem auch sei, es ist nicht schön, daß Sie mich so schnell vergessen haben. Als ich gestern nach Hause kam, fand ich weder einen Brief noch das Telegramm, das Sie an die Moskauer Otrada zu schicken versprochen hatten.

Nach Ihrer Abreise war ich in der Zentralbadeanstalt, habe mich dort erkältet und danach zwei Tage wie ein Uhu in meinem Hotelzimmer gehockt, mich gelangweilt und geflucht. Jetzt bin ich wieder völlig gesund. Ich sammle mich, um nüchterne Gedanken zu schreiben über Hurerei und Selbstbefleckung.

Ihre Buchhandlung soll mir Antwort geben auf die Frage: wieviele Exemplare meiner Bücher, aller Titel inclusive »Kinder« und »Kaštanka«, sind in der ganzen Zeit verkauft worden? Außerdem wäre es für mich auch von großem Interesse, eine Abrechnung zu bekommen, damit ich weiß, wieviel ich der Buchhandlung zu meinem Leidwesen noch schulde. Sagen Sie Bescheid, daß die Druckkosten in der Abrechnung, wie besprochen, auf jedes verkaufte Tausend aufgeteilt werden, damit ich nicht für alle 4 Tausend auf einmal zahlen muß. Zum Beispiel: wenn 4 Tsd. gedruckt, aber erst 1 Tausend verkauft worden ist, zahle ich, um das Geld für dieses eine Tausend zu bekommen, der Druckerei nur dieses eine Tausend, und nicht alle 4. Dann, nachdem die selige Zeit noch nicht gekommen ist, in der ich von Ihrer Buchhandlung ein monatliches Gehalt von 100 Rubel beziehe, sagen Sie telephonisch im Kontor Bescheid, daß man mir 300 Rub. schickt. Ich habe unterwegs viel Geld ausgegeben und will mir einen neuen Mantel machen lassen. Das Bequemste für mich wäre, das Geld über die Moskauer Buchhandlung zu bekommen oder an die Adresse: Moskau, »Russkaja mysl« für mich. Die erste Adresse ist besser.

Ins Ausland fahre ich im September. Schreiben Sie mir Ihre Adresse, dann werde ich Ihnen ein Telegramm schicken. Ich möchte leben, und irgendwohin zieht mich eine unbestimmte Kraft. Nach Spanien und nach Afrika. Am 16. Juli setze ich mich an das Stück, dessen Inhalt ich Ihnen erzählt habe. Was dabei herauskommen wird, weiß ich nicht. Ich fürchte, Unsinn zusammenzuschreiben, und Details über Details anzuhäufen, die der Klarheit schaden würden.

Schreiben Sie mir bitte. Sie können sich nicht vorstellen, wie froh ich bin, Sie gesehen zu haben.

Der Himmel beschütze Sie, und vergessen Sie uns Sünder nicht. *Ihr A. Čechov.*

Einen herzlichen Gruß an Anna Ivanovna und die Kinder. Wenn Sie noch nicht gefahren sind, *wann* fahren Sie dann? *Antworten Sie.*

461) AN A.S. SUVORIN MELICHOVO, 11. 7. 1894

11. Juli.

Sie schrieben, Sie wollten ein paar Tage zu mir kommen, ich habe auf Sie gewartet, aber statt Ihrer kam die Zeitung mit »kleinen Briefen«, woraus ich schloß, daß Sie sich in Petersburg festgesetzt haben und ans Wegfahren nicht mehr denken. Es zieht mich nicht nach Jasnaja Poljana. Mein Hirn ist aufgedunsen und verlangt nicht nach ernsten Eindrücken. Ein Moskauer Bad und Plaudereien über Lappalien würde ich vorziehen.

Hier mein Plan. Am 20.–22. Juli fahre ich nach Taganrog, um meinen Onkel zu behandeln, der ernstlich erkrankt ist und unbedingt meine Hilfe will. Er ist ein vortrefflicher Mensch, und ihm das auszuschlagen, wäre mir peinlich, obwohl ich weiß, daß meine Hilfe nutzlos ist. In Taganrog bleibe ich 1–2–3 Tage, gehe im Meer baden, besuche den dortigen Friedhof und – zurück nach Moskau; sobald ich »Sachalin« abgeschlossen und dem Himmel gedankt habe, erkläre ich mich zum freien Menschen, bereit, egal wohin zu verreisen. Wenn ich Geld habe, fahre ich ins Ausland, oder in den Kaukasus, oder nach Buchara. Aber wegen der Finanzen werde ich bestimmt Schwierigkeiten bekommen, so daß Änderungen an meinem Plan unvermeidlich werden dürften. Wenn Sie Vitte, dem Herrn Finanzminister, doch sagen würden, er solle, statt nach links und rechts Subsidien zu verteilen und dem Fonds 100 Tausend zu versprechen, lieber verfügen, daß alle Literaten und Maler die Staatlichen Eisenbahnen gratis benutzen dürfen. Außer Lejkin (Gott seis geklagt) nagen doch alle russischen Belletristen nahezu am Hungertuch, weil jeder Belletrist, selbst wenn er 100 Bogen pro Jahr schriebe, nach dem Willen des Schicksals einer verteufelten Menge von Verpflichtungen unterliegt. Und nichts ist langweiliger und unpoetischer, sozusagen, als der prosaische Kampf ums Dasein, der einem die Lust am Leben nimmt und einen in Apathie stürzt. Übrigens, dies alles gehört nicht zur Sache. Wenn Sie mit mir nach Taganrog kommen wollen – es ist eine sehr nette Stadt, dann lassen Sie uns fahren. Im August stehe ich Ihnen zu Diensten: fahren wir in die Schweiz.

Das Stück schreiben werde ich irgendwo am Ufer des Comer Sees oder überhaupt nicht, denn es ist kein Bär, der in den Wald läuft, und wenn er davonläuft, dann zum Teufel mit ihm.

Jetzt zu den Blutegeln. Was Sie vor allem brauchen, ist eine gute geistige Verfassung, und keine Blutegel. In Moskau machten Sie einen heiteren Eindruck und waren gesund, und als ich Sie so sah, hätte ich nicht gedacht, daß Sie so bald an Blutegel denken würden. Aber wenn es schon so ist, dann muß es wohl so sein. Blutegel schaden nichts. Sie sind kein Mittel zum Aderlaß, sondern eher ein ableitendes, ein Nervenmittel. Sie saugen wenig Blut, und Schmerzen bereiten sie keine.

Jasinskij hat nicht übel begonnen, aber gegen Ende fing er an, mir auf die Nerven zu gehen. Ein Durcheinander. Und was zum Teufel muß bei ihm das deutsche Fräulein sterben! Und dieser Tod wird in einem Ton beschrieben, als würde das Fräulein am Ende auferstehen und den Leser zum Lachen bringen.

Wenn Sie irgendwelche Neuigkeiten haben, schreiben Sie. Wegen Taganrog schreiben Sie ebenfalls. Ich lade Sie in diese Stadt ein aufgrund Ihrer Erklärung, es sei Ihnen eigentlich egal, wohin Sie führen, nur nicht ins Ausland. Und ich träume auf einmal wieder davon, durch die Steppe zu fahren und dort unter freiem Himmel zu leben, und sei es nur für einen Tag. – Irgendwann vor 10 Jahren habe ich mich einmal mit Spiritismus abgegeben, und der von mir herbeizitierte Turgenev gab mir zur Antwort: »Dein Leben nähert sich dem Ende.« Und tatsächlich habe ich zur Zeit ein so großes Verlangen nach allem möglichen, als sei der letzte Tag vor den Fasten angebrochen. Ich würde, glaube ich, alles verschlingen: das Ausland, einen schönen Roman... Und irgendeine Kraft, eine Art Vorahnung treibt mich zur Eile. Aber vielleicht ist es auch gar keine Vorahnung, sondern es tut mir einfach leid, daß das Leben so eintönig und träge dahinfließt. Ein Protest des Herzens, sozusagen. Pleščeevs Tochter ist bereits mit Chudekov verheiratet. Ich habe eine Einladung bekommen. Da hat man vielleicht aristokratisches Theater vorgeführt! Bei Chudekov sind sogar die Kochtöpfe aus Silber. Das war sicher nicht im Sinn von Ljubočkas Mamaša, solch eine erlesene Gesellschaft.

Ich verneige mich bis zur Erde und bete zum Himmel für die Vergebung Ihrer Sünden, möge er alles Gute auf Sie herabsenden. *Archimandrit Antonij.*

Am 20. Juli lese ich die letzte Korrektur sowohl für die Zeitschrift als auch fürs Buch, und ich werde schon im Voraus dafür sorgen, daß mich diese Arbeit nicht aufhält.

462) AN A.S. SUVORIN MELICHOVO, 15. 8. 1894

15. Aug. Melichovo.

Aus unserer Reise an die Volga ist im Endeffekt etwas ziemlich Merkwürdiges geworden. Potapenko und ich fuhren nach Jaroslavl, um von dort nach Caricyn zu fahren, weiter nach Kalač, von dort den Don abwärts nach Taganrog. Die Strecke bis Nižnij ist schön, aber ich kannte sie schon von früher. Außerdem war es in der Kajüte sehr heiß, und auf Deck peitschte einem der Wind ins Gesicht. Die Leute waren unintelligent, aufreizend durch ihre bloße Anwesenheit. In Nižnij holte uns Sergeenko ab, der Freund von Lev Tolstoj. Von der Hitze, dem trockenen Wind, dem Jahrmarktslärm und dem Gerede Sergeenkos wurde mir auf einmal ganz schwül, stumpfsinnig und schlecht, ich nahm meinen Koffer und ergriff schmählich die Flucht... zum Bahnhof. Mir nach – Potapenko. Wir fuhren nach Moskau zurück. Aber wir schämten uns zurückzukommen, ohne Salz geleckt zu haben, und beschlossen, irgendwohin zu fahren, und sei es nach Lappland. Wenn die Frau nicht wäre, wäre unsere Wahl auf Feodosija gefallen, aber – o weh!... In Feodosija lebt unsere Frau. Wir überlegten, redeten, zählten unser Geld und fuhren an den Psël, ins Ihnen bekannte Sumy.

Als wir durch Lopasnja kamen, wurde mir ein Paket mit den Abrechnungen der Buchhandlung ausgehändigt. In den Abrechnungen fand ich einen falschen Betrag, ein Mißverhältnis gegenüber den früheren Abrechnungen, auch Auslassungen. Zum Beispiel sind die 400 R. ausgelassen, die Sie an den »Sev. vestnik« an Frau Gurevič gezahlt haben. Da ist einiges unklar. Zum Beispiel:

»Gezahlt von der S.P.B. Buchhandlung ›Novoe vremja‹ laut Rechnung vom 9. Juli 1894 – 10 688 R.«

»Gezahlt von der S.P.B. Buchhandlung – 2244 R.«

Die zweite Summe ist aber doch ebenfalls »laut Rechnung« gezahlt worden, weshalb wird sie abgetrennt? (Ich merke es in Klammern an, daß ich vom Februar 1892 bis Juli d. J., wenn man die erwähnten 400 R. nicht rechnet, keine einzige Kopeke bezogen habe und alles, was »gezahlt« wurde, auf die Abzahlung meiner Schuld verwendet worden ist.)

Wie dem auch sei, meine Schuld hat sich gegenüber August vergangenen Jahres mehr als verdoppelt. Nach den Abrechnungen von vorigem Jahr, wie z. B. vom 13. Aug. 1893, betrug meine Schuld 5159 R.; mir zu zahlen waren 1669 R. Wenn man von den 5159 die 1669 abzieht, so bleiben *3490 R.* Das waren meine Schulden vor einem Jahr. Aber ein Jahr ist vergangen, es sind nicht wenige meiner Bücher verkauft worden, ich habe nur 300 R. bekommen (nicht gerechnet die 400, die nicht in diese Abrechnung gehören), und meine Schuld hat sich um 4077 Rubel erhöht!! Also habe ich seit 1892, als ich mir 5000 R. für den Kauf des Guts geliehen habe, nur 600 R. tilgen können! Tatsächlich: 1892 schuldete ich 8170 R., und jetzt schulde ich 7567 R. Mit anderen Worten, von Februar 1892 bis heute haben mir meine Bücher nur 600 R. eingebracht. All dies schreibe ich Ihnen in der Hoffnung, daß sich die Buchhaltung geirrt hat und daß meine Geldangelegenheiten so schlecht nicht stehen. Zerstören Sie meine vage Hoffnung nicht vor unserem Wiedersehen, wenn wir die Abrechnungen gemeinsam durchsehen und gemeinsam die Wahrheit feststellen werden. Stürzen Sie jedenfalls den Buchhalter nicht durch eine Mißtrauensbekundung in Verwirrung, denn ich bin fest davon überzeugt, daß es sich um einen Irrtum handelt, Ihr Buchhalter ist doch ein neuer Mann.

Nun ja, der Psël ist großartig. Das ist Poesie im Überfluß. Es ist warm, viel Platz, viel Wasser und Grün und prächtige Menschen. Wir waren 6 Tage am Psël. Wir aßen, tranken, gingen spazieren und taten nichts. Meine Idealvorstellung vom Glück ist, wie Sie wissen, der Müßiggang. Jetzt bin ich wieder in Lopasnja, in Melichovo... Kalter Regen... Bleigrauer Himmel... Morast. Aus Taganrog habe ich einen traurigen Brief bekommen. Mein Onkel ist offenbar hoffnungslos krank. Ich muß zu ihm und seiner Familie fahren, um ihn zu behandeln und zu trösten.

Von Taganrog aus komme ich zu Ihnen, aber unter der Bedingung, daß Sie mich nicht zu Besuch zu Ajvazovskij mitnehmen. Schreiben Sie nach Taganrog, welches Wetter Sie haben. Übrigens, schreiben Sie nicht, wir werden einander telegraphieren.

Es passiert einem manchmal: man geht an einem Bahnhofsbuffet III. Klasse vorbei, sieht einen kalten, vor langer Zeit gebratenen Fisch daliegen und denkt gleichgültig: wer braucht diesen unappetitlichen Fisch? Es steht jedoch außer Zweifel, dieser Fisch wird gebraucht und wird gegessen, und es gibt Menschen, die ihn schmackhaft finden werden. Dasselbe kann man von den Werken Barancevičs sagen. Er ist ein bourgeoiser Schriftsteller, der für genau das Publikum schreibt, das III. Klasse reist. Für dieses Publikum sind Tolstoj und Turgenev zu luxuriös, zu aristokratisch, ein wenig fremd und unverdaulich. Ein Publikum, das mit Genuß Speck mit Meerrettich ißt und Artischocken und Spargel ablehnt. Sehen Sie es von diesem Gesichtspunkt, stellen Sie sich einen langweiligen Hof vor, intellektuelle Damen, die aussehen wie Köchinnen, den Geruch von Kerosinlampen, die Dürftigkeit der Interessen und Geschmäcker – und Sie werden Barancevič und seine Leser verstehen. Er hat kein Kolorit; das kommt teilweise davon, daß das Leben, das er zeichnet, kein Kolorit hat. Er ist verlogen und falsch (»gute Bücher«), weil bourgeoise Schriftsteller nicht anders als falsch sein können. Das sind vervollkommnete Boulevardschriftsteller. Die Boulevardschreiber sündigen gemeinsam mit ihrem Publikum, die bourgeoisen heucheln gemeinsam mit dem ihren und schmeicheln ihm mit beschränkter Tugend.

Aber, auf Wiedersehen, Euer Exzellenz, bleiben Sie gesund. Richten Sie Anna Ivanovna meinen herzlichsten Gruß aus und meine besten Wünsche. *Ihr A. Čechov.*

Woher nehmen Sie, daß ich zuviel Vodka trinke? Ich bin außerstande, mehr als 3 Gläschen zu trinken.

463) AN V. A. GOLCEV FEODOSIJA, 4. 9. 1894

4. Sept.

Ich wende mich an dich mit zwei Bitten, lieber Viktor Aleksandrovič:

1) Wenn du einen Sonderdruck deines Vortrags über mich übrighast, dann schick ihn an die Adresse: St. Taganrog, Stadtbibliothek Taganrog. Wenn du dazuschreibst »vom Autor V. Golcev«, wären meine verehrten Mitbürger überaus geschmeichelt und gerührt.

2) Sag telephonisch Bescheid, man möge mir einen Abzug der letzten beiden, von der Zensur nicht genehmigten Kapitel von »Sachalin« an die Adresse schicken: g. Feodosija, A. P. Čechov. Ich möchte sie Suvorin geben. Letzterer rät mir, mich bei der Hauptverwaltung zu beschweren und, wenn von dort eine Ablehnung kommt, beim Senat.

Ich war in Taganrog, wo ich meinen Onkel behandelt habe. Zur Zeit bin ich in Feodosija, wo ich Suvorin behandle und unter der Kälte leide. Es weht ein Nordost, ein Wind, der einem durch und durch geht. Auf dem Meer ist Sturm.

Ich lerne Tabak schnupfen.

Ich habe Sehnsucht nach den lieben Moskauern. Sicherlich

fahre ich in der nächsten Woche nach Hause und werde in zehn Tagen in Moskau sein.

Wenn du mir auch nur zwei Zeilen schreiben würdest, wäre ich dir überaus verbunden. Um dasselbe bitte ich Vukol und Potapènko. Ich umarme dich und drücke dir fest die Hand.

Dein A. Čechov.

464) AN L.S. MIZINOVA WIEN, 18. 9. 1894

Sonntag. Wien.

Sie schweigen hartnäckig auf meine Briefe, liebe Lika, ich falle Ihnen trotzdem auf die Nerven und dränge mich mit meinen Briefen auf. Ich bin in Wien. Von hier fahre ich nach Abbazia, dann an die Seen. Potapenko sagte mir irgendwann, daß Sie und Varja Ėberle in die Schweiz fahren wollten. Wenn ja, dann schreiben Sie mir, an welchem Ort in der Schweiz ich Sie finden kann. Ich würde mich selbstverständlich mit Freuden mit Ihnen treffen. Schreiben Sie an die Adresse: Abbazia, poste restante. Wenn Sie gelobt haben, mir nicht zu schreiben, soll Varvara Apollonovna schreiben.

Ich flehe Sie an, schreiben Sie niemandem nach Rußland, daß ich im Ausland bin. Ich bin heimlich wie ein Dieb abgereist, und Maša wähnt mich in Feodosija. Wenn man erfährt, daß ich im Ausland bin, wird das alle kränken, weil meine häufigen Reisen allen längst auf die Nerven fallen.

Ich bin nicht ganz gesund. Ich huste beinahe ununterbrochen. Offensichtlich ist mir meine Gesundheit genauso entglitten wie Sie.

Einen Gruß an V.A. Bleiben Sie gesund. *Ihr A. Čechov.*

465) AN M.P. ČECHOVA MAILAND, 29. 9. 1894

29. Sept. Mailand.

Liebe Maša, ich bin in Italien, in Mailand. Ich war in Lemberg (Lvov), wo ich die polnische Ausstellung gesehen und sie, zur

Schande von Sienkiewicz und Vukol Lavrov, sehr dünn und unbedeutend gefunden habe, ich war in Wien, wo ich sehr schmackhaftes Brot gegessen und mir ein neues Tintenfaß gekauft habe, außerdem eine Jockeimütze mit Ohrenklappen, ich war in Abbazia am Ufer des Adriatischen Meers und habe hier einen schönen Regen und die Langeweile besichtigt, in Fiume, in Triest, von wo riesige Dampfer in alle Erdteile fahren. Dann war ich, ohne ein böses Wort zu sagen, in Venedig; hier befiel mich Nesselfieber, das ich bis heute nicht losgeworden bin. In Venedig habe ich mir ein mit paradiesischen Farben bemaltes Glas gekauft, außerdem drei seidene Krawatten und eine Krawattennadel. Zur Zeit bin ich in Mailand; der Dom und die Galerie Vittorio Emmanuele sind besichtigt, es bleibt nichts weiter, als nach Genua zu fahren, wo es viele Schiffe gibt und einen großartigen Friedhof. (A propos: in Mailand habe ich ein Krematorium besichtigt, d.h. einen Friedhof, wo die Verstorbenen verbrannt werden; ich habe sehr bedauert, daß da nicht auch Lebende verbrannt werden, zum Beispiel Ketzer, die die Mittwochsfasten nicht einhalten.)

Von Genua fahre ich wahrscheinlich nach Nizza, und von Nizza direkt nach Hause. Nach Hause kommen werde ich wohl im Oktober, so um den 12.–15. Jedenfalls werde ich den Tag meiner Ankunft telegraphisch mitteilen. Ich kann mir vorstellen, welcher Morast jetzt bei uns ist.

Wenn du Golcev siehst, so richte ihm aus, daß ich für die »Russkaja mysl« einen Roman aus dem Moskauer Leben schreibe. Boborykins Lorbeeren lassen mich nicht ruhen, ich schreibe eine Imitation des »Gebirgspasses«. Aber Golcev und Lavrov sollen nicht vor Dezember damit rechnen, weil es ein großer Roman wird, 6–8 Bogen.

Wahrscheinlich hast du kein oder sehr wenig Geld. Gedulde dich noch eine Woche, in Nizza bekomme ich die aufgeschlüsselte Abrechnung von der Buchhandlung d. »Novoe vremja«, dann lasse ich euch Geld schicken. An die Bank müssen noch 180 R. gezahlt werden.

Was macht Potapenko? Wo ist er? Einen herzlichen Gruß an ihn.

Im Ausland gibt es erstaunlich gutes Bier. Ich glaube, wenn es solches Bier in Rußland gäbe, ich würde zum Säufer. Erstaunlich gut sind auch die Schauspieler. Von solch einem Theaterspiel können wir Russen nicht einmal träumen.

Ich war in einer Operette, habe in italienischer Übersetzung »Schuld und Sühne« von Dostoevskij gesehen, an unsere Schauspieler denken müssen, unsere großen, gebildeten Schauspieler, und gefunden, daß in ihrem Spiel nicht einmal Limonade ist. So menschlich die hiesigen Schauspieler und Schauspielerinnen auf der Bühne sind, so schweinisch sind die unsrigen.

Gestern war ich im Zirkus. Ich war in einer Ausstellung.

Einen Gruß an Papa und Mamaša. An alle einen Gruß. Im Oktober bin ich wieder zu Hause.

Ich huste, kratze mich wegen des Fiebers, aber im ganzen bin ich gesund.

Ich höre, wie man hier Gesang unterrichtet. Hier in Mailand gibt es viele Ausländerinnen à la Lika und Varja, die Gesangsunterricht nehmen in der Hoffnung auf Reichtum und Ruhm. Die Ärmsten, sie heulen von morgens bis abends.

Heute schleppe ich mich nach Genua.

Bleib gesund. *Dein A. Čechov.*

Wenn man mit vielen Leuten ins Ausland fährt, ist es sehr billig.

466) AN M.P. ČECHOVA NIZZA, 2. 10. 1894

Sonntag, 2. Okt.

Ich schicke dir einen Brief, in dem Tod und Beerdigung unseres Onkels beschrieben werden.

Ich bin in Nizza. Hier ist es heiß, das Meer rauscht, aber interessant ist wenig, weil ich früher schon in Nizza gewesen bin. Von hier fahre ich für 2–3 Tage nach Paris, und dann nach Rußland. Ich hatte gedacht, mich in Paris mit Lika zu treffen, aber es stellt sich heraus, daß sie in der Schweiz ist, dorthin reicht mein Arm nicht. Und ich habe das Herumreisen auch allmählich satt. Ich war in Mailand, in Genua.

Potapenko ist ein Jude und ein Schwein.

Ich bin bald wieder zu Hause. Bleib gesund und grüß alle.

Dein A. Čechov.

Hier sind eine Menge Russen.

467) AN L.S. MIZINOVA NIZZA, 2. 10. 1894

Sonntag.

Liebe Lika, heute bin ich in Nizza angekommen (Hôtel Beau Rivage) und habe alle Ihre Briefe bekommen. Leider kann ich nicht in die Schweiz kommen, weil ich mit Suvorin unterwegs bin, der unbedingt nach Paris muß. In Nizza werde ich 5–7 Tage bleiben, von hier nach Paris – hier 3–4 Tage, und dann nach Melichovo. In Paris werde ich im Grand Hôtel wohnen.

Über meine Gleichgültigkeit gegenüber Menschen hätten Sie nicht schreiben sollen. Seien Sie nicht traurig, bleiben Sie munter und wohlauf, achten Sie auf Ihre Gesundheit. Ich grüße Sie sehr und drücke Ihnen fest die Hand. *Ihr A. Čechov.*

Wenn ich Ihren Brief in Abbazia bekommen hätte, wäre ich über die Schweiz nach Nizza gefahren und hätte mich mit Ihnen getroffen, aber jetzt wäre es unangenehm, Suvorin mitzuschleifen.

468) AN M.P. ČECHOVA NIZZA, 6. 10. 1894

6. Okt.

Ich bin in Nizza. Von hier fahre ich nach Paris, von Paris nach Moskau, um mit dir zusammen nach Melichovo zu fahren. Hinterlaß in der Redaktion der »Russkaja mysl« deine Moskauer Adresse, damit ich mich mit dir treffen und verabreden kann wegen der Pferde usw.

Gestern hat man mir Papas Brief aus Feodosija nachgeschickt. Danke, daß ihr an mich denkt.

Voll Entsetzen denke ich daran, daß ich mir in Moskau einen Pelzmantel kaufen muß. A propos: nimm meine Pelzmütze (die graue) und schick sie zur »Russkaja mysl«. Noch besser wäre, wenn du mich vom Bahnhof abholen könntest mit der Mütze. Übrigens, letzteres ist unmöglich, weil ich nicht weiß, wohin ich ein Telegramm schicken kann. Schreib mir auf jeden Fall nach Berlin, Hôtel Bristol, Herrn A. Tchekoff. Schreib deine Adresse. Nur komm allein auf den Bahnhof. Außer Golcev und Sablin möchte ich niemanden sehen.

Dein A. Čechov.

469) AN V. A. GOLCEV NIZZA, 6. 10. 1894

6. Okt. Nizza.

Lieber Freund, gestern habe ich deinen Brief aus Feodosija geschickt bekommen. Vielen Dank. Die Sachalinkorrekturen hat man nicht mitgeschickt, die hundert Rubel sind auf der Post Feodosija hängengeblieben und werden in den Schoß von Innokentij Fëdorovič zurückgeschickt. Das Geld brauchte ich in der Tat dringend, ich pfiff auf dem letzten Loch, aber jetzt ist alles gut, ich habe nicht nur Geld, sondern bin sogar in Nizza. Meine Buchabrechnungen, die mir aus Piter geschickt worden waren, wiesen zuerst 7 Tausend Schulden aus; das hatte mir einen Schlag versetzt. Bei der Überprüfung stellte sich jedoch heraus, daß ich nicht nur nichts schuldig bin, sondern sogar noch eine kleine Summe zu bekommen habe.

Ich huste, huste und huste. Fühle mich aber sehr gut. Das Ausland muntert einen erstaunlich auf.

Nimm die 100 Rubel zurück, leg noch 87 drauf und schick sie zur Landesbank. (180 Zinsen + 7 oder 8 Rub. Strafe). Tu mir den Gefallen. Ich habe das zweite Halbjahr noch nicht gezahlt.

Nun, und was die Literatur betrifft, so schreibe ich für die »Russkaja mysl« eine Novelle aus dem Moskauer Leben. Keine kleine, aber auch keine besonders große. Ich arbeite widerwillig und werde deshalb wohl kaum vor Dezember damit fertig.

Ich war in Lvov, Wien, Abbazia, Venedig, Triest, Mailand, Genua. Enden wird es mit Paris, um den 18.–20. werde ich schon wieder in Moskau sein.

Grüß Vukol und Michail Alekseevič.

Ich will 3–4 Tausend zusammenkratzen und anfangen, eine Zeitschrift herauszugeben.

Bleib gesund. *Dein A. Čechov.*

Ach, was es hier für Bier gibt! Ich trinke jeden Tag eine Flasche. Was für ein Bier!

Wenn du meine Schwester Maša siehst, dann sag ihr, sie soll mir ihre Moskauer Adresse mitteilen an die Adresse: Berlin, Hôtel Bristol, A. Tchekoff. Ich werde ihr ein Telegramm schicken und sie bitten, mich vom Bahnhof abzuholen, aber nicht allein, sondern mit einer warmen Mütze.

470) AN A. S. SUVORIN MELICHOVO, 2. 11. 1894

2. November.

Verzeihen Sie, ich komme schon wieder mit den Abrechnungen. Vor ein paar Tagen bekam ich von Ihrem Buchhalter einen Brief. Er schreibt: »halten wir uns für verpflichtet, an das Kontor des ›Novoe vremja‹ 4155 Rub. für Sie zu zahlen, was wir auch in baldigster Frist erledigen werden.« Das heißt, ich schulde nicht mehr 700 und nicht mehr 1004, sondern 4155 Rub. Solch häufiger Stimmungswandel läßt mich argwöhnen, daß bei Ihrem Buchhalter eine hübsche und sehr launische Dame im Schrank sitzt.

Jetzt zu unseren Privatangelegenheiten. Für die Reise habe ich 25 x 33 = 825 R. an Sie zu zahlen. Die Zahl der Rubel multipliziere ich mit der Zahl der Tage. Handeln Sie mich nicht herunter, 25 Rub. ist eine Zahl, die der Wahrheit sehr nahekommt. Bedenken Sie, was allein die Fahrkarten gekostet haben, und wir haben die Zugabteile doch kaum verlassen. Die Reise von Paris hat über 300 Fr. gekostet.

Außerdem habe ich mir während der Reise 38 Fr. geliehen, in Odessa für den Paß (abends) 10 R.; fügen Sie dem noch die 4 R. 50 K. für das Telegramm an den Untersuchungsrichter und die 400 R. hinzu, die Sie seinerzeit in den Schoß Israels geschickt haben – an den »Sev. vestn«. Das ergibt in summa 1250 R. Nun, wenn Sie wollen, ziehen Sie 50 ab. Damit schulde ich Ihnen persönlich 1200 R. Zurückzahlen kann ich diese Schulden jetzt nicht, weil ich aber ein uneigennütziger Mensch bin, teile ich Ihnen diese Zahlen zur Information und Weisung mit, für alle Fälle.

Wenn man meine Werke tatsächlich in Einzelbänden herausgeben sollte, dann sollte man die »Bunten Erzählungen« nicht in so riesiger Auflage drucken. Sytin druckt übrigens 10 Tsd., aber mit ihm kann man reden, er kann die Auflage senken.

Ich sitze im Warmen und huste, wie mir scheint, weniger.

Meine Bücher schicke ich nach Taganrog. In die Kiste ist versehentlich eines Ihrer Bücher geraten – der »Göttliche Funke« von Salias. Ich möchte nicht alles wieder auspacken; ich schreibe lieber, daß man es Ihnen aus Taganrog zurückschickt.

Das Wetter ist miserabel. Übrigens verspüre ich keine Langeweile, obwohl außer den Alten und mir im ganzen Haus keine Menschenseele ist. Zeitungen lesen wir 1–2 mal in der Woche.

Ich schreibe an einer langen Novelle.

An Anna Ivanovna, Nastja und Borja meinen herzlichsten Gruß. *Ihr A. Čechov.*

471) AN V. A. GOLCEV MELICHOVO, 25. 11. 1894

Absolut geheim.

Ich kann nicht nach Moskau kommen, denn die Straßen sind schlecht, und außerdem bin ich eben erst aus Serpuchov zurückgekehrt, wo ich Geschworener war, dabei habe ich Arbeit bis an den Hals. Erweise mir einen Freundesdienst, tu, was nötig ist.

Borg dir bei jemandem *für mich* 200 Rubel – bei irgend jemandem, und sei es bei Tichomirov – und schick sie dem verlorenen Sohn. Halt diesen Brief geheim und zeig ihn niemandem. Die zweihundert Rubel gebe ich dir Anfang Dezember zurück.

Wenn du sie nirgends bekommen kannst, dann schick unverzüglich ein Telegramm folgenden Inhalts: »Petersburg, Herrn Suvorin, schicken Sie telegraphisch zweihundert Rubel Russkaja mysl für mich. Čechov.« Suvorin wird sie schicken, denn wir stehen in geschäftlichen Beziehungen, und du nimm sie für mich in Empfang und schick sie jenem Sohn. Und natürlich, wenn du jenen siehst – keinen Ton darüber.

Verzeih, mein Lieber, daß ich dich damit behellige. Bestimmt werde ich dir nichts schuldig bleiben und dir auch einmal einen Gefallen tun.

Grüß Vukol. *Dein A. Čechov.*

Es ist mir peinlich, dich zu behelligen, aber ich weiß wirklich nicht, was ich sonst tun soll.

472) AN A.S. SUVORIN MELICHOVO, 27. 11. 1894

27. November.

Vor ein paar Tagen war ich in Serpuchov, und dort hat mir ein Odessit geschworen, daß I.A. Kazarinov, der Sie und mich mit dem Gesang der Mädchen vom Kinderheim bewirtet hat, in diesem Herbst gestorben sei.

In Serpuchov war ich Geschworener. Adelige Gutsbesitzer, Fabrikanten und Kaufleute aus Serpuchov – das ist die Zusammensetzung der Geschworenen. Durch einen merkwürdigen Zufall habe ich an ausnahmslos sämtlichen Prozessen teilgenommen, so daß dieser Zufall am Ende nur noch komisch ist. In sämtlichen Prozessen war ich Obmann der Geschworenen. Hier der Schluß aus meinen Beobachtungen: 1) die Geschworenen sind nicht die Straße, sondern Menschen, die durchaus reif genug sind, um von sich aus das sogenannte Gewissen der Gesellschaft zu bilden; 2) gute Menschen haben bei uns eine riesengroße Autorität, gleichgültig ob sie Adelige oder Bauern, Gebildete oder Ungebildete sind. Im allgemeinen ein angenehmer Eindruck.

Ich bin zum Kurator der Schule in einem Dorf ernannt worden, das diesen Namen trägt: Tálež. Der Lehrer bekommt 23 R. im Monat, hat eine Frau, vier Kinder und, obwohl erst 30 Jahre alt, schon graue Haare. Die Not bedrückt ihn dermaßen, daß er, egal worüber man mit ihm zu reden anfängt, das Gespräch immer auf die Gehaltsfrage bringt. Seiner Meinung nach dürften Dichter und Prosaschriftsteller nur über Gehaltszulagen schreiben; wenn der neue Zar einen neuen Minister bestellte, würde wahrscheinlich das Gehalt der Lehrer erhöht usw.

Mein Bruder Aleksandr war bei mir, fünf Tage lang, und ist am 21. November wieder weggefahren. Er ist ein kranker, leidender Mensch; wenn er betrunken ist, kommt man schwer mit ihm aus, wenn er nüchtern ist, kommt man ebenfalls schwer mit ihm aus, weil er sich dann all dessen schämt, was er getan und gesagt hat, als er betrunken war.

Also, ich schulde Ihnen noch 1004. Das also ist beschlossen und besiegelt. Ich akzeptiere diese Zahl und schlage Ihnen folgende Kombination vor: um mich dieser Schuld zu entledigen und am 1. Januar eine neue Rechnung aufmachen zu können, wäre es Ihrer Buchhandlung da nicht möglich, 5000 »Bunte Erzählungen« gegen bar mit 40% Rabatt zu erwerben? Wenn das möglich wäre, dann könnte die Buchhandlung zum 1. Januar sowohl die restlichen 1004 als auch meine persönlichen Schulden bei Ihnen tilgen. Ich beeile mich so mit der Rückzahlung der Restschulden, weil ich vorhabe, neue zu machen.

Wenn Ihnen die Idee am Herzen liegt, meine Erzählungen in Einzelbänden herauszugeben, so besteht keine Notwendigkeit, diese Idee unbedingt jetzt zu verwirklichen; man könnte noch 1–2 Jahre damit warten, müßte nur dafür sorgen, daß der Druck der »Dämmerungen« und »Mürrischen Menschen« eingestellt wird.

Es liegt kein Schnee, und Wege gibt es auch keine. Für jemanden, der auf dem Lande lebt, ist das so schlimm, daß Sie es sich gar nicht vorstellen können.

An Anna Ivanovna, Nastja und Borja meinen herzlichsten Gruß. Schreiben Sie mir: was gibt es Neues? Hat die Presse etwas bekommen, oder wird sie etwas bekommen? Es wird doch nicht wirklich bei Verwarnungen bleiben.

Ihr A. Čechov.

473) AN A. S. SUVORIN MELICHOVO, 5. 12. 1894

5. Dez.

Die Lorbeeren Boborykins lassen mich nicht schlafen: ich schreibe eine Novelle aus dem Moskauer Leben. Ich werde sie Ihnen und Anna Ivanovna in den Fahnen schicken. Neuigkeiten gibt es keine.

Das Publikum erwartet etwas Besonderes, und die Zeitungen befriedigen es nicht; aber die Wünsche des Publikums sind äußerst undefiniert. Es gibt nicht einmal Gerüchte in einer bestimmten Richtung, sondern nur so etwas Vages. Der Russe hatte schon immer mehr Interesse für ausländische Politik als für die eigene russische, und wenn man den Gesprächen lauscht, so kann man jetzt sehen, wie naiv und abergläubisch der russische Intellektuelle ist und wie wenig er weiß. In der Kindheit hat ihn die Njanja geschlagen, man hat ihm mit der Bildung einen Schrecken eingejagt, er hat Angst, eine eigene Meinung zu haben, und so wenig Selbstvertrauen, daß er sich morgen schon der Ovationen schämen würde, die er heute der Ermolova bereitet. Aber wie dem auch sei, alle erwarten etwas und hoffen auf etwas, alle lächeln einander zu, wenn sie sich sehen.

Wenn Fëdor Ivanovič mit dem Ankauf der »Bunt. Erz.« bei 40% Rabatt einverstanden ist, so lassen Sie die 1004, die Schulden beim Kontor, tilgen und nehmen Sie sich, nach Abzug der Druckkosten, den Rest zur Tilgung der Auslandsschulden (1200), womit ich bei Ihnen persönlich nurmehr 400–500 Rubel Schulden haben dürfte. Schicken Sie mir nichts, weil ich zur Zeit nichts brauche. Im Dezember kann ich mir für meine Novelle etwa Tausend holen, und das ist mehr als genug.

Ich gratuliere zum neuen Tarif. Das ist eine bemerkenswerte Reform.

Endlich hat es geschneit. Ich möchte gern nach Moskau – bummeln fahren, aber ich habe keine Zeit, ich muß schreiben.

Lassen Sie um Himmels willen meine Werke an Pavlovskij nach Paris schicken. Ich habe schon an die Buchhandlung geschrieben, aber die Buchhandlung erhört aus irgendeinem Grunde mein Flehen nicht, und Pavlovskij wird von irgendeinem französischen Verleger mit Briefen bombardiert.

Bleiben Sie gesund. Wenn Šuvalov Berlin verläßt, bleibt Malcev dann? Der Gedanke an die Herberge läßt mich nicht los, und ich werde sie in meinem Alter bauen, natürlich ohne die Hilfe Tatiščevs.

Ich wünsche Ihnen alles Gute. Einen Gruß an die Ihren

Ihr A. Čechov.

474) AN V.M. LAVROV MELICHOVO, 5. 12. 1894

Lieber Freund, wie besprochen werde ich für das Januarheft eine Erzählung schicken... Aber ich benötige mindestens vier Bogen, so daß man sie, wenn im Jan.-heft kein Platz mehr ist, lieber auf eins der späteren Hefte verschieben sollte. Wenn im Jan.-heft Platz ist, dann komme ich um den 20. Dez. zum Korrekturlesen nach Moskau. Schreib mir auf jeden Fall.

Es schneit. Es ist angenehm, Gutsbesitzer zu sein, und doch zieht es einen ständig nach Moskau – zum Bummeln.

Einen Gruß an V.A. *Dein A. Čechov.*

$94 \frac{5}{\text{XII}}$

St. Lopasnja.

475) AN V. A. LAVROV MELICHOVO, 11./12. 12. 1894

DREI JAHRE
(Szenen aus dem Familienleben)

Da hast du den Titel für die kommende Novelle. Wenn dir das Wort »Szenen« nicht gefällt, laß einfach stehen »Aus dem Familienleben« oder einfach »Erzählung«.

Ich komme bald. Bleib gesund. *Dein A. Čechov.*

476) AN DIE REDAKTION DES ›ENZYKLOPÄDISCHEN HANDWÖRTERBUCHS‹ MOSKAU, 22. 12. 1894

Ich habe die Ehre, der Redaktion des Enzyklopädischen Handwörterbuchs die gewünschten Informationen mitzuteilen.

Ich, Čechov Anton Pavlovič, wurde am 17. Jan. 1860 in der Stadt Taganrog geboren. Mein Großvater und Vater – gebürtig aus dem Gouvernement Voronež – waren Leibeigene der Familie Čertkov (beim Großvater und Vater des jetzigen Redakteurs des ›Posrednik‹ V. G. Čertkov). Ich besuchte das Gymnasium Taganrog, danach die Medizinische Fakultät der Universität Moskau, beendete das Studium im Jahre 1884 mit dem Grad eines Arztes und Kreisarzts. 1888 verlieh mir die Akademie der Wissenschaften den Puškin-Preis. 1890 unternahm ich eine Reise nach Sachalin: hin fuhr ich durch Sibirien und kehrte auf einem Schiff der Freiwilligen Flotte zurück. 1892/93, als im Gouv. Moskau die Cholera erwartet wurde, leitete ich ein provisorisches medizinisches Revier (Melichovo) im Kreis Serpuchov. 1893 wurde ich zum Medizin. Departement abkommandiert. Gegenwärtig wohne ich auf meinem Gut im Kreis Serpuch. Gouv. Mosk.

Mit Literatur begann ich mich im Jahre 1879 zu befassen zuerst in der »Strekoza«, im »Budilnik« und anderen humoristischen und illustrierten Zeitschriften, danach in Zeitungen und schließlich im »Severnyj vestnik« und in der »Russkaja mysl«. Hier die

ПОВѢСТИ И РАЗСКАЗЫ.

На добрую память
Александру Семеновичу
Грузинскому Лазареву
от автора
94 23/XII А. Чехов

Соч. Антона Чехова.

МОСКВА.
Типографія Высочайше утвержд. Т-ва И. Д. Сытина.
Валовая улица, свой домъ.
1894.

»Novellen und Erzählungen«.
Titelblatt der Ausgabe im Verlag I.D. Sytin, Moskau 1894, mit persönlicher Widmung an A.S. Lazarev-Gruzinskij.

Titel meiner Sammelbände: »Bunte Erzählungen«, »In der Dämmerung«, »Erzählungen«, »Mürrische Menschen«, »Das Duell«, »Krankensaal Nr. 6«, »Kinder«, »Skizzen und Erzählungen«. Habe auch Theaterstücke geschrieben.

Habe die Ehre, hochachtungsvoll zu verbleiben

94 $\frac{22}{\text{XII}}$ *A. Čechov.*

477) AN M.P. ČECHOVA MELICHOVO, 25. 12. 1894

25. Dezember.

Dieses Papier hat mir die Javorskaja geschenkt (einen ganzen Karton).

Zu Weihnachten ist Kurkin gekommen. Großväterchen und der Küster übernachteten nebenan, Kurkin in meinem Zimmer, Ivan – im Arbeitszimmer, ich – in deinem und habe mich mit deiner Steppdecke zugedeckt. Abzugsloch und Scheiben für den Schrank habe ich nicht gekauft. Keine Zeit.

Richte Natalja Michajlovna aus, daß wir alle sie und dich zum 29. Januar erwarten. Wenn sie nicht kommt, dann stecke ich ihre Mühle in Brand und kenne sie nicht mehr. Ich flehe sie an zu kommen. Ich brauche sie. Sie weiß, daß unsere ganze Familie ihr gewogen ist, und nicht zu kommen wäre eine große Grausamkeit von ihr.

Ich habe von Lika einen Brief bekommen. Sie schreibt, sie lerne singen, lerne Massage und Englisch. Sie schreibt, sie möchte eine Zeitlang auf meinem Divan sitzen, und seien es 10 Minuten, und sie wolle im März kommen.

Ich habe einen Brief von der Schriftstellerin bekommen.

Also sieh zu: wir warten auf euch am 29. Tanja bat dich, ihr zu sagen, wann du zu Hause wärst. Sie will kommen. Das von ihr übersetzte Stück »Die Romantiker« hat sich als sehr gut erwiesen. Eine brillante Übersetzung.

Golcev ist verliebt. Lavrov hat Nierenschmerzen. Potapenko war in Moskau und ist wieder weggefahren. Er und ich haben dem Großvater ein silbernes Zigarrenetui überreicht.

Bleib gesund. Grüß Aleksandra Vasiljevna, Natalja Michajlovna und alle Lintvarëvs. *Dein A. Čechov.*

478) AN A. S. KISELËV MELICHOVO, 25. 12. 1894

Lieber Aleksej Sergeevič!

Ihnen, Marija Vladimirovna, Vasilisa Pantelevna und Serëža gratuliere ich zu den Feiertagen und dem anbrechenden neuen Jahr und wünsche Ihnen alles, was ein alter Freund nur wünschen kann, der besser ist als zwei neue. *Herzlich Ihr A. Čechov.*

25/XII.

479) AN AL. P. ČECHOV MELICHOVO, 30. 12. 1894

30. Dezember.

Herr und Gebieter!

Das Buch habe ich bekommen, und diesen deinen Wunsch, mir auf dem Buchmarkt Konkurrenz zu machen, finde ich überaus dreist. Niemand wird dir dein Buch abkaufen, weil jedermann weiß, daß du dich schlecht benimmst und immer betrunken bist.

Einer Mitarbeit an den »Russk. ved.« bist du nicht würdig, weil aus Petersburg bereits Bukva – Vasiljevskij – schreibt, ein positiver Mann mit Charakter. Übrigens, ich werd mit ihnen reden. Ich nehme an, sie werden deine Erzählungen auch ohne meine Protektion veröffentlichen.

Die Zigarren habe ich noch nicht bekommen und bedarf keiner Geschenke von dir. Wenn ich deine Zigarren bekomme, werfe ich sie ins Klosett.

Papaša hat die ganze Nacht gestöhnt. Auf die Frage, weshalb er gestöhnt habe, gab er zur Antwort: »Ich habe Beelzebub gesehen.«

Im »Severnyj vestnik« ist eine gewisse Nat. Arabaži Sekretärin. Sei so gut und versuch zu erfahren (unter Umgehung der Redaktionsmitglieder), wie diese Arabaži mit Vatersnamen heißt. Ich brauch das.

Vorgestern war ich bei den Irren zur Weihnachtsbescherung, in der Tobsüchtigenabteilung. Schade, daß du nicht dort warst.

Da bald Neujahr ist, gratuliere ich deiner Familie und wünsche ihr alles Gute, dir dagegen wünsche ich, Beelzebub im Traum zu sehen.

Der Französin, die dir so gefallen hat, habe ich aufgrund deines unanständigen Benehmens ihr gegenüber (coitus) das Geld gezahlt.

In die »Russk. ved.« komme ich nicht vor dem 6. Jan.

Allles Gu-ute... Allle sind gesu-und...

Ergebenster Diener A. Čechov.

Wenn du in die »Peterburgskaja gazeta« kommst, bring dort die Adresse von Lidija Alekseevna Avilova in Erfahrung, der Schwester von M-me Chudekova. Auch das unauffällig, ohne lange Gespräche. Und was die Erzählung betrifft, so sag dem jungen Redakteur, daß ich keine Zeile schicken werde, weil sie aufgehört haben, mir die Zeitung zu schicken.

480) AN I. I. GORBUNOV-POSADOV MELICHOVO, 31. 12. 1894

31. Dez.

Sehr geehrter

Ivan Ivanovič!

Die »Erzählung des Obergärtners« steht ganz zu Ihrer Verfügung. Meiner Meinung nach eignet sie sich für eine Volksausgabe nicht, und das Austauschen einzelner Wörter macht sie nicht verständlicher. Aber das ist Ihre Sache. Die Fahnen schicken Sie mir zusammen mit Ihren Änderungsvorschlägen – und ich werde Ihren Wunsch erfüllen.

Die »Russkie vedomosti« – à propos bemerkt – haben in der Furcht des Herrn zu Beginn der Rede des Gärtners die folgenden Worte gestrichen: »An Gott zu glauben ist nicht schwer. An ihn haben die Inquisitoren, Biron und Arakčeev geglaubt. Nein, Sie sollten Glauben an den Menschen fassen!«

Vom ersten bis dritten Januar (einschließlich) werde ich zu Hause sein. Am vierten fahre ich nach Moskau, wo ich eine Woche zubringen werde.

Am 23. Dezember wollte ich zu Lev Nikolaevič fahren, aber die »Russk. vedomosti« haben mich daran gehindert, indem sie mich zu einer Erzählung verpflichteten. Ich denke, noch vor dem 10. Jan. zu ihm zu fahren.

Der Tatsache, daß der Brief nicht von Ihrer Hand geschrieben ist, entnehme ich, daß Sie Augenschmerzen haben. Warum lassen Sie sich nicht behandeln? In der Augenheilkunde hat die Medizin heute große Fortschritte gemacht. Zumindest wird es nach der Behandlung nicht schlimmer.

Ich wünsche Ihnen alle Güter des Himmels wie der Erden.

Ihr A. Čechov.

Danke für Tiščenko.

1895

481) AN A.S. SUVORIN MOSKAU, 6. 1. 1895

Moskau, Bolšaja moskovskaja gostinica, Nr. 5.

Ich habe Ihnen so lange nicht geschrieben aus Gründen, die ich nicht erklären werde, weil sie uninteressant sind. Ich lebe zur Zeit in Moskau aus Gründen, die ich ebenfalls nicht erklären werde. Ich bin gesund und wohlauf, aber manchmal fühle ich mich vergiftet. Eben bin ich von einem Essen nach Hause gekommen, ich habe dort wenig getrunken, aber einen Geschmack in Mund und Hals, als hätte ich mich an Arsenik sattgegessen.

Ich gratuliere Ihnen zum Neuen Jahr und wünsche Ihnen und den Ihren Glück und alles Gute.

Auch wenn Sie nicht Kolbasin sind und ich nicht Turgenev, muß ich Sie dennoch mit einer Bitte behelligen. Antworten Sie mir so bald wie möglich: lohnt es sich, das Stück »L'abbesse de Jouarre« von Renan zu übersetzen, d. h. wird die Zensur es durchgehen lassen? Gedruckt ist es in seinen »Drames philosophiques«, 1886. Wenn die Zensur Ihrer Ansicht nach dieses Stück nicht durchgehen lassen würde, so würde man es nicht übersetzen lassen und kein Geld dafür ausgeben.

Heute bekam ich Besuch von dem armenischen Fürsten Vartan I., dem jungen Argutinskij-Dolgorukov; es war mir angenehm, ihm begegnet zu sein. Ein guter Junge.

Ich wollte Ihnen die Fahnen meiner neuen Erzählung schikken, aber zu meinem größten Leidwesen hat die Redaktion diese Erzählung in zwei Teile geteilt, so daß ich vorläufig nur die erste Hälfte bekommen kann, die zweite wird nicht vor dem 15. gesetzt. Ich arbeite jetzt nur noch in Moskau, dabei zieht es mein Herz nach Petersburg, wo man mich dereinst so verwöhnt hat.

Es gibt noch ein neues Stück von Ibsen, das, glaube ich, so heißt: »Der kleine Joiel«. Was sagen Sie zu diesem Stück? Wird die Zensur es durchgehen lassen?

In Moskau ist Tauwetter, es regnet.

Der Herausgeber der »Russkaja mysl« Lavrov hat Nierenschmerzen. 150 Rubel sind assigniert zur Überweisung an die Astronomin nach Petersburg.

Bleiben Sie gesund, der Himmel beschütze Sie. Einen herzlichen Gruß an Anna Ivanovna. Schreiben Sie mir bald.

6. Jan. *Ihr A. Čechov.*

482) AN A. S. SUVORIN MOSKAU, 10. 1. 1895

10. Jan. 95.

Bolš. mosk. gostinica Nr. 5.

Vielen Dank, daß Sie sich unserer Gesellschaft angeschlossen haben, und noch dazu so freigebig. Dieser Person helfen wir so: wir zahlen ihr 40 Rub. pro Monat und betrügen sie, indem wir behaupten, daß wir dieses Geld für sie bei einem reichen Kaufmann geliehen hätten und diese Schuld erst in 3 Jahren zurückzahlen müßten. Hilfe *von uns* würde sie nicht annehmen, sie geniert sich, so daß man sie nolens volens belügen muß.

Nach Petersburg komme ich in den Großen Fasten, nicht früher, denn ich habe Arbeit bis an den Hals und kein Geld. Wenn Sie bis zum 20. Jan. nach Moskau kämen, würde ich mich sehr freuen; nach dem 20. fahre ich nach Hause. Zur Zeit ist es in Moskau nicht besonders langweilig, vielleicht würden Sie Ihr Kommen nicht bereuen.

Die Adresse unterschreibe ich unbedingt. Sie enthält nichts, was meiner Würde Abbruch täte, sie enthält nur ein einziges Wort, das mich ein bißchen stört – »Profession« ... Aber wie soll man es anders ausdrücken? Und die Unterschrift zu verweigern besteht kein Grund. Schade nur, daß man mich mit der Adresse nicht zu Ihnen geschickt hat, ich hätte mir Mühe gegeben, Sie davon zu überzeugen – wenn schon nicht zu unterschreiben, so doch zumindest diesem Vorhaben gegenüber eine nachsichtigere Haltung einzunehmen.

Ich bin ein bißchen krank, ich muß mich erkältet haben. Der verteufelte Husten hat mir das Renommee eines kranken Menschen eingebracht, bei jeder Begegnung, mit wem auch immer, werde ich gefragt: »Irgendwie hat man den Eindruck, als seien Sie schmaler geworden.« Dabei bin ich im allgemeinen völlig gesund, ich huste nur, weil ich es gewohnt bin zu husten.

Gestern war ich bei Korš und habe die »Sans Gêne« gesehen. Das Stück ist reich ausgestattet und läuft nicht übel. Die Hauptrolle spielt die Javorskaja – eine sehr nette Frau.

Ich danke Ihnen für den Brief. Schreiben Sie mir noch über irgend etwas. Wenn Sie kommen, sprechen wir über die Getreidekrise. Meiner Meinung nach erweist diese Krise Rußland einen großen Dienst. Die Pferde sind satt, die Schweine sind satt, die Huren sind lustig und gehen in Gummigaloschen, die Viehpreise stehen hoch, die Bauern verkaufen nicht einmal Kälber – nur den Kulaken geht es schlecht, und das ist es ja, was jedermann sich gewünscht hatte.

Bleiben Sie gesund. *Ihr A. Čechov.*

483) AN V.V. BILIBIN MOSKAU, 18. 1. 1895

18. Jan. 95.

Lieber Viktor Viktorovič, entschuldigen Sie, ich habe gekleckst.

Ihr letzter Brief erreichte mich nicht in Moskau und wurde in Etappen weitergeleitet an meinen Wohnort, zuerst in die Stadt Serpuchov, von wo ihn, eine Woche später, der Landkommissar in die Amtsbezirksverwaltung mitnahm, letztere schickte ihn weiter, als ich nicht mehr zu Hause war; schließlich hat ihn mir meine Schwester nach Moskau mitgebracht.

Sie gratulieren mir zum Neuen Jahr. Sehr schön. Ich tue dasselbe. Tausend herzliche Wünsche für Sie, Anna Arkadjevna und Ihren Erben vom vorigen August. Ich wünsche Ihnen Glück, und vor allem Gesundheit, über die Sie, wie ich mich erinnere, nie müde wurden zu klagen.

Ich schreibe kein Stück und habe auch keine Lust, eins zu schreiben. Ich bin altgeworden und habe kein Pulver mehr. Ich möchte einen Roman schreiben von einhundert Verst Länge. Wenn Ihr Stück fertig ist, schreiben Sie mir, ob Sie Protektion bei Korš brauchen?

Ich lebe auf dem Lande, manchmal statte ich Moskau einen Besuch ab, wo ich Austern esse. Ich werde alt. Habe kein Geld. Keine Orden. Keine Titel. Schulden.

Manchmal lese ich Sie und denke an die Vergangenheit, und wenn ich unterwegs irgendeinem jungen Humoristen begegne, dann lese ich ihm »Borodino« vor und sage immer »Recken seid ihr nicht«!... Wir waren damals schon sehr liberal, aber mich hielt man aus irgendeinem Grunde immer für einen Konservativen. Neulich habe ich einen Blick in die alten, schon halb vergessenen »Oskolki« geworfen und gestaunt über den Übermut, der damals in Ihnen und in mir steckte und den keins der neueren Genies besitzt.

Warum sollten wir nicht miteinander korrespondieren, und sei es einmal im Monat? Mein Herz ist Ihnen wie ehedem gewogen, und seit Sie die Familienfrage für sich so weise und großzügig gelöst haben, mischt sich in meinen Respekt vor Ihnen auch noch ein klein bißchen Neid, aber natürlich kein widerlicher Schauspielerneid, sondern der Neid eines Lyrikers.

Schreiben Sie mir an die St. Lopasnja... Bis dahin grüße ich Anna Arkadjevna und danke ihr für ihren Gruß.

Bleiben Sie gesund. *Ganz Ihr A. Čechov.*

484) AN AL. P. ČECHOV MOSKAU, 19. 1. 1895

Herr und Gebieter!

Ich habe allen Grund, deine Zigarren nicht zu rauchen und ins Klo zu werfen, denn ich habe bisher noch keinen einzigen deiner Aufträge erledigt.

1) Zu den »Russkie vedomosti«. Der Chefredakteur Sobolevskij, ein guter Bekannter von mir, ist ins Ausland gefahren. Dageblieben sind die 11 Nichtchefs, von denen schwerlich irgendetwas Vernünftiges zu erwarten ist. Wenn du einen Korrespondentenbericht schickst, geht er verloren, man wird ihn nicht wiederfinden, und du wirst nicht wissen, an wen du dich wenden sollst. Aus Petersburg schreiben für die »Russkie vedomosti« außer Bukva noch *einige* Leute. Ich wiederhole: das einzige, was du zur Zeit in den »R. v.« machen kannst, ist, Belletristik dorthinzugeben, die, nebenbei gesagt, nicht schlecht bezahlt wird. Wenn Sobolevskij zurück ist, werde ich mit ihm reden.

2) Deine Erzählung ist *sehr* gut, mit Ausnahme des Titels, der absolut nichts taugt. Mich hat die Erzählung gerührt, sie ist überaus klug und gut gemacht, und ich habe nur bedauert, daß du deine Helden ins Irrenhaus gesetzt hast. Das, was sie tun und sagen, könnten sie genausogut in Freiheit tun und sagen, und letzteres wäre künstlerischer, denn Krankheit als Krankheit hat für den Leser eher pathologisches als künstlerisches Interesse, und einem psychisch Kranken glaubt der Leser *nicht*. Überhaupt machst du Fortschritte, und ich erkenne in dir allmählich einen Schüler der v. Klasse, der es nicht nur besser könnte, sondern bereits besser kann. Deine Novelle gebe ich an die »Russkaja mysl« oder an den »Artist«, und wenn du keine Angst hast, daß sie aufgeteilt wird, dann an die »Russkie vedomosti«. Denk dir einen neuen Titel aus, einen weniger dramatischen, kürzeren, einfacheren. Für den sich empörenden Popen (im Finale) denk dir neue Ausdrücke aus, sonst kopierst du Bazarovs Vater. Die Novelle bleibt bis zum 27. Jan. in meiner Aktentasche liegen, dann gebe ich sie weg. Die Hefte Jan., Febr. und März sind schon voll, da kommst du sowieso nicht mehr hinein.

Ich fahre aufs Land, wo ich bis zum 27. Jan. bleiben werde.

Du hast mir einen langen Vortrag über »Protektion« gehalten. Meiner Meinung nach ist das ein sehr schönes, ziemlich ausdrucksvolles Wort. Sogar Sommerhäuser gibt es mit Protektion. Und warum soll man keine Protektion erweisen, wenn dies nützlich ist und dabei niemanden kränkt und niemandem schadet? Widerwärtig ist Protektion nur, wenn Ungerechtigkeit mit ihr einhergeht.

Mit einem Wort, du bist ein Knopf.

Schreib, und bleib gesund wie ein Stier.

Dein dich tadelnder Bruder *A. Dostojnov-Blagorodnov.*

19. Jan.

485) AN A. S. SUVORIN MOSKAU, 19. 1. 1895

19. Jan.

Ich habe an die Vasiljeva geschrieben. Kleine Erzählungen werden, weil sie klein sind, übersetzt, werden vergessen und wieder übersetzt, darum werde ich in Frankreich weit häufiger übersetzt als Tolstoj.

Nachdem Sie nicht gekommen sind, fahre ich aufs Land. Am 27. bin ich wieder in Moskau; wenn Sie kämen, würde ich mit Ihnen nach Petersburg fahren. Aber Sie werden nicht kommen.

Wenn sich das allgemeine Frohlocken anläßlich der großen freudigen Ereignisse gelegt hat, schreiben Sie mir. Es wäre interessant zu beobachten, wie der Katzenjammer aussieht, der Zustand des Ausgebranntseins, wenn der Mensch sich zerschlagen und schuldig fühlt und ihm dunkel bewußt wird, daß er sich am voraufgegangenen Abend anstößig benommen hat. Schreiben Sie mir ausführlich und so giftig wie möglich, und dies wird Ihnen um so leichter fallen, als Sie es zur Zeit nolens volens jeden Tag beobachten und sich, wahrscheinlich, schon gereizt fühlen.

Der Frühling naht, die Tage werden länger. Ich möchte schreiben, und ich glaube, in diesem Jahr werde ich genausoviel schreiben wie Potapenko. Und Geld brauche ich verteufelt dringend. Ich brauche 20 Tausend Jahreseinkommen, denn ich kann mit keiner Frau mehr schlafen, wenn sie kein seidenes Hemd anhat. Außerdem fühle ich mich, wenn ich Geld habe, wie auf Wolken, ein bißchen betrunken, und kann nicht anders, als es auszugeben für allen möglichen Quatsch. Vorgestern hatte ich

Namenstag; ich hatte Geschenke erwartet, und bekommen habe ich einen feuchten Dreck.

Der kleine Fürst Argutinskij war jeden Tag bei mir. Er will sich mit Literatur befassen, kann sich aber einfach nicht entschließen, damit anzufangen. Das Jan.-heft der »Russkaja mysl« ist verhaftet, dann begnadigt worden. Aus meiner Erzählung hat die Zensur die Zeilen entfernt, die sich auf die Religion beziehen. Die »Russkaja mysl« schickt ihre Beiträge nämlich zur Vorzensur. Das nimmt einem jede Lust, frei zu schreiben; man schreibt und spürt dabei immer den Knochen, der einem im Halse steckt.

Ich war bei Levitan im Atelier. Er ist der beste russische Landschaftsmaler, aber stellen Sie sich vor, er hat keine Jugend mehr. Er malt nicht mehr jung, sondern mit Bravour. Ich glaube, die Weiber haben ihn verbraucht. Diese netten Geschöpfe schenken Liebe und nehmen dem Mann nur wenig: nur die Jugend. Landschaften kann man nicht ohne Pathos malen, ohne Enthusiasmus, und Enthusiasmus kann man nicht haben, wenn man sich überfressen hat. Wenn ich Landschaftsmaler wäre, ich würde ein nahezu asketisches Leben führen: ich würde einmal im Jahr eine Frau benützen, und einmal am Tag essen.

Die Kundasova ist bis September versorgt.

Bleiben Sie gesund und wohlauf. Einen herzlichen Gruß an Anna Ivanovna. Ich lechze nach einem Wiedersehen mit ihr.

Ihr A. Čechov.

486) AN A.S. SUVORIN MELICHOVO, 21. 1. 1895

21.

Ich werde Ihnen unbedingt telegraphieren. Kommen Sie, aber der Kupernik »die Fußsohlen küssen« sollten Sie nicht. Sie ist ein talentiertes Mädchen, aber Sie werden sie kaum sympathisch finden. Mir tut sie leid, denn ich ärgere mich über mich selbst: sie ist mir drei Tage in der Woche zuwider. Sie ist verschlagen wie der Teufel, aber ihre Intrigen sind so klein, daß im Endergebnis kein Teufel, sondern eine Ratte herauskommt. Die Javorskaja ist etwas anderes. Sie ist eine sehr gute Frau und Schauspielerin, aus der vielleicht etwas geworden wäre, wenn die Schule sie nicht verdorben hätte. Sie ist ein bißchen vulgär, aber das macht nichts. Die Kundasova habe ich nicht darstellen wollen, Gott steh Ihnen bei; erstens hat die Kundasova ein ganz anderes Verhältnis zum Geld, zweitens hat sie ein Familienleben nie gekannt, drittens ist sie, wie dem auch sein mag – krank. Der alte Kaufmann hat auch keine Ähnlichkeit mit meinem Vater, da mein Vater bis ans Ende seiner Tage bleiben wird, was er sein Leben lang war – ein Mensch mittleren Kalibers, ohne großen Schwung. Was dagegen die Religion betrifft, so haben ihr gegenüber die jungen Kaufleute ein gereiztes Verhältnis. Wenn man Sie als Kind geprügelt hätte der Religion wegen, dann könnten Sie das verstehen. Und warum ist diese Gereiztheit – Dummheit? Sie äußert sich vielleicht auf dumme Weise, aber an und für sich ist sie nicht dumm, wie Sie es finden. Sie bedarf der Rechtfertigung viel weniger als zum Beispiel jenes idyllische Verhältnis zur Religion, wenn man die Religion auf Herrenart liebt, sie genießt, so wie man Schnee und Sturm liebt, wenn man im Warmen sitzt. Der Astronomin werde ich schreiben, daß Sie sie sehen möchten. Sie wird gerührt sein und sich wahrscheinlich alle Mühe geben, sich mit Ihnen zu treffen.

Andreevskij habe ich das Buch geschickt, weil ich vor 1–2 Jahren seine Reden bekommen habe. Und da Sie mir das gebundene Exemplar Ihrer »Liebe« zwar versprochen, aber nicht geschickt haben, fand ich mich durchaus berechtigt, Ihnen mein Buch nicht zu schicken. Außerdem wußte ich ja, daß Sie uns, »die jungen Schriftsteller«, nicht recht mögen (und neulich sogar zu äußern geruhten, Sie wüßten nicht, ob die »von überhaupt etwas eine Ahnung hätten«), ich selbst stehe meinen Büchern immer gleichgültiger gegenüber – und darum habe ich auch keine Lust, sie zu verschicken. Und Sytin hat mir auch erst 10 Expl. geschickt. Ich weiß nicht, ob mir diese meine Rechtfertigung gelungen ist.

Pfui, pfui! Frauen nehmen dem Mann die Jugend, nur mir

nicht. Ich war immer nur der Verwalter, nicht der Herr meines Lebens, das Schicksal hat mich nicht allzu sehr verwöhnt. Ich hatte wenig Liebesaffären und habe mit Katharina daher so viel Ähnlichkeit wie eine Nuß mit einem Panzerkreuzer. Seidenblusen verstehe ich nur im Sinne von Annehmlichkeit, damit die Hände Weiches anfassen können. Ich habe einen Hang zum Komfort, das Laster dagegen reizt mich nicht, und ich wüßte beispielsweise Marija Andreevna gar nicht zu schätzen.

Aus Gesundheitsgründen müßte ich weit wegfahren, für 8–10 Monate. Ich werde nach Australien fahren oder an die Mündung des Enisej. Sonst verrecke ich. Gut, ich werde nach Petersburg kommen, aber werde ich dort auch ein Zimmer haben, wo ich mich verstecken kann? Diese Frage ist mir sehr wichtig, denn ich werde den ganzen Februar über schreiben müssen, um Geld für meine Reise zu verdienen. Ach, ich muß dringend wegfahren! Meine Brust ist ein einziges Röcheln, und ich habe Hämorrhoiden, daß es allen Teufeln schlechtwerden könnte – ich muß mich operieren lassen. Nein, zum Kuckuck mit ihr, der Literatur, ich sollte mich mit der Medizin befassen. Aber das zu entscheiden ist übrigens nicht meine Sache. Der Literatur verdanke ich die glücklichsten Tage meines Lebens und die sympathischsten Bekannten.

Einen herzlichen Gruß an Anna Ivanovna, Nastja und Borja.

Ganz Ihr A. Čechov.

Am 26. bin ich in Moskau. B. moskovskaja gostinica.

487) AN L. S. MIZINOVA MELICHOVO, 21. 1. 1895

Liebe Lika, ich erwarte Sie im Januar und Februar; wenn ich in Petersburg sein sollte, so geben Sie mir Nachricht von Ihrer Ankunft, und ich komme nach Moskau, nach Melichovo – wohin Sie befehlen. Ich möchte mit Ihnen reden, zu schreiben gibt es nichts, denn es ist alles beim alten und gibt nichts Neues.

Ich werde Sie mit Ungeduld erwarten. Ich wünsche Ihnen alles Gute und bleibe wie immer

Ihr A. Čechov.

P.S. Maša bittet Sie, 2 Paar Handschuhe und Parfum mitzubringen.

488) AN L. A. AVILOVA PETERSBURG, 15. 2. 1895

15. Febr.

Obgleich im Nachbarzimmer Marconi und Battistini singen, habe ich Ihre beiden Erzählungen mit großer Aufmerksamkeit gelesen. »Die Macht« ist eine hübsche Erzählung, aber es wäre besser, wenn Sie keinen Zemstvovorsitzenden dargestellt hätten, sondern einen einfachen Gutsbesitzer. Was dagegen »Zum Tag des Engels« betrifft, so ist das keine Erzählung, sondern ein Ding und zudem ein ungefüges Ding. Sie haben einen ganzen Berg von Einzelheiten aufgehäuft, und dieser Berg verdeckt die Sonne. Sie hätten entweder eine große Novelle machen sollen, an die vier Bogen, oder aber eine kleine Erzählung, die einsetzt mit dem Moment, wo der Herr ins Haus getragen wird.

Resumee: Sie haben Talent, sind aber schwerfällig oder, vulgär ausgedrückt, sind naßgeworden und gehören bereits zur Kategorie der nassen Literaten. Ihre Sprache ist gesucht wie die von alten Leuten. Weshalb muß Ihre Heldin mit dem Stock die Haltbarkeit der Oberfläche des Schnees prüfen? Und wozu Haltbarkeit? Als sei die Rede von einem Rock oder Möbelstück. (Festigkeit muß es heißen, nicht Haltbarkeit.) Und die Oberfläche des Schnees ist auch ein ungeschickter Ausdruck, wie die Oberfläche des Mehls oder Oberfläche des Sandes. Dann stößt man auch auf Sachen wie: »Nikifor löste sich vom Torpfosten« oder »er schrie auf und löste sich von der Wand«.

Schreiben Sie einen Roman. Schreiben Sie ein Jahr lang an dem Roman, kürzen Sie ihn dann ein halbes Jahr und veröffentlichen Sie ihn dann. Sie feilen zu wenig, eine Schriftstellerin sollte aber nicht schreiben, sondern auf dem Papier sticken, damit es eine mühselige, langwierige Arbeit wird.

Verzeihen Sie mir diese Belehrungen. Manchmal überkommt einen der Wunsch, sich wichtig zu machen und Moralpredigten zu halten. Heute bin ich noch hiergeblieben, oder, genauer, bin hiergelassen worden, morgen reise ich unbedingt ab. Ich wünsche Ihnen alles, alles Gute.

Ihr aufrichtiger ergebener A. Čechov.

489) AN A.S. SUVORIN MELICHOVO, 19. 2. 1895

19. Febr.

Ich bin bereits in Melichovo, sitze und schreibe im Schweiße meines Angesichts. Dank dem herrlichen Petersburger Klima huste ich fast gar nicht mehr und fühle mich großartig.

Ich hatte keine Lust wegzufahren, aber was sollte ich machen? Ich muß für den »Artist« schreiben, muß es dringend, denn zu Hause erwarteten mich Telegramme, und außer Hause quälte mich das Gewissen. Ich hasse wie immer geartete Verpflichtungen. Aber ohne sie geht es nicht. Man kann nur schwerlich leben, ohne Vorschüsse zu nehmen und Versprechungen zu geben.

In meiner freien Zeit schaue ich mir »Ganz Rußland« an und finde, das hat Zukunft. Das ist ziemlich gut zusammengestellt und hat ein imponierendes, vielversprechendes Aussehen. Die medizinische Rubrik ist gut, besser braucht sie gar nicht zu sein. Die Rubrik Fischfang ist trocken; sie sollte nicht von Fischfabriken handeln, sondern vom Fischfang, insbesondere vom Angeln, dem 4/9 der Leser frönen. Gut ist der Plan des Landhauses. Badehaus, Taubenschlag, Hühnerstall, das wird alles gebraucht. Die äußere Aufmachung des Buches ist elegant.

Wenn Šapiro Ihnen die Photographien von mir schickt, dann geben Sie sie Vasilij, der sie zur Post bringt. Ich werde wie Wilhelm Porträts von mir als Belohnung für besondere Verdienste verschicken.

Das Wetter ist herrlich. Der Himmel strahlt im Frühlingslicht.

Wenn ich beim Departement der Staatspolizei angestellt wäre, würde ich einen ganzen Vortrag schreiben über das Thema, daß das Nahen des Frühlings alle möglichen unsinnigen Träumereien weckt.

Der lichte Himmel beschütze Sie! *Ihr A. Čechov.*

Schicken Sie mir die Schriften von Elizavet Vorobej. Ich glaube, ich könnte daraus eine Erzählung von 400 Zeilen machen. Ich würde auch die Erzählung so nennen: »Elizavet Vorobej«. Ich würde darstellen, wie der Kopf ihres Mannes, der dauernd vom Tode spricht, allmählich, besonders nachts, immer mehr Ähnlichkeit bekommt mit einem nackten Schädel, und wie es damit endet, daß sie, während sie einmal neben ihm liegt, die kalte Berührung eines Skeletts verspürt und darüber den Verstand verliert; ihr Wahnsinn äußert sich in dem Glauben, kein Kind, sondern ein kleines Skelett zur Welt zu bringen, und daß ihr Mann nach Schwefel röche.

490) AN A.S. SUVORIN MELICHOVO, 25. 2. 1895

25. Febr.

Sie haben Cion eine hervorragende Lektion erteilt. Und auch Herrn Vitte, dem Minister, hätte man, wenn auch nur in Worten, einen Denkzettel verpassen sollen, dafür, daß er die Presse früher so von oben herab behandelt hat, im allgemeinen und die russische im besonderen – dieselbe Presse, die jetzt so für ihn eintritt. Jedenfalls sollte er sich erkenntlich zeigen. Eben habe ich das letzte Wort geschrieben, als meine Mutter hereinstürzt mit den Worten: »Ein Hase vor meinem Fenster!« Ich ging ihn mir anschauen: tatsächlich sitzt da eine Sažen vom Fenster entfernt ein großer Hase und denkt über etwas nach; und hoppelte danach in aller Ruhe durch den Garten davon.

Meine Kopfschmerzen mit dem Flimmern vor den Augen werden immer häufiger. Diese Krankheit heißt so: flimmerndes Skotom. Nicht Skrotum, sondern Skotom. Und es ist jetzt manchmal so, daß ich liege oder umherlaufe und nicht weiß, was ich machen soll. Ich kann nichts dagegen tun. Nach wie vor verfolgt mich das Ohrensausen, und nach wie vor schenkt mir nie jemand Kopfkissen oder Berlocken oder Krawatten. Wahrscheinlich bin ich auch nur deshalb noch nicht verheiratet, weil Ehefrauen die Angewohnheit haben, ihren Männern Pantoffeln zu schenken. Aber ich habe nichts gegen das Heiraten, und sei es eine pockennarbige Witwe. Es wird langsam langweilig.

Irgendwie ist es merkwürdig, daß wir Leskov nie wiedersehen werden. Als ich ihn das letzte Mal sah, war er lustig und spottete die ganze Zeit: »Und Burenin sagt, ich würde Beefsteaks fressen«; und seinen Gesundheitszustand beschrieb er so: »Das ist kein Leben, das ist eine Heiligenlegende.« Er hat zu unrecht in seinem Testament geschrieben, die Ärzte wüßten nicht, was mit seinem Herzen los sei. Die Ärzte wußten es sehr wohl, sie haben es nur vor ihm verborgen. Und wie fühlt sich jetzt der arme Atava? Sicher hat der Tod Leskovs niederschmetternd auf ihn gewirkt. Wenn Sie Elizavet Vorobej sehen, so sagen Sie ihr, ich hätte mich gern mit ihr getroffen, aber die Umstände hätten es verhindert. Man sollte sie in irgendeiner Novelle darstellen, oder in der Erzählung, deren Plan ich Ihnen in einem der letzten Briefe dargelegt habe. Geben Sie ihrem Mann den Rat, unter die tragischen Schauspieler zu gehen.

Ich habe böse Kopfschmerzen.

Ich wünsche Ihnen alles Gute, Geld und gutes Essen. Bei uns ist es warm, aber Schnee liegt noch sehr viel. *Ihr A. Čechov.*

Einem Philosophen wie Nietzsche würde ich gern einmal irgendwo im Zugabteil oder auf dem Dampfer begegnen und eine ganze Nacht mit ihm reden. Seine Philosophie halte ich übrigens für kurzlebig. Sie ist weniger überzeugend als bravourös.

491) AN E.M. ŠAVROVA MELICHOVO, 28. 2. 1895

28. Februar. St. Lopasnja.

Sie haben recht: das Sujet ist gefährlich. Ich kann Ihnen nichts Bestimmtes sagen, ich würde Ihnen raten, die Erzählung in eine Truhe einzuschließen und dort ein Jahr lang liegenzulassen, und sie dann wiederzulesen. Dann werden Sie weitersehen, ich dagegen fürchte mich, etwas zu entscheiden, fürchte einen Fehler zu begehen.

Die Erzählung ist ein wenig dünn geschrieben: die Tendenz drängt überall in den Vordergrund, die Details zerlaufen wie verschüttetes Öl, die Personen sind kaum umrissen. Da sind überflüssige Personen; zum Beispiel der Bruder der Heldin, die Mutter der Heldin. Da sind überflüssige Episoden; zum Beispiel die Ereignisse und Gespräche vor der Hochzeit, überhaupt alles, was sich auf die Hochzeit bezieht. Aber wenn das Mängel sein sollten, so sind sie unwesentlich. Wesentlicher ist meiner Meinung nach, daß es Ihnen nicht gelungen ist, die formale Seite zu bewältigen. Um Fragen zu lösen wie Degeneration, Psychosen usw., muß man deren wissenschaftliche Seite kennen. Die Bedeutung der Krankheit (nennen wir sie diskreterweise mit dem lateinischen Buchstaben S) wird von Ihnen überschätzt. Erstens ist S heilbar, zweitens stellen Ärzte, wenn sie bei einem Patienten irgendeine schwere Erkrankung feststellen, zum Beispiel Rükkenmarksdarre (tabes) oder Leberzirrhose, und diese Erkrankung von S herrührt, eine verhältnismäßig günstige Prognose, weil S heilbar ist. An der Degeneration, der allgemeinen Nervosität, Schwächlichkeit usw. ist nicht allein die S schuld, sondern die Gesamtheit vieler Faktoren: Vodka, Tabak, die Gefräßigkeit der intellektuellen Klasse, die abscheuliche Bildung, der Mangel an physischer Arbeit, die Bedingungen des Stadtlebens usw. usw. Und außer der S existieren noch andere, nicht weniger ernste Krankheiten. Zum Beispiel die Tuberkulose. Außerdem bin ich der Meinung, es sei nicht Sache des Künstlers, die Menschen dafür zu geißeln, daß sie krank sind. Bin ich etwa daran schuld, daß ich Migräne habe? Ist Sidor etwa daran schuld, daß er S hat und für diese Krankheit mehr disponiert ist als Taras? Ist Akulka etwa daran schuld, daß ihre Knochen an Tuberkulose leiden? Niemand ist daran schuld, und selbst wenn es Schuldige gäbe, so ginge das die Sanitätspolizei an, nicht die Künstler.

Die Ärzte in Ihrer Erzählung verhalten sich ganz miserabel. Sie lassen sie die ärztliche Schweigepflicht vergessen; nicht genug damit, sie schicken einen Schwerkranken, einen Paralytiker in die Stadt! Wird es nicht schon im Tarantas auf dem Weg in die Stadt zu Tode gerüttelt, dieses unglückliche Opfer der geheimnisvollen S? Und die Damen in Ihrer Erzählung verhalten sich zu der S wie zu einem Schreckgespenst. Das ist überflüssig. S ist kein Laster, kein Produkt des bösen Willens, sondern eine Krankheit, und auch die S-Kranken bedürfen der warmen, herzlichen Pflege. Es ist nicht schön, wenn die Ehefrau vor ihrem kranken Mann davonläuft, unter Berufung darauf, daß die Krankheit anstekkend sei oder unmoralisch. Übrigens, sie kann sich der S gegenüber verhalten wie sie will, aber der Autor muß human sein bis in die Fingerspitzen.

A propos: wissen Sie, daß auch influenza im Organismus Zerstörungen bewirkt, die nicht zu unterschätzen sind, in keiner Beziehung? Oh, in der Natur gibt es nur sehr wenig, was unschädlich und nicht vererbbar wäre. Sogar das Atmen ist schädlich. Ich persönlich halte mich an diese Regel: ich stelle Kranke nur dar, soweit sie als Charaktere erscheinen, oder soweit sie bildlich sind. Mit Krankheiten dagegen fürchte ich, den Lesern Schrecken einzujagen. »Unser nervöses Jahrhundert« erkenne ich nicht an, denn die Menschheit war zu allen Zeiten nervös. Wer die Nervosität fürchtet, der soll sich in einen Stör verwandeln oder in einen Stint; wenn der Stör eine Dummheit oder Gemeinheit begeht, dann nur die eine: er beißt an, und dann in die Fischpastete mit ihm.

Ich wünschte mir, daß Sie etwas Lebensfrohes, Hellgrünes darstellten, etwas wie ein Picknick. Überlassen Sie es uns, den Ärzten, Krüppel und schwarze Mönche darzustellen. Ich werde bald wieder zu humoristischen Erzählungen übergehen, da mein gesamtes psychopathologisches Repertoire bereits erschöpft ist.

Ich baue ein Badehaus.

Ich wünsche Ihnen alle Güter des Himmels und der Erden. Schicken Sie mir weitere »geschäftliche Papiere«. Ich lese Ihre Erzählungen gern. Nur erlauben Sie mir, Ihnen eine unumstößliche Bedingung zu stellen: So streng meine Kritik auch immer sein mag, sie bedeutet nicht, daß die Erzählung nicht zur Veröffentlichung geeignet wäre. Meine Streitsucht ist das eine, Veröffentlichung und Honorar sind das andere. *Ihr A. Čechov.*

492) AN A.V. ŽIRKEVIČ MELICHOVO, 10. 3. 1895

St. Lopasnja, Str. M.-K., 95, 10/III.

Sehr geehrter

Aleksandr Vladimirovič!

Ungeachtet Ihres Wohlwollens und Ihrer Aufmerksamkeit, die ich so schätze, bin ich zu meinem größten Leidwesen gezwungen, Ihnen in allen Punkten eine Absage zu erteilen.

Erstens habe ich keine Photographie von mir; ich war im Februar in Petersburg und habe mich bei Šapiro aufnehmen lassen, bin aber weggefahren, ohne auf die fertigen Bilder zu warten. Wenn Šapiro sie mir schickt, werde ich Ihnen eins schicken (natürlich im Tausch gegen eines von Ihnen), einstweilen verzeihen Sie.

Zweitens geht es entschieden über meine Kräfte, offen meine Meinung über Ihre Verserzählung zu schreiben, so zu schreiben, wie Sie es wünschen. Das heißt, ich könnte Ihnen viel erzählen, aber all das wäre abwegig, so daß Sie nur abwinken würden. Gedichte sind nicht mein Metier, ich habe nie welche geschrieben, mein Gehirn weigert sich, sie im Gedächtnis zu behalten, ich fühle sie, ebenso wie Musik, aber mit Bestimmtheit sagen, weshalb ich Genuß oder Langeweile verspüre, kann ich nicht. In früherer Zeit habe ich versucht, mit Lyrikern zu korrespondieren und meine Meinung zu äußern, aber es ist nichts draus geworden, ich wurde bald langweilig wie jemand, der vielleicht etwas Gutes spürt, aber seine Gedanken nur uninteressant und vage darzulegen vermag. Jetzt beschränke ich mich gewöhnlich darauf zu schreiben: »gefällt mir« oder »gefällt mir nicht«. Ihre Verserzählung hat mir gefallen.

Was dagegen die Erzählung betrifft, an der Sie schreiben, so ist das etwas anderes, da bin ich bereit, eine Kritik von meinetwegen zwanzig Bogen zu verfassen, und wenn Sie sie mir zu gegebener Zeit schicken und meine Meinung wissen wollen, so werde ich sie mit großem Vergnügen lesen und Ihnen mehr oder weniger klar schreiben und mich dabei frei fühlen.

Der Brief des verstorbenen Krestovskij, veröffentlicht im »Istoričeskij vestnik«, ist ein guter Brief und wird, glaube ich, in literarischen Kreisen Erfolg haben. In diesem Brief spürt man den Literaten, und zudem einen sehr klugen, wohlmeinenden Literaten.

Erlauben Sie mir, Ihnen nochmals zu danken und Ihnen fest die Hand zu drücken.

Ihr aufrichtig ergebener A. Čechov.

493) AN A. S. SUVORIN MELICHOVO, 16. 3. 1895

16. März.

Sie schrieben, Sie kämen nach Moskau, ich habe die ganze Zeit auf ein Telegramm oder einen Brief von Ihnen gewartet, in der Hoffnung, Sie zu sehen, aber offenbar haben sich Ihre Moskaupläne geändert. Statt Ihrer schickte mir der Himmel Lejkin, der mit Ežov und Gruzinskij zu mir kam, den zwei jungen Dickhäutern, die kein einziges Wort sagten, sondern das ganze Gut nur in heftigsten Trübsinn versetzten. Lejkin ist aufgedunsen, physisch geschwächt, kahl, aber gütiger und herzlicher geworden; wahrscheinlich wird er bald sterben. Meine Mutter sagte, als sie beim Fleischer Fleisch bestellte, sie bräuchte gutes Fleisch, weil Lejkin aus Petersburg bei uns zu Gast sei. »Welcher Lejkin? – verwunderte sich der Fleischer. – Der, der Bücher schreibt?« und er schickte hervorragendes Fleisch. Der Fleischer weiß also nicht, daß auch ich Bücher schreibe, denn mir schickt er immer nur Sehnen.

Aus Moskau ist der Doktor zu mir gekommen, ein Verehrer von Nietzsche, ein sehr netter und sehr kluger Mensch, mit dem es angenehm war, zwei Tage zu verbringen. Ivanenko, der Flötist, den Sie bei mir kennengelernt haben, ist an Halstuberkulose erkrankt. Das sind alle Neuigkeiten.

»Sachalin« lassen wir also erscheinen, ohne die Genehmigung abzuwarten. Es wird ein dickes Buch, mit einer Masse Anmerkungen, Anekdoten, Zahlen ... Es wird schon durchgehen. Und wenn nicht, dann soll es wohl so sein – sterben müssen wir trotzdem.

Haben Sie im Februarheft des »Istoričeskij vestnik« die »Geheimnisvolle Korrespondentin« gelesen? Wissen Sie nicht, wer diese Person ist? Daraus könnte man eine Erzählung machen! Schade, daß ich mich in der Geschichte zu wenig auskenne, sonst würde ich sie schreiben. Eine erstaunliche Person, wenn sie nur nicht erfunden ist.

Ihr kleiner Brief über die physischen Spiele für die Studenten wird Nutzen bringen, wenn Sie hartnäckig und oft über dieses Thema sprechen werden. Solche Spiele sind absolut notwendig. Das ist gesund, schön, liberal, liberal in dem Sinne, daß nichts so sehr der Vermischung der Stände dient usw., wie Straßen- und Gesellschaftsspiele. Die Spiele würden unserer Jugend, die isoliert lebt, Begegnungen verschaffen; die jungen Leute würden sich öfter verlieben. Aber die Spiele dürfen erst eingerichtet werden, wenn der russische Student keinen Hunger mehr leidet. Auf hungrigen Magen macht den Studiosus kein Krocket, kein Kegelspiel munter.

Der Himmel beschütze Sie, der von der Erde und der vom Sirius sichtbare; schließen Sie mich in Ihre heiligen Gebete ein und schreiben Sie mir, und seien es nur 2–3 Zeilen. War die Astronomin bei Ihnen? *Ihr A. Čechov.*

494) AN V.M. LAVROV MELICHOVO, 17. 3. 1895

17. März.

Lieber Freund, wir sollten »Sachalin« herausbringen, sonst vergilbt es im Lager. Am Montag schicke ich durch Maša das Kapitel über die Flüchtlinge, das ich bereits abgeschrieben habe (es ist im Almanach der »Russkie vedomosti« veröffentlicht), und noch ein Kapitel über Krankheiten und die Sterblichkeit. Laß es setzen und mir so schnell wie möglich die Fahnen schicken. Wenn das Buch erschienen ist, werde ich mich drum kümmern, jetzt dagegen ist im Grunde nichts zu tun, da ein Buch ja nicht vorliegt und es noch niemand verboten hat.

Die Erzählung, die ich für den »Artist« geschrieben habe, taugt nicht für die »Russkaja mysl«; ich schicke sie in der Osterwoche zusammen mit der kleinen Novelle, die ich versprochen hatte.

Bleib gesund. Beste Grüße an Viktor Aleksandrovič und Mitrofan Nilovič. *Dein A. Čechov.*

495) AN A.S. SUVORIN MELICHOVO, 23. 3. 1895

23. März.

Ich sagte Ihnen doch, Potapenko sei ein sehr lebhafter Mensch, aber Sie haben mir nicht geglaubt. Im tiefsten Innern eines jeden Kleinrussen liegen viele Schätze verborgen. Ich glaube, wenn unsere Generation alt wird, dann wird Potapenko der lustigste und lebensfrohste alte Mann von uns sein.

Bitte sehr, ich werde heiraten, wenn Sie das wollen. Aber meine Bedingungen: es muß alles so bleiben, wie es vorher war, das heißt, sie muß in Moskau wohnen, und ich auf dem Lande, und ich werde zu ihr fahren. Das Glück, das Tag für Tag andauert, vom Morgen bis zum Morgen – ich ertrage es nicht. Wenn man mir jeden Tag ein und dasselbe sagt, im immer gleichen Ton, werde ich rasend. Das werde ich zum Beispiel in Gesellschaft von Sergeenko, denn er hat viel Ähnlichkeit mit einer Frau (einer »klugen und teilnahmsvollen«), und in seiner Gegenwart kommt mir immer der Gedanke, meine Frau könnte Ähnlichkeit haben mit ihm. Ich verspreche, ein hervorragender Ehemann zu sein, aber geben Sie mir eine Frau, die, wie der Mond, nicht jeden Tag an meinem Himmel erscheint: aber besser schreiben werde ich davon, daß ich heirate, nicht.

Sie fahren nach Italien? Sehr schön, aber wenn Sie Michail Alekseevič aus ärztlichen Erwägungen mitnehmen, so wird ihm kaum besser werden, wenn er 25mal am Tag Treppen auf und ab steigt, zum fokino läuft usw. Er sollte sich in aller Ruhe irgendwo ans Meer setzen, baden; wenn er das nicht kann, soll er es mit Hypnose versuchen. Grüßen Sie Italien. Ich liebe es heiß, auch wenn Sie Grigorovič erzählt haben, ich hätte mich auf dem Markusplatz hingelegt und gesagt: »Wie schön wäre es jetzt, bei uns im Gouvernement Moskau im Gras zu liegen!« Die Lombardei hat mich so beeindruckt, daß ich mich, glaube ich, an jeden einzelnen Baum erinnere, und Venedig sehe ich mit geschlossenen Augen.

Mamin-Sibirjak ist ein sehr sympathischer Kerl und ein guter Schriftsteller. Sein letzter Roman, »Korn« (in der »Russkaja mysl«), wird sehr gelobt; besonders von ihm begeistert war Leskov. Er hat wirklich sehr schöne Sachen, und das Volk ist in seinen gelungensten Erzählungen durchaus nicht schlechter dargestellt als in »Herr und Knecht«. Ich freue mich, daß Sie ihn wenigstens ein bißchen kennengelernt haben.

Es beginnt nun schon das vierte Jahr, daß ich in Melichovo lebe. Meine Kälber sind Kühe geworden, der Wald ist um einen Aršin und mehr gewachsen. Meine Erben werden einen schwunghaften Holzhandel betreiben und mich einen Esel nennen, weil Erben nie zufrieden sind.

Fahren Sie nicht zu früh ins Ausland; dort ist es kalt. Warten Sie bis Mai. Ich werde vielleicht auch fahren; irgendwo begegnen wir uns dann...

Schreiben Sie mir mehr. Gibt es nicht etwas Neues aus dem Bereich der unsinnigen und edelsinnigen Träumereien? Warum hat Wilhelm General W. abberufen? Wir werden doch nicht Krieg bekommen mit den Deutschen? Ach, dann müßte ich in den Krieg ziehen, Amputationen vornehmen und danach Aufzeichnungen für den »Istoričeskij vestnik« schreiben*.

Ganz Ihr A. Čechov.

* Kann ich mir von Šubinskij nicht einen Vorschuß auf diese Aufzeichnungen holen?

496) AN E. M. ŠAVROVA MELICHOVO, 25. 3. 1895

25. März.

Ihr cher maître steht höllisch in Ihrer Schuld. Ich habe die Erzählung längst gelesen, sie hat mir gefallen, aber ich zögerte mit der Antwort, zögerte mit dem Schnee, der es nicht eilig hatte zu tauen und mich damit in Trübsinn versetzte.

Ihre letzte Erzählung hat sehr viele handelnde Personen; das ist sowohl ein Vorzug als auch ein Mangel. Die Personen sind interessant, aber sie häufen sich, splittern die Aufmerksamkeit des Lesers in 1000 Teile und hinterlassen, auf dem Raum eines kleinen »geschäftlichen Papiers« zerflossen, im Gedächtnis des einen Lesers keine deutliche Spur. Eins von beidem: entweder weniger Personen, oder schreiben Sie einen Roman. Wählen Sie. Meiner Meinung nach sollten Sie einen Roman schreiben. Offensichtlich ist es das Schicksal, das Sie zu einem Roman treibt, wenn Sie beim Wunsch, eine Erzählung zu schreiben, jedesmal eine ganze Masse von Bildern in Versuchung führt und Sie sich das Vergnügen einfach nicht versagen können, sie alle auf einen Haufen zu werfen.

Ich empfehle mich Ihren heiligen Gebeten.

Ihr ergebener und bis ans Grab zu Diensten bereiter

A. Čechov.

497) AN A. S. SUVORIN MELICHOVO, 30. 3. 1895

30/III. Melichovo.

Die Panova war vor 5–6 Jahren, als ich sie kannte, ziemlich hübsch, aber sie ist eine schlechte Schauspielerin; in »Hannele« wird sie welk und sauer spielen, ohne irgendwelche Qualitäten erkennen zu lassen; übrigens, loben wird man sie durchaus. In der Osterwoche wird die Korš'sche Truppe in Petersburg operieren. Dieser Tenor sprechende Theaterunternehmer wird wahrscheinlich kommen und Sie einladen. Gehen Sie in »Madame Sans Gêne« und schauen Sie sich die Javorskaja an. Wenn Sie wollen, machen Sie sich mit ihr bekannt: sie ist eine Intellektuelle und zieht sich anständig an, manchmal ist sie klug. Sie ist die Tochter des Kiever Polizeimeisters Gibenet, somit fließt in ihren Arterien Schauspielerblut, und in ihren Venen Polizistenblut. Über die Vererbbarkeit dieser beiden Blutarten hatte ich bereits das Vergnügen, Ihnen meine Meinung als Psychiater zu sagen. Die Moskauer Zeitungsleute haben sie den ganzen Winter über gejagt wie einen Hasen, aber das verdient sie nicht. Wenn das leicht Schreierische und eine gewisse Manieriertheit nicht wären (Grimassenschneiden auch), dann wäre sie eine echte Schauspielerin. Jedenfalls ein interessanter Typ. Achten Sie auf sie. Wenn Sie sich für die Stücke interessieren, schauen Sie sich bei Korš den ersten Akt der »Romantiker« an.

Wir haben schon Frühling, aber noch bergeweise Schnee, und niemand weiß, wann er wegtaut. Kaum versteckt die Sonne sich hinter einer Wolke, und schon verströmt der Schnee wieder Kälte und es wird ekelhaft. Maša arbeitet schon in den Mistbeeten und im Blumengarten, müht sich ab und ist ständig böse, daß sie das Feuilleton der Smirnova nicht lesen soll. Ein guter Rat, den Sofja Ivanovna da gibt, wenn die jungen Mädchen das lesen, sind sie gerettet; nur das eine ist ungewiß: wohin mit den Äpfeln und dem Kohl, wenn das Gut zu weit von der Stadt entfernt liegt, und aus welchem Stoff näht man sich ein Kleid, wenn das Getreide nicht zu verkaufen ist und man keinen Groschen in der Tasche hat. Auf einem Gut kann man sich von seiner Hände Arbeit und im Schweiße seines Angesichts nur unter der einen Bedingung ernähren: wenn man selbst arbeitet, als Bauer, ohn Ansehn des Berufs oder des Geschlechts. Mit Knechten kommt man heute nicht mehr aus, man muß selber zur Sense und zur Axt greifen, und wenn man das nicht kann, dann helfen da auch keine Gärten. Erfolg in der Landwirtschaft, selbst geringer, wird in Rußland nur um den Preis eines harten Kampfes gegen die Natur gegeben, und für diesen Kampf reicht der Wunsch allein nicht aus, dazu braucht es physische Kräfte und Abhärtung, dazu braucht es Traditionen – und haben das unsere jungen Damen? Jungen Damen den Rat zu geben, sich mit Landwirtschaft zu befassen – das ist dassselbe, als wollte man ihnen raten: seid Bären und tanzt nach der Pfeife.

Christ ist erstanden! Ich gratuliere Ihnen, Anna Ivanovna, Nastja, Borja und allen Ihren Angehörigen und wünsche Ihnen von Herzen Glück. Dieser Brief kommt zu Ostern bei Ihnen an.

Ich habe kein Geld mehr. Es ist futsch! Aber ich lebe auf dem Lande, da gibt es keine Restaurants, keine Droschken – da braucht man sozusagen kein Geld.

Aleksej Petrovič hat mir eine großartige Uhr geschickt.

Bleiben Sie gesund. *Ihr A. Čechov.*

Meine Schwester läßt grüßen.

498) AN V. A. ŽIRKEVIČ MELICHOVO, 2. 4. 1895

95, 2/IV. St. Lopasnja, Str. M.–K.

Sehr geehrter Aleksandr Vladimirovič, auf unserer Station werden Einschreibesendungen nicht ausgeliefert, und deshalb hat Ihr Brief die ganze Zeit in Serpuchov gelegen, und wenn ihn mir der Landkommissar nicht ausgehändigt hätte, der samstags in die Stadt geht, so hätten Sie noch lange auf meine Kritik warten müssen.

Ihre Erzählung hat mir sehr gefallen. Das ist eine gute, durch und durch intelligente, literarische Sache. Zu kritisieren ist daran absolut nichts, lediglich zu ein paar Kleinigkeiten könnte man einige unerhebliche Anmerkungen machen. Heute ist der erste Feiertag, um mich drängen sich die Leute, schreiben kann ich nur mit Unterbrechungen, gestatten Sie mir deshalb, weil es so leichter geht, meine Kritik in Punkten darzulegen.

1) Der Titel der Erzählung »Gegen die eigene Überzeugung...« ist mißglückt. Er hat keine Einfachheit. In diesen Anführungszeichen und den drei Punkten am Ende verspürt man eine gesuchte Prätentiosität, und ich habe den Verdacht, daß dieser Titel von Hrn. Stasjulevič selbst stammt. Ich hätte die Erzählung irgendwie mit einem Wort überschrieben: »Ruten«, der »Oberst«.

2) Ihre Verfahren in den Naturbeschreibungen sind Routine. Die Erzählung müßte mit dem Satz beginnen: »Somov war sichtlich erregt«, alles, was vorher gesagt wird über die Wolke, die schwer lastete, über die Spatzen, über das Feld, das sich ausbreitet, – all das ist Tribut an die Routine. Sie haben ein Gefühl für die Natur, stellen sie aber nicht so dar, wie Sie sie fühlen. Naturbeschreibungen müssen vor allem bildlich sein, damit sich der Leser, wenn er sie gelesen hat und die Augen schließt, die dargestellte Landschaft sofort vorstellen kann, eine Ansammlung solcher Momente wie Dämmerung, bleierne Farbe, Pfütze, Nässe, Silberschatten der Pappeln, Wolken am Horizont, Spatzen, ferne Wiesen – das ergibt kein Bild, denn ich kann mir dies alles in einem harmonischen Ganzen beim besten Willen nicht vorstellen. In Erzählungen wie der Ihren sind Naturbeschreibungen nur dann am Platze und verderben das Ganze nicht, wenn sie zum Thema gehören, wenn sie Ihnen helfen, dem Leser die eine oder andere Stimmung mitzuteilen, wie die Begleitmusik beim Rezitativ. Wenn zum Wecken geblasen wird und die Soldaten das »Vater unser« singen, wenn der Zugkommandeur nachts zurückkommt und am nächsten Morgen der Soldat zur Exekution geführt wird, ist Landschaft durchaus am Platz, und hier sind Sie Meister. Das Wetterleuchten ist ein starker Effekt; aber es hätte gereicht, wenn Sie es nur einmal, gleichsam zufällig erwähnt hät-

ten, statt es zu unterstreichen, das schwächt nur den Eindruck, und die Stimmung beim Leser zerfließt.

3) Routine des Verfahrens überhaupt bei Beschreibungen: »das bunt mit Büchern vollgestellte Regal an der Wand«. Warum nicht einfach: »das Bücherregal«. Die Puškinbände stehen bei Ihnen »vereinzelt«, die Bände der »Billigen Bibliothek« »eingezwängt«. Wozu das alles? Sie halten die Aufmerksamkeit des Lesers auf und ermüden ihn, weil sie ihn innehalten lassen, um das bunte Bücherregal zu betrachten oder den eingezwängten »Hamlet« – das zum ersten; zweitens ist das alles nicht einfach genug, es ist manieriert und, als Kunstgriff, ein bißchen veraltet. Heutzutage schreiben nur noch Damen »die Affiche lautete«, »das von Haaren umrahmte Gesicht«.

4) Provinzialismen wie »Häckelzeug«, »Schaute« wirken in einer kurzen Erzählung holprig, und nicht nur Provinzialismen, sondern auch selten gebrauchte Wörter wie »mehrkalibrig«.

5) Die Kindheit und Gottesfurcht sind hübsch dargestellt, aber in demselben Ton, in dem sie schon sehr viele Male dargestellt worden sind.

Das ist alles. Aber das sind solche Kleinigkeiten! Zu jedem einzelnen Punkt könnten Sie sagen: »Das ist Geschmackssache« – und hätten recht damit.

Ihr Somov läßt den Soldaten, trotz seinen Erinnerungen an Kindheit und Gottesfurcht, trotz Kampf, bestrafen. Das ist künstlerisch wahr. Im Ganzen ruft die Erzählung genau den Eindruck hervor, den sie soll. »Talentiert, und klug, und edel«*.

Für Ihre Photographie und die schmeichelhafte Widmung sage ich Ihnen meinen herzlichsten Dank. Mein Porträt werde ich Ihnen schicken, wenn ich es selbst bekomme.

Das Wetter ist widerlich.

Ich wünsche Ihnen alles Gute, gratuliere Ihnen zu den Feiertagen.

Ihr A. Čechov.

*Das ist aus einer meiner Novellen. Wenn man sich über mich lustig machen will, zitiert man diesen Satz gewöhnlich mit »aber«.

499) AN A.S. SUVORIN MELICHOVO, 13.4.1895

13. Apr.

Sie fragen, ob ich den Brief bekommen hätte? Ja, ich habe ihn bekommen und in Petersburg mit Ihnen darüber gesprochen. Sie sind darin doppelt ungerecht, weil Sie sich darin kritisch sowohl über die Gegenwart als auch über die Vergangenheit äußern. Erinnern Sie sich doch, Sie schrieben von Katharina II. und Seidenblusen! Als ich diesen Brief hervorsuchte, habe ich bei dieser Gelegenheit alle Ihre Briefe überflogen und in eine gewisse Ordnung gebracht. Wieviel Gutes da drinsteht! Besonders hell ist die Zeit, als Sie »Tatjana Repina« und ich »Ivanov« auf die Bühne brachten. Da spürt man irgendwie das Leben brodeln.

Ich bewältige gerade die »Familie Polaniecki« von Sienkiewicz. Das ist ein polnischer Osterquarkkuchen mit Safran. Wenn man Paul Bourget und Potapenko zusammentut, ein wenig Warschauer Eau de Cologne darüber sprengt und durch zwei teilt, erhält man Sienkiewicz. Die »Polaniecki« sind zweifelsohne von Bourgets »Cosmopolis« beeinflußt, von Rom und der Heirat (Sienkiewicz hat vor kurzem geheiratet); da gibt es Katakomben, einen alten kauzigen Professor, der dem Idealismus nachweint, da gibt es den Heiligen Leo XIII. mit einem Gesicht nicht von dieser Welt, und den Rat, zum Gebetbuch zurückzukehren, da gibt es die Verleumdung eines Dekadenten, der an Morphinismus stirbt, nachdem er gebeichtet und die Kommunion empfangen, d. h. seine Verirrungen im Namen der Kirche bereut hat. Familienglück und Betrachtungen über die Liebe in rauhen Mengen, und die Frau des Helden ist ihrem Manne dermaßen treu und begreift »mit dem Herzen« Gott und das Leben so fein, daß es einem am Ende widerlich süß wird und peinlich wie nach einem nassen Kuß. Sienkiewicz hat offenbar Tolstoj nicht gelesen, kennt Nietzsche nicht, über den Hypnotismus redet er wie ein Kleinbürger, aber dafür prangen bei ihm auf jeder Seite die Rubens, Borghese, Correggio, Botticelli – und das nur, um vor dem bourgeoisen Leser mit seiner Bildung einherzustolzieren und dem Materialismus eine lange Nase zu machen. Zweck des Romans: die Bourgeoisie in ihren goldenen Träumen einzulullen. Sei deiner Frau treu, bete mit ihr nach dem Gebetbuch, scharr Geld zusammen, liebe den Sport – und deine Sache ist gemacht, in dieser wie in jener Welt. Die Bourgeoisie hat die sogenannten »positiven« Typen und Romane mit glücklichem Ausgang sehr gern, denn die beruhigen sie in ihrem Glauben, daß man sowohl Kapital zusammenscharren als auch die Unschuld bewahren, ein Tier sein und gleichzeitig glücklich sein könne.

Wir haben einen irgendwie erbärmlichen Frühling. Auf den Feldern liegt noch Schnee, und es ist kein Fahren, weder im Schlitten noch auf Rädern, das Vieh sehnt sich nach Gras und freiem Auslauf. Gestern hat ein betrunkener alter Bauer nackt im Teich gebadet, seine alte und schwache Mutter prügelte ihn mit dem Stock, und alle anderen standen herum und lachten. Nachdem der Bauer sein Bad genommen hatte, ging er barfuß durch den Schnee nach Hause, gefolgt von seiner Mutter. Früher war die Alte mal zu mir gekommen, um sich etwas gegen blaue Flecke zu holen – die hatte ihr Sohn ihr geschlagen. Die Aufklärung der dunklen Masse kann man in die unterste Schublade legen, es ist so eine Gemeinheit!

Die Javorskaja lebt nicht mit Korš, aber es stimmt, daß er eifersüchtig auf sie ist.

Wie verlief die Vorstellung im lit.-artist. Zirkel?

Ich wünsche Ihnen alles Gute. Ich gratuliere Ihnen zum japanisch-chinesischen Frieden und wünsche Ihnen, bald ein eisfreies Feodosija an der Ostküste zu erwerben und eine Eisenbahnlinie dorthin zu legen. Die Bäuerin hatte nicht genug zu tun, drum kaufte sie sich ein Ferkel. Ich glaube, daß wir mit diesem eisfreien Hafen uns noch eine Menge Sorgen einhandeln werden. Er wird uns teuer zu stehen kommen, teurer, als wenn wir auf den Gedanken verfielen, ganz Japan zu erobern. Übrigens, futura sunt in manibus deorum.

Miša ist gekommen und hat gesagt, er habe den Stanislav 3. Klasse bekommen. *Ihr A. Čechov.*

500) AN A.S. SUVORIN MELICHOVO, 18. 4. 1895

18. Apr.

Zum Beweis, daß auch ich in der japanischen Frage nicht ganz unbewandert bin, schicke ich einen herausgerissenen Bogen aus meinem »Sachalin«. Über Nevelskoj habe ich im Okt.-heft der »Russkaja mysl« 1893 geschrieben und ihn, gleich einer Tochter, dem geneigten Leser als außergewöhnliche Persönlichkeit angepriesen.

Wenn Sie Ende April oder Anfang Mai nach Moskau kämen, könnten wir auf die Friedhöfe, in die Klöster, die Wälder vor der Stadt, könnten wir meinetwegen nach Troica fahren. Sie haben mir einmal in einem Brief gesagt, Sie würden gern bei mir sitzen und mit mir herumlaufen, schweigend und hin und wieder träge einen Satz sagend, drum schlage ich Ihnen jetzt Moskau vor. Wenn das Wetter schön ist, könnten unsere Fahrten durch die Moskauer Umgebung ein solcher Erfolg werden, daß wir noch im Alter gern daran zurückdenken würden.

Ihren Bericht über die Javorskaja fand ich nicht zu scharf.

Unterbrechung. Ich bin ins Dorf gegangen zu einem schwarzbärtigen Bauern mit Lungenentzündung. Zurückgegangen bin ich über die Felder. Ich gehe nicht oft über Land, und die Weiber begrüßen mich immer höflich und liebevoll wie einen Narren in Christo. Alle wetteifern miteinander, mir den Weg zu erklären, mich auf Gräben, schlammige Stellen aufmerksam zu machen, Hunde zu verjagen. Auf den Feldern singen die Lerchen, im Wald schlagen die Drosseln. Es ist warm und lustig.

Miša werde ich schreiben. Ein Stück werde ich schreiben, aber nicht so bald. Ein Drama zu schreiben habe ich keine Lust, und eine Komödie habe ich mir noch nicht einfallen lassen. Wahrscheinlich setze ich mich im Herbst daran, wenn ich nicht ins Ausland fahre.

Ich freue mich sehr über den Erfolg von »Hannele«. Das ist ein Erfolg für den literarisch-art. Zirkel, ein Erfolg der privaten Initiative. Jetzt können Sie tapfer den Krieg gegen das Makao aufnehmen, und wenn Sie die Idee nicht wieder fallenlassen, kann der Zirkel sehr reich werden. Der Erfolg von Stücken und Konzerten und die Popularität bringen mehr Geld ein als die Strafen, die Kartenspieler zahlen müssen. In Moskau gibt es so einen Zirkel nicht, aber einige Literaten machen Anstalten, für einen Abend das Theater von Korš zu mieten und eine Liebhabervorstellung zu Wohltät.-zwecken zu geben. Spielen werden nur Literaten und Damen, die eine Beziehung zur Literatur haben. Das ist meine Idee. Wir werden Potapenko und Mamin kommen lassen. Wahrscheinlich werden wir die »Früchte der Bildung« aufführen, ich werde einen Bauern spielen. Früher habe ich einmal gut gespielt, jetzt, glaube ich, habe ich nicht mehr genug Stimme. Jedenfalls ist es Zeit, mit den todernsten Gesichtern aufzuhören, und wenn wir monströsen Unsinn anstellen, so wird das nur die alten Psychopathinnen schockieren, die meinen, Literaten wären aus Gips.

Die Astronomin ist in Petersburg. Ich schicke ihr monatlich 40 R. Wenn Sie sie sehen, kein Wort darüber, weil wir sie belogen und ihr eingeredet haben, dieses Geld schicke ihr Sytin, der es ihr auf drei Jahre leihe. Das Geld reicht bis September. Wenn Sie wollen, hier ihre Adresse: Šlisselburgskij prospekt, 89, Wohn. Larisa Apollon. Beklemiševa für O. P. Kundasova. Sie können sich mit ihr treffen, aber geben Sie ihr ja *kein* Geld, weil sie es nur sofort ihren Schwestern schicken würde. Es ist umöglich, ihr anders zu helfen als in Form eines monatlichen Gehalts gewissermaßen – und das über Sytin. Für den Fall, daß sie Lust bekommen sollte auf den Kaukasus, werden wir den Fonds nicht anrühren, sondern eine Extrasammlung veranstalten.

Natürlich, auf mein billiges Landgut werden Sie nicht kommen... Dabei ist auf meinem Hof alles ungewöhnlich komisch geworden. Sogar der ernste Stier ist komisch.

Ich träumte, ich sei verheiratet. Bitte schreiben Sie, ob man Sie in Moskau erwarten darf. *Ihr A. Čechov.*

Den Bogen aus der »Russkaja mysl« schicken Sie mir zurück, sonst wäre die Zeitschrift verdorben.

501) AN N. A. LEJKIN MELICHOVO, 16. 5. 1895

16. Mai.

Lieber Nikolaj Aleksandrovič, mit überaus großem Vergnügen würde ich mich um den 15.–20. Juni mit Ihnen auf die Reise begeben, aber finden Sie keine Möglichkeit, die Route zu ändern? Die Sache ist die, daß eine Reise nach Valaam nicht immer ein Erfolg wird; der See ist stürmisch und kalt, die vielen Pilger, die Petrifasten usw. usf. Ich hingegen will die Reise mit einer Therapie verbinden, denn der unregelmäßige Herzschlag macht mir zu schaffen und ich huste ebensooft wie im Winter. Sollten wir nicht zusammen (der Hydrotherapie wegen) in irgendeinen baltischen Kurort fahren? Zum Beispiel nach Kemmern (40 Verst von Riga entfernt)? Dort kann man baden, es gibt Wannenbäder usw. usf. plus vollen Komfort und herrliches Bier, das Sie übrigens ja nicht trinken. Ein billiges Leben und Musik. Am 15. Juni fahre ich zu Vukol Lavrov in Richtung Brest, und von dort direkt nach Kemmern über Dvinsk; in Kemmern oder Riga treffen wir uns, nach vorheriger Verständigung brieflich oder telegraphisch. Nach einer Zeit in Kemmern fahren wir zusammen zu Ihnen an die Tosna. Wenn Ihnen dieses Projekt nicht zuwider ist, schreiben Sie.

Bei uns ist der Sachaliner Buchweizen ebenfalls nicht aufgegangen. Überhaupt zeichnen sich dieses Frühjahr alle Samensorten durch nur zögerndes Angehen aus. Sachaliner Buchweizen, glaube ich, sollte man richtiger im Herbst säen, denn er ist ein Wintergetreide. Bei uns war die erste Maihälfte ebenfalls wunderschön. Es war heiß, klar und trocken. Jetzt ist es kalt, + 3. Die Kirsch- und Apfelbäume blühen. Die Birken sind von der Seidenraupe (Nonne) befallen, so daß offenbar bald alle unsere Wälder ein winterliches Aussehen annehmen werden, wie im vergangenen Jahr.

Meine Schwester hat die Bücher längst bekommen und will Ihnen schon längst schreiben, kommt aber einfach nicht dazu. Sie macht sich im Gemüsegarten zu schaffen und regt sich auf in Erwartung von Nachtfrösten.

Heute nacht habe ich Brom und China dafür verprügelt, daß sie im Salon auf dem Divan geschlafen haben; übermitteln Sie dies ihren liebenswerten Eltern.

Also, vielleicht auf baldiges Wiedersehen. Dem Maler schreibe ich noch heute. Bleiben Sie gesund und wohlauf. Ihrer Familie einen herzlichen Gruß. *Ihr A. Čechov.*

Die Temperatur ist um 10 Uhr morgens bis + 7 gestiegen. Es regnet nicht.

502) AN N. A. LEJKIN MELICHOVO, 31. 5. 1895

31. Mai.

Lieber Nikolaj Aleksandrovič, meine Zukunftspläne ändern sich anscheinend. Es geht darum, daß meine Schwester M. P. am 3. Juni in den Kaukasus fährt, und da einer von uns beiden zu Hause bleiben muß, werde ich vor ihrer Rückkehr, d. h. vor Juli nicht wegfahren können. Diese Änderung bekümmert mich im übrigen keineswegs, denn der Juli am Meer ist wärmer als der Juni, die Frage ist nur, an welches Meer ich fahren soll – ans Baltische oder ans Schwarze. Wenn der Husten nicht besser wird und es einen regnerischen Sommer gibt, dann muß ich ans Schwarze fahren, und nach Ivanovskoe danach im August.

Die Mohrrüben haben wir bekommen und gesät, meine Schwester ist gerührt von Ihrer Liebenswürdigkeit und läßt danken. Über die Resultate, d. h. darüber, was aus Ihren Samen geworden ist, werden wir Sie zu gegebener Zeit informieren.

Bei uns ist Dürre, auf den Bäumen Heuschrecken. Es ist heiß, um 9 Uhr morgens waren es 31°. Furchtbar viele Mücken, vielleicht deshalb, weil der vergangene Sommer so verregnet war. Man weiß ja, daß die Mücken sich bei feuchtem Wetter gern verlieben und mehr Eier legen.

Ich fahre nach Serpuchov zum Sanitätskongreß. Bleiben Sie gesund und wohlauf. Einen Gruß an Praskovja Nikiforovna,

Fedja und Vladimir Dmitrievič. Wenn Sie Lidija Alekseevna sehen, dann auch an sie einen Gruß. *Ihr A. Čechov.*

Ich werde also den ganzen Juni bei mir zu Hause in Melichovo verbringen. Kommen Sie doch.

503) AN A.S. SUVORIN MELICHOVO, 16. 6. 1895

16. Juni.

Wo sind Sie? Fahren wir am 3. Juli nach Feodosija? Werden wir (jeder von beiden) ein Stück schreiben und den französischen Autor lesen? Ich vernehme den lauten Ruf des Meeres. Aber wenn Sie aus irgendeinem Grunde nicht fahren können, dann fahre ich auch nicht.

Aus Moskau habe ich die Nachricht bekommen, daß mein »Sachalin« durchgegangen und daß das Buch bereits im Handel ist.

Wenn Sie tatsächlich nach Feodosija fahren, dann müßten wir uns verständigen. Setzen Sie Tag und Stunde fest, und ich werde Sie in Lopasnja erwarten. In Moskau nehmen Sie für mich ein Billett, um einen Platz im Coupé reserviert zu haben, oder reservieren Sie einfach einen Platz, wenn das gelingt, und ich nehme das Billett ab Lopasnja. Am besten fahren Sie von Petersburg mit dem Schnellzug, vom Nikolaj-Bahnhof zum Kursker Bahnhof mit dem Wagen und weiter mit dem Schnellzug nach Feodosija.

Von Džan-koj nach Feodosija schleppt der Zug sich empörend lange dahin, zum Wahnsinnigwerden, besonders bei heißem Wetter.

Ich fahre für 2 Tage nach Moskau. Um den 20. bin ich wieder zu Hause.

In Moskau werde ich Botvinja essen. *Ihr A. Čechov.*

Die Astronomin war bei mir. Sie hat einige Tage mit mir unter einem Dach verbracht. In großer Dosis ist diese Person – ergebensten Dank! Es ist leichter, aus einem tiefen Brunnen Wasser zu schöpfen, als sich mit ihr zu unterhalten. Sie hat mich mit ihrer Manier zu reden und ihrer Manier, sich in fremde Angelegenheiten einzumischen, derart ermüdet, daß ich ihr zum Schluß Grobheiten gesagt habe.

Einer der Redakteure der »Nedelja«, Menšikov, war bei mir.

Der Kurierzug (Richtung Kursk) hält nicht in Lopasnja. Der Schnellzug dagegen hält bei uns 5 Minuten.

504) AN I. I. GORBUNOV-POSADOV PETERSBURG, 12. 7. 1895

12. Juli. Petersburg.

Sehr geehrter Ivan Ivanovič, seien Sie so gut und schreiben Sie mir, wo sich Lev Nikolaevič gegenwärtig aufhält. Wenn er zur Zeit zu Hause ist, dann – bis wann wird er zu Hause bleiben, und schickt er sich nicht an, irgendwohin zu verreisen?

Heute fahre ich nach Hause nach Lopasnja.

Ich wünsche Ihnen alles Gute. *Ihr A. Čechov.*

505) AN M. P. ČECHOVA MOSKAU, 23. 7. 1895

Sonntag.

1) Ich und Suvorin kommen morgen am Montag.

2) Schick an den Schnellzug den großen Tarantas.

3) Mittagessen werden wir nicht, hebt uns aber zum Abendbrot Suppe auf.

4) Tanja ist gehalten zu bleiben und unsere Ankunft abzuwarten, sonst ergeht es ihr schlecht.

5) Suvorin will mit ihr über das Theater sprechen und kommt, anscheinend, nur deshalb nach Melichovo.

6) Wir bringen Konfekt mit und noch so manches andere.

7) Wenn wir keine Fahrkarten für den Schnellzug bekommen, nehmen wir den Postzug oder den Entlastungszug. Roman soll warten.

8) Dies Ganze ließe sich noch länger überlegen, doch fürchte ich, die Gänse damit zu erregen. *A. Čechov.*

P. S. Einen Gruß an die bezaubernde junge Witwe Aleksandra Lvovna.

506) AN AL.P. ČECHOV MELICHOVO, 11. 8. 1895

11. Aug.

Janusköpfigfreidenkerischer Saša! Ich wende mich an dich mit dem Vorschlag, meine nachfolgende Bitte zu erfüllen. Vorgestern früh, als ich in Jasnaja Poljana war, kam zu Lev Nikolaevič ein Mensch mit einem Bündel auf dem Rücken. Er bat um ein Almosen. Trübung der Hornhaut auf beiden Augen, er sieht schlecht, geht tastend. Ist arbeitsunfähig. Lev Tolstoj bat mich, irgendwohin zu schreiben, ob man diesen Pilger nicht in ein Blindenasyl stecken könne. Da du Spezialist bist für den Blindensektor, lehn es nicht ab, diesem Pilger zu schreiben, wohin er sich mit einem Bittgesuch wenden solle und wes Inhalts letzteres zu sein hat. Hier sein status: Soldat a. D. Sergej Nikiforov Kireev, 59 Jahre, vor 10 Jahren auf beiden Augen erblindet, lebt in Kašira, im Hause Kireev. Schick den Brief nach Kašira.

Ich habe Tolstoj von dir erzählt, er war höchst unzufrieden und tadelt dich ob deines lasterhaften Lebenswandels.

China hat die Hündin Selitra zur Welt gebracht. Andere Neuigkeiten habe ich nicht.

Ich grüße ergebenst deine Gattin, verprügle in Gedanken deine Kinder und wünsche, sie mögen nicht klüger werden als ihre Eltern. Dir dagegen wünsche ich, dich zu bessern und Papaša ein Trost zu sein. *Dein Wohltäter*

A. Čechov.

Hast du eine neue Wohnung gefunden?

Die Zigarren habe ich bekommen und ins Klo geworfen, da ich nicht mehr rauche. Mit diesen Zigarren hast du mich milde stimmen und mich dir gewogen machen wollen, aber du hast das Gegenteil erreicht, ich sehe mit nur um so größerer Strenge auf deine Laster.

Tarabrin habe ich mein Buch geschickt. Ich lasse ihm die Zeitung schicken.

Wir haben hier sehr viel Obst. Wenn du jetzt kommen könntest!

Schick mir den Bericht von Galkin-Vraskij, ich muß ihm das Buch schicken. Den Bericht schick nicht eingeschrieben, sondern als einfaches Streifband.

507) AN A. S. SUVORIN MELICHOVO, 21. 8. 1895

Verzeihen Sie, daß ich auf einem Postkartenvordruck schreibe. Eine 10-Kopeken-Marke habe ich nicht und kann auch nirgends eine herbekommen.

Ich war bei Lev Nikolaevič, habe 1 1/2 Tage bei ihm verbracht. Nach Hause zurückgekehrt, bin ich krankgeworden. Mir tut die ganze rechte Kopfhälfte weh: Haare, Haut, Knochen. Ich habe mir Zähne ziehen lassen, mich eingerieben, Antipyrin, Phenacetin, Chinin geschluckt – nichts hilft!

Schreiben Sie, sind Sie in Biarritz und werden Sie länger dort bleiben? Wenn Sie mir Ihre Adresse schicken, beschreibe ich Ihnen meinen Besuch bei L. N.

Ich habe noch nie so lange Kopfschmerzen gehabt. Neuigkeiten gibt es keine, nichts ist zu hören. Ein Stück zu schreiben habe ich keine Lust.

Bleiben Sie gesund und glücklich. Einen herzlichen Gruß an Anna Ivanovna, Nastja und Borja, wenn sie mit Ihnen gefahren sind.

Der Herbst beginnt. *Ihr A. Čechov.*

21. Aug.

508) AN I. L. LEONTJEV-ŠČEGLOV MELICHOVO, 5. 10. 1895

5. Oktober.

Lieber Jean, danke, daß Sie an mich gedacht und Nachricht von sich gegeben haben. Ich wollte Ihnen längst schreiben, aber weiß

Gott, wo Sie stecken und in welcher Stimmung Sie sind. Sie sind nicht mehr der Jean von früher, der Humorist und liebe Hauptmann, Sie sind sehr ernst geworden und haben inzwischen Ähnlichkeit mit Kardinal Rampolla. Sie haben mir einmal Ihre im Verlag »Artist« erschienenen Bücher geschickt, aber ohne Widmung, und daraus schloß ich, daß Sie mir aus irgendeinem Grunde böse seien, und aus Rache habe ich Ihnen mein »Sachalin« nicht geschickt, obwohl die Versuchung, es zu schicken, groß war!...

Ich bin oft in Moskau, steige gewöhnlich in der B. Moskovskaja gostinica ab, wo, wie ich glaube, auch Sie absteigen; jedes Mal hoffe ich, Ihnen zu begegnen, Ihnen meine Freundschaft zu erklären, mit Ihnen essen zu gehen, an die vergangnen Tage zu denken. Wirklich, Jean, wenn Sie zum Essen und Zuhören aufgelegt sind, dann wollen wir uns um den 20. Oktober in Moskau treffen. Bringen Sie mir bei der Gelegenheit Ihr Buch über »Das Volkstheater« mit und einen Sonderdruck der »Million Plagen«. Ich habe erst die ersten Kapitel gelesen, den Schluß nicht, weil ich die scheinheilige Zeitschrift nicht bekomme, in der Sie diese Novelle veröffentlicht haben und die ich, nebenbei gesagt, nicht ausstehen kann. Ich glaube, ich wäre bereit, mir einen Finger abzuhacken, nur um Sie in irgendeine andere, weniger finstere Zeitschrift zu locken und zu erreichen, daß Gorlenko Sie irgendwo an anderer Stelle lobt.

Wenn mein Wunsch irgendwann in Erfüllung geht, d. h. wenn ich einmal eine Zeitschrift herausgebe, dann wird meine erste Handlung sein, Sie flehentlich zu bitten, von mir für den Bogen zu nehmen, soviel Sie wollen, und wieder damit anzufangen, zusammen zu arbeiten, und nicht irgendwo für sich. Ich schätze Sie, schätze Sie sehr.

Am 26. Sept. wurde ein Gedenkstein auf dem Grabe Pleščeevs enthüllt. Seine ganze reiche Verwandtschaft war da. Ich hörte dem Gesang der Nonnen zu, dachte an den padre, an Sie.

Schreiben Sie Theaterstücke? Wirklich, wir haben einiges zu reden. Treffen wir uns in Moskau.

An Ihre Frau meinen herzlichen Gruß, Ihnen drücke ich in Gedanken die Hand. Ich warte auf baldige Antwort.

Ihr A. Čechov.

Ihre tragische Handschrift ist, scheint mir, leserlicher geworden, obwohl man das im übrigen schwer beurteilen kann, denn Ihr Brief ist kürzer als ein Kolibri (ich wollte schreiben – die Nase eines Spatzen).

509) AN V. M. SOBOLEVSKIJ MELICHOVO, 15. 10. 1895

St. Lopasnja, 95, 15/X.

Lieber Vasilij Michajlovič, ich schicke die Erzählung. Da sie als einfacher, nicht als eingeschriebener Brief geht, werde ich denken, sie ist verlorengegangen, solange ich keine Nachricht darüber erhalte, daß sie wohlbehalten angekommen ist. Ich möchte sie in den Fahnen lesen. Meine Schwester (deren Adresse Michail Alekseevič bekannt ist: Sucharevskaja-Sadovaja, Hs. Kirchgof, Wohn. Nr. 17) fährt am Donnerstag morgen von Moskau nach Hause; seien Sie so gut, ihr die Fahnen zu schicken, die ich am Donnerstag abend lesen und am Freitag morgen zurückschicken werde.

Bei uns ist es warm. Ich wünsche Ihnen alles Gute und grüße Sie herzlich. *Ihr A.* Čechov.

510) AN A. S. SUVORIN MELICHOVO, 21. 10. 1895

21. Okt.

Danke für den Brief, die warmen Worte und die Einladung. Ich werde kommen, aber wahrscheinlich nicht vor Ende November, weil ich verteufelt viel zu tun habe. Erstens werde ich im Frühjahr eine neue Schule bauen in dem Dorf, wo ich Kurator bin; dazu muß ich rechtzeitig einen Plan aufstellen, Kostenvoranschläge machen, da und dorthin fahren usw. Zweitens, stellen Sie sich vor, schreibe ich an einem Stück, das ich, wahrscheinlich, nicht vor Ende November abschließen werde. Ich schreibe nicht ohne Vergnügen daran, obwohl ich mich schrecklich an den Bedingungen der Bühne vergehe. Eine Komödie, drei Frauenrollen, sechs Männerrollen, vier Akte, eine Landschaft (Blick auf einen See); viele Gespräche über die Literatur, wenig Handlung, ein Pud Liebe.

Ich habe von dem Reinfall der Ozerova gelesen und sie bedauert, denn nichts ist schmerzlicher als der Mißerfolg. Ich kann mir vorstellen, wie dieses Judenmädchen geweint hat und wie kalt ihr wurde, als sie die »Pet. gaz.« las, wo man ihr Spiel rundheraus unsinnig genannt hat. Ich habe vom Erfolg der »Macht der Finsternis« in Ihrem Theater gelesen. Natürlich ist es gut, daß die Domaševa die Anjutka gespielt hat, und nicht der »kleine Krümel«, der Ihnen (nach Ihren Worten) so sympathisch ist. Dieser Krümel hätte Matrëna spielen sollen. Als ich im August bei Tolstoj war, sagte er mir, während er sich nach dem Waschen die Hände abtrocknete, sein Stück werde in toto für die Bühne genehmigt werden. Ich habe 1½ Tage bei ihm verbracht. Ein wunderbarer Eindruck. Ich fühlte mich so leicht, wie zu Hause, und auch die Gespräche mit L. N. waren leicht. Wenn wir uns sehen, erzähle ich Ihnen ausführlich.

In der »Russkaja mysl« erscheint im November der »Mord«, im Dezember eine weitere Erzählung, »Ariadna«.

Ich bin entsetzt – und zwar aus diesem Grunde. In Moskau erscheint die »Chirurgičeskaja letopis«, eine großartige Zeitschrift, die sogar im Ausland Erfolg hat. Redigiert wird sie von namhaften Gelehrten, den Chirurgen Sklifosovskij und Djakonov. Die Zahl der Abonnenten steigt mit jedem Jahr, aber immer noch macht sie zum Jahresende – Verlust. Gedeckt wurde dieser Verlust die ganze Zeit (bis Januar kommenden Jahres 1896) von Sklifosovskij; aber letzterer hat, da er nach Petersburg berufen worden ist, seine Praxis verloren, er hat kein Geld mehr dafür übrig, und jetzt weiß weder er noch irgendjemand auf der Welt, wer im Jahre 1896 die Schulden deckt, für den Fall, daß welche entstehen, und nach Analogieschluß muß man mit einem Verlust von

1000–1500 R. rechnen. Als ich erfuhr, daß die Zeitschrift eingehen würde, habe ich mich ereifert; ein solcher Unsinn wie das Eingehen einer Zeitschrift, ohne die man nicht auskommen kann und die schon in 3–4 Jahren Gewinn einbringen dürfte, Eingehen wegen einer solch läppischen Summe – dieser Unsinn hat mir einen Schlag vor den Kopf versetzt, ich versprach in der Hitze des Gesprächs, einen Verleger zu finden, voll davon überzeugt, daß ich einen finden würde. Und so habe ich eifrig gesucht, gebettelt, mich erniedrigt, bin herumgefahren, habe weiß der Teufel wo überall gegessen, aber niemanden gefunden. Es bleibt nur noch Soldatenkov, aber der ist im Ausland, kommt nicht vor Dezember zurück, und die Frage muß *bis* November entschieden sein. Wie bedaure ich, daß Ihre Druckerei nicht in Moskau ist! Dann hätte ich die komische Rolle des erfolglosen Maklers nicht gespielt. Wenn wir uns wiedersehen, werde ich Ihnen ein wahrheitsgetreues Bild meiner durchlittenen Aufregungen geben. Wenn der Schulbau nicht wäre, der mich anderthalbtausend kosten wird, dann hätte ich es selbst übernommen, die Zeitschrift herauszugeben, auf eigene Kosten – so schmerzt es mich und so schwer fällt es mir, mich mit diesem offenkundigen Unsinn abzufinden. Am 22. Okt. fahre ich nach Moskau und werde den Redakteuren den Vorschlag machen, als letztes Mittel, um Subvention nachzusuchen, 1½- bis 2tsd. im Jahr. Wenn sie sich damit einverstanden erklären, eile ich nach Petersburg und werde mich darum kümmern. Wie macht man das? Können Sie mich darin unterweisen? Um die Zeitschrift zu retten, bin ich bereit, zu wem auch immer zu gehen und in jedem Vorzimmer herumzustehen, und wenn es mir gelänge, würde ich erleichtert und mit einem Gefühl des Vergnügens aufatmen, denn eine gute chirurgische Zeitschrift zu retten, ist so nützlich, wie 20 000 gelungene Operationen durchzuführen. Geben Sie mir in jedem Fall einen Rat, was ich tun soll.

Ab Montag schreiben Sie mir nach Moskau. Bolš. moskovskaja gostinica, Nr. 5.

Wie ist das Stück von Potapenko? Überhaupt, was macht Potapenko? Jean Ščeglov hat mir einen bedrückten Brief geschrieben. Die Astronomin leidet Not. Alles andere steht vorläufig gut. In Moskau werde ich in die Operette gehen. Tagsüber werde ich mich mit meinem Stück herumschlagen, und abends – in die Operette.

Ich grüße Sie sehr. Schreiben Sie, ich flehe Sie an.

Ihr A. Čechov.

511) AN A. S. SUVORIN MOSKAU, 26. 10. 1895

26. Okt.

B. moskovskaja gostinica, Nr. 8.

Daß Fingal Potapenko ist, hat in Moskau Stanjukovič bereits verkündet, als er auf der Durchreise hier war. Ja, Sie geruhen mit Recht zu sagen, daß die Schriften Fingals keinen »Nerv« haben. Potapenko ist ein schlichter Mensch, und mir scheint, daß lange Erörterungen nicht seine Sache sind, er sollte in Bildern schreiben, und je eher er in seinen Feuilletons zur Belletristik übergeht oder zur Halbbelletristik im Stile Atavas, desto eher wird er die Ader treffen, die er treffen will.

Nein, versuchen Sie mich nicht ohne Not, vor November kann ich nicht kommen. Ich komme nicht, bevor ich nicht das Stück abgeschlossen habe. Und wenn ich komme, steige ich nicht bei Ihnen ab, sondern in der B. Morskaja im »Francija«, denn ich habe Arbeit bis an den Hals; wenn ich bei Ihnen absteigen würde, so würde ich nur herumlaufen und suchen, mit wem ich mich unterhalten könnte, und nach einer Woche schon würde ich, entsetzt von meinem Nichtstun, aus Petersburg fliehen. Ich habe die Absicht, in Petersburg mindestens einen Monat zu verbringen. Wenn Sie unbedingt darauf bestehen, daß ich bei Ihnen absteige, dann komme ich heimlich nach Petersburg und bleibe drei Wochen im »Francija«, dann ziehe ich zu Ihnen, mit einem Gesicht, als käme ich direkt vom Bahnhof, und bleibe dann eine Woche bei Ihnen.

Die Töchter Tolstojs sind sehr sympathisch. Sie vergöttern ihren Vater und glauben fanatisch an ihn. Und das bedeutet, daß Tolstoj tatsächlich eine große moralische Kraft ist, denn wenn er unaufrichtig wäre und nicht frei von Makeln, so wären ihm gegenüber als erste seine Töchter skeptisch, denn Töchter sind wie die Spatzen: die füttert man nur einmal mit Spreu... Eine Frau und Geliebte kann man betrügen so oft man will, in den Augen einer liebenden Frau erscheint noch ein Esel als Philosoph, aber Töchter sind etwas anderes.

Sie schreiben: »Holen Sie sich für diese Notiz hundert Rubel von der Buchhandlung.« Aber die Notiz lag nicht in dem Brief. Und ich habe die Astronomin selbst auch nicht zu Gesicht bekommen; es heißt, sie sei bereits zu ihrer Schwester nach Batum gefahren. Was die »Chirurg. letopis« betrifft, so verneigt sie sich, verneigen sich sämtliche chirurgischen Instrumente, Binden, Karbolfläschchen vor Ihnen bis zur Erde. Die Freude ist natürlich groß. Wir haben Folgendes beschlossen: wenn die Idee mit den Subventionen zu verwirklichen ist, dann muß ich fahren und mich darum kümmern und Ihnen, nach Erhalt der Subventionen, die anderthalbtausend zurückzahlen. Im November treffe ich mich mit Sklifosovskij und werde, wenn dies möglich ist, tatsächlich zu Vitte fahren, um diese schrecklich naiven Leute zu retten. Das sind Kinder. Unpraktischere Leute wird man schwerlich finden. Wie dem auch sei, wir werden Ihnen die anderthalbtausend früher oder später zurückzahlen. Mir will man aus Dankbarkeit für meine Bemühungen die Hämorrhoidalknoten gratis herausschneiden – eine Operation, der ich mich unbedingt unterziehen muß und die mich schon jetzt in Aufregung zu versetzen beginnt. Sie dagegen wird man lobpreisen und Ihnen, wenn Sie nach Moskau kommen, die neuen Kliniken am Novo-Devičje-Kloster zeigen. Kliniken lohnt es sich genauso oft zu besuchen wie Friedhöfe und Zirkusse.

Schreiben Sie. Die anderthalbtausend schicken Sie auf meinen Namen und, wenn möglich, nicht per Post, sondern über die Buchhandlung. Wie ist das Stück von Potapenko davongekommen? Was machen Anna Ivanovna, Nastja und Borja? Ich kann mir vorstellen, wie groß Borja geworden ist. Einen Gruß an alle, auch an m-lle Emily. *Ihr A. Čechov.*

512) AN A. S. SUVORIN MOSKAU, 2. 11. 1895

Ich bin Ihnen unendlich dankbar, so dankbar, daß ich es gar nicht ausdrücken kann. Aber stellen Sie sich vor, es ist gelungen, die »Chirurgičeskaja letopis« in Moskau zu retten. Die anderthalbtausend gehen zurück nach Petersburg, und statt dieses Geldes bitte ich Sie nur um die Erlaubnis, im »Nov. vr.« eine Annonce zu veröffentlichen, sie nur einmal zu veröffentlichen, wenn möglich auf der ersten Seite. Ich schicke Ihnen den Text dieser Annonce am 15. November.

Die Astronomin ist in Baku. Ihre Notiz ruht in meiner roten Briefmappe.

In Moskau gehen Gerüchte, daß Sie im Oktober in Begleitung der Javorskaja nach Moskau kämen. Man hat Sie gesehen.

Übermorgen fahre ich nach Hause nach Melichovo. Mein Nachbar hat den Wunsch erklärt, sein Gut gegen ein Stück meines Feldes zu tauschen. Auf diese Weise verdoppelt sich die Größe meines Guts. Die Landwirtschaftsbank wird diesem Tausch zustimmen. Aber wahrscheinlich Maša nicht, denn sie ist die Hausfrau und ihr ist die Mahd mehr wert als ein Park.

Mein Stück wächst, aber langsam. Man stört mich beim Schreiben. Aber dennoch hoffe ich, es im November abzuschließen. Ich habe oft Kopfschmerzen. Kein Geld.

Sagen Sie: von wem ist das Stück »Das Ehrenwort«? Man hat es mir aus Ihrer Druckerei geschickt. Ein ziemlich kurzes Stück. Weshalb inszenieren Sie in Ihrem Theater nicht Maeterlinck? Wenn ich in Ihrem Theater Direktor wäre, so würde ich es binnen zwei Jahren zu einem Theater der Dekadenz machen oder mich bemühen, dies zu tun. Dieses Theater würde womöglich merkwürdig erscheinen, aber es hätte doch eine Physiognomie.

Und weshalb inszenieren Sie nicht die Stücke von Zola? Seine »Thérèse Raquin« ist ein sehr gutes Stück.

Das neue Stück von Sumbatov soll einen mittleren Erfolg gehabt haben.

Ich wünsche Ihnen alles Gute und danke Ihnen nochmals.

Ihr A. Čechov.

2. November.

513) AN A. S. SUVORIN MELICHOVO, 10. 11. 1895

10. November.

An dem Stück »Das Ehrenwort« ist der Titel mißglückt. Soweit ich es sehe, liegt der Gedanke des Stückes darin, daß wir uns im Leben zu sehr nach den Formen richten und daß die Konventionen, in die wir verstrickt oder von denen wir hypnotisiert sind, oftmals stärker sind als unser Wille. Im »Ehrenwort« wird der Leser oder Zuschauer, infolge des Titels, die Sache zu eng speziell sehen und sich die Frage stellen: soll ich mein Ehrenwort halten oder nicht? Und er wird sie in dem Sinne beantworten, als habe der Autor den Rat gegeben, man brauche sein Wort nicht zu halten... Sie sehen, sogar ein gefährlicher Titel. Außer dem Ehrenwort hätte man noch irgendeine andere Konvention herbeiziehen sollen, z. Beisp. die Pflicht zum Duell, die Sitte, jemanden als verächtlich anzusehen und nicht mehr zu grüßen, wenn er *irgendwann einmal,* und sei es in der Wiege, Geld unterschlagen oder gelogen hat... In dem Stück haben doch alle unrecht, denn alle sind hineinverstrickt. Aber man sollte sie noch weiter hineinverstricken, alle, auch das junge Mädchen und ihren Bruder.

Mein Stück bewegt sich vorwärts, einstweilen geht alles glatt, und was danach, am Schluß, geschehen wird, weiß ich nicht. Ich werde es im November abschließen. Pčelnikov hat mir durch Nemirovič einen Vorschuß für Januar versprochen (wenn das Stück etwas taugen sollte); also kann man damit rechnen, daß die Aufführung auf kommende Saison verschoben werden wird. Wahrscheinlich infolge des Stücks hat sich mein unregelmäßiger Puls verschlechtert, ich schlafe spät ein und fühle mich überhaupt miserabel, obwohl ich seit meiner Rückkehr aus Moskau ein in jeder Hinsicht enthaltsames Leben führe. Ich sollte baden und heiraten. Ich habe Angst vor einer Ehefrau und dem Familienleben, die mich einengen und in meiner Vorstellung nicht zusammenpassen mit meiner Unordentlichkeit*, aber es wäre trotzdem besser als weiter auf dem Meer des Lebens dahinzuschaukeln und sich im lecken Kahn der Ungebundenheit dem Sturm auszusetzen. Und ich mag es auch nicht mehr, Geliebte zu beschlafen.

Gestern habe ich Ihr Telegramm bekommen und sofort an Miša telegraphiert, der sich schrecklich freuen wird. Und meine alten Leutchen haben sich gefreut, obwohl ihnen gar nicht recht klar ist, was »Chef der Abteilung« bedeutet. Allein das Wort Chef, mehr brauchen sie nicht.

Die 1500 für die »Chir. letop.« habe ich nicht abgeholt, aber sie haben mir dennoch sehr geholfen. Als man erfuhr, daß Sie der Zeitschrift Unterstützung gewähren wollten, ging sofort alles in Ordnung. Sytin wird die Zeitschrift übernehmen, zu sehr vorteilhaften Bedingungen; er übernimmt sämtliche Kosten und zahlt den Redakteuren 2 Rubel je Abonnenten, 6 behält er für sich.

Sehen Sie Potapenko? Grüßen Sie ihn. Ich gedenke, den ganzen Dezember in Piter zu verbringen.

Vielen Dank für Miša und überhaupt für alles. Ich wünsche Ihnen alles Gute. *Ihr A. Čechov.*

* Sie haben meine Handschrift auf dem Gewissen. Nach Ihren Briefen fällt es einem schwer, leserlich zu schreiben.

514) AN I. L. LEONTJEV-ŠČEGLOV MELICHOVO, 14. 11. 1895

Lieber Jean, gleich nach meiner Ankunft in Moskau werde ich Sie benachrichtigen, und Sie bestimmen dann den Abend, an dem wir uns sehen. Stellen Sie sich vor, ich schreibe ein Stück! Ich bin schon fast zu Ende damit. Eine Komödie in 4 Akten. Ich werde versuchen, sie am Mosk. Kleinen Theater auf die Bühne zu bringen, und dann helf uns Gott!

Ich umarme Sie fest. *Ihr A. Čechov.*

Dienstag.

515) AN A. I. URUSOV MELICHOVO, 21. 11. 1895

Lieber Aleksandr Ivanovič, Sie verfügen über die glückliche Gabe, Angenehmes zu sagen und zu schreiben. Ihr strafender Brief hat mich bezaubert.

Ich werde mir den »Waldschrat« beschaffen, durchlesen und Ihnen dann eine wirkliche Antwort geben. Übrigens habe ich gestern ein neues Stück abgeschlossen, das einen Vogelnamen trägt: »Die Möwe«. Eine Komödie in 4 Akten. Im Dezember werde ich in Moskau sein (Bolš. moskovskaja gostinica) und, wenn Sie es wünschen, Ihnen dieses Stück schicken oder vorbeibringen. Ich wäre Ihnen sehr, sehr dankbar, wenn Sie sich die Mühe machen würden, es zu lesen. Diese Mühe wird ein wenig dadurch erleichtert, daß das Stück gedruckt wird* und Sie meine Krakeleien nicht entziffern müssen.

Ich danke Ihnen herzlich und drücke Ihnen fest die Hand.

95, XI/21. *Ihr A. Čechov.*

Diesen Brief nimmt eine große, schöne Witwe nach Moskau mit.

* im Remington.

516) AN A. S. SUVORIN MELICHOVO, 21. 11. 1895

21. November.

Nun denn, ich habe mein Stück abgeschlossen. Ich habe es forte begonnen und pianissimo beendet – gegen alle Regeln der dramatischen Kunst. Es ist eine Novelle geworden. Ich bin eher unzufrieden als zufrieden, und wenn ich mein neugeborenes Stück lese, gelange ich einmal mehr zu der Überzeugung, daß ich absolut kein Dramatiker bin. Die Akte sind sehr kurz, es sind ihrer vier. Obwohl es erst das Gerippe eines Stückes ist, ein Plan, der sich bis zur kommenden Saison noch eine Million Male ändern wird, habe ich dennoch 2 Exemplare in Auftrag gegeben im Remingtonverfahren (die Maschine druckt 2 Exemplare auf einmal) – das eine werde ich Ihnen schicken. Nur geben Sie es niemandem zu lesen.

Ihr »Ehrenwort« habe ich nicht bekommen, vermutlich, weil man es per Einschreiben geschickt hat und es aus diesem Grunde noch in Serpuchov liegt.

Eine mir unbekannte Dame hat mir im Glauben, daß ich es sei, der über die Überschwemmung schreibt, in einem einfachen Brief an das »Nov. vr.« 5 R. geschickt mit der Bitte, dieses Geld an die Opfer weiterzuleiten. Ihre Redaktion hat mir diesen Brief nach Lopasnaja weitergeschickt, und ich weiß jetzt nicht, was ich mit dem Geld machen soll. Seien Sie so großzügig, schicken Sie beiliegenden Brief an Aleksandr und legen Sie ihm 5 R. bei; ich hätte ihm diesen Brief selbst geschickt, bin aber nicht sicher, ob er gerade Geld hat, und per Post schicken kann ich es ihm nicht, weil wir hier keine Post haben. Die fünf Rubel gebe ich Ihnen zurück, wenn wir uns sehen, wenn Sie nicht vorher verfügen, daß ich sie beispielsweise Brandgeschädigten gebe oder irgendeiner Einrichtung, die sich um das Wohl von Witwen und Waisen kümmert. Im letzteren Falle bringe ich Ihnen eine Quittung mit.

Die Schauspielerinnen sind in Ihrem Brief sehr kunstvoll dargestellt. Ich habe ihn gelesen und nur gerufen: ja-a. Ich möchte nicht in Ihrer Haut stecken. Ein neu inszenierter »Ivanov« würde beim ersten Mal 280 R. einspielen, beim zweiten 116, und ein drittes Mal würden Sie ihn gar nicht mehr ansetzen. Das ist meine Meinung. Ich würde dekadente Stücke inszenieren, und an Sonn- und Feiertagen würde ich fürs Volk »Paraša Sibirjačka«, den »Weißen General« und alle möglichen bemerkenswerten Feerien spielen lassen, für dasselbe Volk würde ich »Hamlet«

und »Othello« spielen lassen, wobei ich besonderen Nachdruck auf die Ausstattung legen würde. Für das Volk könnte man (zu sehr niedrigen Eintrittspreisen) die »Macht der Finsternis« und die »Heirat« inszenieren. Das würde ebenfalls 116 R. einspielen, und es wäre jedenfalls besser, als solche Herrschaften wie »Ivanov« aus der Verbannung zurückzuholen. Sie werden sagen: aus der Ferne ist leicht raten.

Bleiben Sie gesund und wohlauf. Wenn ich nicht schlafen kann, hilft mir ein Glas Bier. Ich komme bald. Sicher wird es dennoch nicht vor Anfang Dezember sein. *Ihr A. Čechov.*

Ihr kleiner Brief über Gorbunov ist großartig. Gegenwärtig gelingt nur Ihnen dieser Ton.

517) AN A.S. SUVORIN MELICHOVO, 1. 12. 1895

1. Dez.

Am Sonntag morgen fahre ich nach Moskau zu einem Jubiläumsdiner (Čuprov). Ich steige in der Bolšaja Moskovskaja ab und werde eine Woche dort bleiben. Ihr Stück ist endlich angekommen. Es war in Podolsk, von dort hat man es nach Serpuchov geschickt. Der vierte Akt ist der beste. Die Handlung verläuft ruhig, glatt, monoton, wie eine Sitzung unter Wissenschaftlern; wenn die Schauspieler auf der Bühne lebhaft sprechen wie die Franzosen oder Italiener, wird das Stück Erfolg haben; wenn sie dagegen brüllen, mümmeln wie die Wiederkäuer und es zerdehnen, wird das Stück einen zwiespältigen Eindruck hinterlassen. Die Drogina wäre keine schlechte Rolle für die Javorskaja. Sgibnevs Worte (S. 27), wonach die Anwälte Helfershelfer der Angeklagten seien, sind verletzend; ihre Härte wird um kein Iota herabgemindert durch die Regieanweisung *scherzend.* Das Stück liest sich leicht.

Mein eigenes Stück habe ich längst nach Moskau geschickt, und höre von ihm kein Sterbenswörtchen. Der Remington und das Mädchen haben es offenbar verbummelt. Ich habe Kopf-

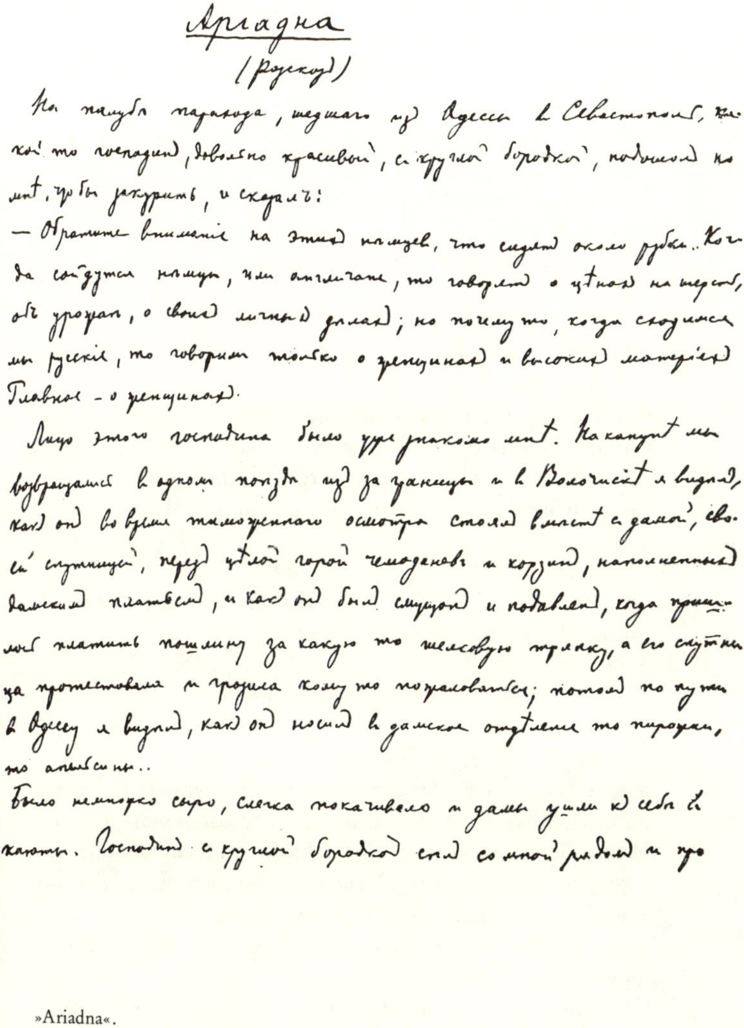
Аріадна
(Разсказ)
На палубѣ парохода, шедшаго из Одессы в Севастополь, какой-то господин, довольно красивый, с круглой бородкой, подошел ко мнѣ, чтобы закурить, и сказалъ:
— Обратите вниманіе на этих нѣмцев, что сидят около рубки. Когда сойдутся нѣмцы, или англичане, то говорят о цѣнах на шерсть, об урожаѣ, о своих личных дѣлах; но почему-то, когда сходимся мы русскіе, то говорим только о женщинах и высоких матеріях. Главное – о женщинах.
Лицо этого господина было уже знакомо мнѣ. Накануне мы возвращались в одном поѣздѣ из-за границы и в Волочискѣ я видѣл, как он во время таможеннаго осмотра стоял вмѣстѣ с дамой, своей спутницей, перед цѣлой горой чемоданов и корзин, наполненных дамскими платьями, и как он был смущен и подавлен, когда пришлось платить пошлину за какую-то шелковую тряпку, а его спутница протестовала и грозила кому-то пожаловаться; потом по пути в Одессу я видѣл, как он носил в дамское отдѣленіе то пирожки, то апельсины..
Было немножко сыро, слегка покачивало и дамы ушли к себѣ в каюты. Господин с круглой бородкой сѣл со мной рядом и про

»Ariadna«.
Erste Seite des Manuskripts.

schmerzen. Wenn man im Kloster areligiöse Menschen aufnähme und man dort nicht zu beten bräuchte, dann würde ich Mönch werden. Ich habe die Plage satt.

Einen herzlichen Gruß an die Ihren. Wenn Sie mir nach Moskau schreiben, antworte ich mit einem langen Brief.

Ihr A. Čechov.

Eben habe ich Rizinusöl aus kleinen Fläschchen in ein großes umgefüllt.

Eine angenehme Beschäftigung.

518) AN A. S. SUVORIN MOSKAU, 7. 12. 1895

7. Dez.

Wegen der späten Tageszeit schicke ich das Stück nicht per Einschreiben. Geben Sie mir Nachricht, ob Sie es bekommen haben oder nicht, sonst würde ich mir Sorgen machen. Es wäre schön, wenn ich aus diesem Anlaß ein Telegramm von Ihnen bekäme.

Ihr A. Čechov.

Ich schreibe dies bei den Remington-Mädchen, die doch noch mit dem Druck fertiggeworden sind.

519) AN A. S. SUVORIN MOSKAU, 13. 12. 1895

13. Dez.

Seien Sie so gut, sagen Sie dem Buchhalter telephonisch, er möge mir, nach Möglichkeit bald, an die Bolšaja moskovskaja gostinica telegraphieren, wieviel mir die Buchhandlung schuldet oder ich der Buchhandlung. Es ist Dezember, also die richtige Zeit für eine Jahresabrechnung. Wenn ich etwa dreihundert Rubel zu bekommen hätte, kennte meine Seligkeit keine Grenzen, denn ich bin nackt und bloß.

Bei uns in Moskau sind die »Geheimnisse der Seele« gespielt worden und hatten offenbar Erfolg, obwohl die hiesigen Rezensenten sich irgendwie und aus irgendeinem Grunde schämen, dies zuzugeben. Und einer lobt das Stück und rechtfertigt sich dabei, als müßte er den Teufel loben. In einer Zeitung hat man Sie den Protektor der Dekadenz genannt.

Mir ist langweilig. Ich weiß nicht, was ich mit meiner eigenen Person anfangen soll, weil ich absolut nicht weiß, womit ich die Zeit zwischen Mittag und Mitternacht ausfüllen soll. Im Sommer verspüre ich nie Langeweile, aber im Winter ist es einfach schlimm. Das nennt man – den Geist der Müßigkeit.

Wie ist der »Durchgehaltene Stil« von Potapenko? Und der »Börsenkrach«? Was meine eigene Dramatik betrifft, so ist es mir offenbar nicht beschieden, Dramatiker zu sein. Ich habe kein Glück. Aber ich verfalle nicht in Trübsinn, weil ich ja nicht aufhören werde, Erzählungen zu schreiben – und in diesem Bereich fühle ich mich zu Hause; wenn ich ein Stück schreibe, verspüre ich Unruhe, als stieße mich jemand dauernd in den Nacken.

Ich habe geträumt, ich hätte Ihnen zum Geburtstag einen gefrorenen Sterlet geschenkt. Was bedeutet dieser Traum?

Bleiben Sie gesund und wohlauf. Nach Hause fahre ich am Sonntag. Nach Petersburg – nach Weihnachten.

Ihr A. Čechov.

Der Buchhalter soll ein kurzes Telegramm schicken, eine Zahl. Wenn es unmöglich ist, die Abrechnung rasch aufzustellen, soll er ungefähr antworten.

520) AN A.S. SUVORIN — MOSKAU, 16. 12. 1895

Danke für die Einladung, aber ich kann nicht nach Petersburg kommen, da sich meine Finanzen in einem kläglichen Zustand befinden. Ich fahre nach Hause nach Melichovo. Ich schreibe dies um 6 Uhr morgens, von einer Jubiläumsfeier zurückgekehrt. Es ist dunkel. Teuflisch langweilig. Sagen Sie in Ihrem Kontor Bescheid, man möge aufhören, mir Sendungen und Briefe nach Aleksin zu schicken. Ich wohne nicht in Aleksin, aber alles, was über das Petersburger Kontor geht, wird nach Aleksin adressiert.

Ich warte auf die Morgendämmerung, um zum Kursker Bahnhof zu fahren, von dort nach Melichovo, um mich auszuschlafen. Ich habe schon zwei Nächte nicht geschlafen...

Mein Stück (»Die Möwe«) ist schon vor der Aufführung durchgefallen. Wenn es tatsächlich so aussieht, als sei Potapenko darin dargestellt, darf es natürlich weder aufgeführt noch gedruckt werden.

Ich wünsche Ihnen alles Gute. Einen Gruß an Anna Ivanovna, Borja und Nastja und m-lle Emily. *Ihr A. Čechov.*

16. Dez.

521) AN A.S. SUVORIN MELICHOVO, 29. 12. 1895

29. Dez.

In Petersburg werde ich am 4. oder spätestens am 5. Januar sein. Vielleicht komme ich noch rechtzeitig zum Benefiz der Javorskaja und darf noch einmal erleben, wie man diese Diva mit Blumensträußen und Zettelchen überhäuft und ihr etwas »im Namen der studierenden Jugend« überreicht. Tanja ist eine derartige Spezialistin im Inszenieren von Benefizvorstellungen, wie Beerdigungsinstitute von Beerdigungsprozessionen. Und sie inszeniert diese Benefizvorstellungen derart jüdisch, daß sich das Publikum im Theater schon nach dem zweiten Akt schämt, und die Schauspieler von lebenslangem Haß auf die Javorskaja erfüllt werden.

Also, Sie gewähren mir einen Vorschuß. Merci. Lassen Sie ein Telegramm an die Moskauer Buchhandlung schicken, daß man mir 1) die 66 Rubel auszahlt, die mir Ihre Firma für 1895 schuldig geblieben ist – und wir sind für dieses Jahr quitt, sowie 2) 300 Rubel Vorschuß. In summa 366 Rub. Aber lassen Sie mir dieses Geld unabhängig von den Vorschüssen zahlen, die ich monatlich bekomme (200 R.), sonst stiftet das in der Moskauer Buchhaltung Verwirrung. Wenn Sie finden, ich nähme mir zu wenig, dann hole ich mir in Petersburg mehr. Bekommen werde ich das Geld von der Mosk. Buchhandlung am 2. Januar, am selben Tag werde ich abends bei Lev Tolstoj sein, am 3. nehme ich den Postzug und am 4. morgens werde ich in Petersburg sein und am Nevskij, Ecke Ml. Morskaja absteigen, wo ich mich im Salon einmieten werde. Ich habe vor, einen Monat lang zu bleiben, aber wenn ich nicht arbeiten kann, werde ich nach 2–3 Tagen wieder abreisen. Ich muß unbedingt arbeiten. Ich habe so wenig Geld, und arbeite so langsam, daß, wenn ich auch nur 2–3 Wochen verbummle (und ihrer 5 habe ich schon verbummelt), mein finanzielles Gleichgewicht zum Teufel fährt und ich Schulden machen muß. Ich verdiene weiß der Teufel wenig.

Ich schreibe an einer kleinen Novelle und kann und kann sie nicht abschließen: dauernd stören mich Gäste. Seit dem 23. Dezember drängt sich bei mir das Volk, und ich sehne mich nach Einsamkeit, und wenn ich allein bin, ärgere ich mich und verspüre Ekel über den verbrachten Tag. Den ganzen Tag Essen und Gespräche, Essen und Gespräche.

Also, am 4. sehen wir uns. Ich melde mich bei Ihnen sofort nach meiner Ankunft.

Sie hatten mir vor einiger Zeit geschrieben, Anna Ivanovna habe Halsschmerzen. Die beste Behandlung gegen Halserkrankungen ist die Tapferkeit, sich nicht behandeln zu lassen.

Glück und alles Gute zum Neuen Jahr! *Ihr A. Čechov.*

1896

522) AN M. P. ČECHOVA PETERSBURG, 9. 1. 1896

9. Jan.

Morgen fährt Mamin-Sibirjak nach Moskau. Er bringt ein kleines Paket in die Redaktion der »Russkaja mysl«, für dich.

Wenn du vor dem 20. Jan. in Melichovo sein solltest, bring in Erfahrung, welche Zeitschriften und Zeitungen wir bekommen, und schreib mir. Den »Vestnik Evropy« schicke ich.

Schickt nach dem Lehrer, damit er Mamašas Zimmer tapeziert.

Gib Papaša zehn Rubel, die ich für ihn von Saša bekommen habe.

Ich bin jeden Tag bei Potapenko. Er ist lebensfroh. Seine Gattin desgleichen. Heute lassen er, Mamin und ich uns photographieren.

In Petersburg traf ich Frost von –7°. Vorgestern war Tauwetter. Ich bereue, den Wintermantel angezogen zu haben, und nicht den Pelz. Mein Wintermantel ist einfach unanständig.

Abgestiegen bin ich im Hôtel d'Angleterre (»England«) auf der Isakievskaja ploščad, aber schreibt mir, im Bedarfsfall, am besten an die Redaktion des »Novoe vremja«, wo ich jeden Tag bin.

Wenn euch das Geld ausgeht, wende dich an die Buchhandlung des »Novoe vremja«.

Bleib gesund. Grüß alle. *Dein A. Čechov.*

523) AN L. A. AVILOVA MELICHOVO, 17. 1. 1896

17. Jan. Lopasnja. Mosk.

Verehrte Lidija Alekseevna, ich mußte Petersburg unerwartet verlassen – zu meinem großen Bedauern. Als ich von Nadežda

Alekseevna erfahren hatte, daß Sie ein Buch herausgegeben haben, hatte ich die Absicht, zu Ihnen zu kommen, um Ihr Kind aus Ihren eigenen Händen zu empfangen, aber das Schicksal wollte es anders: ich sitze wieder im Schoße der Natur.

Ihr Buch bekam ich am Tag meiner Abreise. Ich hatte noch keine Zeit, es zu lesen, und kann darum nur über sein Äußeres sagen: es ist sehr hübsch gedruckt und sieht sympathisch aus.

Nach dem 20.–25. komme ich, glaube ich, wieder nach Petersburg, dann werde ich mich bei Ihnen melden, und bis dahin erlauben Sie mir, Ihnen alles Gute zu wünschen. Warum haben Sie mich einen »stolzen« Meister genannt? Stolz sind nur Truthähne.

Dem stolzen Meister ist verteufelt kalt. 20° Frost.

Ihr A. Čechov.

Ich habe heute Namenstag – und trotzdem ist mir langweilig.

524) AN V. G. KOROLENKO PETERSBURG, 10. 2. 1896

Samstag.

Lieber Vladimir Galaktionovič, hier die Erkundigungen, die einzuziehen ich versprochen hatte. In Suvorins Druckerei verdienen die Setzer der Zeitung monatlich: im Durchschnitt zwischen 60 und 70 R., maximum zwischen 80 und 90 R. Außerdem bekommen sie für Tagesdienst 1 R., für Nachtdienst 1 R., morgens 50 Kop., und im Fall von Extraarbeit eine Prämie. Die Setzer von Büchern verdienen monatlich: im Durchschnitt 35–45 und maximum 45–55 R. Die Metteure bekommen 145 R., 135 R.; ihre Gehilfen 100 und 75 R.; zusätzlich für den Satz von 1000 Buchstaben 20 Kop. bei der Zeitung, bei Büchern 18 Kop.; für den Umbruch 4 K. pro tausend Buchstaben; komlizierter Satz (vermischter Satz, z. Beisp. im Anzeigenteil) 21 und 22 K. für tausend Buchstaben, Umbruch 5 K. pro Tausend.

Der Satz von Anzeigen zwischen 35 und 60 Rub. mtl.

Auslieferung 26–27 R.

Druckmeister: 1) bei Büchern 120, 90 und 75 R. (es sind drei),

2) bei der Zeitung 160 R. und die beiden Gehilfen – 60 und 40 R.

Es gibt eine Sparkasse, die auf soliden Füßen steht. Die Druckkerei hat eine Schule, einen Arzt.

In Finnland war ich nicht. Heute fahre ich nach Moskau und werde wahrscheinlich morgen bei Vukol den Jahrestag der »Russkaja mysl« feiern.

Ich drücke Ihnen fest die Hand und wünsche Ihnen alles Gute.

Ihr A. Čechov.

525) AN F.O. ŠECHTEL MOSKAU, 15. 2. 1896

Slav. bazar, Nr. 48.

Lieber Franc Osipovič! A.S. Suvorin, der sich zur Zeit in Moskau befindet, möchte sehr gern mit Ihnen über ein Theater sprechen. In Petersburg will man ein Theater bauen und bedarf sehr dringend Ihres Rates. Wann können wir uns mit Ihnen treffen? Heute abend sind wir bei Lev Tolstoj; wir werden gegen 11 Uhr von ihm zurückkommen. Wenn es Ihnen möglich wäre, sich nach 11 mit uns zu treffen, mit uns zu essen usw., könnten Sie dann nicht um diese Zeit in den »Slavjanskij bazar«, Nr. 48 kommen? Oder haben Sie nicht morgen vormittag eine freie Minute, um uns bei sich zu Hause zu empfangen? Wir könnten zusammen frühstücken, wenn es Ihnen recht ist.

Wie geht es Ihnen? Wir haben uns lange nicht gesehen. Antworten Sie uns bis 7 abends. *Ihr A. Čechov.*

526) AN D.L. MANUČAROV MELICHOVO, 5. 3. 1896

St. Lopasnja, Str. Mosk.-Kursk.

Gnädiger Herr

David Lvovič!

Auf Sachalin habe ich keine Bekannten mehr, aber ich werde mich dennoch bemühen, mich um Ihren Bruder zu kümmern bei der ersten Gelegenheit. Wenn ich wieder nach Petersburg komme, werde ich vielleicht einen Menschen treffen, der Macht, Einfluß oder Verbindungen auf Sachalin hat, und dann mit ihm reden. Einen Brief kann ich, wenn er nötig sein sollte, selbst schreiben, und Sie werde ich rechtzeitig informieren.

Beruhigen Sie Ihren Bruder, schreiben Sie ihm, daß es auch auf Sachalin gute Menschen gibt, die ihm Rat und Hilfe nicht versagen werden.

Ich wünsche Ihnen alles Gute.

96 5/III *Stets zu Diensten A. Čechov.*

527) AN P. F. IORDANOV MELICHOVO, 15. 3. 1896

Lopasnja, Gouv. Moskau, 96 15/III.

Sehr geehrter Pavel Fëdorovič, ich sage Ihnen meinen herzlichsten Dank für Ihren liebenswürdigen Brief und für die Liste. Ich kenne Sie seit langer, sehr langer Zeit und freue mich über die Gelegenheit, Bekanntschaft mit Ihnen zu schließen.

In der Liste habe ich folgende Bücher vermißt:

1) Ščeglov Iv. Der gordische Knoten.

2) Jakovleva Z. Elegie von Ernst.

3) Braddon. Versuchung der Welt.

4) Čechov An. Novellen und Erzählungen. Verl. Sytin (1894 mit der Post geschickt).

5) Auf dem Wege, Almanach hrsg. zugunsten der Umsiedler; illustrierte Ausgabe.

6) Dedlov V. Sašenka.

7) Gorbunov-Posadov Iv. Iv. Klarer kleiner Stern.

8) Ders. Barmherzige Tiere.

9) Rival. Der gekaufte Ehemann.

10) Lejkin N. Unverdrossene Reußen.

11) Pirling Pavel. Rußland und der Osten.

12) Hauptmann. Hannele.

13) Sedoj. Weihnachtserzählungen. 1 Ausg.

14) Pleščeev A. N. Gedichte (geschickt wurden von mir zwei Ausgaben: eine alte, dann eine neue, Luxusausgabe).

15) Ostrogorskij V. A. V. Kolcov.

Und aus der letzten Sendung:

16) Giljarovskij V. Das vergessene Heft, 2. Aufl.

17) Balmont K. Shelleys Werke, 2. Lfg.

18) Daudet. Port Tarascon.

19) Legras Jules. Au pays Russe.

20) Gedichte von Graf Alexei Tolstoi. (Übers. Fiedler.)

21) Gippius Z. Neue Menschen.

22) Nemirovič-Dančenko Vas. Die vergessene Festung.

23) Ders. Slastenovs Millionen.

24) Gnedič P. Durchs Schwarze Meer zum Bosporus.

25) Potapenko I. Ein Held ist er nicht.

26) Merežkovskij D. Der Verstoßene.

In der Liste steht der »Theaterspatz« unter meinem Namen, dies ist aber ein Vaudeville von Ščeglov. Aufgeführt wird ferner eine »Geographische Karte von Petersburg und Moskau«, die ich nicht geschickt habe.

»Das Jahr 1894 in der Landwirtschaft« ist durch Zufall in die Bücherkiste geraten, nehmen Sie es also bitte heraus und tragen Sie es nicht in den Katalog ein – das ist Makulatur. Das Nachschlagewerk »Ganz Rußland« und überhaupt alle Nachschlagewerke, die ich schicke (Kalender, Wörterbücher, Kataloge usw.), tragen Sie nicht in die Listen ein und bewahren Sie nicht auf, sondern geben Sie nach Bedarf denen, die sie wünschen, und richten Sie ihnen eine Ecke in dem Raum ein, in dem die Zeitungen gelesen werden.

Das Wörterbuch von Berezin (eine bibliographische Seltenheit) habe ich für die Bibliothek bereits erworben und schicke es demnächst.

Und mit der Zeit werde ich auch das Brockhaus'sche Wörterbuch schicken (Brockhaus und Granat), sowie einige Nachschlagewerke über Landwirtschaft. Machen Sie Ihre Gartenbauer mit dem Buch von Goše bekannt, das ich bereits geschickt habe, – das ist ein sehr schönes Buch.

Ich lese den »Taganrogskij vestnik«, spreche gelegentlich mit

Schauspielern und Sängern, die in Taganrog waren – und freue mich für meine Geburtsstadt, die in letzter Zeit solch große kulturelle Erfolge hat.

Gestatten Sie mir, Ihnen nochmals zu danken, Ihnen alles Gute zu wünschen und hochachtungsvoll zu verbleiben

A. Čechov.

Ich bin ebenfalls Arzt. Die Medizin ist meine gesetzliche Ehefrau, die Literatur – meine Geliebte.

Haben Sie nicht die Möglichkeit, mir einen Gesamtkatalog der Bibliothek zu schicken? Dann wüßte ich, was Sie nicht haben.

528) AN D. L. MANUČAROV MELICHOVO, 21. 3. 1896

Lopasnja. Gouv. Moskau. 96, 21/III.

Gnädiger Herr David Lvovič!

Ich antworte auf Ihre Fragen:

1) Der ehemalige Insel-Gen.-Gouv. Baron Korf hat mir den Besuch der Gefängnisse und der Bevölkerung nur unter der Bedingung gestattet, daß ich keinerlei Kontakt zu Politischen aufnehme – ich habe mein Ehrenwort geben müssen. Mit Politischen habe ich nur sehr wenig sprechen können, und auch das nur in Gegenwart von Zeugen – Beamten (von denen einigen die Rolle des Spitzels zugewiesen war), ich weiß daher sehr wenig über ihr Leben. Auf Sachalin gehen die Politischen in Zivilkleidern, leben nicht in den Gefängnissen, versehen die Pflichten von Schreibern, Aufsehern (in der Küche usw.), arbeiten in den meteorologischen Stationen; einer war, als ich dort war, Kirchenältester, ein anderer Gehilfe des Gefängnisaufsehers (inoffiziell), ein dritter leitete die Bibliothek bei der Polizeiverwaltung usw. Als ich dort war, wurde keiner von ihnen körperlich gezüchtigt. Dem Hörensagen nach ist ihre seelische Verfassung depressiv. Es hat Selbstmordfälle gegeben – aber auch das nur wieder dem Hörensagen nach.

2) Wenn Sie Techniker sind, können Sie auf Sachalin die Stelle

eines Oberaufsehers bekleiden und in einer der Werkstätten arbeiten, wo zu meiner Zeit erfahrene Leute dringend benötigt wurden. Oberaufseher bekommen 50–60 Rubel im Monat, sogar mehr. Die Stelle bekommen können Sie, wenn Sie ein Gesuch an den Inselkommandanten richten oder bei der Hauptgefängnisverwaltung in Petersburg vorstellig werden. Ich glaube, wenn Sie sich mit einem Gesuch an den Chef dieser Verwaltung wenden, ihm Ihre Dokumente vorlegen, ihm erklären, daß Sie mit Ihrer Familie auf Sachalin leben und arbeiten wollen, wird er sich Ihrer Bitte durchaus wohlwollend annehmen.

Ich wünsche Ihnen alles Gute.

Stets zu Diensten A. Čechov.

529) AN A. A. TICHONOV MELICHOVO, 29. 3. 1896

Lopasnja, Gouv. Moskau. 96, 29/III.

Sehr geehrter Aleksej Alekseevič!

Sie beneiden mich ohne Grund. Es ist noch kein Frühling. Schnee, Schneeverwehungen, Pelze, und das Thermometer zeigt morgens –11°. Die Stare sind noch nicht da, und die Saatkrähen schreiten träge die Straßen entlang, wie Fackelträger. Beobachtungen der Bauern zufolge sind die Krähen dieses Jahr ungewöhnlich mager; offenbar haben sie auf ihrem Flug nichts zu Fressen gefunden. Also auch im Süden ist es kalt.

Ich danke der »Niva« für die Gastfreundschaft, die sie mir anträgt, aber wehe! ich verspüre schon jetzt Gewissensbisse. Ich mache schon sehr lange Versprechungen, mache vage Versprechungen, und das hat gewisse Ähnlichkeit mit der »Politik des Hinhaltens«, oder schlicht mit Betrug. Aber ich habe Sie wirklich nicht betrügen wollen und will es nicht; im Gegenteil, ich würde sehr gern in der »Niva« veröffentlichen – das ganze Übel besteht nur darin, daß ich von Natur langsam bin (ich bin Kleinrusse) und zäh schreibe, je Stunde einen Eßlöffel, und daß ich zweitens immer noch auf ein Sujet warte, das sympathisch, farbig genug ist, um den Leser der »Niva« nicht zu langweilen. Nun ja, der Frühling und Sommer sind lang, da ist noch vieles zu schaffen, wenn wir am Leben und gesund bleiben, und sobald meine Arbeit 2–3 Bogen übersteigt, werde ich es nicht versäumen, Ihnen Nachricht zu geben.

Was ist mit Vladimir Alekseevič? Wie geht es ihm? Ich habe ihn zuletzt im Winter 94 gesehen, als er der Meinung war, er sei »hysterisch«. Wenn Sie ihn sehen, grüßen Sie ihn bitte.

Stimmt es, daß Marks auf ewige Zeiten die Werke Fets gekauft hat? Wenn es stimmt (und wenn es kein Geheimnis ist), dann für wieviel? Die Polonskij-Ausgabe ist nicht übel.

Damit erlauben Sie mir, Ihnen alles Gute zu wünschen. Da die heilige Woche noch nicht vorbei ist, kann ich Ihnen auch noch zu den Feiertagen gratulieren.

Ich drücke Ihnen fest die Hand. *Ihr A. Čechov.*

530) AN I. N. POTAPENKO MELICHOVO, 8. 4. 1896

Vortrefflicher Ignazius! Was ist mit meinem Stück? Wenn sich das handschriftliche Exemplar wieder in Freiheit befindet, dann schick es mir als eingeschriebenes Streifband an die Adresse: Lopasnja, Gouv. Moskau. Ich schreibe dies am Montag, um 5 Uhr morgens; in meinem Rücken geht die Sonne auf, die Stare singen. Neuigkeiten habe ich nicht, alles ist beim alten. Auch die Langeweile ist alt. 3–4 Tage habe ich Blut gehustet, aber jetzt ist alles wieder gut, ich könnte Bäume ausreißen oder heiraten. Ich beobachte durchs Fernglas die Vögel. Schreibe an einem Roman für die »Niva«.

Bleib gesund und wohlauf. Grüß deinen Freund Fiedler

Dein Antonius.

P.S. Wo ist der Autor des »Sokrates«? Er läßt nichts von sich hören.

531) AN F.O. ŠECHTEL MELICHOVO, 13. 4. 1896
13. Apr.

Lieber Franc Osipovič, vor nicht allzu langer Zeit bin ich Ihnen mit Suvorins Theater auf die Nerven gefallen, erlauben Sie mir jetzt, Ihnen mit einer anderen Sache auf die Nerven zu gehen.

Ich merke dazu in Gestalt eines Vorworts an, daß Sie, da Sie zur Zeit schrecklich viel zu tun haben, diesen meinen Brief lesen und ihn mit Flüchen beantworten dürfen, wozu Sie, der Umstände halber, voll und ganz berechtigt sind.

Es geht darum. Irgendwann brachte in meiner Gegenwart ein kleiner Damenzirkel, mit der berühmten Bar. Števen an der Spitze, das Gespräch auf den Bau eines »Volkspalasts« in Moskau. Ich erfuhr, daß da etwas en grand geplant wird, mit Volkstheater, Lesesaal, Bibliothek und einem Raum für Sonntagsschulen, und daß dafür einige Hunderttausend bereitstehen, gespendet von Moskauer Wohltäterinnen. Die Damen ereiferten sich sehr, aber ihre Wünsche und Absichten hatten den Charakter von etwas Formlosem, Apokalyptischem, keine von ihnen konnte mit Bestimmtheit sagen, welche Vorstellung man von dem künftigen »Volkspalast« habe, ob das tatsächlich ein Palast werden solle, etwas Solides, oder eine Malafeevsche Schaubude aus Stein. Als sie mich fragten, was ich darüber dächte, sagte ich, daß Absichten und Geld allein nicht ausreichten, man müsse auch genau wissen, was man wolle, und daß es in der Lage dieser Damen das Beste wäre, sich um Rat an einen Spezialisten zu wenden, einen Menschen, der Kenntnisse hat, und ich nannte Sie, allerdings mit dem Vorbehalt, daß Sie selbst sich wohl kaum mit dem Volkspalast würden befassen können, weil Sie Arbeit bis an den Hals haben, und vor der Krönung schon gar. Gestern bekam ich einen Brief, den ich beilege. Lesen Sie ihn und schreiben Sie mir, was Sie darüber denken, ich werde den Damen dann schreiben. Einstweilen habe ich geantwortet, daß Sie vor der Krönung *wohl kaum* anfangen würden »mitzufühlen« und daß Sie, aller Wahrscheinlichkeit nach, im Sommer in Moskau wären. Wenn der Bau des Volkspalastes Sie überhaupt nicht locken sollte, wäre es

Ihnen dann nicht möglich, den Damen einen Rat zu geben, eine Idee zu geben, ihnen den richtigen Weg zu weisen, damit sie keine groben Fehler begehen? Wenn ja, so schreiben Sie mir, nach der Krönung treffen wir uns an einem festgesetzten Tag in Moskau und reden mit den Damen – nebenbei gesagt, sehr lieben und interessanten, die völlig uneigennützig arbeiten.

Ich habe drei Tage lang Blut gehustet, jetzt ist es wieder gut, ich lebe. Und wie geht es Ihnen? Bei unserem letzten Wiedersehen (dem Essen bei der Nikitina) machte Ihre Gesundheit einen irgendwie unbestimmten Eindruck. Einerseits wirkten Sie jünger, kräftiger, andererseits sahen Ihre Augen ein bißchen traurig und nachdenklich aus, so als nage etwas an Ihnen oder als habe eine Saite Ihres Herzens an Spannung verloren. Sicherlich hat die Arbeit Sie ermüdet.

Bei uns ist eine Poststation eröffnet worden, die Adresse lautet jetzt so: Lopasnja, Gouv. Moskau.

Suvorin hat auf ein Jahr das Panaev-Theater gemietet und wird im Verlauf dieses Jahres dem Theater gegenüber entweder gleichgültig werden, oder er wird tatsächlich ein großartiges Theater bauen.

Nun denn, ich wünsche Ihnen Gesundheit und drücke Ihnen fest die Hand.

Verzeihen Sie, daß ich Ihnen so oft auf die Nerven falle.

Ihr A. Čechov.

Ich baue eine Schule.

Den Brief von Frau P. schicken Sie zurück.

532) AN A. A. TICHONOV MELICHOVO, 27. 4. 1896

Lopasnja, Gouv. Mosk. 96, 24/IV.

Sehr geehrter Aleksej Alekseevič!

Hiermit setze ich Sie davon in Kenntnis, daß die Erzählung, die ich für die »Niva« schreibe, bereits am Ende des zweiten Bogens angelangt ist. Sie wird, glaube ich, »Meine Heirat« heißen – mit Sicherheit kann ich es noch nicht sagen – ein Sujet aus dem Leben der Intellektuellen in der Provinz. Wenn ich sie im Juni oder Juli abschließen sollte und Sie um diese Zeit nicht in Petersburg sind, wohin und auf welchen Namen soll ich sie dann schicken? Schreiben Sie.

Und damit erlauben Sie mir, Ihnen alles Gute zu wünschen und hochachtungsvoll zu verbleiben.

Ihr ergebener A. Čechov.

533) AN E. M. ŠAVROVA MELICHOVO, 28. 4. 1896

28. Apr.

Nikša, Topolev, Koševarova usw. usw. – das sind doch mouches volantes, die einen hindern, klar zu sehen. Auf den Hängeboden mit ihnen!! Ich würde auch das Fräulein Gorlenko dorthin befördern, das mir auch nicht anders vorkommt als ein Knopf anstelle einer Nase. Sich ausschließlich auf die Familie Messerov zu beschränken – ist das etwa keine dankbare, keine angenehme Aufgabe? Und Musenka, vorausgesetzt, daß sie im Kaukasus nicht Opfer eines Zwischenfalls geworden ist, sondern sich ernstlich verliebt hat, und daß man sie am Schluß nicht einfach fallenläßt, – ist das etwa keine interessante Person? Ach, überladen Sie Ihre Sachen nicht so! Ich habe es Ihnen öfter gesagt – überladen Sie Ihre Erzählungen nicht so!

Stepočka ist eine lebendige Person, aber sie ist ein bißchen schablonenhaft geschrieben. Ich würde aus ihm einen anständigen Menschen machen, dann würden seine Vorurteile noch stärker ins Auge fallen.

Brrr! Es ist verteufelt kalt. Es weht ein grimmiger Nordost. Und wir haben keinen Wein mehr, es gibt nichts zu trinken. In einer Kleinstadt hat der Polizeiaufseher einmal zu mir gesagt: »Unsere Stadt ist schön, nur gibt es hier nichts zu lieben!« So sage ich zu Ihnen: es ist schön, auf dem Lande zu leben, nur gibt es bei schlechtem Wetter nichts zu trinken!

Morgen fahre ich nach Moskau und nehme Ihre Erzählung mit. Vielleicht habe ich die Zeit, sie noch einmal zu lesen. Man könnte einen kleinen Roman aus ihr machen. Was meinen Sie dazu?

Ich wünsche Ihnen alles Gute. Es ist kalt!!!

Ihr cher maître *A. Čechov.*

Für den Sonderdruck und für Elizavet Vorobej danke ich Ihnen fußfällig. Bei uns ist inzwischen eine Poststation eröffnet worden, man kann die Briefe eingeschrieben schicken, die Adresse: Lopasnja, Gouv. Mosk.

534) AN V. N. ARGUTINSKIJ-DOLGORUKOV MELICHOVO, 24./25. 5. 1896

Lopasnja, Gouv. Mosk.

Lieber Vladimir Nikolaevič, ich freue mich sehr, daß Sie nur als Gouvernementssekretär geendet haben; diese Katastrophe wird vielleicht verhindern, daß Sie unter die Diplomaten gehen, Sie werden kein Gesandtschaftssekretär werden und keine Grafen- und Olaforden bekommen. Meine Gesundheit ist nicht schlecht, aber sie war es im Frühling, weil ich jeden Frühling Blut spucke. Mich quält der Wunsch, irgendwohin sehr weit wegzufahren, zum Beispiel nach Kamčatka – das ist auch eine Krankheit.

Danke für Ihre Einladung und das Versprechen, mir das kaukasische Dorf zu zeigen. Ich werde in den Kaukasus kommen, aber wehe! Südlicher als Kislovodsk werde ich sicher nicht kommen. Übrigens, futura sunt in manibus deorum.

Von A. A. Andreeva habe ich einen Sonderdruck ihres Aufsatzes über Turgenev und einen sehr lieben Brief bekommen. Diese Aufmerksamkeit hat mich gerührt, und ich werde, sobald ich nach Moskau komme, mich als erstes bemühen, sie zu besuchen.

Warum schreiben Sie keine Erzählungen? Haben Sie es satt? Dabei könnten Sie, wenn Sie wollten, viel Interessantes schreiben.

Nun, erlauben Sie mir, Ihnen alles Gute zu wünschen und Ihnen fest die Hand zu drücken. Ich würde Ihnen mehr schreiben, aber in meinem Arbeitszimmer sitzt der Lehrer am Schreibtisch und raschelt mit Papier.

Auf Wiedersehen, Vachtang I.! *Ihr A. Čechov.*

535) AN L. S. MIZINOVA MELICHOVO, 10. 6. 1896

Wann kommen Sie denn nun endlich? Ich muß mit Ihnen reden. Den Brief, den Sie ans »Dresden« geschickt haben, habe ich nicht bekommen.

Versuchen Sie so zu kommen, daß wir am 15.–16. zusammen nach Moskau fahren und dort essen können. Wahrscheinlich kommen Sie am Dienstag. Die Rosen blühen. Die Stachelbeeren sind aber noch nicht reif. *Ihr A. Čechov.*

Montag.

536) AN A. A. TICHONOV MELICHOVO, 16. 6. 1896

Lopasnja, Gouv. Mosk. 16/VI.

Sehr geehrter Aleksej Alekseevič, ich schicke Ihnen per eingeschriebenes Streifband meine Novelle. Es ist noch nicht die Hälfte, sondern erst das erste Drittel. Was ich geschafft habe ins Reine zu schreiben, das schicke ich. Wie der Titel lauten wird, weiß ich noch nicht. »Meine Heirat« gefällt mir nicht mehr. Morgen fahre ich nach Moskau, und von dort weiter auf die Sommerhäuser, zu Bekannten; ich weiß nicht, wann ich nach Hause zurückkomme, und weiß deshalb auch nicht, ob ich mit der Novelle Ende Juni fertigwerde. Wahrscheinlich nicht. Außerdem ist es so heiß.

Mein Manuskript schicken Sie mir bitte zurück. Ich muß noch vieles verbessern, denn das ist noch keine Novelle, sondern erst ein grob gezimmerter Rohbau, den ich mit Stuck und Verzierungen versehen werde, wenn der Bau abgeschlossen ist.

Wenn Sie die Novelle ungeeignet finden, schreibe ich für die »Niva« eine andere.

Ich wünsche Ihnen alles Gute, vor allem – eine glückliche, fröhliche Reise und Gesundheit. *Ihr. A. Čechov.*

537) AN L. S. MIZINOVA MELICHOVO, 16. 6. 1896

Kaum hatte ich den Brief an Sie abgeschickt, als ich Ihren bekam. Wir haben uns also verfehlt. Hiermit setze ich Sie davon in Kenntnis, daß ich erst Montag Morgen nach Moskau komme; ich werde wahrscheinlich in der Nov. Basm. absteigen (Sonja ist nicht da, sie ist in Kologrivo), und wenn der Augenarzt mich läßt und V. A. zu Hause ist, so fahre ich am Dienstag zu eben jenem V. A. Wenn er dagegen in Moskau ist, so werden wir beide Sie am Dienstag zum Frühstück erwarten. Und wenn Sie mir mit Sicherheit sagen könnten, daß Sie am Dienstag in Moskau sein werden, dann würde ich nicht vor Mittwoch zu V. A. fahren. Aber es verheddert sich wieder alles. Ich bin unfähig, meine eigenen Dinge zu entwirren und zu knüpfen, wie ich mir auch keinen Krawattenknoten knüpfen kann. *Ihr A. Čechov.*

Sonntag.

538) AN A. S. SUVORIN MELICHOVO, 20. 6. 1896

20. Juni.

»Pastor Sang« ist eine rührende und interessante Sache und liest sich wie etwas Kluges, obwohl die Übersetzung abscheulich und das Stück nachlässig geschrieben ist, offenbar in ein, zwei Zügen geschrieben. Aber es ist nichts fürs Theater, denn man kann es unmöglich spielen, es hat weder eine Handlung noch lebendige Personen noch dramatisches Interesse. Es hat weder als Drama noch überhaupt als Werk der Literatur irgendeine Bedeutung, vor allem deshalb, weil der Gedanke nicht klar ist. Der Schluß ist geradezu verworren und merkwürdig. Man kann seine handelnden Personen keine Wunder vollbringen lassen, ohne selbst klar umrissene Überzeugungen zu haben, das Wunder betreffend.

»Karl Bühring« ist etwas anderes. Das ist ganz und gar ein Stück – lebendig, frisch, leicht, klug – mit Ausnahme des letzten Akts, der auf Weiberart gemacht ist, à la S. I. Smirnova. Wenn

Sie wollen und wenn Sie in Feodosija sein werden, arbeiten wir es gemeinsam um auf die russischen Sitten. Aber es würden auch nur drei Akte reichen. Der Titel »Frauen« ist prätentiös und tendenziös; er läßt den Zuschauer von dem Stück etwas erwarten, was es nicht bietet und nicht bieten kann. Man sollte es besser »Die Geigenspielerin« nennen oder »Am Meer«. Ein bißchen mehr Meer und es danach nennen. Die Ohrfeige ist überflüssig, Schimpfen reicht – Schurke, Lügner. Das russische Publikum liebt Prügeleien, aber es duldet keine mehr oder weniger schroffen Beleidigungen wie Ohrfeigen, öffentliche Schurkereien usw. Und außerdem hat unser Publikum kein sonderliches Vertrauen in einen Edelmut, der Ohrfeigen verteilt.

Das Stück schicke ich per eingeschriebenem Streifband.

Ich war in Moskau und habe mich dort im Jar und der Eremitage herumgetrieben, bin zwei Nächte nacheinander nicht ins Bett gekommen und fühle mich jetzt unwohl. Wenn man lange nicht schläft, gerät der Zeitbegriff durcheinander, und ich habe jetzt den Eindruck, als lägen die feuchten, grauen Morgen, die ich in Moskau verbrachte, sechs Jahre zurück.

Bei mir blühen üppig die Rosen und eine Menge Sträucher, aber trotzdem möchte ich irgendwohin fahren. Ich möchte Bewegung. In Nižnij soll eine glänzende Ausstellung sein, verblüffend durch ihren Luxus und ihre Seriosität, man langweile sich nicht auf ihr, weil man jede Trivialität vermisse – so das Urteil aller meiner Bekannten, die auf der Ausstellung waren, aber es zieht mich dennoch nicht nach Nižnij. Ich habe Angst, dort Sergeenko zu begegnen, der auf die Idee kommen könnte, mich davon zu überzeugen, daß ich bei Baranov essen müsse.

Einen Gruß an Anna Ivanovna, Nastja und Borja. Ich habe von Ihnen allen geträumt und im Traum mit Anna Ivanovna und mit Nastja gesprochen.

Ich baue einen Glockenturm. Wir schicken Spendenaufrufe überallhin. Die Bauern unterschreiben auf großen Bögen und drücken ihr blasses, verschmutztes Siegel drauf, und ich schicke sie zur Post. Nun denn, ich wünsche Ihnen alles Gute, viele Barsche und wenig Regen, den es im Gouv. Tver fast jeden Tag gibt und der einem schrecklich auf die Nerven fällt.

Ihr A. Čechov.

539) AN A. S. SUVORIN MELICHOVO, 26. 6. 1896

26. Juni.

Das Billett habe ich bekommen, ich triumphiere aus nämlichem Anlaß und danke Ihnen tausendmal. Jetzt bleibt mir nur noch zu überlegen, wohin ich fahre. Ich habe den Anfang der Novelle an die »Niva« geschickt und gestern die Nachricht bekommen, daß Herr Marks einverstanden sei, mir 350 R. pro Bogen zu zahlen. Das heißt, daß ich Anfang August Zweitausend habe, mehr sogar, so daß ich mir eine weitere Reise überlegen kann, meinetwegen sogar auf die Insel Tahiti. Und wohin soll ich vorher fahren? Zu Ihnen? Aber bei Ihnen regnet es doch? Sie sind nicht in der Stimmung, Gäste zu empfangen? Ich würde mit Vergnügen für drei Tage kommen, aber nicht länger. Ich muß mit der Novelle für die »Niva« fertigwerden, muß mit dem Glockenturm fertigwerden, den mir die Bauern angehängt haben. Wenn ich komme, bringe ich Hechtangeln mit, dann werden wir auf Haken fangen.

Ich war in Moskau bei einem Augenarzt. Mein eines Auge ist weitsichtig, das andere kurzsichtig. Das rechte wäre im vergangenen Jahr beinahe draufgegangen; es war eine Neuralgie, kompliziert durch eine Hornhautentzündung, zurückgeblieben sind eine leichte Paresis der Akkomodation und Schmerzen. Verordnet worden ist mir die Behandlung mit Elektrizität, Arsenik und Meer. Ich bringe ein Bündel Brillen mit und eine Lupe zur Übung des linken Auges, das nicht lesen kann. Ein totaler Krüppel!

Die Astronomin war bei mir. Sie sieht aus, als habe man sie ein Jahr in Einzelhaft gehalten. Mager, blaß, alles tut ihr weh. Sie ist von den Freunden enttäuscht. Während der Krönungsfeierlichkeiten hat sie Engländern Russischunterricht gegeben und 3–4 R. die Stunde bekommen.

Bei uns gehen Ingenieure mit Meßinstrumenten vorbei. Sie wollen eine Chaussee bauen. Im Winter wollen sie die Steine anfahren, und im Frühling werden sie die Arbeit aufnehmen. Ich fahre für mein Leben gern in gefederten Equipagen – und ich werde mir unbedingt so eine kaufen, sobald die Chaussee fertig ist.

Auch ich bin für die Fortführung des Theaters. Sie sollten nicht damit aufhören. Aber ich bin gegen jedes Zwischending. Alles oder nichts, d.h. Sie müssen ein richtiges Theater bauen und die Sache en grand führen, oder es ganz sein lassen. Alle sehen es so, daß Sie das Panaev-Theater nur gemietet haben, um den Lauf der Dinge nicht zu unterbrechen, daß Sie aber in 1–2–3 Jahren Ihr eigenes Theater eröffnen würden.

Ein Stück werde ich schreiben, machen Sie sich keine Sorgen. Sie würden Stücke bekommen, wenn Sie nur eine anständige Truppe hätten. In Moskau in der Operette sah ich Viktor Krylov, den General des Jesuitenordens, der nach Ihnen fragte, nach Ihrem Theater, und bedauerte, daß Sie keine Truppe hätten. Er ging die ganze Zeit mit einem Millionär herum; vielleicht hat er ihn beschwatzen wollen, ein Theater zu bauen.

Mir ist die Idee gekommen, 100 Dorfschüler nach Nižnij auf die Ausstellung zu schicken. Auf der Eisenbahn hat man mir versprochen, zweckdienliche Erkundigungen einzuziehen. Mit den Schülern sollen auch die Lehrer fahren. Ich grüße Sie vielmals und wünsche Ihnen alles Gute. *Ihr A. Čechov.*

540) AN A.S. SUVORIN MELICHOVO, 11. 7. 1896

11. Juli.

Ich werde bald zu Ihnen kommen, jedenfalls noch vor dem 31. Juli. Wenn Sie auf die Idee kommen sollten, von Maksaticha irgendwohin zu fahren, dann geben Sie mir Bescheid, sonst breche ich über Sie herein, und Sie sind gar nicht zu Hause. Die Stunde meiner Befreiung naht: der Glockenturm wird bereits gekalkt, die Novelle, an der ich immer noch für die »Niva« schreibe, nähert sich ihrem Ende. Abschreiben werde ich sie nicht zu Hause, sondern irgendwo auf Besuch.

Gestern bekam ich einen Brief von Viktor Krylov. Er hat mit dem Zensor gesprochen, und der Zensor hat die Bereitschaft geäußert, mir mein Stück zu schicken, damit ich selbst die Stellen streiche oder ändere, die ihm zweifelhaft erscheinen. Heute habe ich an den Zensor geschrieben. Jetzt ist also das Komitee an der Reihe. Das wird sich wohl auch noch an einigem stoßen.

Also – freuet euch! – ich komme bald und werde natürlich vorher ein Telegramm schicken. Es ist zweifelhaft, ob Sie besonders froh sind über Gäste, aber was mich betrifft, so macht mir der Gedanke, von zu Hause wegzufahren, große Freude. Ich bin ein bißchen müde und habe es satt. Zu allem Übel hat ein kalter Wind eingesetzt, und ich krieche vor Kälte in mich zusammen.

Soll ich nicht aus Moskau irgendwas mitbringen? Schreiben Sie mir. An Anna Ivanovna, Nastja, Borja, Emily einen herzlichen Gruß. Die Engel des Himmels mögen Sie beschützen! Glauben Sie, daß im Himmel Engel leben? *Ihr A. Čechov.*

541) AN A. A. TICHONOV MELICHOVO, 10. 8. 1896

96 10/VIII.

Sehr geehrter Aleksej Alekseevič, jetzt ist schon der Abend vor dem 11. August, und von Ihnen noch immer keine Antwort. Um keine Zeit zu verlieren, schicke ich Ihnen das Manuskript und den Brief mit dem Vermerk »persönlich« an die Redaktion. Das letzte Kapitel ist irgendwie karg geraten; in den Fahnen werde ich es auffüllen und feilen. Das Finale mache ich immer in den Fahnen.

Bitte schicken Sie mir so bald wie möglich Geld, weil ich wegfahren will und keine Kraft habe, weiter auszuharren, obwohl das Wetter sehr schön ist und es viele Pilze gibt. Schicken Sie mir Tausend oder Tausendzweihundert an die Adresse Lopasnja, Gouv. Mosk., per Post und, wenn Sie das Geld abschicken, gleichzeitig ein Telegramm: »Otrada Moskovskaja, Čechov.

Geld abgeschickt« – dann werde ich beruhigt sein. Wenn Sie dagegen die Novelle, wider Erwarten, für die »Niva« zu düster, nicht zensurgerecht, mit einem Wort, aus irgendeinem Grunde für ungeeignet halten, dann schicken Sie sie unverzüglich an die Redaktion der »Russkaja mysl« zur Weiterleitung an mich, und telegraphieren Sie an dieselbe Adresse, das Manuskript sei bereits abgeschickt.

Jetzt die Frage: wann und wo werde ich die Korrektur lesen? Mein Haus verlasse ich auf unbestimmte Zeit, ich werde herumfahren, mich einen Tag da, ein, zwei Tage dort aufhalten... Wenn Sie es schaffen, die Novelle bis zum 16. Aug. zu setzen, dann schicken Sie sie mir nach Lopasnja. Wenn nicht, dann warten Sie damit, bis ich Ihnen schreibe oder ein Telegramm schicke. Ich fahre in den Kaukasus. Schicken Sie mir die Fahnen in zwei Exemplaren – bitte.

Wie war Ihre Reise? Wenn ich im Sommer oder Frühling ins Ausland fahre, finde ich es immer schade, daß ich dann nicht in Rußland bin. Also, ich warte auf Ihre baldige Antwort. Wenn Sie mir jetzt sofort schreiben, so würde ich den Brief noch bekommen.

Ich wünsche Ihnen alles Gute und drücke Ihnen fest die Hand.

Ihr A. Čechov.

542) AN I. N. POTAPENKO MELICHOVO, 11. 8. 1896

Lieber Ignazius, das Stück wird abgeschickt. Der Zensor hat mit Blaustift die Stellen angestrichen, die ihm mißfallen, weil das Liebesverhältnis der Schauspielerin mit dem Belletristen den Bruder und Sohn gleichgültig läßt. Auf Seite 4 habe ich den Satz rausgeworfen »lebt in aller Offenheit mit diesem Belletristen«, und auf Seite 5 »sie kann nur junge Männer lieben«. Wenn die Änderungen, die ich auf Zettel geschrieben habe, akzeptiert werden, so klebe sie fest über die entsprechenden Stellen – und du seist gesegnet in alle Ewigkeiten mit Kind und Kindeskindern! Wenn die Änderungen verworfen werden, dann pfeif auf das

Stück: ich habe keine Lust, mich weiter mit ihm herumzuschlagen, und ich rate auch dir nicht dazu.

Auf Seite 5 in den Worten Sorins: »A propos, bitte sag mir, was ist das für ein Mensch, ihr Belletrist?« kann man das Wort *ihr* streichen. Statt der Worte (ebenda) »Man versteht ihn nicht. Dauernd schweigt er« kann man setzen: »Weißt du, er gefällt mir nicht« oder etwas beliebig anderes, meinetwegen sogar einen Text aus dem Talmud.*

Daß der Sohn gegen das Liebesverhältnis ist, ersieht man sehr genau aus seinem Ton. Auf der geächteten Seite 37 sagt er zu seiner Mutter: »Warum, warum hat sich dieser Mensch zwischen dich und mich gestellt?« Auf dieser Seite kann man die Worte der Arkadina streichen: »Unsere enge Bindung kann dir natürlich nicht gefallen, aber«. Und Schluß. Die unterstrichenen Stellen siehe in dem blauen Exemplar.

Wann kommst du nach Melichovo?

Also, das, was gestrichen werden kann, streich, sofern Litvinov vorher zusagt, daß dies ausreicht.

Danke für die Schokolade mignon. Ich esse sie.

Den 16.–17. fahre ich in den Süden, ich werde in Feodosija sein, deiner Frau ein bißchen den Hof machen. Schreib mir auf jeden Fall. Nach dem 20. ist meine Adresse: Feodosija, Haus Suvorin.

Es kommt doch noch das Komitee!!

Wenn du im Winter eine Wohnung für mich findest, werde ich den ganzen Winter in Petersburg verbringen. Ein Zimmer mit Wasserklosett reicht.

Wollen wir nicht zusammen irgendwohin fahren? Es ist doch noch viel Zeit. Nach Batum oder Boržom. Wir würden tüchtig Wein trinken.

Ich drücke dich fest in meinen Armen.

Dein Schuldner Antonio.

11. Aug.

Aufkleben mußt du je einen Zettel in jedem Exemplar auf Seite

4. Auf den Seiten 5 und 37 streich nur durch. Aber wie du willst. Verzeih, daß ich dich so frech belästige.

Ich habe meinerseits mit Grünstift angestrichen, was gestrichen werden kann und was, wenn man sich den Standpunkt des Zensors zu eigen macht, am verderbtesten ist.

* oder die Worte: »In ihrem Alter! Ach, ach, daß sie sich nicht schämt!«

543) AN A. S. SUVORIN MELICHOVO, 13. 8. 1896

13. Aug.

Ich hätte längst mich gen Süden bewegt, aber man schickt mir das Honorar nicht, ohne das ich bin wie ein Schiff ohne Segel. Sobald ich es bekomme, fahre ich los. Den Tag meiner Abreise aus Lopasnja teile ich Ihnen telegraphisch mit. Unterwegs bleibe ich für einen Tag in Taganrog, um mir meine Bibliothek anzusehen – und Sie telegraphieren mir bitte dorthin, wie das Wetter bei Ihnen ist und wie Sie sich fühlen. Und wenn es Ihnen sehr gut geht, dann komme ich von Taganrog direkt zu Ihnen über Novorossijsk, ohne einen Abstecher nach Kislovodsk oder Tiflis zu machen. In Taganrog werde ich einen Tag nach Aufgabe des Telegramms sein, Sie können so rechnen: wenn ich das Telegramm am Mittwoch aufgegeben habe, bin ich am Freitag frühmorgens in Taganrog.

Die Novelle für die »Niva« ist fertig. Der Glockenturm ist fertig. Die Einweihung der Schule ist gewesen, die Bauern haben mir nach dem Dankgottesdienst (der von drei Popen zelebriert wurde) eine Ikone, zwei silb. Salzfäßchen und vier Brote auf Tabletts überreicht. Ein alter Bauer hat eine Rede gehalten; er hat sehr schön gesprochen. Die Schule ist die beste im ganzen Kreis.

Das Stück habe ich an Potapenko geschickt, und gestern vom Zensor einen Brief bekommen, er macht sich Sorgen, warum ich es so lange nicht geschickt habe. Das Wetter bei uns ist heiß, es gibt viele Pilze. Bei schönem Wetter, besonders im Herbst, möchte ich gern Fünfzigtausend haben. Was ich mit diesem Geld alles anstellen würde!

Einen herzlichen Gruß an Anna Ivanovna, Borja und die Fräuleins. Ich wünsche ihnen und Ihnen, sich nicht zu langweilen. Die sechsflügeligen Cherubime und Serafime mögen Sie beschützen! *Ihr A. Čechov.*

544) AN A. A. TICHONOV FEODOSIJA, 13. 9. 1896

Feodosija. 96, 13/IX.

Sehr geehrter Aleksej Alekseevič, ich habe Ihnen den korrigierten Umbruch geschickt – die ersten vier Bogen. Den Rest schicke ich von zu Hause (Lopasnja), wohin ich morgen fahre.

Ich habe Ihnen den Titel der Novelle telegraphisch mitgeteilt: »Mein Leben«. Aber dieser Titel kommt mir abscheulich vor, besonders das Wort »mein«. Wäre nicht besser »In den Neunziger Jahren«? Zum ersten Mal im Leben habe ich solche Schwierigkeiten mit dem Titel.

In den ersten Oktobertagen werde ich in Petersburg sein, und dann werde ich Ihnen auf Ihren letzten Brief ausführlich antworten; zur Zeit arbeitet mein Kopf schlecht, offenbar vom vielen Essen. Ich bin stumpf im Denken und träge. Ich will einstweilen nur sagen, daß die Literaturbeilage der »Niva« im laufenden Jahr Erfolg hatte, vor allem wegen der Aufsätze mit ernstem Inhalt. Der Aufsatz von Solovjëv hat sogar furore gemacht. Sie haben recht, wenn Sie sagen, man müsse den »bunten« Leser im Auge behalten, und haben recht, wenn Sie Ėrisman veröffentlichen, weil der bunte Leser in Rußland wenn schon nicht gebildet ist, so doch gern gebildet wäre und sich darum bemüht; er ist ernsthaft, nachdenklich und nicht dumm.

Morgen also ändert sich meine Adresse. Bis zum 5. Oktober schreiben Sie mir nach Lopasnja. In Feodosija wird es bereits kühl. Wenn man ins Wasser geht, packt einen das Entsetzen.

Ich wünsche Ihnen alles Gute, bleiben Sie gesund und wohlauf. *Ihr A. Čechov.*

545) AN A. S. SUVORIN MELICHOVO, 23. 9. 1896

23. Sept.

Wahrscheinlich werde ich weder zu Tolstoj kommen noch zu der Ausstellung, denn das Wetter bei uns ist herrlich und es fällt mir schwer, von zu Hause wegzufahren. Übrigens ist der Herbst schon zu spüren, es wird melancholisch. Die langen, allzu langen Abende, nachts schreien die Käuzchen, jeden Tag kommen Briefe von Lugovoj... Mit einem Wort, Sommer ade!

Nach Lektüre Ihres letzten Briefes bin ich bei dieser Besetzung angelangt: Treplëv – Apollonskij, Sorin – Pisarev, Zarečnaja – Savina, der Verwalter – Varlamov, Maša – Čitau, der Belletrist Trigorin – Sazonov, der Arzt – Davydov. Aber wer soll die Schauspielerin spielen? Die Djužikova kenne ich nicht, habe sie noch nie gesehen; wenn Sie meinen, das wäre eine Rolle für sie, dann soll sie die Schauspielerin spielen, wenn sie möchte. Dann spielt die Rolle der Frau des Verwalters die Abarinova. Wenn ich auf Potapenko höre und diese Rolle der Levkeeva gebe, würde das Publikum von dieser Rolle sicher etwas Komisches erwarten und enttäuscht sein. Die Levkeeva genießt doch den Ruf einer vortrefflichen Komikerin, und dieser Ruf könnte die Rolle ersticken. Die Rolle des Lehrers sollte man irgendeinem Milieudarsteller mit komischem Einschlag geben.

Miša läßt fragen, ob sein Vaudeville »Zwanzig Minuten vor dem Klingeln« gespielt wird? Er hat noch ein Vaudeville geschrieben und will es Ihnen schicken; er bittet um Erlaubnis, in dem Gesuch zu schreiben, daß man das zensierte Exemplar an Sie weiterschickt.

Ich will mich an die Laura Marholm machen. Auf jeden Fall muß man sich der Genehmigung der Übersetzerin versichern.

Lassen Sie sich das Augustheft (Nr. 80) des »Theaterfreunds« heraussuchen und lesen Sie dort auf S. 45 den Korrespondentenbericht aus Petersburg, – dort erfahren Sie, wer mit wem lebt. Aus diesem Bericht, der offen und ausführlich geschrieben ist, habe ich erfahren, daß Karpov mit der Cholmskaja lebt.

Auf Wiedersehen! Ich wünsche Ihnen alles Gute.

An Anna Ivanovna, Nastja, Borja und Emily einen herzlichen Gruß. *Ihr A. Čechov.*

Bis 1. Oktober bleibe ich wahrscheinlich zu Hause. Wann schikken Sie mir das Paket? Ich schicke es unverzüglich zurück.

546) AN I. L. LEONTJEV-ŠČEGLOV MELICHOVO, 23. 9. 1896

Lopasnja, Gouv. Moskau. 96 23/IX.

Lieber Jean, auf Ihre Punkte antworte ich ebenfalls in Punkten:

1) zu Hause werde ich annähernd bis 1. Oktober bleiben; dann fahre ich nach Moskau und steige dort in der Bolšaja moskovskaja gostinica ab, wo früher einmal ein tapferer Hauptmann abstieg. Um den 6. zieht der Ruhmesdurst mich ins Nördliche Palmyra, auf die Proben meiner »Möwe«. Geplant ist, daß dieses Stück am 17. Oktober als Benefiz der Levkeeva gespielt wird, wobei die Rolle der 17jährigen Heldin, eines zarten Fräuleins, von der Benefiziantin selbst gespielt wird.

2) Wenn, wie Sie schreiben, Ihre Abreise von Evtichij Karpov abhängt, so werde ich letzterem schreiben, daß er Sie bis zum 18. Oktober in Petersburg festhält.

3) Ihr Stück »Der Doktor empfängt« habe ich nicht gesehen, weil ich nicht nach Serpuchov gekommen bin. Bei unseren Liebhabern stehen Sie in hohem Ansehen. Wenn Sie mögen, frage ich sie, wie es war.

4) Meine Mutter und die übrigen Mitglieder der Familie danken Ihnen für den Gruß und bitten mich, Ihnen in diesem Brief eine Million Grüße und gute Wünsche zu senden.

5) Wenn wir uns sehen, sprechen wir über die Qualitäten von Anatolij Aleksandrov und Priester Fudel, und damit erlauben Sie mir, Ihnen alles Gute zu wünschen, fest die Hand zu drücken und zu verbleiben *Ihr A. Čechov.*

Was für eine hübsche Sache ist Ihr »Der Autor ist nicht im Theater«!

547) AN E.P. KARPOV MELICHOVO, 29. 9. 1896

Lopasnja, Gouv. Mosk.

Lieber Evtichij Pavlovič, wenn, wie Sie schreiben, Davydov in die Rolle des Sorin vernarrt ist, so hat er freie Hand. Es freut mich sehr, soll er den Sorin spielen. Aber wer, wer spielt dann den Arzt? Der Arzt hat doch das letzte Wort in meinem Stück! Wer wird die Schauspielerin spielen? Den Lehrer? Ich kenne die Truppe des Alexandratheaters zu wenig und kann natürlich ohne Ihren Rat keine Besetzung machen. Wir müßten uns so bald wie möglich sehen, aber o weh! vor dem 7. ist das unmöglich. Übermorgen fahre ich nach Moskau, steige in der Bolšaja moskovskaja gostinica ab und bleibe dort bis zum 7. Und dann ins Nördliche Palmyra, von der Fischpastete direkt zum Ruhm und zu den Musen: am 7. werde ich versuchen, mich mit Ihnen zu treffen. Wenn Sie mir einen Brief ans Hotel schreiben würden, wäre ich Ihnen sehr dankbar.

Ich wünsche Ihnen Gesundheit und ein langes Leben. Ich drücke Ihnen fest die Hand. *Ihr A. Čechov.*

Wann werden Sie mit den Proben beginnen?

548) AN E. P. KARPOV MOSKAU, 4. 10. 1896

Lieber Evtichij Pavlovič!

Ich bestätige Ihre Besetzung. Geben Sie Pisarev den Arzt. Ich kenne weder Pančin noch Petrov; ich verlasse mich bei beiden auf Sie und werde keinen Streit anfangen. Was Maša betrifft, die Tochter des Verwalters, so schwanke ich noch. Diese Rolle der Čitau zu geben, hatte Aleksej Sergeevič mir geraten. Ich habe die Čitau zwei, dreimal gesehen und habe nichts gegen sie; aber auch die Möglichkeit, daß Aleksandra Pavlovna in meinem Stück spielen könnte, finde ich verlockend – so daß ich bereits dazu neige, der Čitau untreu zu werden.

Also, es muß entschieden werden. Geben Sie Maša der Nikitina.

Ich drücke Ihnen fest die Hand. Ich komme am Montag, steige in meiner eigenen Wohnung ab, Ėrtelev 6.

Die Wohnung hat zwei Zimmer, Küche und Wasserklosett. Am Montag noch komme ich zu Ihnen ins Theater.

Ihr A. Čechov.

4. Okt.

549) AN M. A. KRESTOVSKAJA PETERSBURG, 10. 10. 1896

Petersburg, Ėrtelev per. 6.

Gnädige Frau

Marija Aleksandrovna!

Mein neues Stück »Die Möwe«, das am 17. Oktober auf der Bühne des Alexandratheaters aufgeführt werden wird, ist noch nirgends veröffentlicht, ich habe einstweilen nur ein einziges Exemplar. Was den »Ivanov« betrifft, so ist er in einem der Hefte des »Severnyj vestnik« von 1888 zu finden (oder, ich glaube, 1889), Sonderdrucke davon habe ich keine mehr.

Meine Stücke werde ich im Verlag Suvorin veröffentlichen, sie werden bald (in 1–1 1/2 Monaten) als Buch erscheinen.

Gestatten Sie mir, Ihnen alles Gute zu wünschen und mit Hochachtung stets zu Diensten zu verbleiben *A. Čechov.*

10. Okt.

550) AN M. P. ČECHOVA PETERSBURG, 12. 10. 1896

Liebe Maša, wo bist du – in Moskau, oder in Melichovo? Ich schreibe nach Moskau.

Ich bin im Hause Suvorins abgestiegen, Ėrtelev 6. Ich war bei Aleksandr. Es geht ihm gut. Er ist alt geworden, Natalja Aleks. hat sich einen Hund angeschafft, den sie Selitra genannt haben und zu dem sie zärtlich sind wie zu einer kleinen Tochter.

Ich war bei Potapenko. Er hat eine neue Wohnung, für die er 1900 R. im Jahr bezahlt. Auf seinem Tisch hat er eine sehr schöne

Photographie von Marija Andreevna. Diese Person weicht nicht von seiner Seite; sie ist glücklich bis zur Unverschämtheit. Er selbst ist gealtert, singt nicht, trinkt nicht, langweilt sich. Zur »Möwe« kommt er mit der ganzen Familie, und es kann passieren, daß seine Loge neben der unseren liegt – und Lika dann eins auf die Nuß bekommt.

Bis jetzt läuft die »Möwe« uninteressant. In Petersburg ist es langweilig, die Saison beginnt erst im November. Alle sind böse, kleinlich, verlogen, auf der Straße – mal die Herbstsonne, mal Nebel. Die Aufführung wird nicht glanzvoll, sondern trübe. Überhaupt ist die Stimmung nicht gut. Das Reisegeld schicke ich dir heute oder morgen, aber ich rate dir ab zu kommen.

Meiner Meinung nach wäre es besser, die Petersburgreise bis zum Winter aufzuschieben, wenn es hier nicht mehr so triste ist. Ich überlasse die Entscheidung dieser Frage dir. Wenn du beschließt zu kommen, dann schick ein Telegramm: »Petersburg, Ërtelev 6, Čechov. Kommen.« Wenn du allein kommst, ohne Lika, telegraphiere: »Komme.« Dann besorge ich dir eine Unterkunft und hole dich vom Bahnhof ab.

Bleib gesund. Einen Gruß an alle. *Dein A. Čechov.*

12. Okt.

551) AN A.S. SUVORIN PETERSBURG, 18. 10. 1896

Ich bin nach Melichovo gefahren. Ich wünsche Ihnen alles Gute! Wenn Stachovič Ihnen die »Sache« zurückgegeben hat, schicken Sir mir wenigstens Auszüge in der Kopie.

Den Druck der Stücke stellen Sie ein. Den gestrigen Abend werde ich nie vergessen, dennoch habe ich gut geschlafen und fahre in durchaus erträglicher Stimmung.

Schreiben Sie mir. *Ihr A. Čechov.*

Die 300 R., die ich mir geliehen habe, werden Ihnen von der »Niva« geschickt.

АРКАДИНА. Нѣтъ. |накладываетъ новую повязку|

ТРЕПЛЕВЪ. Двѣ балерины жили тогда въ томъ же домѣ, гдѣ мы. Ходили къ тебѣ кофе пить...

АРКАДИНА. Это помню.

ТРЕПЛЕВЪ. Богомольныя онѣ такія были. |пауза| Въ послѣднее время, вотъ въ эти дни я люблю тебя такъ же нѣжно и беззавѣтно, какъ въ дѣтствѣ. Кромѣ тебя, теперь у меня никого не осталось. Только зачѣмъ, зачѣмъ ~~между мной и тобой сталъ~~ ты такъ поддаешься влiянiю этого человѣка

АРКАДИНА. Ты не понимаешь его, Константинъ. Это благороднѣйшая личность.

ТРЕПЛЕВЪ. Однако, когда ему доложили, что я собираюсь вызвать его на дуэль, благородство не помѣшало ему сыграть труса. Уѣзжаетъ. Позорное бѣгство.

АРКАДИНА. Какой вздоръ. Я сама ~~увожу~~ прошу его уѣхать отсюда. ~~Наша близость, конечно, не можетъ тебѣ нравиться, но ты уменъ и интеллигентенъ, я имѣю право требовать отъ тебя, чтобы ты уважалъ мою свободу.~~

ТРЕПЛЕВЪ. ~~Я уважаю твою свободу, но и ты позволь мнѣ быть свободнымъ и относиться къ этому человѣку, какъ я хочу.~~ Благороднѣйшая личность. Вотъ мы съ тобой почти ссоримся изъ за него, а онъ теперь гдѣ нибудь въ гостинной, или въ саду, смѣется ~~надо мной и~~ надъ ~~тобой~~ нами, развиваетъ Нину, старается окончательно убѣдить ее, что она генiй.

АРКАДИНА. Для тебя наслажденiе говорить мнѣ непрiятности. Я уважаю этого человѣка и прошу при мнѣ не выражаться о немъ дурно.

»Die Möwe«.
Seite aus dem Zensurexemplar des Stücks, III. Akt, mit Korrekturen, die auf Beanstandungen des Zensors zurückgehen.

Ich habe Ihren Brief bekommen. In Moskau werde ich das Stück nicht aufführen lassen. Ich werde *nie wieder* Stücke schreiben oder aufführen lassen.

552) AN M. P. ČECHOVA PETERSBURG, 18. 10. 1896

Ich fahre nach Melichovo, werde morgen um zwei Uhr nachmittags dort sein. Das gestrige Ereignis hat mich nicht allzu sehr überrascht und gekränkt, denn ich war ja bereits durch die Proben darauf vorbereitet – ich fühle mich durchaus nicht schlecht.

Wenn du nach Melichovo kommst, bring Lika mit.

Dein A. Čechov.

553) AN M. P. ČECHOV PETERSBURG, 18. 10. 1896

Mein Stück ist mit Pauken und Trompeten durchgefallen. Im Theater lastete schwer die Spannung des Zweifels und des Skandals. Die Schauspieler haben widerwärtig, dumm gespielt.

Daraus folgt die Moral: man soll keine Stücke schreiben.

Nichtsdestotrotz bin ich gesund, munter und verbleibe in Barmherzigkeit *Euer Papaša A. Čechov.*

554) AN DEN SCHAFFNER DES ZUGS NR. 13 (NACH LAPTEVO) LOPASNJA, 19. 10. 1896

Hinteren Waggon 3. Klasse Nichtraucher in Gepäcknetz Bündel in Decke vergessen. Riemen verschnürt, in welchem befindlich Morgenrock Bettwäsche und andere Gegenstände. Schicken nach Lopasnja. *A. Čechov.*

555) AN A. I. SUVORINA MELICHOVO, 19. 10. 1896

Liebe Anna Ivanovna, ich bin abgereist, ohne mich verabschiedet zu haben. Sind Sie mir böse? Die Sache ist die, daß nach der Vorstellung meine Freunde sehr erregt waren; jemand hat nach ein

Uhr nachts in der Wohnung von Potapenko nach mir gesucht; auf dem Moskauer Bahnhof hat man nach mir gesucht, am darauffolgenden Tag kamen sie ab neun Uhr vormittags, und ich wartete nur darauf, daß jeden Augenblick Davydov käme mit Ratschlägen und Beileidsbekundungen. Das ist rührend, aber unerträglich. Außerdem hatte ich zuvor schon beschlossen, am darauffolgenden Tag abzureisen, unabhängig von Erfolg oder Mißerfolg. Der Lärm des Ruhms betäubt mich, ich bin auch nach dem »Ivanov« am darauffolgenden Tage abgereist. Mit einem Wort, ich hatte ein unwiderstehliches Verlangen zu fliehen, und herunterzukommen, um mich von Ihnen zu verabschieden, wäre unmöglich gewesen, ohne dem Zauber Ihrer Gastlichkeit zu erliegen und zu bleiben.

Ich küsse Ihnen fest die Hand, in der Hoffnung auf Vergebung. Denken Sie an Ihre Devise!

Herzlichste Grüße an alle. Ich komme im November wieder.

Ganz Ihr
A. Čechov.

556) AN DIE DRUCKEREI SUVORIN MELICHOVO, 20. 10. 1896

In Beantwortung Ihrer Frage, wie Sie mir die Korrektur meiner Stücke schicken sollen – in den Fahnen oder direkt im Umbruch, bitte ich Sie, mir die Korrektur in den Fahnen zu schicken, an die Adresse: Lopasnja, Gouv. Moskau.

96 20/x. *Hochachtungsvoll A. Čechov.*

557) AN A.S. SUVORIN MELICHOVO, 22. 10. 1896

22. Okt.

In Ihrem letzten Brief (vom 18. Okt.) nennen Sie mich dreimal ein altes Weib und sagen, ich sei feige gewesen. Wozu diese Diffamierung? Nach der Vorstellung habe ich in allen Ehren bei Romanov zu Abend gegessen, mich dann schlafengelegt, tief geschlafen und bin am darauffolgenden Tag nach Hause gefahren, ohne einen einzigen Laut der Klage. Wenn ich feige gewesen wäre, wäre ich von Redaktion zu Redaktion, von Schauspieler zu Schauspieler gelaufen, hätte nervös um Nachsicht gebettelt, hätte nervös nutzlose Korrekturen angebracht und hätte zwei, drei Wochen in Petersburg verbracht, um in meine »Möwe« zu gehen, mich aufzuregen, im kalten Schweiß zu baden und zu klagen ... Als Sie nachts nach der Vorstellung bei mir waren, haben Sie doch selbst gesagt, das beste für mich wäre abzureisen; und am Morgen des darauffolgenden Tages bekam ich von Ihnen einen Brief, in dem Sie sich von mir verabschiedeten. Wo ist also die Feigheit? Ich habe so vernünftig und kühl gehandelt wie jemand, der einen Heiratsantrag gemacht hat, einen Korb bekommen hat und dem nichts anderes übrigbleibt als abzureisen. Ja, meine Eitelkeit war verletzt, aber das ist doch nicht vom Himmel gefallen; ich habe einen Mißerfolg erwartet und war darauf vorbereitet, worauf ich Sie vorher in aller Offenheit hingewiesen hatte.

Zu Hause habe ich Rizinusöl genommen, mich mit kaltem Wasser gewaschen – und jetzt könnte ich sogar ein neues Stück schreiben. Ich verspüre keine Müdigkeit und Gereiztheit mehr und habe auch keine Angst mehr davor, daß Davydov und Jean kommen könnten, um mit mir über das Stück zu sprechen. Mit Ihren Korrekturen bin ich einverstanden – und danke Ihnen 1000 mal. Nur bedauern Sie bitte nicht, nicht auf den Proben gewesen zu sein. Es hat doch im Grunde nur eine einzige Probe gegeben, auf der nichts zu verstehen war; vor lauter widerwärtigem Spiel war das Stück gar nicht mehr zu sehen.

Ich habe ein Telegramm von Potapenko bekommen: ein kolossaler Erfolg. Ich habe einen Brief von einer mir unbekannten Veselitskaja (Mikulič) bekommen, die mir ihre Teilnahme in einem Ton ausdrückt, als wäre bei mir in der Familie jemand gestorben – das ist schon ganz daneben. Und im übrigen sind das alles Lappalien.

Meine Schwester ist von Ihnen und von Anna Ivanovna begeistert, und ich bin darüber sehr froh, weil ich Ihre Familie liebe wie meine eigene. Sie ist aus Petersburg direkt nach Hause geeilt, wahrscheinlich hat sie gedacht, ich würde mich aufhängen.

Bei uns ist warmes, fauliges Wetter, viele sind krank. Gestern hatte ein reicher Bauer einen Darmverschluß, wir haben ihm riesige Klistierspritzen verabreicht. Er ist wieder in Ordnung. Verzeihen Sie, ich habe mir bei Ihnen den »Vestnik Evropy« mitgenommen – ihn vorsätzlich, und den »Almanach T. Filippov« – aus Versehen. Ersteren schicke ich zurück, zweiten nach Lektüre.

Die Sache, die Stachovič entführt hat, schicken Sie mir als Paket – und ich schicke sie Ihnen sofort zurück. Noch eine Bitte: erinnern Sie Aleksej Alekseevič, daß er mir »Ganz Rußland« versprochen hatte.

Ich wünsche Ihnen alles Gute, im Himmel und auf Erden, und danke Ihnen von ganzem Herzen. *Ihr A. Čechov.*

558) AN L. S. MIZINOVA MELICHOVO, ENDE OKTOBER 1896

Liebe Lika, Sie schreiben, die Stunde unserer Seligkeit werde in 310 Tagen anbrechen... Freut mich sehr, aber kann man diese Stunde nicht noch um zwei, drei Jahre verschieben? Ich habe solche Angst!

Hiermit schicke ich Ihnen den Plan für einen Anhänger, den ich Ihnen darbringen will.

Gesellschaft der russischen dramat. Schriftsteller Stücke ihrer Mitglieder Katalog Ausgabe 1890 Seite 73. Zeile 1.

Wenn er Ihnen gefällt, schreiben Sie, ich gebe ihn dann bei Chlebnikov in Auftrag.

Kommen werde ich Anfang November und bei Ihnen absteigen – unter der Bedingung, daß Sie sich keine Freiheiten erlauben.

Einen Gruß an die Firma »Saper & Co.« *Ihr A. Čechov.*

Schreiben Sie!

559) AN E. M. ŠAVROVA MELICHOVO, 1. 11. 1896

Lopasnja, Gouv. Mosk.

Wenn Sie, Verehrte, »eine aus dem Publikum«, von der ersten Vorstellung schreiben, so gestatten Sie mir, – oh, gestatten! an Ihrer Aufrichtigkeit zu zweifeln. Sie beeilen sich, heilenden Balsam in die Wunden des Autors zu gießen, in der Annahme, dies sei, den Zeitumständen entsprechend, besser und nötiger als Aufrichtigkeit; Sie sind ein guter Mensch, liebe Maske, ein sehr guter, und das gereicht Ihrem Herzen zur Ehre. Von der ersten Vorstellung habe ich nicht alles gesehen, aber das, was ich gesehen habe, war matt, grau, düster, hölzern. Die Besetzung war nicht von mir, man hat mir kein eigenes Bühnenbild bewilligt, es hat nur zwei Proben gegeben, die Schauspieler konnten ihre Rollen nicht; schlecht gespielt hat sogar die Komissarževskaja, die auf einer der Proben wunderbar gespielt hatte, so, daß die im Parkett Sitzenden geweint haben und die Nasen hängen ließen...

Auf jeden Fall bin ich Ihnen dankbar und sehr, sehr gerührt. Alle meine Stücke werden als Buch gedruckt, und sobald sie erschienen sind, werde ich sie Ihnen schicken, nur geben Sie mir rechtzeitig Ihre neue Adresse bekannt. Ob die »Möwe« in Moskau gespielt werden wird, weiß ich nicht; ich habe niemanden von den Moskauern gesehen und auch keine Briefe von ihnen bekommen. Wahrscheinlich wird man sie spielen.

Nun, und wie geht es Ihnen? Weshalb versuchen Sie nicht, ein Stück zu schreiben? Das ist ein Gefühl, als stiege man zum ersten Mal in ein kaltes Narzanbad. Schreiben Sie eins. A propos, Sie sind faul geworden und schreiben nichts mehr. Das ist nicht gut.

Ich bleibe bis zum 15., 20. November zu Hause. Schreiben Sie mir doch noch 2–3 Zeilen, sonst wird mir das Leben wirklich langweilig. Ein Gefühl, als wäre nichts und sei nie etwas gewesen.

Ich wünsche Ihnen alles Gute, und nochmals vielen Dank.

96 1/XI. *Ihr A. Čechov.*

560) AN V. V. BILIBIN MELICHOVO, 1. 11. 1896

Lieber Viktor Viktorovič, ich danke Ihnen vielmals für den Brief. Ich bin natürlich froh, sehr froh, aber dennoch kann der Erfolg der 2. und 3. Vorstellung den Eindruck der 1. Vorstellung in meinem Herzen nicht auslöschen. Ich habe nicht alles gesehen, aber das, was ich gesehen habe, war düster und merkwürdig über alle Maßen. Sie konnten ihre Rollen nicht, spielten hölzern, unentschlossen, alle hatten den Mut verloren, auch die Komissarževskaja, die schlecht gespielt hat. Heiß war es im Theater wie in der Hölle.

Es schien, als hätten sich alle Elemente gegen das Stück verschworen. Aber nichtsdestoweniger kann ich der Jugend als Beispiel dienen: nach der Vorstellung habe ich bei Romanov zu Abend gegessen, habe in der Nacht tief geschlafen, die Rezensionen am nächsten Morgen nicht gelesen (die Zeitungen sahen unheilverkündend aus), und gegen Mittag bin ich abgehauen nach Moskau.

Was haben Sie in Moskau gemacht? Haben Ihnen die Moskauer Proben gefallen? Haben Sie bei Testov Rastegaj gegessen? Haben Sie unsere Freunde Gruzinskij und Ežov gesehen?

Ich habe Ihre Adresse verloren. Ich schicke diesen Brief an Ihre Dienststelle.

Grüßen Sie Anna Arkadjevna und bleiben Sie gesund, und vor allem hören Sie auf zu glauben, Sie hätten Herzschmerzen. Sie sind – unberufen – sehr gesund. *Ihr A. Čechov.*

Lopasnja, Gouv. Moskau. 96.

1. November.

Die Nr. der »Oskolki« mit der Karikatur habe ich bekommen. Ich schicke Ihnen zur Erinnerung mein Buch – pour les enfants. Wenn Ihr ältester Sohn lesen lernt, soll er es lesen, wenn er mag.

561) AN V. M. LAVROV MELICHOVO, 1. 11. 1896

Lieber Vukol, verzeih mir nochmals, das Stück werde ich nicht in der »Russkaja mysl« veröffentlichen. Der Grund ist derselbe, den ich in meinem Brief an V. A. ausgeführt habe: ein Stück taugt nicht für eine Zeitschrift. Das ist langweilig zu lesen.

Jetzt eine Bitte. Einem Mitglied unseres Schulrates hat der Aufsatz »Pädagogische Kurse und Lehrerkongresse« sehr gefallen, und er bat mich herauszubekommen, was der Autor dieses Artikels – Hr. Feliksov – ist, d. h. wie er mit Vor- und Vatersnamen heißt, wo er wohnt und wo er angestellt ist. Bitte antworte mir auf diese Fragen, Lieber, und bring bei der Gelegenheit auch in Erfahrung, wie Lidija Veselitskaja (Mikulič) mit Vatersnamen heißt, die Autorin der »Mimočka auf Kur«. Sie hat mir geschrieben, ich muß antworten, und weiß nicht, wie sie heißt.

Sei mir nicht böse wegen der »Möwe«. In der »Russkaja mysl« will ich ausschließlich Belletrist sein, ich wäre gern auch Publizist, aber die Dramatik lockt mich nicht, langweilt mich.

Dich und V. A. umarme ich und wünsche alles Gute. Antworte wegen Feliksov und der Veselitskaja.

Bleib gesund. *Dein A. Čechov.*

96 1/XI.

Lopasnja, Gouv. Moskau

562) AN A. S. SUVORIN MELICHOVO, 2. 11. 1896

2. November.

Ich schicke Ihnen das Material für das neue Buch. Soll die Druckerei ausrechnen, wieviel Bogen die geschickten Erzählungen ergeben, und es mich wissen lassen; ich füge dann noch einige kleine Sachen hinzu oder schicke die Novelle, die in der »Niva« veröffentlicht wird; da diese Novelle in der »Niva« erst Mitte Dezember zu Ende ist, wird man das Buch in Abständen setzen und drucken müssen, stündlich je einen Eßlöffel. Ich werde dies Konstantin Semënovič auch persönlich schreiben.

»Ganz Rußland« und das, was beilag, habe ich bekommen und danke. Ich werde zuverlässiger sein als Stachovič und es nicht nach Orël nehmen. Ich schicke es nach Lektüre zurück.

Sodann halte ich es für notwendig, Ihnen als einem Liebhaber aller Theaterdinge Folgendes mitzuteilen. In Moskau gibt es den Schauspieler Garin, den Sie kennen, einen großen Kauz, der einherschreitet à la Hamlet im wallenden Umhang und sehr gewichtig spricht. Er hat ein Buch geschrieben, »Die Fehler des Theaters«, und die Zeitschrift »Teatral« hat bereits 5 Bogen dieses Buches in Form einer Beilage veröffentlicht. Stellen Sie sich vor, dem Kauz ist es gelungen, etwas Eigenes zu schreiben. Das, was bisher erschienen ist, hat mir sehr gefallen. Geschrieben sind diese »Fehler des Theaters« im Ton einer ernsten Untersuchung, mit einer Menge nützlicher Gedanken und interessanter Fakten – und auf jeden Fall wird das, wie mir scheint, ein in seiner Art einzigartiges und zweifellos nützliches Buch werden. Schauspieler sind unfehlbar und halten sich für Päpste, sie machen keine Fehler und werden dieses Buch deshalb mit Verachtung strafen. Ich habe dem Autor geschrieben, daß er Ihnen die bereits erschienenen Bogen schicken solle. Lesen Sie sie. Ja, es zeigt sich, daß auch Käuze manchmal zu etwas fähig sind! Wenn es Ihnen gefällt, schreibe ich dem Autor, er solle nicht aufhören, sondern in derselben Weise weitermachen.

Wieviele Briefe ich bekomme!!

Es ist kalt, Schneesturm. Miša und Frau sind da. Ich komme

im November oder Anfang Dezember nach Petersburg, werde aber nicht lange bleiben, denn ich habe Arbeit bis an den Hals.

Ja, ich werde 700 Jahre leben und kein einziges Stück mehr schreiben. Ich gehe jede Wette ein. Ich wünsche Ihnen alles Gute. *Ihr A. Čechov.*

563) AN E.M. ŠAVROVA MELICHOVO, 7. 11. 1896

96 7/XI.

Schöne Maske, ich habe nicht das Recht, Genehmigungen zu erteilen oder zu versagen, da ich meine Vollmachten als Autor der Gesellschaft der dramatischen Schriftsteller übertragen habe. Mögen die Liebhaber die »Möwe« aufführen, – aber 1) möglichst weit, weit weg von Serpuchov! In dieser Stadt möchte ich Geschworener sein, Zemstvosprecher, Bürger, aber nicht Dramatiker. Wenn die »Möwe« in Serpuchov aufgeführt würde, dann würde ich in meinem Kreis jegliches Ansehen verlieren. Außerdem das Publikum von Serpuchov, das ist so etwas Graues, Plumpes, Grobes und Geschmackloses! Das braucht keine »Möwe« (schon allein das Wort ist hier unbekannt), – sondern eine Dohle, und 2) um ein Exemplar des Stücks zu bekommen, müßten sie nach Petersburg fahren, in der Alexandrinka eine Kopie machen und sie (nicht die Alexandrinka, sondern die Kopie) mit zwei 80-Kopekenmarken versehen zur dramatischen Zensur bringen. Warten Sie, der Band mit den Stücken ist schon im Druck. Schon! Wenn man mir die »Möwe« zur Korrektur schickt, so werde ich mit Ihnen teilen, ich werde Ihnen die Korrektur in den Fahnen oder schon im Umbruch schicken.

Ich huste, bin aber gesund. Moskau steht mit Lopasnja mehrmals täglich in Verbindung, aber meine Briefe verspäten sich gewöhnlich um 2–3 Tage, weil ich, manchmal, nicht jeden Tag zur Post schicke. Auf »Caesars Frau« werde ich warten und es mit Vergnügen lesen.

Das ist alles. Ich wünsche Ihnen alles Gute.

Ihr cher maître A. Čechov.

564) AN T. L. TOLSTAJA MELICHOVO, 9. 11. 1896

Lopasnja, Gouv. Moskau. 96 9/XI.

Verehrte Tatjana Lvovna, sehen Sie, wann ich dazukomme, Ihnen zu antworten. Ihren Brief habe ich bei meiner Rückkehr von der Krim bekommen, in der zweiten Septemberhälfte. Das Wetter war wunderbar, die Stimmung – ebenfalls, ich habe mich deshalb nicht beeilt Ihnen zu antworten, weil ich davon überzeugt war, daß ich wenn nicht heute, dann morgen nach Jasnaja Poljana fahren würde. Aber dann kamen mehr und mehr Briefe und Telegramme, die hartnäckig darauf bestanden, daß ich nach Petersburg käme, die Aufführung meines Stücks wurde vorbereitet. Ich fuhr, das Stück hatte offensichtlich keinen Erfolg – und jetzt bin ich wieder zu Hause. Draußen liegt Schnee, nach Jasnaja Poljana zu fahren ist es inzwischen zu spät.

Sie fragten in Ihrem Brief, ob ich nicht etwas Abgeschlossenes hätte und ob ich es nicht zum Lesen mitbringen wolle. Gegen Ende des Sommers hatte ich eine Novelle von 5 Bogen fertig, »Mein Leben« (ein anderer Titel ist mir nicht eingefallen), und ich hatte die Absicht, sie in den Korrekturbögen nach Jasnaja Poljana mitzubringen. Jetzt wird sie in den »Beilagen der Niva« veröffentlicht, und ich verspüre ihr gegenüber Ekel, weil die Zensur über sie hinweggegangen ist und viele Stellen nicht wiederzuerkennen sind.

In Petersburg habe ich D. V. Grigorovič wiedergesehen. Ich war bestürzt über sein totengleiches Aussehen. Das Gesicht gelbgrün, wie bei Krebskranken. Er sagt, er habe sich auf der Ausstellung von Nižnij Novgorod überanstrengt.

Gestatten Sie, daß ich Ihnen für Ihren Brief und für Ihre gute Einstellung danke, die ich, glauben Sie mir, höher schätze als ich es in Worten auszudrücken vermag. Lev Nikolaevič und Ihre ganze Familie grüße ich und wünsche Ihnen alles Gute.

In aufrichtiger Hochachtung *A. Čechov.*

565) AN A.F. KONI MELICHOVO, 11. 11. 1896

Lopasnja, Gouv. Moskau. 96, 11/XI.

Sehr geehrter Anatolij Fëdorovič, Sie können sich nicht vorstellen, wie sehr ich mich über Ihren Brief gefreut habe. Ich habe nur die ersten beiden Akte vom Zuschauerraum aus gesehen, danach habe ich hinter den Kulissen gesessen und die ganze Zeit gespürt, daß die »Möwe« durchfallen würde. Nach der Vorstellung, nachts und am darauffolgenden Tage, hat man mich versichert, ich hätte nichts als Idioten vorgeführt, mein Stück sei szenisch unbeholfen, sei unklug, unverständlich, sogar unsinnig usw. usf. Sie können sich meine Lage vorstellen – es war ein Reinfall, wie ich ihn mir nicht hätte träumen lassen! Ich schämte mich, ärgerte mich und verließ Petersburg voller Zweifel jeglicher Art. Wenn ich ein Stück geschrieben und auf die Bühne gebracht habe, das von ungeheuerlichen Mängeln offenbar nur so strotzt, so bedeutet das, daß ich jegliches Gespür verloren habe und mein Maschinchen endgültig kaputt ist. Als ich indessen zu Hause war, schrieb man mir aus Petersburg, die 2. und 3. Vorstellung hätten Erfolg gehabt; es kamen einige Briefe, unterzeichnete und anonyme, in denen man das Stück lobte und auf die Rezensenten schimpfte; ich las es mit Vergnügen, aber ich schämte und ärgerte mich trotzdem, und der Gedanke drängte sich mir auf, wenn gute Menschen es für nötig befinden, mich zu trösten, so müsse meine Sache schlecht stehen. Aber Ihr Brief hat entscheidend auf mich gewirkt. Ich kenne Sie seit langem, verehre Sie zutiefst und glaube Ihnen mehr als allen Kritikern zusammengenommen. Sie haben das gespürt, als Sie Ihren Brief schrieben, und deshalb ist er so schön und überzeugend ausgefallen. Ich bin jetzt ruhig und denke an das Stück und die Vorstellung bereits ohne Widerwillen.

Die Komissarževskaja ist eine wunderbare Schauspielerin. Auf einer der Proben haben viele, als sie sie sahen, geweint und gesagt, sie sei zur Zeit die beste Schauspielerin in Rußland; in der Vorstellung war sie der allgemeinen, meiner »Möwe« feindlichen Stimmung erlegen, war gleichsam eingeschüchtert, hatte die

Stimme verloren. Unsere Presse behandelt sie kalt, unverdienterweise, sie tut mir leid.

Gestatten Sie mir, Ihnen von ganzem Herzen für Ihren Brief zu danken. Glauben Sie mir, daß ich die Gefühle, die Sie veranlaßt haben, ihn mir zu schreiben, höher schätze als ich es in Worten auszudrücken vermag, und die Anteilnahme, die Sie am Ende Ihres Briefes als »unnötig« bezeichnen, nie, nie vergessen werde, was immer auch geschehen mag.

Ihr aufrichtig ergebener *A. Čechov.*

566) AN L.S. MIZINOVA MELICHOVO, 20. 11. 1896

Liebe Lika, ich schicke Ihnen das Rezept, von dem Sie sprachen. Mir ist kalt und traurig, und darum gibt es nichts zu schreiben. Ich komme am Samstag oder am Montag mit Maša.

96 20/XI. *Ihr A. Čechov.*

567) AN V.I. NEMIROVIČ-DANČENKO MELICHOVO, 20. 11. 1896

Lieber Vladimir Ivanovič, siehst du, auch ich beantworte Briefe nicht gleich. Maša wohnt, wo sie schon im vergangenen Jahr gewohnt hat: Sucharevskaja-Sadovaja, Hs. Kirchgof.

Ja, meine »Möwe« hatte in Petersburg, bei der ersten Vorstellung, einen Riesenmißerfolg. Das Theater atmete Bosheit, die Luft war explosiv vor Haß, und ich flog – den Gesetzen der Physik gehorchend – aus Petersburg davon wie eine Bombe. An all dem seid ihr, Sumbatov und du schuld, denn ihr habt mich beschwatzt, ein Stück zu schreiben.

Deine zunehmende Antipathie für Petersburg kann ich verstehen, aber es hat doch auch viel Gutes; und sei es, zum Beispiel, der Nevskij an einem Sonnentag, oder die Komissarževskaja, die ich für eine großartige Schauspielerin halte.

Meine Gesundheit ist in Ordnung, meine Stimmung desgleichen. Aber bald, fürchte ich, wird meine Stimmung wieder miserabel sein: Lavrov und Golcev haben darauf bestanden, die

»Möwe« in der »Russkaja mysl« zu veröffentlichen – und jetzt wird mich die Literaturkritik auspeitschen. Und das ist so widerwärtig, wie wenn man im Herbst in eine Pfütze tritt.

Ich falle dir wieder mit einer Bitte auf die Nerven: in der Städtischen Bibliothek Taganrog wird eine Abteilung Information und Nachschlagewerke eröffnet. Schick mir für diese Abteilung Programm und Statut Eurer Philharmonischen Gesellschaft, das Statut der Literaturkasse und überhaupt alles, was du zur Hand hast und was, deines Erachtens, entsprechenden Charakter trägt. Entschuldige diesen lustigen Auftrag.

Grüß Ekaterina Nikolaevna und bleib gesund.

96 20/XI. *Dein A. Čechov.*

Schreib mir irgendetwas.

568) AN E. M. ŠAVROVA MELICHOVO, 20. 11. 1896

96 20/XI.

Nun denn, verehrte collega, erlauben Sie mir vor allem, Ihnen einen strengen Verweis zu erteilen. Wozu haben Sie sich den Boccaccio gekauft? Wozu? Diese Ihre Handlung hat mir mißfallen.

Dafür hat mir die Erzählung sehr, sehr gut gefallen. Das ist eine gute, liebe, kluge Sache. Aber Sie führen, wie es Ihre Gewohnheit ist, die Handlung ein bißchen schlaff, und deshalb wirkt auch die Erzählung stellenweise schlaff. Stellen Sie sich einen großen Teich vor, aus dem das Wasser in einem sehr feinen Rinnsal abläuft, so, daß die Bewegung des Wassers für das Auge nicht wahrnehmbar ist; stellen Sie sich auf der Teichoberfläche verschiedene Einzelheiten vor – Späne, Bretter, leere Fässer, Laub, alles das wirkt, infolge der schwachen Bewegung des Wassers, unbeweglich und hat sich dort, wo der Bach entspringt, aufgestaut. Dasselbe auch in Ihrer Erzählung: wenig Bewegung und eine große Menge von Einzelheiten, die sich stauen. Aber da ich eben erst aufgestanden bin und mein Gehirn schlecht funktioniert, erlauben Sie mir, meine Kritik punkteweise darzulegen:

1) Das erste Kapitel hätte ich mit den Worten begonnen: »Eine kleine Kutsche war soeben«. Das ist einfacher.

2) Die finanziellen Überlegungen (über die 300 R.) im ersten Kapitel können entfallen.

3) »in all seinen Erscheinungsformen« – das ist unnötig.

4) Die jungen Gatten richten sich zu Hause ein »wie alle« – dies erinnert an die Bergs in »Krieg und Frieden«.

5) Die Überlegungen über Kinder, beginnend mit den Worten: »ja, selbst eine Nichte« und endend mit »passe«, – sind lieb, aber schädlich und stören in der Geschichte.

6) Beide Schwestern und Korickij, – sind sie notwendig? Sie sollte man erwähnen, und Schluß. Sie stören doch auch nur. Wenn es notwendig ist, daß Vava das Kind sieht, so besteht keine Notwendigkeit, sie nach Moskau zu schicken. Sie fährt so oft nach Moskau, daß es schwerfällt, ihr überhaupt zu folgen.

7) Weshalb ist Vava eine Fürstin? Das ist nur eine Stauung.

8) Eine solch korrekte »distinguée« – ist längst etwas für den Reißwolf, wie auch das Wort »Flirt«.

9) Die Fahrt zur Hochzeit ist unnötig.

10) Bei dem Professor – das ist sehr gut.

11) Ich hätte mit dem siebenten Kapitel geendet, ohne Andrjuša zu erwähnen, weil das Andante aus der Mondscheinsonate alles Nötige bereits erklärt. Aber wenn Sie Andrjuša schon brauchen, brauchen um jeden Preis, so trennen Sie sich dennoch vom IX. Kapitel. Das ist eine Stauung.

12) Lassen Sie Andrjuša nicht spielen. Das ist süßlich. Wozu hat er reckenhafte Schultern? – Das ist zu viel, wie soll ich mich ausdrücken: – das ist Šapir?!

13) Caesar und Caesars Frau behalten Sie im Text bei, aber als Titel taugt »Caesars Frau« nicht... Jawohl... Es geht nicht durch die Zensur, und es taugt nicht.

14) Und dann schicken Sie die Erzählung von sich aus an die »Russkaja mysl«, – man kennt sie dort. Stecken Sie sie in ein Couvert und kleben Sie vorher eine 5-Kopeken-Marke darauf.

Und ich werde in die Redaktion gehen und dort alles Nötige in Erfahrung bringen.

Denken Sie daran, daß Caesar und seine Frau die zentralen Figuren sind, und erlauben Sie Andrjuša und seinen Schwestern nicht, sich vor sie zu schieben. Nieder auch mit Smaragdov. Überflüssige Familiennamen sind nur Stauungen.

Ich wiederhole, es ist eine gute Erzählung. Der Ehemann ist Ihnen gelungen, wie es besser gar nicht sein könnte. Aber es ist kein Platz mehr. Die »Möwe« wird im Dezemberhft. der *Russkaja mysl«* gedruckt.

Bleiben Sie gesund!! *Cher maître A. Čechov.*

569) AN P.F. IORDANOV MELICHOVO, 24. 11. 1896

Sehr geehrter Pavel Fëdorovič, ich schicke Ihnen den Frachtbrief sowie die Liste der Bücher in der Reihenfolge Ihrer Bestellung. Die Bücher, die mit dem Wort »nicht gekauft« versehen sind, werden Ihnen in der nächsten Zeit geschickt, mit Ausnahme einiger weniger, über sie weiter unten.

Dante wird bei Marks nicht verlegt. Marks hat eine Luxusausgabe von Miltons »Verlorenem Paradies«, aber ich habe auf ihren Kauf verzichtet. Und ich werde auch in Zukunft, ohne besondere Vollmacht von Ihnen, keine teuren Luxusausgaben kaufen, weil sie, meiner Meinung nach, für eine städtische Bibliothek teure, angenehme Möbelstücke sind, die zu benutzen man Angst hat, um sie nicht zu beschädigen. Außerdem werden in städtischen Bibliotheken der Provinz die Einbände teurer Bücher gewöhnlich durch Etiketts verunziert. Ein Buch, das Sie vom Regal mit einem großen weißen Auge anschaut, ist ein um so unangenehmerer Anblick, je teurer der Einband ist. (In den großen Bibliotheken der Hauptstädte, in denen die Bücher zu Zehntausenden gezählt werden, kommt man ohne Etiketts aus oder klebt sie auf die Innenseite des Einbands.)

»Germinal« von Zola ist in russischer Sprache angeblich verboten. Von Sudermanns Stücken schicke ich, außer der »Heimat«, noch zwei: »Das Glück im Winkel« und »Fritzchen«. Leskov schicke ich Ihnen meinen eigenen, nur entschuldigen Sie, nicht gebunden und ohne den VI. Band! Dieser Band ist verboten! Ich habe ihn in ein Paket gepackt und geschrieben, er gehöre der Städt. Bibliothek Taganrog; das ist eine Rarität, die mit der Zeit immer wertvoller wird. Ich bin bereit, Ihnen das Paket zu schikken und würde es mit Vergnügen schicken, wenn Sie garantieren, daß die Existenz des VI. Bandes vorläufig für alle ein Geheimnis bleibt – für alle, außer Ihnen und mir.

Maupassant kostet zur Zeit mehr als 6 R., aber man hat ihn mir für 6 R. gegeben, mit einem Rabatt von 10%. Ich werde es nicht bei diesen 12 Bänden belassen und Maupassant auch weiterhin in Einzelausgaben in guten Übersetzungen und in französischer Sprache kaufen. Klassiker und berühmte Autoren sollte die Bibliothek, wie ich finde, auch im Original haben – der Ordnung halber, honoris causa. Außerdem sollte Taganrog sich schämen, sich nur mit Übersetzungen zu begnügen. In Taganrog gibt es doch Ausländer zuhauf, wie Sand am Meer. Die »Überanstrengten Kräfte« der Nazarjeva gibt es nicht, sie waren auch nie im Handel. Er, d. h. der Roman, ist im »Nabljudatel« erschienen. Ich habe der Autorin geschrieben, sie hat die Zeitschrift gekauft, ihren Roman herausgelöst, ihn binden lassen und ihn mir mit Widmung geschickt. Sie hat mir zwei weitere Bücher von sich geschickt. Die »Finsternis« und die »Gouvernementsrevision« von Nemirovič-Dančenko werde ich schicken, aber machen Sie, à propos, in der Bibliothek darauf aufmerksam, daß man Vladimir Nemirovič-Dančenko nicht mit seinem Bruder Vasilij verwechselt. Sie muß man genauso auseinanderhalten wie Anton und Aleksandr Čechov, wie Vladimir und Lavr Korolenko. Jetzt zum Kritisch-Biographischen Wörterbuch von Vengerov. Soll man es erwerben? Es geht doch nur bis zum Buchstaben B... Wäre nicht besser, man erwürbe die von demselben Vengerov herausgegebene Bibliographie russischer Bücher, die von prähistorischer Zeit bis heute reichen wird? Vengerov hat sein Wörterbuch einstweilen liegen gelassen und gibt jetzt diese Bibliographie heraus, die ihm als Vorbereitungsarbeit für das Wörterbuch dient. Also schreiben Sie mir: soll ich kaufen? Zur »Volga« von Razmadze, einer teuren Ausgabe (und einer wenig interessanten für alle diejenigen, die nie an der Volga gewesen sind und nie dort gelebt haben), sage ich dasselbe wie zu Milton. Kaufen?

Auf den Preis der Bücher Nrn. 1, 2, 7, 9, 10, 13, 19, 22, 25, 27, 29, 33, 40, 44, 45, 63, 71, 74 bekam ich einen Rabatt von 10%. Der wirkliche Preis der Bücher, die mit größerem Rabatt gekauft worden sind, steht in Klammern. Insgesamt habe ich für die Bücher 89 Rub. 38 K. ausgegeben. Darin inbegriffen sind (ebenfalls mit Rabatt von 10%) auch die beiden Bücher, die ich nicht für die Bibliothek gekauft habe. Über die Abteilung Nachschlagewerke im Dezember. Kündigen Sie einstweilen an, daß die Bibliothek Bestellungen von Büchern und Noten, russischen wie ausländischen, entgegennimmt. Zeitschriften und Zeitungen wird die Bibliothek erst im kommenden Jahr empfangen, wenn ich mit den Redaktionen verhandelt habe. Man wird der Bibliothek einen Rabatt gewähren. Buchbestellungen richten Sie an mich, aber so, daß auf dem Couvert jedesmal deutlich das Zeichen der Bibliothek zu sehen ist. Ich werde veranlassen, daß mir Briefe von Ihnen und dem Leiter der Bibliothek in meiner Abwesenheit unverzüglich nachgeschickt werden; wenn ich auf eine große Reise gehen sollte, werden Ihre Buchbestellungen unverzüglich von irgend jemandem bei mir zu Hause oder von einer von mir eigens dazu ausgewählten Person erledigt werden. Abrechnen werden wir zwei-, dreimal pro Jahr. Natürlich kann man auch schon jetzt ankündigen, daß Zeitungen und Zeitschriften abonniert werden, aber unter dem Vorbehalt, daß die Bibliothek in diesem Jahr noch nicht in den Genuß des üblichen Rabatts kommt. Mit den Moskauern kann ich reden, aber für die Petersburger kann ich mich nicht verbürgen, da ich nicht weiß, wann ich wieder nach Petersburg komme.

Nur noch einmal die Bitte: sagen Sie niemandem, daß ich mich an den Angelegenheiten der Bibliothek beteilige. Ich mag es nicht, wenn die Juden meinen Namen an die große Glocke hängen. Das ruiniert mir die Nerven.

In Taganrog hat man meine »Möwe« gespielt? Aber woher hat man sie genommen? Sie ist doch noch nirgends veröffentlicht und wird das Licht der Welt erst am 15. Dezember in der »Russkaja mysl« erblicken. Ich hatte nur ein einziges Exemplar, das ich nach Kiev geschickt habe, wo das Stück einen großen Erfolg hatte. Nach welchem Exemplar hat man in Taganrog gespielt? Ich kann mir vorstellen, was und wie man dort gespielt hat!

Die Sache über die Apotheke habe ich gelesen. Aus ihr geht hervor, daß das Ganze nicht von Ragozin abhängt, sondern von der Militärbehörde. Und unter den großen Militärs dieser Welt kenne ich fast niemanden. Übrigens, wir werden darüber noch reden.

Ich wünsche Ihnen alles Gute.

In aufrichtiger Hochachtung *A. Čechov.*

96 24/XI.

Ich schicke Ihnen für die Bibliothek ein Bildnis von N.S. Leskov.

»Ganz Rußland«, das Sie in der Kiste finden werden, ist für die Abteilung Nachschlagewerke. Dorthin gehört auch das kleine technische Wörterbuch.

1) *Apuchtin.* Vollständige Werke. Jetzt erschienen in einem Band, in den die ehemaligen zwei eingegangen sind. Pr. 3 R. 50 K.

2) *Andersen.* 4 Bände. Pr. 8 Rub.

3) *Boborykin.* Seine Werke werden 1897 als Beilage zur »Niva« in Gestalt einer Abonnements-Prämie erscheinen.

4) *Boccaccio.* Dekameron, Bände I und II. Gratis.

5) *Bogdanov.* Landwirtschaftliches Wörterbuch. Noch nicht gekauft.

6) *Bourget.* Das gelobte Land. Nicht gekauft. Tragische Idylle. Zum Binden gegeben.

7) *Booth W.* In Englands Lasterhöhlen. Pr. 1 Rub.

8) *Vereščagin.* Kindheit und Knabenalter. An der Nördlichen Dvina. Nicht gekauft.

9) *Gibbon* Edward. Geschichte des Verfalls und Untergangs des Römischen Reiches. Pr. 26 Rub., sieben Bände.

10) *Grimm.* Märchen. 4 Rub.

11) *Dante.* Göttliche Komödie. Ausg. Marks. Diese Ausgabe gibt es bei Marks nicht.

12) *Derjužinskij.* Habeas corpus. Nicht gekauft.

13) *Drill.* Verbrechen und Verbrecher. Pr. 1 R. 20 K.

14) *Elpatjevskij.* Skizzen aus Sibirien. Nicht gekauft.

15) *Zola.* Germinal. Wird in Rußland nicht gehandelt. Lourdes. Pr. 1 Rub.
Rome. Nicht gekauft.

16) *Sudermann.* Die Ehre. Die Heimat. Nicht gekauft.*

17) *Ibsen.* Vollständige Werke. Habe ich subskribiert und schicke sie nach Erscheinen aller Bände. Die Quittung hebe ich auf. Pr. 4 R. 50 K.

18) *Kolçov.* Gedichte. Ausg. Suvorin. Nicht gekauft.

19) *Krylov.* Fabeln. Ausg. Suvorin. 15 Kop. Außerdem schicke ich die Fabeln in der Ausgabe von Smirdin – eine bibliographische Rarität – gratis.

20) *Kajgorodov.* Aus dem Reich der Gefiederten.
Aus dem Reich des Grünen. } Nicht gekauft.

21) *Leskov.* Vollständige Werke. Gratis.

22) *Litvinskij.* Behandlung des Schulkindes. 50 Kop.

23) *Letnev.* Die unsichtbare Peitsche. Steine statt Brot. Nicht gekauft.
Letnev. Samtene Klauen. Nicht gekauft.
Aufs Haar. Nicht gekauft.
Moderne Leiden. Nicht gekauft.
Das fremde Verbrechen. Pr. 75 K. (statt 1 R. 50 K.)
Die Wolfsgrube. Nicht gekauft.

24) *Mikulič.* Wetterleuchten. Nicht gekauft.

* »Die Heimat« wird geschickt. Gratis.

25) *Maupassant.* Werke, 12 Bände. Pr. 6 Rub.

26) *Melšin.* In der Welt der Ausgestoßenen. Nicht gekauft.

27) *Musset.* Nächte. Pr. 60 K.

28) *Margueritte.* Frederique.
Qualen.
Zwei Prüfungen.
Familienstürme.
Ehrenhalber. } Nicht gekauft.

29) *Merežkovskij.* Pr. 1 R. 50 K.

30) *Muravlin.* Du sollst nicht töten.
Das hohe Gericht. } Nicht gekauft.

31) *Nazarjeva.* Überanstrengte Kräfte. Gratis.

32) *Nefedov.* Werke. Nicht gekauft.

33) *Nekrasov.* Werke, Band I und II. Pr. 5 Rub.

34) *Oržeško.* Der Wilde. Nicht gekauft.
Am Nieman. Gratis. (Angesichts des von Ihnen geäußerten Wunsches, alles zu haben, was es auf russisch gibt, schicke ich außerdem:) Die geringere Zunft. Pr. 40 Kop. (statt 1 Rub.). Novellen und Erzählungen. Gratis.

35) *Protopopov.* Aufsätze zur modernen Literatur. Nicht gekauft.

35) *Poe E.* Außergewöhnliche Geschichten. Nicht gekauft.

36) *Peterson.* Die Familie Brontë. Nicht gekauft.

37) *Paulsen.* Einführung in die Philosophie. Nicht gekauft.

38) *Probleskin.* Ist bereits in der Bibliothek.

39) *Prugavin.* Bedürfnisse des Volkes und Pflichten der Intelligenz. Nicht gekauft.

40) *Junker Wilhelm.* Die Reise. Pr. 3 Rub. 50 K.

41) *Reclus.* Die Erde. Nicht gekauft.

42) *Renan.* Historische und religiöse Etüden. Nicht gekauft.

43) *Rubakin.* Etüden über das russische Lesepublikum. Nicht gekauft.

44) *Skabičevskij.* Werke, I und II. Pr. 3 Rub.

45) *Spinoza.* Ethik. Pr. 1 Rub. 50 Kop.

46) *Stanjukovič.* Die Offenherzigen. Nicht gekauft.

47) *Stockham.* Tokologie. Nicht gekauft.

48) *Spasovič.* Gesammelte Werke. Nicht gekauft.

49) *Taine.* Vorlesungen über die Kunst. Pr. 1 R. 25 K. (statt 1 R. 75 K.).

50) *Šapir.* Legitime Ehefrauen. Ein zu hoher Preis. } Nicht gekauft.

51) *Karelin.* Illustrierte Vorlesungen zur Kulturgeschichte. Nicht gekauft.

52) *Gromeka.* Über Tolstoj. Ist bereits in der Bibliothek.

53) *Ziber.* Skizze der ursprünglichen ökonomischen Kultur. Nicht gekauft.

54) *Karelin.* Verfall der antiken Weltanschauung. Nicht gekauft.

55) *Béranger.* Sämtliche Gedichte. Nicht gekauft.

56) *Nemirovič-Dančenko.* Finsternis. Die Gouvernementsrevision. } Nicht gekauft.

57) *Uchtomskij.* Die Reise S. M. des Thronfolgers in den Osten. Nicht gekauft.

58) *Nordau.* Über die Entartung. Pr. 70 Kop. (statt 1 R. 50 K.).

59) *Vegetarische Küche.* Gratis.

60) *Kovalevskij.* Entstehung der Familie und des Eigentums. Nicht gekauft.

61) *Unter vier Augen.* Almanach. Nicht gekauft.

62) *Ivanov.* I. S. Turgenev. Nicht gekauft.

63) *Isaev.* Prinzipien der politischen Ökonomie. 3 R. 50 K.

64) *Potanin.* Von Reisen durch Ostsibirien, die Mongolei und Tibet. Pr. 3 Rub.

65) *Krivenko.* Am Scheideweg. Nicht gekauft.

66) *Kielland.* Gift. Fortuna. Nicht gekauft.

67) *Dioneo.* Im äußersten Nordosten Sibiriens. Nicht gekauft.

68) *Vengerov.* Kritisch-biographisches Wörterbuch. Nicht gekauft.

69) *Čerevanskij.* Zur Geschichte der russischen Kultur. Nicht gekauft.

70) *Razmadze.* Die Volga. Nicht gekauft.

71) *Garšin.* 3. Buch der Erzählungen. Pr. 1 Rub.

72) *Shelley.* Nicht gekauft.

73) *Koni.* Während der letzten Jahre. Nicht gekauft.

74) *Kulišer.* Die Scheidung und die Lage der Frauen. Pr. 1 Rub. 50 K.

75) *Bobriščev-Puškin.* Empirische Gesetze der Praxis des russischen Geschworenengerichts. Pr. 3 Rub. (statt 4 R.).

76) *Starčevskij.* Wörterbuch. Pr. 40 K. (statt ?)

77) *Miljukov.* Aufsätze zur Geschichte der russischen Kultur. Nicht gekauft.

Gekauft nicht für die Bibliothek:

1) *Boccaccio.* Dekameron. 10 Rub.

Garšin. 3. Buch der Erzählungen. 1 R.

Autor dieses Briefes ist Andrej Pavlovič Evtuševskij. Da Sie in diesem Brief erwähnt werden, schicke ich ihn Ihnen. Evtuševskij hat damals, in alter Zeit, glaube ich, in der Kanzlei des Stadthauptmanns gearbeitet, er hat einen Titel. Wohnt im eigenen Hause, der Teufel weiß wo, jenseits des Friedhofs. Er ist ein nüchterner, anständiger Mensch, übt ständig an irgendetwas Kritik und kann aufgrund seines Gerechtigkeitssinnes ein Čackij von Novostroj genannt werden.

570) AN A. S. SUVORIN MELICHOVO, 25. 11. 1896

25. November.

Aus Moskau zurückgekehrt, antworte ich auf Ihren Brief. Jean Ščeglov wohnt im Gouv. Vladimir, Studenaja gora, Hs. Loginov. Für den Namen des Hausbesitzers kann ich nicht garantieren, denke aber, daß man Jeans Adresse auf der Post kennt und daß Fehler in der Adresse keine Rolle spielen. Wenn Ščeglov nicht in Vladimir ist, dann versteckt er sich in Moskau, »Kokorevskoe podvorje«.

Erlauben Sie mir jetzt, Ihnen einen langweiligen Auftrag zu erteilen. Die Direktion hat mir den Kontrakt zur Unterschrift geschickt. Seien Sie so gut, schicken Sie ihn, wann immer Sie wollen, bei Gelegenheit, an die Direktion zurück plus Taxmarken 1 R. 25. K. Diesen Betrag schicke ich Ihnen in Briefmarken. Beachten Sie à propos Punkt 2 des Kontrakts. Für 4-aktige Stücke wird doch ein Honorar in Höhe von 10% gezahlt, und ich glaube, für den »Ivanov« habe ich eben diese 10% bekommen. Warum jetzt aber 8%? Wenn das ein Fehler ist in dem Kontrakt, so schicken Sie ihn nicht ab.

Wie ist Ihre Vorstellung verlaufen?

Was gibt es überhaupt Neues?

Ja, Ivanov (Verwalter der B.s) ist zum zweiten Mal verheiratet.

Bald kommen kann ich nicht.

Ich wünsche Ihnen alles Gute. Verzeihen Sie den Auftrag.

Ihr A. Čechov.

571) AN V.I. NEMIROVIČ-DANČENKO MELICHOVO, 26. 11. 1896

Lopasnja, 96, 26/XI.

Lieber Freund, ich antworte auf den Hauptpunkt deines Briefs – warum führen wir im allgemeinen so selten ernste Gespräche. Wenn die Menschen schweigen, so bedeutet dies, daß sie einander nichts zu sagen haben oder daß sie sich genieren. Worüber sollen wir sprechen? Wir haben keine Politik, wir haben kein gesellschaftliches Leben, weder in Zirkeln noch auf der Straße, unser städtisches Leben ist armselig, eintönig, schleppend, uninteressant – darüber zu sprechen ist genauso langweilig, wie mit Lugovoj Briefe zu wechseln. Du wirst sagen, wir seien Literaten, und schon dies allein mache unser Leben reich. Ja? Wir stecken bis über die Ohren in unserem Beruf, er hat uns unwillkürlich von der Außenwelt isoliert – und im Endergebnis haben wir wenig freie Zeit, wenig Geld, wenig Bücher, wir lesen wenig und ungern, hören wenig, reisen selten ... Über die Literatur sprechen? Aber wir haben doch schon über sie gesprochen ... Jedes

Jahr ein und dasselbe, ein und dasselbe, und alles, was wir im allgemeinen über die Literatur sagen, läßt sich darauf reduzieren, wer besser und wer schlechter geschrieben hat; Gespräche über allgemeinere, weitergreifende Themen kommen nie zustande, weil rund um dich herum Tundra und Eskimos sind, da verflüchtigen sich die allgemeinen Gedanken als auf die Gegenwart nicht anwendbar, und entschlüpfen einem ebenso schnell wie Gedanken über die ewige Seligkeit. Über das Privatleben sprechen? Ja, das kann manchmal interessant sein, und wir würden wohl auch darüber sprechen, aber da genieren wir uns auch schon, wir sind verschlossen, unaufrichtig, der Selbsterhaltungstrieb hält uns zurück, und wir haben Angst. Wir haben Angst, uns könnte während unseres Gesprächs irgendein unkultivierter Eskimo zuhören, der uns nicht mag und den wir auch nicht mögen; ich persönlich habe Angst, mein Freund Sergeenko, dessen Verstand dir gefällt, könnte in sämtlichen Zugabteilen und Häusern laut, mit erhobenem Finger die Frage ventilieren, warum ich mit N lebe, während Z mich doch liebt. Ich habe Angst vor unserer Moral, Angst vor unseren Damen... Kurz, gib an unserem Schweigen, an der Unernsthaftigkeit und Langweiligkeit unserer Unterhaltungen nicht dir, nicht mir die Schuld, sondern, wie die Kritik sagt, der »Epoche«, dem Klima, dem Raum, wem du willst, und überlaß die Umstände ihrem eigenen schicksalhaften, unerbittlichen Fluß, in der Hoffnung auf eine bessere Zukunft.

Für Golcev freue ich mich natürlich und beneide ihn, denn ich wäre in seinem Alter nicht mehr dazu fähig. Golcev gefällt mir sehr, ich mag ihn.

Für den Brief danke ich dir von ganzem Herzen und drücke dir fest die Hand. Wir sehen uns nach dem 12. Dezember, bis dahin bist du unauffindbar. Grüß Ekaterina Nikolaevna und bleib gesund. Schreib, wenn dich die Lust dazu ankommt. Ich werde mit dem größten Vergnügen antworten. *Dein A. Čechov.*

572) AN E.M. ŠAVROVA MELICHOVO, 2. 12. 1896

Verehrte collega! Sie schreiben, Sie wollten vielmehr den Ruhm als Liebe; mir geht es umgekehrt: ich will viel mehr Liebe als Ruhm. Übrigens ist das Geschmackssache. Der eine liebt den Popen, der andere des Popen Magd.

Ich schicke Ihnen Ihre Weihnachtsgeschichte zurück. Ich finde, im Hinblick auf die Weihnachtlichkeit sollte man sie ein wenig lebendiger machen. Der Doktor und Katja drücken sich die ganze Zeit sauer um den Weihnachtsbaum herum. Schreiben Sie doch den Roman, in dem »die eine große Liebe vorkommt, von allen Seiten gesehen und in all ihren Aspekten«. So ist es doch unmöglich, dem Doktor und Katja auch nur einen Aspekt zukommen zu lassen. Und so hat ihre Liebe weder Seiten noch einen Aspekt.

Wann werden Sie mit dem Roman beginnen? Ich warte darauf.

Ich bin mit meiner Uhr zu Buhre gegangen, ich wollte sie in Reparatur geben. Buhre sah sich die Uhr an, drehte sie in den Händen, lächelte und sagte mit süßlicher Stimme: – Monsieur, Sie haben vergessen sie aufzuziehen...

Ich zog sie auf, – und die Uhr ging wieder. So sucht man manchmal die Reparatur seines Elends im Detail, und vergißt die Hauptsache.

Ich wünsche Ihnen alles Gute.

Ihr getreuer cher maître *A. Čechov.*

96 2/XII.

573) AN A.S. SUVORIN MELICHOVO, 2. 12. 1896

2. Dez.

Wenn im Frühjahr Krieg ausbricht, gehe ich in den Krieg. In den letzten 1 1/2 – 2 Jahren meines Privatlebens hat es so viele Geschehnisse jeglicher Art gegeben (vor einigen Tagen sogar einen Hausbrand), daß mir nichts anderes übrigbleibt als in den Krieg zu ziehen, à la Vronskij – nur, natürlich, nicht um zu kämpfen, sondern um zu heilen. Das einzige lichte Intervall in diesen 1 1/2 –

2 Jahren war der Besuch bei Ihnen in Feodosija, alles andere war zum Vergessen, miserabel. Was für ein Dučinskij hat ein Stück geschrieben? Auf Sachalin bin ich einem Dučinskij begegnet, einem Verwandten Skalkovskijs, einem Postbeamten, der Gedichte und Prosa schrieb. Er hatte ein »Sachalino« geschrieben – eine Parodie auf »Borodino«, schleppte dauernd einen Riesenrevolver in der Hosentasche mit sich herum und soff. Der Lermontov von Sachalin. Ist er es nicht vielleicht, der das Stück geschickt hat?

Beiliegenden Korrespondentenbericht veröffentlichen Sie, wenn möglich, wenigstens in petit. Aus Serpuchov. Es geht um die Straße, die man uns wegnehmen will und auch könnte. Autor des Berichts ist V. N. Semenkovič, ein Neffe von Fet, mein Nachbar.

Meine Stücke werden mit atemberaubender Langsamkeit gedruckt, nicht schneller als die Erzählungen. Man schickt mir die Fahnen in so kleinen Portionen, daß einem nichts anderes bleibt, als der Post die Schuld zuzuschieben. Bis heute habe ich erst den »Ivanov« und die Vaudevilles korrigiert; noch nicht gesetzt sind die zwei großen Stücke: die Ihnen bekannte »Möwe« und der noch niemandem auf der Welt bekannte »Onkel Vanja«. Man sagt, die Verzögerung käme daher, weil ich sowohl die Fahnen als auch den Umbruch haben wolle. Aber die »Mürrischen Menschen« werden mir doch nur im Umbruch geschickt, warum lese ich auch daran schon über zwei Monate? Nun, jetzt zu dem Vertrag. Schicken Sie den Vertrag nicht ab. Karpov hat mir durchaus nicht gesagt, ich solle kommen und mit ihm verhandeln, er hat mir lediglich den Vertrag geschickt, damit ich ihn unterschriebe, und als ich dazu ins Kontor ging, wurde dort gerade aus Anlaß des 17. Oktober ein Dankgottesdienst abgehalten, – es stand niemandem der Sinn nach Verträgen, man übersah mich einfach, und am 18. Oktober habe ich bereits in Ljuban zu Mittag gegessen. Bitte schreiben Sie nichts mehr und sprechen Sie nicht mehr mit Karpov. Ich bin überzeugt, daß er 10% bekommen hat. Alle haben das immer bekommen, das ist beinahe zum Gesetz geworden.

Was macht Potapenko? Ist er nach Cherson gefahren, wie er es vorhatte? Sie wollen Einakter; nehmen Sie seinen »Blumenstrauß« – ein Stück, das in Petersburg, glaube ich, noch nicht im Staatstheater gespielt worden ist und das in der Provinz Riesenerfolg hat. Nehmen Sie die »Brennenden Briefe« von Gnedič. Ežov hat seinen »Mops«. Lassen Sie, nur sehr gut, »Am Fluß« von dem verstorbenen Gorbunov aufführen, – mit Michajlov, Orlenev, der Domaševa; das ist eine wunderschöne Landschaft, die früher einmal in Moskau auf der Kleinen Bühne großen Erfolg hatte, so daß sogar Gruppenaufnahmen gemacht worden sind.

Schreiben Sie mir um Himmels willen. *Ihr A. Čechov.*

574) AN A.S. SUVORIN MELICHOVO, 14. 12. 1896

14. Dez.

Ich habe Ihre beiden Briefe zum »Onkel Vanja« bekommen – den einen in Moskau, den anderen zu Hause. Vor nicht allzu langer Zeit habe ich einen Brief von Koni bekommen, der in der »Möwe« war. Sie und Koni haben mir mit Ihren Briefen nicht wenige schöne Minuten bereitet, aber dennoch ist mein Herz wie verzinnt, ich verspüre für meine Stücke außer Widerwillen nichts und lese nur mit Überwindung Korrektur. Sie werden wieder sagen, das sei unklug, dumm, sei Eitelkeit, Stolz usw. usf. Ich weiß, aber was soll ich denn tun? Ich wäre froh, dieses dumme Gefühl loszuwerden, aber ich kann und kann es nicht. Schuld daran ist nicht, daß mein Stück durchgefallen ist; meine Stücke sind doch in der Mehrzahl auch früher durchgefallen, und jedesmal habe ich das abgeschüttelt wie die Ente das Wasser. Den Mißerfolg vom 17. Oktober hatte aber nicht mein Stück, sondern meine Person. Schon während des ersten Akts hat mich ein Umstand bestürzt, und zwar: diejenigen, mit denen ich bis zum 17. Oktober offen und freundschaftlich verkehrt, unbekümmert zusammen gegessen hatte, für die ich Lanzen gebrochen habe (wie beispielsweise für Jasinskij) – sie alle hatten ein merkwürdiges Gesicht aufgesetzt, ein schrecklich merkwürdiges... Mit einem

Wort, es ist etwas geschehen, das Lejkin Anlaß dazu gegeben hat, mir in einem Brief sein Mitgefühl darüber auszudrücken, daß ich so wenig Freunde habe, und der »Nedelja« Anlaß zu fragen: »was hat Čechov ihnen getan«, und dem »Teatral« (Nr. 95), einen ganzen Korrespondentenbericht darüber zu bringen, als habe mir die schreibende Zunft im Theater den Skandal bereitet. Ich bin jetzt ruhig, meine Stimmung ist wie gewöhnlich, aber dennoch kann ich nicht vergessen, was war, wie ich auch nicht vergessen könnte, wenn man mich beispielsweise geschlagen hätte.

Jetzt eine Bitte. Schicken Sie mir das übliche jährliche Bestechungsgeschenk – Ihren Kalender, und wäre es nicht möglich, über irgend eine der Hpt.-Verwaltung nahestehende Person in Erfahrung zu bringen, aus welchem Grunde uns die Zeitschrift »Chirurgija« immer noch nicht genehmigt worden ist? Wird sie genehmigt werden? Das Gesuch habe ich bereits am 15. Okt. eingereicht im Namen von Prof. Djakonov. Die Zeit wartet nicht, wir erleiden riesige Verluste.

Sytin hat sich in der Gegend von Moskau ein Gut gekauft für 50 Tsd., 14 Verst von der Bahn entfernt, nahe einer Chaussee.

Sie teilen Stücke ein in spielbare und in Lesestücke. Zu welcher Kategorie – zu den Lesestücken oder den Spielbaren – zählen Sie dann die »Bankrotteure«, insbesondere den Akt, wo Dalmatov und Michajlov im Verlauf des gesamten Akts ein Gespräch nur über die Buchhaltung führen und dabei einen Riesenerfolg haben? Ich bin der Meinung, daß auch ein Lesestück, wenn es von guten Schauspielern gespielt wird, spielbar wird.

Ich sammle Material für ein Buch, ähnlich »Sachalin«, in dem ich die 60 Zemstvoschulen unseres Kreises darstelle, wobei ich ausschließlich ihre soziale und wirtschaftliche Seite behandeln will. Das würde den Zemstvoleuten nützen.

Ich wünsche Ihnen alle Güter des Himmels und der Erden, angenehmen Schlaf und guten Appetit. *Ihr A. Čechov.*

575) AN F.O. ŠECHTEL MELICHOVO, 18. 12. 1896

Lieber Franc Osipovič, offensichtlich haben Sie eine Braut, die Sie so rasch wie möglich loswerden wollen; aber Sie müssen entschuldigen, heiraten kann ich gegenwärtig nicht, denn erstens sitzen in mir die Bazillen, höchst zweifelhafte Untermieter; zweitens habe ich keinen Groschen, und drittens glaube ich immer noch, zu jung dafür zu sein. Gestatten Sie mir, noch zwei-drei Jahre zu bummeln, dann werden wir sehen – vielleicht heirate ich ja tatsächlich. Nur wozu wollen Sie, daß meine Frau mich dann »tüchtig zaust«? Das Leben zaust einen doch ohnehin schon, und nicht zu knapp.

Wann werden wir uns wiedersehen? Sie kommen am 7. Jan. zurück; um den 10. beginnt bei uns die Volkszählung, an der ich teilnehme und die sich, voraussichtlich, bis Februar hinziehen wird. Den ganzen Februar werde ich mit Fahrten zu den einzelnen Schulen verbringen (in meiner Eigenschaft als Zemstvomann). Wenn Sie zurück sind, schreiben Sie mir doch ein, zwei Zeilen, ich reiße mich dann für einen Tag los und komme nach Moskau geeilt. Ich muß und möchte Sie sehr, sehr gern sehen.

Sie schreiben: »Ihre Gesandte hat meine neue Adresse herausbekommen«. Gestatten Sie, welche Gesandte? Ich habe niemanden zu Ihnen geschickt (ich schwöre!) und bin jetzt unsicher. Wenn sie noch einmal wiederkommt, halten Sie sie fest und bringen Sie sie aufs Revier.

Glückliche Reise!! Aber ich beneide Sie nicht, weil es im Ausland jetzt, besonders in den Hotels, kalt ist.

Ich drücke Ihnen fest die Hand und danke Ihnen tausendmal für den Brief. *Ihr A. Čechov.*

96. 18/XII. Lopasnja, Gouv. Moskau.

Kommen Sie durch München? Dort gibt es hervorragende Optiker. Wenn Sie zufällig in ein Optikergeschäft kommen, nehmen Sie sich einen detaillierten Preiskatalog* mit Ferngläsern, Teleskopen und Mikroskopen – und schenken Sie ihn mir dann.

Jetzt zu meiner Gesundheit. Ich habe Bazillen in mir, ich huste ständig, aber im allgemeinen fühle ich mich nicht übel und bin ständig in Bewegung.

Es gehen Gerüchte, wonach Levitan ernstlich krank sei.

* einen illustrierten, natürlich.

576) AN L.S. MIZINOVA MELICHOVO, 27. 12. 1896

Liebe Lika, da Sie zu uns kommen, um mit uns Neujahr zu feiern, gestatten Sie mir, Ihnen einen Auftrag zu erteilen: kaufen Sie auf der Tverskaja bei Andreev ein Četvert (Galone) Rotwein Christi Nr. 17 und bringen Sie ihn mit. Nur trinken Sie ihn bitte nicht unterwegs. Wenn Sie keinen mitbringen, haben wir keinen Wein!!

Bleiben Sie gesund, Kantalupa. *Ihr A. Čechov.*

96, 27/XII.

Den Wein bezahle ich.

1897

577) AN E. M. ŠAVROVA MELICHOVO, 1. 1. 1897

Lopasnja, Gouv. Mosk. 97 1/1.

Woher nehmen Sie, daß ich Sie vergessen hätte, verehrte c o l l e - g a? Oh nein, meine Gedanken folgen Ihnen unablässig, wie der Moskauer Offizier, der in Sie verliebt ist. Die Sache ist nur, daß ich in Arbeit stecke, bis an den Hals in Arbeit stecke: ich schreibe und streiche, schreibe und streiche, dann sind da noch verschiedene »öffentliche Angelegenheiten«, die Volkszählung i n s p e, Krankenbesuche, Patienten, und Gäste in rauhen Mengen ... Mir dreht sich der Kopf! Unter solchen Umständen ist es kompliziert, Briefe zu schreiben.

Ich wünsche Ihnen ein gutes Neues Jahr, wünsche Ihnen Glück, neue Hoffnungen und ein Einkommen von zweihunderttausend pro Woche. Und vor allem wünsche ich Ihnen, was Sie mir in Ihrem Brief vergessen haben zu wünschen – den Wunsch zu leben.

Was gibt es Neues und Schönes in Petersburg?

Werden die Liebhaber die »Möwe« spielen? Wenn ja, wo und wann?

Also, bleiben Sie gesund und spielen Sie in Liebhabervorstellungen, hören Sie die Glocken läuten und genießen Sie das Leben, wie man so sagt, in vollen Zügen. Übrigens, darüber sprechen Sie besser mit dem Offizier.

Ihr c h e r m a î t r e A. Čechov.

578) AN A. S. SUVORIN MELICHOVO, 4. 1. 1897

4. Jan.

Ich wünsche Ihnen ein gutes Neues Jahr, wünsche Ihnen Glück und Gesundheit, Ruhe und Geld in Hülle und Fülle. Ich gratuliere Ihnen zu den neuen Zeitungen. Man hat mir die erste Nr. der »Rus« geschickt. Ja, das ist unbegabt, innen wie außen. Weder Geist noch Nerv, sondern einzig und allein das Wohlverhalten eines milchbärtigen Beamten, der aus der Höhe seiner Autorität Platitüden und Gemeinheiten äußert (»die Bedürfnisse der Regierung«). Gajdeburov hatte mich zur Mitarbeit an der Zeitung aufgefordert, aber ich habe ausweichend geantwortet, unter Hinweis auf den Mangel an Zeit und auf das Fehlen einer publizistischen Ader – und woher er es nimmt, daß ich mich in einer neuen Gattung versuchen wolle, das weiß Allah allein.

Ihr Brief vom 1. Jan. kam erst am Abend des 3., und als ich ihn entsiegelte und las, hatte ich den Eindruck, er sei gelesen worden. Von Achmylov habe ich die Abrechnung bekommen. Meine Bücher sind ebenso gut verkauft worden wie 1895, aber im Endergebnis bleibt ein Minus von 400: ich habe im vergangenen Jahr mehr an die Druckerei zahlen müssen und im Februar einen Vorschuß bekommen. Das Darlehen von 1500 bleibt in status quo.

Ich habe nicht vergessen, daß ich versprochen hatte, Anna Ivanovna die »Möwe« zu widmen, aber ich habe mich dieser Widmung mit Bedacht enthalten. Mit diesem Stück verbindet sich für mich eine der unangenehmsten Erinnerungen, es ist mir zuwider, und es jemandem zu widmen, ist unpassend und erscheint mir einfach taktlos.

Über die »Chirurgija« kein Sterbenswörtchen.

Eine anhaltende Ohnmacht ist kein gutes Symptom, und wenn ich das Neue Jahr bei Ihnen begangen hätte, so hätte ich Sofja Ivanovna den Rat gegeben, abends zu Hause zu bleiben, nicht ins Theater zu gehen, abends überhaupt nicht auszugehen und sich früh schlafenzulegen. Phenacetin hilft da nicht. Sytin, der Ihnen bekannte Verleger, ist ebenfalls einer anhaltenden Ohnmacht nahe. Er hat dem Fürsten Svijažskij für 49 Tsd. ein Gut abgekauft und bereut es bereits. Man hat ihm einen solchen Schrecken eingejagt, ihn beschimpft und beschämt, daß er ganz nervös ist, nicht schlafen kann und seinen Kauf schon wieder verkaufen will. Gestern kam er zu mir, ich habe ihm davon abgeraten und ihm zugeredet, nicht auf seine Ratgeber zu hören.

Ihr Brief über Grinmut ist hervorragend und hatte in unseren Landen einen Riesenerfolg. Überhaupt war Ende 96 eine glückliche Phase in der Geschichte der Kleinen Briefe. Ich liebe es über die Maßen, wenn Sie liberal sind, d. h. schreiben, was Sie schreiben wollen. Der Brief über die Studentenunruhen ist ebenfalls sehr gut.

Wann kommen Sie nach Moskau? Ich habe den ganzen Januar über Volkszählung, unter den freiwilligen Helfern bin ich so eine Art Rottenkommandeur. Für zwei, drei Tage werde ich mich aber schon losreißen und nach Moskau kommen.

Ich grüße herzlichst Anna Ivanovna, Nastja, Borja und wünsche ihnen ein gutes Neues Jahr. *Ihr A. Čechov.*

579) AN A. S. SUVORIN MELICHOVO, 11. 1. 1897

11. Jan.

Bei uns ist Volkszählung. Man hat an die freiwilligen Helfer abscheuliche Tintenfässer ausgegeben, abscheulich plumpe Abzeichen, die aussehen wie Etiketts einer Bierfirma, und Aktentaschen, in die die Formulare nicht hineinpassen – es ist, wie wenn der Säbel nicht in die Scheide geht. Eine Schande. Vom frühen Morgen an gehe ich von Hütte zu Hütte, stoße, weil ich es nicht gewohnt bin, dauernd mit dem Kopf an den Türbalken, und ausgerechnet jetzt brummt mir höllisch der Kopf; Migräne, Influenza. In einer Hütte fing ein Mädchen von 9 Jahren, ein Adoptivkind aus dem Waisenhaus, bitterlich zu weinen an, weil alle Mädchen in der Hütte Michajlovna hießen und sie, mit Taufnamen, Lvovna. Ich sagte: – »Laß dich Michajlovna nennen.« Alle waren sehr erfreut und fingen an, sich bei mir zu bedanken. Das nennt man sich Freunde machen mit fremden Reichtümern.

Die »Chirurgija« ist genehmigt worden. Wir beginnen mit dem Erscheinen. Seien Sie so gut, tun Sie uns den Gefallen – lassen Sie beiliegende Anzeige auf der ersten Seite veröffentlichen und setzen Sie die Kosten auf meine Rechnung. Die Zeitschrift wird sehr gut, und diese Anzeige kann nichts anderes bringen als spürbaren, echten Nutzen. Es ist doch ein großer Nutzen, wenn man den Menschen die Beine abschneidet.

A propos etwas aus der Medizin. Es ist ein Mittel gegen den Krebs gefunden worden. Seit einem Jahr bereits erprobt mit glücklicher Hand der russische Arzt Denisenko den Saft von Schöllkraut oder Schwalbenwurz (chelidonium), und jetzt ist von verblüffenden Resultaten zu lesen. Krebs ist eine schwere, unerträgliche Krankheit, der Tod an Krebs – ein Martyrium; Sie können sich vorstellen, wie angenehm es für einen in die Geheimnisse der Äskulapia eingeweihten Menschen ist, von diesen Resultaten zu lesen.

Aleksej Petrovič hat mir vor den Feiertagen eine Tischuhr in einem Lederfutteral geschickt. Stellen Sie sich vor, unterwegs haben sich alle Innereien der Uhr zu einem Brei vermengt, die Zeiger sind abgesprungen, und jetzt sagen mir die Uhrmachermeister, daß die Reparatur teuer werde, teurer als die Uhr wert ist. Nur sagen Sie Aleksej Petrovič nichts davon.

Die Tage werden länger. Bald wird es Frühling.

Einen herzlichen Gruß an Anna Ivanovna, Nastja und Borja. Gott der Herr beschütze Sie. *Ihr A. Čechov.*

Was ist mit dem »Luč«?

Ich hatte diesen Brief bereits versiegelt und frankiert, als ein Brief vom Kontor der Kaiserl. Theater Petersb. kam: sie verlangen den Vertrag zurück. Er ist bei Ihnen, schicken Sie ihn bitte hin, plus 1 R. 25 K., die ich Ihnen in Briefmarken geschickt hatte. Verzeihen Sie diese langweiligen Aufträge, um Gottes willen.

580) AN A.S. SUVORIN MELICHOVO, 17. 1. 1897

17. Jan.

Ich habe heute Namenstag!!

Im Panaev-Theater kann man natürlich nicht bleiben, aber ein

Theater ist nötig, dringend nötig, und wenn Sie es nicht bauen, werden andere es bauen, und Sie werden sich dann Ihr Leben lang über sich selbst ärgern und in der Zeitung über dieses neue Theater herziehen. Ein Theater zu bauen bedeutet keinerlei Risiko.

Sie fragen, wann ich komme. Die Sache ist die, daß ich zur Zeit furchtbar viel zu tun habe. Ich hatte noch nie so viel Arbeit wie jetzt. Mich von hier losreißen kann ich nur schwer, dennoch muß ich bis zum Frühling nach Petersburg kommen in einer sehr wichtigen Angelegenheit – wichtig vor allem für mich.

Der Buchhandel bei der »Russkaja mysl« läuft schwunghaft. Riesennachfrage aus der Provinz nach ernster wissenschaftlicher Literatur. Der Buchladen ist in einem Raum nahe der Redaktion eingerichtet, neben dem Kontor, die Buchhändler sind intelligent. Gut gehen auch Sytins neue Ausgaben, die im englischen Stil, mit dem grauen Einband.

Über die Pest, ob sie zu uns kommt, kann man vorläufig noch nichts Bestimmtes sagen. Wenn sie kommt, so wird sie wohl kaum großen Schrecken stiften, da sowohl die Bevölkerung als auch die Ärzte an erhöhte Sterblichkeit längst gewöhnt sind, dank Diphtherie, Typhus usw. Auch ohne die Pest erleben doch bei uns kaum 400 von 1000 das 5. Lebensjahr, und in den Dörfern, in den Städten finden Sie in den Fabriken und den Seitenstraßen keine einzige gesunde Frau. Schrecklich wäre die Pest deshalb, weil sie 2–3 Monate nach der Volkszählung käme; das Volk würde die Volkszählung auf seine Weise auslegen und anfangen, die Ärzte totzuschlagen, weil sie die Menschen angeblich vergiften, damit die Herren mehr Land bekommen. Quarantänestationen sind keine wirksame Maßnahme. Eine gewisse Hoffnung bilden die Chavkinschen Impfungen, aber leider ist Chavkin in Rußland unpopulär: »Christen sollen sich vor ihm hüten, denn er ist Jude.«

Schreiben Sie mir irgendetwas. Ich wünsche Ihnen alles Gute.

Ihr A. Čechov.

Die Uhr, die mir Aleksej Petrovič geschickt hatte, hat nicht lange leben sollen. Gestern hat mir Pavel Buhre erklärt, man könne sie nicht reparieren – und die Uhr ist auf den Schrott gewandert.

581) AN DIE DRUCKEREI SUVORIN MELICHOVO, 18. 1. 1897

Ich schicke die »Möwe«-Korrekturen zurück. Einen Teil der ersten Korrektur, von Seite 257-270, habe ich behalten, damit Sie ihn mir nicht noch einmal schicken.

Ich schicke 2 Bogen des »Krankensaals Nr. 6« und die letzten Fahnen des »Onkel Vanja«. Den Umbruch des »Onkel Vanja« seien Sie so gut, mir in vier Exemplaren zu schicken.

97 18/1. *Hochachtungsvoll A. Čechov.*

582) AN N. M. EŽOV MELICHOVO, 23. 1. 1897

23. Jan. Lopasnja, G. Mosk.

Lieber Nikolaj Michajlovič, beiliegenden Brief hat mir ein Freund, der Arzt Doktor Nikolaj Ivanovič Korobov (B. Poljanka, Hs. Podzemščikov), geschickt. Es geht um eine Wohltätigkeitsgesellschaft beim Ersten Städtischen Krankenhaus. Die Moral:

1) In den Städtischen Krankenhäusern in Moskau werden in der Hauptsache arme Leute behandelt, die, entlassen, erneut krankwerden und zugrundegehen, weil sie keine Kleider haben, die so wenig Löcher hätten, als daß man damit in Kälte und Nässe leben könnte. Die durch Krankheit geschwächten und aus den Krankenhäusern entlassenen Kinder gehen aus demselben Grunde drauf. Darum: dringend notwendig sind Wohltätigkeitseinrichtungen bei den Krankenhäusern – Gesellschaften, Kinderkrippen usw. usf.

2) Wohltätigkeitsgesellschaften gibt es, aber sie hängen am seidenen Faden, weil jede sich nur von Almosen ernährt, die man bei 2–3 Personen zusammenbettelt; solange diese Personen am

Leben sind, ist es auch die Gesellschaft. Sterben sie oder werden auf einmal launisch, ist es mit der Gesellschaft zu Ende. Darum: dringend notwendig ist es, daß die verehrten Moskauer die Existenz dieser Gesellschaften sicherstellen durch beständige und obligatorische Anteilnahme aller und jedes Einzelnen. Ein reicher Moskauer gibt Hunderte und Tausende dafür aus, um möglichst viele seiner geringeren Brüder zu Prostituierten, Sklaven, Syphilitikern und Alkoholikern zu machen – soll er wenigstens ein paar Kopeken hergeben für die Heilung und Linderung der zeitweilig unerträglichen Leiden dieser von ihm ausgeplünderten und demoralisierten Brüder.

Ich bedaure, daß der Brief meines Freundes so kurz ist. Halten Sie es nicht für möglich und notwendig, sich mit ihm zu treffen? Er könnte Ihnen viel Material liefern, Zahlen und anderes. Er ist ein sehr kluger Mensch.

Er ist meistens nach zwei zu Hause. Nebenbei gesagt, er ist ein sehr guter Arzt.

Wie geht es Ihnen? Im Februar komme ich nach Moskau – dann sehen wir uns.

Bleiben Sie gesund. Ich drücke Ihnen fest die Hand.

Ihr A. Čechov.

583) AN F. O. ŠECHTEL MELICHOVO, 27. 1. 1897

Lieber Franc Osipovič, irgendwann vor ein paar Tagen habe ich in meinen Papieren gestöbert und ein Dokument gefunden, das ich jetzt Ihnen schicke – zur Erinnerung.

Bei uns ist Volkszählung. Am 3.-4. Februar werde ich frei sein und für länger nach Moskau kommen. Ich werde auch nach Petersburg fahren, aber nicht vor März. Zu Repin habe ich ein gutes Verhältnis, wir schreiben uns manchmal. Und für ihn Modell zu stehen bin ich bereit, solange er will; dafür bin ich bereit, alle meine Werke stehen und liegen zu lassen, Weib und Kind zu verpfänden.

Also, nach dem 3. Februar sehen wir uns. Dieser Brief ist in mehreren Anläufen geschrieben, weil ich ihn am Morgen schreibe, wo dauernd Patienten kommen.

Bleiben Sie gesund und wohlauf. *Ihr A. Čechov.*

97 27/I.

584) AN V. I. JAKOVENKO MELICHOVO, 30. I. 1897

Lopasnja, G. Mosk.

Sehr geehrter Vladimir Ivanovič, nach Lektüre Ihres Briefes im »Vrač« habe ich nach Moskau geschrieben, damit man Ihnen meine »Insel Sachalin« schickt. Dort finden Sie ein bißchen Material über körperliche Strafen, unter anderem auch einen Hinweis auf Jadrincev, den ich Ihnen empfehle. Wenn Sie an Senator Anatolij Fëdorovič Koni schreiben, so wäre er, glaube ich, nicht abgeneigt, Ihnen mitzuteilen, welche literarischen Quellen er benützt hat in seiner Biographie des bek. Philanthropen Dr. Haas (des Gefängnisarztes). Ich empfehle Ihnen auch die Untersuchung über die Todesstrafe von Kistjakovskij – das ist eine Geschichte der Qualen, denen die zu Bestrafenden seitens der Bestrafenden früher unterworfen waren.

Nebenbei bemerkt, Juristen und Gefängnisbeamte verstehen unter körperlichen Strafen (im engeren, physischen Sinne) nicht nur Ruten, Peitschen und Faustschläge, sondern auch Fesseln, die »Kälte«, »Wasser und Brot«, Schule »ohne Essen«, Hinknieen, Verbeugungen, Festbinden.

Ich bin sehr erschöpft von der Volkszählung. Noch nie hatte ich so wenig Zeit.

Ich wünsche Ihnen alles Gute und drücke Ihnen fest die Hand.

97 30/I. *Ihr A. Čechov.*

Einen ergebenen Gruß an Nadežda Fëdorovna und die D-res Genike und Vasiljev.

Über die Auswirkungen von körperlichen Strafen auf die phys. Gesundheit kann man in den Ärzteprotokollen nachlesen, die Sie in Prozessen über Mißhandlungen finden.

Die Adresse von Koni: Anatolij Fëdorovič Koni, Petersburg, Nevskij, 100.

585) AN E. M. ŠAVROVA MELICHOVO, 2. 2. 1897

Lopasnja, 97 2/II.

Verehrte collega, ich schicke Ihnen die Antwort des »Ältestenrates«. Wählen Sie den Tag; kommen Sie gegen 12 Uhr, mit dem Schnellzug; in Serpuchov angekommen, essen Sie etwas auf dem Bahnhof, nehmen dann eine Droschke (eine sehr schlechte, denn gute gibt es hier keine) und fahren »zum Zirkel«. Sagen Sie es auch dem Kutscher so: »zum Zirkel«. Am Palast der Dogen von Serpuchov angekommen oder, wie sie sich hier nennen, des »Ältestenrats«, schicken Sie den Portier zu Ivan Mitrofanovič Serikov, der seinerseits zu S. K. Trutovskij schicken wird (dem Sohn des bekannten Malers). Man wird Ihnen Tee geben, man wird Ihnen, wenn nötig, einen Zimmermann geben für das Bühnenbild.

Also, verabreden Sie sich mit den Ältesten, deren Adresse in beiliegendem Brief steht. Schicken Sie ihnen den Text fürs Plakat, und auch eine Liste der Bühnenbilder und Dekorationen und Requisiten, die Sie brauchen. Schreiben Sie direkt an Trutovskij.

Die Stadt ist grau, gleichgültig, aber man rechnet damit, daß die Vorstellung 75-100 Reingewinn einbringt, und für den Kreis 75 R., das ist so viel wie für eine Stadt 1750 R. Ab Anfang März beginne ich mit dem Bau der Schule; im Juni wird sie bereits fertig sein. Das Plakat hänge ich eingerahmt an die Wand – zur Erinnerung an Ihre Güte.

Um den 6. herum komme ich nach Moskau. Geschäfte bis an den Hals. Wie geht es Ihnen? *Ihr cher maître A. Čechov.*

Wie geht es dem bewußten Offizier?

586) AN M.P. ČECHOV MELICHOVO, 4. 2. 1897

Zalivaj hat Šarik gebissen, letzterer hat dies nicht überlebt und ist krepiert, ohne den Tag des Jubiläums erlebt zu haben (am 5. März wird Melichovo fünf Jahre alt). – Ich wiederhole, der »Waldschrat« darf nicht gespielt werden. Natürlich muß der Doktor weich, edel gespielt werden, in Übereinstimmung mit den Worten Sonjas, die ihn im zweiten Akt schön und elegant nennt.

Einer gewissen Person gratuliere ich zum Kaffeesatz.

97 II.4. *Euer Papaša A. Čechov.*

587) AN A.S. SUVORIN MOSKAU, 8. 2. 1897

8. Febr.

Bolš. moskov. gostinica, Nr. 2.

Die Volkszählung ist zu Ende. Diese Sache ist mir gehörig auf die Nerven gefallen, denn ich hatte zu zählen und zu schreiben, bis mir die Finger wehtaten, und den 15 Helfern Vorträge zu halten. Die Helfer haben hervorragend gearbeitet, pedantisch bis zur Lächerlichkeit. Dafür haben sich die Zemstvovorsitzenden, denen die Volkszählung auf Kreisebene anvertraut war, ekelhaft benommen. Sie taten nichts, hatten kaum eine Ahnung, und in den schwierigsten Augenblicken waren sie krank. Als der Beste von ihnen erwies sich ein Trinker und Aufschneider à la I.A. Chlestakov – immerhin ein Charakter, zumindest vom Gesichtspunkt der Komödie, alle anderen dagegen waren weiß der Teufel wie farblos, es war ärgerlich, mit ihnen zu tun zu haben.

Ich bin in Moskau, Bolš. moskov. gostinica. Ich bleibe nur kurz, etwa 10 Tage, und fahre dann wieder nach Hause. Es sind doch Fasten, und danach werde ich mich wieder herumschlagen müssen mit Zimmerleuten, mit Kalfatern usw. Ich baue schon wieder eine Schule. Eine Abordnung der Bauern war bei mir, bat mich darum, und ich hatte nicht den Mut abzulehnen. Das Zemstvo gibt tausend, die Bauern haben 300 R. gesammelt – und Schluß, die Schule kostet aber mindestens 3 Tsd. Das heißt, ich werde wieder den ganzen Sommer ans Geld denken und es mir von da und dort beschaffen müssen. Überhaupt bringt das Landleben viele Scherereien mit sich. Angesichts der bevorstehenden Ausgaben ist die Frage nicht unangebracht: haben Sie den Vertrag an das Theaterkontor zurückgeschickt?

Bei mir ist... wer? Was meinen Sie? – die Ozerova, die berühmte Hannele-Ozerova. Sie kommt, setzt sich mit den Füßen auf den Divan und schaut beiseite; dann, wenn sie nach Hause geht, zieht sie ihr Jäckchen und ihre abgetragenen Galoschen an mit der Ungeschicklichkeit eines Mädchens, das sich seiner Armut schämt. Sie ist eine kleine Königin im Exil.

Die Astronomin hat sich wieder gefangen. Sie läuft in Moskau herum, gibt Unterricht und führt Debatten mit Ključevskij. Es geht ihr gesundheitlich ein bißchen besser, offenbar findet sie allmählich ins Geleise zurück. Ich habe die 250 R. in Verwahrung, die wir für sie gesammelt hatten, – sie rührt sie seit nunmehr 1 ½ Jahren nicht an.

Bei Čertkov, dem bekannten Tolstojaner, haben sie eine Haussuchung gemacht und alles mitgenommen, was die Tolstojaner über die Duchoborzen und Sektierer gesammelt hatten – und auf diese Weise sind, wie durch Zauberei, plötzlich alle Beweise gegen Hrn. Pobedonoscev und seine bösen Engel verschwunden. Goremykin war bei Čertkovs Mutter und hat ihr gesagt: – »Ihr Sohn hat die Wahl – entweder die baltischen Gouvernements, wo bereits Fürst Chilkov in Verbannung lebt, oder das Ausland.« Čertkov hat London gewählt. Er fährt am 13. Febr. L.N. Tolstoj ist nach Petersburg gefahren, um ihm das Geleit zu geben, und gestern hat man ihm einen warmen Mantel nachgeschickt. Es fahren viele, um ihm das Geleit zu geben, sogar Sytin. Und ich bedaure, nicht dasselbe tun zu können. Ich hege für Čertkov keine zärtlichen Gefühle, aber das, was sie mit ihm gemacht haben, hat mich zutiefst, zutiefst empört.

Kommen Sie nicht vor Paris nach Moskau? Das wäre schön.

Ihr A. Čechov.

588) AN E.M. ŠAVROVA MOSKAU, 12. 2. 1897

Februar 12 1897.

Verehrte, hochverehrte collega! Ich beeile mich, Ihnen zu gratulieren: die Redaktion hat Ihre Novelle gutgeheißen und wird sie bald veröffentlichen. Lavrov lobt sie sehr.

Ein interessanter junger Mann (Zivilist) wird heute abend im Adelsklub an einem georgischen Abend teilnehmen.

Ich drücke Ihnen die Hand.

Ihr cher maître.

589) AN A.L. SELIVANOVA-KRAUZE MELICHOVO, 25. 2. 1897

Herzlose Deutsche!

Wenn Sie Maša sehen, richten Sie ihr aus, daß Sie das Band nicht gekauft haben. Bei dem Diner vom 19. Februar haben Sie sich dermaßen für die Ärzte begeistert, daß Sie die Bitte des guten alten Lehrers vergessen haben. O Witwe, wie leichtfertig Sie sind! Wieviel Herzeleid mir Ihr Benehmen bereitet!

Richten Sie Maša aus, daß es insgesamt 18 Mädchen sind; für jedes wird mindestens 1 Aršin Band gebraucht. Bevorzugte Farben: rosa und blau.

O Witwe, Witwe! Ich flehe Sie an: bessern Sie sich.

97 $\frac{25}{\text{II.}}$ *Ihr alter Lehrer A. Čechov.*

590) AN AL.P. ČECHOV MELICHOVO, ENDE FEBRUAR 1897

Liebenswerter Bruder

Aleksandr Vissarionovič!

Als ich deinen Brief bekam, las ich nicht ohne Bedauern, daß der »Syn otečestva« mit dir abgerechnet hat, und jetzt hoffe ich, daß dasselbe nicht auch der gute Hr. Suvorin tut. Wenn du keine Stellung mehr hast, wirst du dich um Hilfe an mich wenden, aber ich sage dir schon jetzt, ich gebe dir keine Kopeke. Wer sich in Briefen an Höhergestellte dumme Witze erlaubt, der verdient keine Aufmerksamkeit. Man soll sich mühen und arbeiten und sich nicht so viel auf seine angeblichen Qualitäten einbilden. Und außerdem soll man sich ein Beispiel nehmen an den Älteren.

Bei uns geht alles gut. Der neue Jagdhund hat Šarik in die Kehle gebissen, und letzterer ist krepiert. Chinka wirft pünktlich dreimal im Jahr, und zwar jedesmal eine merkwürdige Mischung aus Hofhund und Krokodil. Es ist kalt, und offensichtlich ist die Zeit noch fern, wenn Span sich mit Spänchen paart.

Tyčinkin schrieb, er wolle nach Melichovo kommen, ich habe die ganze Fastnachtswoche auf ihn gewartet; jetzt wird er kaum mehr kommen, weil die Schule wieder begonnen hat.

Jetzt eine Bitte. Noch im Herbst hatte mir das Kontor der Kaiserl. Theater den Vertrag geschickt, damit ich ihn unterschreibe und zurückschicke unter Beilage von 1 R. 25 Kop. Ich habe den Vertrag unterschrieben und, unter Beilage von 1 R. 25 K. in Briefmarken, an Suvorin geschickt mit der Bitte, ihn durchzulesen und ans Kontor zurückzuschicken. Bald danach, als ich in Geldnöten war, habe ich einen Brief an das Kontor geschrieben, mit der Bitte, mir das Honorar für meine Stücke zu schicken. Das Kontor antwortete, man werde mir das Geld nicht schicken, bevor man nicht den Vertrag von mir zurückbekommen habe. Das heißt also, der gute Hr. Suvorin hat den Vertrag nicht zurückgeschickt. Sei so gut, zieh, um Unwillen und Tadel für Nichtstun zu vermeiden, die Hosen an und geh zu Suvorin; frag ihn, wo der Vertrag ist, wo die Marken sind, und weshalb er so hartnäckig einer Antwort auf meine Briefe ausweicht. Das Geld brauche ich dringend, weil bei mir schon wieder eine Schule gebaut wird. Wenn du diese meine Bitte nicht erfüllst, werde ich denken, du hättest mein Honorar längst in Empfang genommen (was ich sowieso vermute; es ist kaum anzunehmen, daß du dir von deinem Geld einen ganzen Lachs hast kaufen können).

Meine Gesundheit ist gut, aber ich huste. Das Auge tut weh. In meinem Bauch geht ein Schieber.

Ich schrieb dir bereits, daß Mutter eine Venenentzündung an den Beinen hatte, daß es sogar schlimm aussah; jetzt ist sie wieder gesund und ißt Fastenspeise. Maša malt mit Ölfarben

Porträts – und macht das nicht übel. Ivan gibt den Rat, nicht zu heiraten.

Bleib wohlgesonnen und führe nach Möglichkeit ein anständiges Leben und mach uns mit deinem Benehmen keinen Kummer.

Dein Bruder und Wohltäter A. Čechov.

Ich warte auf baldige Antwort.

591) AN A. S. SUVORIN MELICHOVO, 1. 3. 1897

1. März.

In Moskau habe ich etwa zwanzig Tage verbracht und sämtliche Vorschüsse ausgegeben, jetzt bin ich wieder zu Hause und führe ein nüchternes und keusches Leben. Wenn Sie in der dritten Fastenwoche nach Moskau kommen, werde auch ich kommen. Ich bin zur Zeit mit dem Bauen beschäftigt (nicht für mich, sondern fürs Zemstvo), aber ich kann wegfahren, nur telegraphieren Sie ein, zwei Tage vorher nach Lopasnja. Auf dem Schauspielerkongreß werden Sie wahrscheinlich das Projekt eines riesigen Volkstheaters sehen, das wir planen. *Wir,* d.s. die Vertreter der Moskauer Intelligenz (die Intelligenz begegnet dem Kapital, und das Kapital seinerseits ist nicht abgeneigt). Unter einem Dach, in einem schönen, schmucken Gebäude sollen ein Theater, ein Vortragssaal, eine Bibliothek, ein Lesesaal, Teeküchen usw. usf. untergebracht werden. Der Plan ist fertig, am Statut wird gearbeitet, es hängt nur noch an einer Lappalie – es fehlt 1/2 Million. Es soll eine Aktiengesellschaft werden, keine Wohltätigkeitsgesellschaft. Es wird damit gerechnet, daß die Regierung Einhundertrubel-Aktien genehmigt. Ich selbst habe so sehr Geschmack an der Sache gefunden, daß ich bereits daran glaube und nur staunen kann, warum Sie kein Theater bauen. Erstens ist es notwendig, und zweitens ist es lustig und nimmt einen zwei Jahre des Lebens gefangen. Ein Theatergebäude, wenn es nicht so häßlich gebaut ist wie das Panaev-Theater, bringt auf keinen Fall Verlust.

Neulich habe ich in Serpuchov eine Theatervorstellung zugunsten der Schule veranstaltet. Es spielten Liebhaber aus Moskau. Sie spielten solide, mit Ausdauer, besser als Schauspieler. Kleider aus Paris, echte Brillanten, aber ein Reingewinn von nur 101 R.

Neuigkeiten gibt es keine, oder es gibt welche, aber die sind uninteressant oder traurig. Viele reden von der Pest und von Krieg, und davon, daß der Synod und das Ministerium für Aufklärung zusammengelegt werden sollen. Der Maler Levitan (der Landschaftsmaler) wird wohl bald sterben. Er hat eine Erweiterung der Aorta.

Und ich habe kein Glück. Ich habe eine Novelle aus dem bäuerlichen Leben geschrieben, aber man sagt, sie sei nicht zensurgerecht und ich müsse sie um die Hälfte kürzen. Also wieder Einbußen.

In Moskau fahren wir, wenn das Wetter schön ist, auf die Sperlingsberge und ins Kloster. Von Moskau fahren wir nach Petersburg, wo ich mich um etwas kümmern muß.

Ich habe Ihnen mehrmals geschrieben, Sie haben mir nicht geantwortet, so habe ich meinen Bruder bevollmächtigt, Sie aufzusuchen und herauszufinden, was los ist. Desgleichen habe ich ihn gebeten, herauszufinden, wo der Vertrag ist, den das Theaterkontor mir geschickt hatte und jetzt zurückverlangt.

Davydov hat das Alexandra-Theater verlassen? So ein launisches Nilpferd.

Also, auf baldiges Wiedersehen. Aber schreiben Sie mir bis dahin noch ein, zwei Zeilen. An Anna Ivanovna, Nastja und Borja einen herzlichen Gruß.

Bleiben Sie glücklich. *Ihr A. Čechov.*

592) AN V. F. KOMISSARŽEVSKAJA MELICHOVO, 11. 3. 1897

Lopasnja, Gouv. Moskau, 97. 11/III.

Verehrte Vera Fëdorovna, ich habe keine Lust, nach Petersburg zu kommen, man ruft mich vielmehr dorthin, um ein Porträt von mir zu malen. Ich habe dem Maler geschrieben, daß ich in der 6.-7. Fastenwoche oder zweite Hälfte Mai kommen könnte. Wie

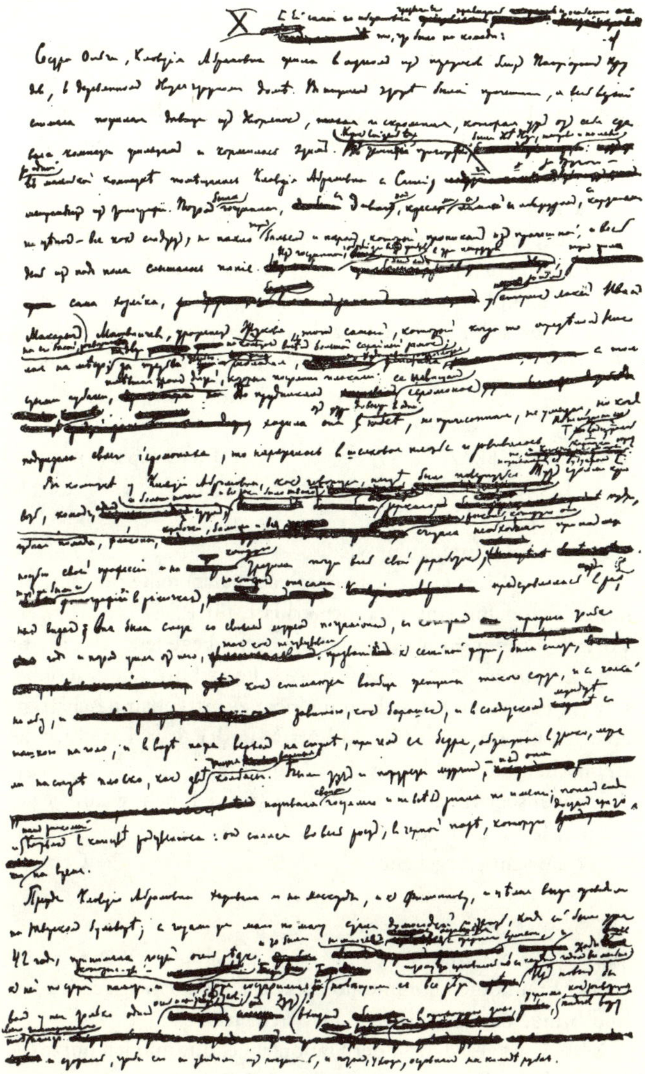

»Die Bauern«.
Zehntes Kapitel, erste Seite des Manuskripts.

auch immer, Ihrer Einladung werde ich bestimmt folgen und noch am ersten Tag nach meiner Ankunft in Petersburg zu Ihnen kommen (Ekaterinskij kanal, 72, nahe Kukuškin-Brücke – so war es doch). Wenn ich Sie nicht antreffen sollte, komme ich ein andermal wieder. Nur eines ist schlimm: ich glaube, dieser Brief wird gar nicht bei Ihnen ankommen, weil ich in der Adresse, die Sie mir schickten, ein Wort nicht habe entziffern können. So ein Wort wie Šeksna. Nun denn, Gott ist gnädig, vielleicht kommt er doch an.

Für die Photographie vielen Dank, desgleichen für den Brief. Alles Gute, seien Sie nicht krank und vergessen Sie nicht Ihren ergebenen *A. Čechov.*

593) AN I. Ė. BRAZ MELICHOVO, 11. 3. 1897

Lopasnja, Gouv. Mosk., 97. 11/III.

Gnädiger Herr

Iosif Ėmmanuilovič.

Mein Freund Levitan (der Landschaftsmaler) teilte mir mit, Sie hätten sich damit einverstanden erklärt, für P.M. Tretjakov ein Porträt von mir zu malen, und die Sache liege jetzt an mir. Er fragt in seinem Brief, wann ich nach Petersburg fahren könne. Ich bin das ganze Frühjahr mit einem Zemstvobau beschäftigt, aber ich könnte mich für das Porträt in der 6.-7. Fastenwoche freimachen oder in der zweiten Maihälfte.

Ich wünsche Ihnen alles Gute und drücke Ihnen, wenn Sie gestatten, fest die Hand.

Ihr aufrichtig ergebener *A. Čechov.*

594) AN V. A. GOLCEV MELICHOVO, 15.3. 1897

Lieber Freund, ich komme am 20. März, oder einen Tag früher, und bringe die Novelle mit. Das steht fest.

Maša wird gerade von der Station abgeholt, und ich nutze die Gelegenheit, dir kurz zu schreiben. Bleib gesund.

15. März. *Dein Antonio.*

595) AN L. A. AVILOVA MELICHOVO, 18. 3. 1897

18. März.

Erzürnte Lidija Alekseevna, ich möchte Sie sehr, sehr gern sehen – ungeachtet sogar der Tatsache, daß Sie zornig sind und mir, »für alle Fälle«, alles Gute wünschen. Nach Moskau komme ich, aller Wahrscheinlichkeit nach, vor dem 26. März, am Montag, um 10 Uhr abends; ich steige in der Bolš. moskovskaja gostinica ab, gegenüber der Iverskaja. Vielleicht komme ich auch früher, wenn die Arbeit es erlaubt, von der ich – wehe! – sehr viel habe. In Moskau bleiben werde ich bis zum 28. März, und dann, stellen Sie sich vor, fahre ich nach Petersburg.

Also, auf Wiedersehen. Vertauschen Sie den Zorn mit Gnade und lassen Sie uns einmal zusammen essen. Wirklich, das wäre schön. Diesmal werde ich Sie auf keinen Fall versetzen, zu Hause zurückhalten könnte mich nur eine Krankheit.

Ich drücke Ihnen die Hand, grüße vielmals. *Ihr A. Čechov.*

Der letzte Satz Ihres Briefes lautet: – »Natürlich habe ich verstanden.« Was haben Sie verstanden?

596) AN N. N. OBOLONSKIJ MOSKAU, 22. 3. 1897

Mein Lieber, kommen Sie heute in den »Slavjanskij bazar« Nr. 40, wo Suvorin abgestiegen ist. Ich bin krank geworden.

Ihr A. Čechov.

Samstag.

597) AN L. A. AVILOVA MOSKAU, 24. 3. 1897

Hier haben Sie mein kriminelles curriculum vitae:

In der Nacht auf Samstag begann ich Blut zu husten. Am nächsten Morgen fuhr ich nach Moskau. Um 6 Uhr abends fuhr ich mit Suvorin in die Eremitage zum Essen, und kaum hatten wir uns zu Tisch gesetzt, als mir das Blut nur so aus dem Halse schoß. Daraufhin brachte Suvorin mich in den »Slavjanskij bazar«; Ärzte; ich lag dort über einen Tag – jetzt bin ich zu Hause, d. h. in der Bolš. mosk. gostinica. *Ihr A. Čechov.*

598) AN N. N. OBOLONSKIJ MOSKAU, 25. 3. 1897

Blut fließt.

Bolš. mosk. gost. Nr. 5.

Čechov.

599) AN E. M. ŠAVROVA MOSKAU, 26. 3. 1897

26. März.

Weh und ach! ich war bereits in Moskau, um weiter gen Norden zu fahren, als plötzlich ein Skandal mit meinen Lungen geschah, mir schoß das Blut aus dem Hals – und nun liege ich in der Klinik und schreibe auf einem Blatt Papier, auf dem, wie Sie sehen, vor kurzem noch eine Wasserkaraffe gestanden hat.

Man wird mich hier wieder entlassen, sagt aber, dies werde nicht vor Ostern geschehen. Schreiben Sie mir, sonst gehe ich noch ein vor Trübsinn.

Moskau, Devičje pole, Klinik Prof. Ostroumov.

Wehe, wehe! schicken Sie mir irgendetwas Eßbares, zum Beispiel einen gebratenen Truthahn, sie geben mir hier nämlich nichts außer kalter Bouillon.

Ich grüße Sie, drücke Ihnen fest die Hand.

Ihr Krüppel *A. Čechov.*

600) AN R. F. VAŠČUK MOSKAU, 27. 3. 1897

Gnädige Frau!

Ihre Erzählung »Im Krankenhaus« habe ich in der Klinik gelesen, in der ich mich zur Zeit befinde. Ich antworte Ihnen liegend. Die Erzählung ist sehr gut, angefangen bei der Stelle, die ich mit Rotstift angestrichen habe. Der Anfang ist banal, überflüssig. Natürlich sollten Sie weitermachen, unter der Bedingung, daß

Ihnen das Schreiben Vergnügen bereitet, – das zum ersten, zweitens unter der Bedingung, daß Sie noch jung sind und daß Sie lernen, richtig und literarisch Interpunktionszeichen zu setzen.

Was das »Märchen« betrifft, so scheint mir das kein Märchen zu sein, sondern eine Ansammlung von Wörtern wie Gnome, Fee, Tau, Ritter, – all das sind falsche Brillanten, zumindest auf unserem russischen Boden, über den nie Ritter gegangen sind und auf dem Sie kaum einen Menschen finden werden, der sich eine Fee vorstellen könnte, die sich von Tau und Lichtstrahlen ernährt. Lassen Sie das: man muß als Künstlerin ehrlich sein, nur das schreiben, was ist oder was, Ihrer Meinung nach, sein sollte, man muß Bilder malen.

Ich komme auf die erste Erzählung zurück: man sollte nicht so viel von sich schreiben; Sie schreiben von sich, verfallen in Übertreibungen und laufen Gefahr, auf dem Trocknen sitzenzubleiben; entweder wird man Ihnen nicht glauben oder sich Ihren Ergüssen gegenüber kühl verhalten.

Ich wünsche Ihnen alles Gute. *A. Čechov.*

97 27/III. Devičje pole. Klinik Prof. Ostroumov.

601) AN L. A. AVILOVA MOSKAU, 28. 3. 1897

Ihre Blumen welken nicht, sondern werden immer schöner. Die Kollegen haben erlaubt, daß ich sie auf dem Tisch behalte. Überhaupt haben Sie ein gutes Herz, und ich weiß nicht, wie ich Ihnen danken soll.

Ich werde hier nicht vor Ostern entlassen; nach Petersburg werde ich also nicht so bald kommen. Es geht mir besser, Blut kommt weniger, aber ich liege noch, und wenn ich Briefe schreibe, dann im Liegen.

Bleiben Sie gesund. Ich drücke Ihnen fest die Hand.

97 28/III. *Ihr A. Čechov.*

602) AN P.M. TRETJAKOV MOSKAU, 29. 3. 1897

Gnädiger Herr
Pavel Michajlovič.

Ich hatte I. Ė. Braz geschrieben, daß ich Ende der fünften Fastenwoche zu ihm kommen wolle, war auch bereits nach Petersburg unterwegs, aber in Moskau hielt mich unverhofft ein Bluthusten zurück, und jetzt liege ich in der Klinik von Ostroumov und weiß nicht, wann ich hier entlassen werde.

Auf jeden Fall werde ich wohl kaum vor Mai nach Petersburg kommen.

Ich weiß nicht, wie ich Ihnen danken soll, verehrter Pavel Michajlovič. Über meine Erkrankung werde ich Iosif Ėmmanuilovič schreiben, im Liegen schreiben, weil mir das Schreiben sonst verboten ist.

Erlauben Sie mir, Ihnen alles Gute zu wünschen.

In aufrichtiger Hochachtung Ihr ergebener *A. Čechov.*

97 29/III.

603) AN A.S. SUVORIN MOSKAU, 29. 3. 1897

Blut weniger, aber Lage ist unbestimmt. Ungewiß, wann Entlassung. Schreiben Sie Namen, Vatersnamen. Adresse Nosilov. Grüße Anna Ivanovna, Nastja, Borja, Emily. Tolstoj war da.

604) AN A.S. SUVORIN MOSKAU, 1. 4. 1897

Die Ärzte haben einen Prozeß in den Lungenspitzen festgestellt und mir eine Änderung meiner Lebensweise verordnet. Das erste kann ich begreifen, das zweite dagegen ist mir unbegreiflich, weil es nahezu unmöglich ist. Ich soll unbedingt auf dem Lande leben, aber das ständige Leben auf dem Lande bedingt doch ständige Scherereien mit den Bauern, dem Vieh, mit Naturgewalten jeglicher Art, und sich auf dem Lande fernzuhalten von Scherereien und Sorgen ist ebenso schwer wie in der Hölle von Brandwunden. Aber dennoch werde ich mir Mühe geben, mein Leben nach Maßgabe des Möglichen zu ändern, und ich habe durch Maša bereits erklären lassen, daß ich die Arztpraxis auf dem Lande aufgeben werde. Das wird für mich sowohl eine Erleichterung als auch ein großer Verlust. Ich werde alle Ämter im Landkreis niederlegen, mir einen Schlafrock kaufen, in der Sonne spazierengehen und viel essen. Ich soll sechsmal am Tage essen, und man ist empört, weil man findet, ich äße viel zuwenig. Man hat mir verboten zu sprechen, schwimmen zu gehen usw. usf.

Von den Lungen abgesehen wurden alle meine Organe für gesund befunden, alle Organe; daß ich abends manchmal impotent bin, habe ich den Ärzten verheimlicht.

Bis heute hatte ich geglaubt, ich hätte immer nur gerade so viel getrunken, daß es mir nicht schadet; jetzt stellt sich bei der Untersuchung heraus, daß ich weniger getrunken habe, als ich hätte trinken dürfen. Ist das ein Jammer!

Den Autor des »Krankensaals Nr. 6« hat man aus Nr. 16 in die Nr. 14 verlegt. Hier ist es geräumig, zwei Fenster, Beleuchtung im Stile Potapenkos, drei Tische. Blut kommt nur noch wenig. Nach jenem Abend, als Tolstoj da war (wir haben lange miteinander gesprochen), hatte ich um 4 Uhr morgens wieder einen heftigen Blutsturz.

Melichovo ist ein gesunder Ort; er liegt direkt an einer Wasserscheide, liegt hoch, so daß dort nie Fieber und Diphtherie auftreten. Das Ärztekollegium beschloß, daß ich nirgendwohin fahren und weiter in Melichovo leben soll. Ich muß das Gut nur komfortabler einrichten. Wenn Melichovo mir auf die Nerven fällt, fahre ich aufs Nachbargut, das ich für meine Brüder gepachtet habe, für den Fall, daß sie kommen.

Ich bekomme ständig Besuch, man bringt mir Blumen, Konfekt, Eßwaren. Mit einem Wort – die Seligkeit.

Über die Vorstellung im Pavlova-Saal habe ich in der »Peterb. gazeta« gelesen. Richten Sie Nastja aus, wenn ich in der Vorstellung gewesen wäre, hätte ich ihr einen Korb voll Blumen überreicht. An Anna Ivanovna meine herzlichsten Grüße.

Ich schreibe nicht mehr im Liegen, sondern im Sitzen, aber wenn ich zu Ende geschrieben habe, begebe ich mich augenblicklich wieder auf mein Lager. *Ihr A. Čechov.*

97 I/IV.

Schreiben Sie, bitte, ich flehe Sie an.

605) AN AL. P. ČECHOV MOSKAU, 2. 4. 1897

Devičje pole, Kliniken. 97 2/IV.

Die Sache ist folgende. Angefangen von 1884, habe ich fast jedes Jahr im Frühling Blut gehustet. In diesem Jahr hat mich, als du mir den Segen des heiligen Synod zum Vorwurf machtest, dein Unglauben gekränkt – und infolgedessen schoß mir, in Gegenwart von Hrn. Suvorin, das Blut aus dem Halse. Ich kam in die Klinik. Hier stellte man einen Prozeß in den Lungenspitzen fest, d. h. man billigte mir das Recht zu, mich, für den Fall daß ich dies wünsche, einen Invaliden zu nennen. Die Temperatur ist normal, nächtliche Schweißausbrüche habe ich keine, Schwächeanfälle keine, aber ich träume von Archimandriten, die Zukunft ist äußerst ungewiß, und obwohl der Prozeß noch nicht besonders weit fortgeschritten ist, werde ich dennoch unbedingt, unverzüglich mein Testament machen müssen, damit du dir nicht mein Vermögen unter den Nagel reißt. Am Mittwoch der Karwoche werde ich entlassen, dann fahre ich nach Melichovo zurück, und was weiter wird – werden wir sehen. Man hat mir verordnet, viel zu essen. Also nicht Papaša und Mamaša missen essen, sondern ich. Zu Hause weiß man nichts von meiner Krankheit, sprich darum in deinen Briefen nicht darüber, in der dir eigenen Bosheit.

Im Aprilheft der »Russkaja mysl« steht meine Novelle, in der (teilweise) die Feuersbrunst beschrieben ist, die in Melichovo anläßlich deines Kommens im Jahre 1895 stattgefunden hatte.

An deine Frau und die Kinder herzlichste Grüße – von ganzem Herzen natürlich. Bleib gesund. *Dein Wohltäter A. Čechov.*

606) AN A. S. SUVORIN MOSKAU, 4. 4. 1897

4. Apr.

Vom Solodovnikovschen Theater rate ich Ihnen unbedingt ab. Erstens ist das eines der unpopulärsten Theater in Moskau, und zweitens ist es, um die konservativen Moskauer zu veranlassen, in ein neues Theater zu gehen, notwendig, sie etwa zehn Jahre lang zu schaukeln. Das Kleine Theater wird sehr gut besucht, weil es sympathisch ist, Korš schlägt sich kümmerlich durch, weil sein Theater nur noch geduldet, nicht aber geliebt wird. Theater für die Intelligenz und das mittlere Publikum gibt es in Moskau einstweilen genügend, und wenn es an irgendetwas mangelt, so nur an einem Volkstheater. Sie könnten ein gutes Volkstheater schaffen, und das würde Sie vollauf befriedigen, glaube ich, aber das Solodovnikov-Theater taugt nicht zum Volkstheater, und um so eine Sache in Moskau zu führen, müßte man fest in Moskau leben. Das ist meine Meinung.

Nach dem 10. Apr. fahre ich nach Melichovo. Ich werde mir Mühe geben, viel zu essen, und mich täglich auf die Waage stellen – widerwärtig. Wenn ich nicht zunehme, werde ich eine Kumys-Kur machen müssen.

Vorgestern habe ich Ihnen einen Brief geschickt, mit einer (relativ) genauen Beschreibung meiner Krankheit. Blut kommt keines mehr.

Wenn Ihr Brief, Ihren Berechnungen zufolge, noch vor dem 10. Apr. in den Kliniken ankommt, so schreiben Sie mir an die Kliniken, wenn nach dem 10., dann nach Lopasnja.

Über das Theater wäre es gut, ausführlich zu reden. Kommen Sie nicht Ende April oder Anfang Mai nach Moskau? Ich glaube auch Stanislavskij würde Ihnen abraten, das Solodovnikov-Theater zu nehmen. Ein ernstes Symptom ist, daß Stanislavskij dieses Theater nicht selbst übernimmt. Meiner Meinung nach sollte man auch nicht vergessen, daß das Schicksal des Theaters in den Händen einer Maklerin liegt, eben jener, die im »Slavjanskij bazar« auf Sie zukam. Wenn das Grundstück nicht vom Besitzer selbst verkauft oder verpachtet wird, sondern von einem

Makler, so bedeutet das bereits, daß an dem Grundstück irgend etwas faul ist.

Ich wünsche Ihnen alles Gute und grüße vielmals.

Ihr A. Čechov.

607) AN A.S. SUVORIN MOSKAU, 7. 4. 1897

7. Apr.

Wenn man dem eigenen Befinden glauben darf, so bin ich völlig gesund, und es kommt mir so vor, als sei ich vor lauter Nichtstun ganz aufgedunsen. Am Donnerstag Mittag werde ich aus der Klinik entlassen, ich fahre nach Hause und werde dort leben wie bisher. Um den 5.–10. Mai komme ich nach Petersburg, was ich dem Maler bereits geschrieben habe. Sie schreiben – mein Ideal sei die Faulheit. Nein, es ist nicht Faulheit. Ich verachte die Faulheit, so wie ich Schwäche und Trägheit der seelischen Regungen verachte. Ich habe nicht von Faulheit gesprochen, sondern von Müßiggang, und habe dabei gesagt, daß Müßiggang kein Ideal sei, sondern nur eine der unabdingbaren Voraussetzungen für persönliches Glück.

Wenn die Versuche mit dem neuen Kochschen Präparat zu guten Ergebnissen führen, werde ich natürlich nach Berlin fahren. Das Essen schlägt bei mir absolut nicht an. Schon seit zwei Wochen füttert man mich in forcierter Gangart, aber es kommt wenig dabei heraus, ich nehme nicht zu.

Ich sollte heiraten. Vielleicht würde eine böse Frau die Zahl meiner Gäste wenigstens um die Hälfte verringern. Gestern hatte ich den ganzen Tag ununterbrochen Besuch, einfach furchtbar. Sie kamen immer zu zweit, – und jeder sagt: bitte nicht sprechen, und stellt gleichzeitig Fragen.

Also, ab Donnerstag adressieren Sie Briefe wieder nach Lopasnja. Was macht der Stücke-Band? Als wäre er irgendwo verschütt gegangen. Danke für den Brief, Gott schenke Ihnen Gesundheit. *Ihr A. Čechov.*

608) AN M. O. MENŠIKOV MELICHOVO, 16. 4. 1897

16. Apr.

Lieber Michail Osipovič, meine Lungen haben sich eine kleine Extravaganz erlaubt. Am 20. März war ich nach Petersburg aufgebrochen, aber unterwegs bekam ich plötzlich Bluthusten, mußte in Moskau bleiben und mich für zwei Wochen in die Klinik legen. Die Ärzte haben bei mir einen Prozeß in den Lungenspitzen festgestellt und mir beinahe alles, was interessant ist, verboten.

Lidija Ivanovna und Jaša übermitteln Sie meinen herzlichen Gruß und Dank. Ich schätze ihre Aufmerksamkeit und freundschaftliche Anteilnahme sehr hoch.

Heute habe ich Kopfschmerzen. Der Tag ist verdorben, dabei ist das Wetter sehr schön, im Garten geht es hoch her. Gäste, Klavierspiel, Gelächter, – das aus dem Innern des Hauses, und draußen die Stare.

Aus den »Bauern« hat die Zensur eine ordentliche Portion herausgeschnitten.

Ich danke Ihnen sehr. Ich drücke Ihnen fest die Hand und wünsche Ihnen Glück. Meine Schwester läßt grüßen.

Ihr A. Čechov.

Alles Schlechte hat sein Gutes. In der Klinik hatte ich Besuch von Lev Nikolaevič, mit dem ich ein sehr interessantes Gespräch führte, sehr interessant für mich, weil ich mehr zugehört als gesprochen habe. Wir sprachen über die Unsterblichkeit. Er erkennt die Unsterblichkeit im Kantschen Sinne an; er ist der Meinung, daß wir alle (Menschen und Tiere) in einem Prinzip leben werden (Vernunft, Liebe), dessen Wesen und Ziel ein Geheimnis für uns darstellt. Mir dagegen erscheint dieses Prinzip der Kraft in Gestalt einer formlosen, gallertartigen Masse, mein Ich – meine Individualität, mein Bewußtsein werden mit dieser Masse verfließen – eine solche Unsterblichkeit brauche ich nicht, ich begreife sie nicht, und Lev Nikolaevič wundert sich, daß ich sie nicht begreife.

Weshalb ist Ihr Buch bis heute nicht erschienen? In der Klinik besuchte mich I. L. Ščeglov. Er hat sich gebessert, ist gleichsam genesen. Er zieht wieder nach Petersburg.

609) AN A. I. ĖRTEL MELICHOVO, 17. 4. 1897

Lopasnja, Gouv. Mosk. 97 17/IV.

Lieber Freund Aleksandr Ivanovič, ich bin jetzt zu Hause. Vor den Feiertagen habe ich zwei Wochen in der Klinik von Ostroumov gelegen, habe Blut gehustet; der Arzt hat einen Prozeß in den Lungenspitzen festgestellt. Mein Befinden ist großartig, nichts tut mir weh, nichts beunruhigt mich innerlich, aber die Ärzte haben mir vinum, Bewegung, Gespräche verboten, haben mir verordnet, viel zu essen, haben mir die Praxis verboten – und ich langweile mich irgendwie.

Über das Volkstheater ist nichts zu hören. Auf dem Kongreß wurde matt und uninteressant darüber gesprochen, und der Kreis, der es übernommen hatte, das Statut aufzusetzen, ist offenbar ein bißchen abgekühlt. Daran ist sicher der Frühling schuld. Aus diesem Kreis habe ich nur Golcev gesehen, bin aber nicht dazu gekommen, mit ihm über das Theater zu sprechen.

Neuigkeiten gibt es keine. In der Litatur herrscht Stillstand. In den Redaktionen wird Tee und billiger Wein getrunken, ohne Genuß getrunken, en passant – offensichtlich, weil man nichts Besseres zu tun hat. Tolstoj schreibt ein Buch über die Kunst. Er war bei mir in der Klinik und sagte, er habe seine Novelle »Auferstehung« verworfen, weil sie ihm nicht gefalle, schreibe nur noch über Kunst und habe 60 Bücher über die Kunst gelesen. Sein Gedanke ist nicht neu; ihn haben in verschiedener Form alle klugen alten Männer zu allen Zeiten wiederholt. Alte Männer haben immer dazu geneigt, das Ende der Welt vorauszusehen, und haben immer gesagt, die Moral sei gesunken bis zum nec plus ultra, die Kunst sei verflacht, verbraucht, die Menschen seien schwachgeworden usw. usf. Lev Nikolaevič will in seinem Buch die Überzeugung verbreiten, daß die Kunst gegenwärtig ihre Endphase erreicht habe, in eine Sackgasse geraten sei, aus der es keinen Ausweg gebe (nach vorn).

Ich tue nichts, füttere die Spatzen mit Hanfsamen und beschneide pro Tag einen Rosenstock. Danach blühen die Rosen üppig. Landwirtschaft betreibe ich nicht.

Bleib gesund, lieber Aleksandr Ivanovič, ich danke dir für die Briefe und freundschaftliche Anteilnahme. Schreib mir, um meiner Krankheit willen, und rechne mir meine Unpünktlichkeit im Briefeschreiben nicht als zu große Schuld an. Ich werde mich künftig bemühen, deine Briefe gleich nach Lektüre zu beantworten.

Ich drücke dir fest die Hand. *Dein A. Čechov.*

610) AN V. N. ARGUTINSKIJ-DOLGORUKOV MELICHOVO, 28. 4. 1897

Lopasnja, Gouv. Mosk. 97 28/IV.

Ich beneide Sie, sehr geehrter Vladimir Nikolaevič, – ich beneide Sie, weil Sie in England sind und Englisch sprechen, und weil Sie noch so jung sind.

Ihre Erzählung gefällt mir, aber das ist doch kein Werk von Ihnen, das ist eine Übersetzung aus dem Englischen. Es kommt darin kein einziger russischer Satz vor – kein einziger! Ich habe sie mit großem Vergnügen gelesen und beeile mich, Ihren Wunsch zu erfüllen – ich schicke sie Ihnen zurück, aber nur, damit Sie mir bald eine zweite Erzählung schicken. Ich möchte verfolgen, wie Sie anfangen und zu welchem Ende Sie gelangen. Nur schreiben Sie bitte so viel wie möglich, denn das Wenigschreiben führt zu nichts. Man muß sich beeilen, muß die Sache schnell in den Griff bekommen, um mit 30 Jahren eine bestimmte Richtung zu haben und sich eine Stellung auf dem literarischen Markt erkämpft zu haben.

Im März und Anfang April habe ich in der Klinik gelegen. Ich hatte Bluthusten. Jetzt ist alles gut. Der Frühling ist großartig, aber ich habe kein Geld – es ist einfach schlimm.

Also, ich erwarte von Ihnen eine Erzählung und einen Brief. Bleiben Sie gesund; ich drücke Ihnen fest die Hand und wünsche Ihnen alles Gute. *Ihr A. Čechov.*

Grüßen Sie Balmont und seine Frau.

611) AN E. M. ŠAVROVA MELICHOVO, 17. 5. 1895

17. Mai.

Sehr verehrte c o l l e g a ! Vor 2–3 Tagen habe ich das Manuskript an Sie geschickt, und jetzt, da ich annehme, daß Sie nach Moskau zurückgekehrt sind, schicke ich Ihnen den Brief. Stepočka, Musenka, Gorlenko sind mir nicht neu, sie sind mir bereits in einem der früheren Manuskripte begegnet, nichtsdestotrotz habe ich Ihre Novelle mit großem Vergnügen gelesen. Sie werden merklich mutiger und schreiben von Mal zu Mal besser. Die Novelle als Ganzes hat mir gefallen, außer dem Finale, das mir ein bißchen dünn vorkam und wo Stepočka seine Gutmütigkeit verliert und zu einem B e l - A m i wird.

Übrigens, das ist Geschmackssache, das ist unerheblich. Wenn man von Mängeln sprechen will, sollte man sich nicht an Kleinigkeiten stoßen. Sie haben einen Mangel, einen meiner Meinung nach sehr großen Mangel, und zwar feilen Sie nicht genug, weshalb Ihre Sachen stellenweise gedehnt erscheinen, überladen, sie haben nicht die Kompaktheit, die kurze Sachen lebendig macht. Ihre Erzählungen haben Klugheit, Talent, Sinn fürs Belletristische, aber zuwenig Kunstfertigkeit. Sie modellieren eine Figur richtig, aber nicht plastisch, Sie wollen nicht oder finden es langweilig, mit dem Meißel alles Überflüssige zu entfernen. Ein Gesicht aus Marmor zu machen, bedeutet aber doch, aus diesem Stück Marmor alles zu entfernen, was nicht das Gesicht ist.

Drücke ich mich genau aus? Verstehen Sie? Da sind außerdem 2–3 ungeschickte Ausdrücke, die ich unterstrichen habe. Popen lesen weder zur Mitternachtsmesse noch zum Mittagsgottesdienst die Apostel. »Leidenschaft zur Graphomanie« geht nicht, weil das Wort Graphomanie bereits den Begriff der Leidenschaft enthält usw. usf.

Ich bin gefahren, um die Schuljungen zu examinieren, bin zurück und fühle mich zerschlagen wie Herkules nach einer seiner pikantesten Heldentaten. Eine Kursschülerin würde sagen: ich verrecke!

Mehr schreiben kann ich nicht, entschuldigen Sie. Die Wahl des Stücks finde ich gut. Der »Handschuh« eignet sich für Serpuchov sehr, da werden alle Intellektuellen kommen, um Sie anzuschauen.

Ich wünsche Ihnen alles Gute.

Bleiben Sie gesund und wohlauf. *Ihr A. Čechov.*

Über die Novelle müßten wir noch reden.

612) AN A. S. SUVORIN MELICHOVO, 20. 5. 1897

97, 20/V.

Eine Schule habe ich im vergangenen Jahr gebaut; die Rechnungen für diesen Bau sind bereits beglichen und liegen im Zemstvo-Archiv. In diesem Jahr baue ich eine andere Schule, die gegen Ende Juni fertig sein wird. Auch diese Schule ist bereits sichergestellt; wenn das Geld nicht reichen sollte, dann fehlen jedenfalls weit weniger als anderthalbtausend. Geplant sind noch weitere Bauten in nicht allzu ferner Zukunft, und wenn Sie nichts dagegen haben und wenn ich gesund und munter bleibe, dann werde ich aus Ihrer Spende für jede neu zu bauende Schule einhundert Rubel einzahlen, und auf diese Weise würden Sie nicht nur ein-, sondern fünfzehnmal Hilfe gewähren.

Wohin haben Sie nun beschlossen zu reisen? Und wann? Das Herumsitzen an einem Fleck geht mir dermaßen auf die Nerven und (ich drücke mich südrussisch aus) ich habe es dermaßen dick, daß ich Sie gern bis Veržbolov begleiten würde, wenn Sie ins Ausland fahren und einen freien Platz im Zugabteil finden sollten. Die Fahrkarte würde ich direkt von Lopasnja aus lösen. Ich möchte mich bewegen, möchte es schrecklich gern. Wenn Sie vor Ihrer Auslandsreise nach Moskau kommen sollten, dann wiederhole ich, schicken Sie ein Telegramm, damit ich mich beizeiten von zu Hause freimachen kann. Die Schüler examiniere ich nicht am 21., sondern am 24. Mai, danach bin ich frei.

Ihr neuer Mitarbeiter Ėngelgardt hat zweifellos eine publizistische Ader, aber was hat er für einen ältlichen, wirren Kopf. Er gehört zu derselben Kategorie wie Rozanov – sozusagen vom Timbre seiner Begabung. Diese Kategorie hat keine bestimmte Weltanschauung, sondern nur eine riesige, bis dorthinaus aufgeblähte Eitelkeit und einen krankhaften Haß, der tief unter dem Schutt der Seele verborgen liegt wie eine schwere, moosbedeckte Grabplatte.

Was ist mit dem Kleinen Theater? Gestern las ich im »Nov. vremja«, alle Gerüchte darüber seien falsch. Und ich hänge es in meinen Briefen an die große Glocke!

Ich tue nichts, bin idiotisch faulgeworden, wie P.P. Petuch. Dabei habe ich Sujets die Menge, und alle versauern in meinem Kopf. Es regnet ein wenig, es ist unmöglich spazierenzugehen... Ich habe einen Brief von der Komissarževskaja bekommen: sie ist nach Astrachan gefahren, um Theater zu spielen. Ich habe einen Brief von Aleksandr bekommen: er ist auf die Alandsinseln gefahren.

»Alexander I.« habe ich noch nicht bekommen.

An Anna Ivanovna, Nastja und Borja meine herzlichsten Grüße, ich wünsche ihnen Reichtum und Ruhm. Ich grüße Sie sehr. Bleiben Sie gesund. *Ihr A. Čechov.*

613) AN V.F. KOMISSARŽEVSKAJA MELICHOVO, 20. 5. 1897

Lopasnja, Gouv. Mosk. 20. Mai 97.

Ich danke Ihnen sehr, Vera Fëdorovna, daß Sie an mich gedacht und mir einen Brief geschrieben haben. Vor kurzem kam unsere gemeinsame Bekannte, D.M. Glebova (geb. Musina-Puškina), zu mir und sagte, Sie seien sehr krank und wollten ins Ausland zur Kur fahren, und jetzt stellt sich heraus, Sie fahren nach Astrachan. Sie sind gesund oder zumindest nicht ernstlich krank und arbeiten sogar, und ich applaudiere Ihnen von meiner Bärenhöhle aus. Ich freue mich, daß Sie wohlauf sind, beneide Sie aber nicht um die Volgareise. Auf der Volga ist fast immer Wind, es riecht nach Öl, die Landschaften sind monoton und die Leute auf den Dampfern langweilig – lauter Schirmmützen und billige Uhrketten an den Westen, niemand, mit dem man reden könnte, keine interessanten Bekanntschaften. Auf Hochseedampfern ist es weit interessanter.

Ich war doch bereits nach Petersburg aufgebrochen, in der Hoffnung, dort alle möglichen Dinge zu erledigen und Sie zu sehen, aber unterwegs in Moskau bin ich krankgeworden und habe vierzehn Tage in der Klinik gelegen. Meine Lungen haben sich eine kleine Extravaganz erlaubt. Jetzt fühle ich mich nicht übel, die Bazillen verhalten sich ruhig, aber im Herbst werde ich wahrscheinlich irgendwohin verschwinden müssen. Die Ärzte haben mir verboten zu arbeiten, so daß ich zur Zeit so etwas bin wie ein Theaterbeamter: ich tue nichts, niemand braucht mich, aber ich versuche, einen geschäftigen Eindruck aufrechtzuerhalten.

Sie fragen nach dem Anhänger. Wenn er Ihnen auf die Nerven fällt, schicken Sie ihn an die Adresse: Lopasnja, Gouv. Mosk.

Schicken Sie mir das Astrachaner »Möwe«-Plakat. Natürlich wünsche ich Ihnen Erfolg, der so riesig, beständig, ebenso stark und dauerhaft ist wie mein Glaube an Ihr herrliches, sympathisches Talent. Nur werden Sie bitte nicht krank. Gestatten Sie mir, Ihnen die Hand zu drücken und Ihnen alles Gute zu wünschen.

Ich danken Ihnen nochmals. *Ihr ergebener A. Čechov.*

Werden Sie diesen Sommer nicht irgendwo im Süden spielen? Zum Beispiel am Don, in den Städten am Azovschen und Schwarzen Meer? Im Kaukasus? Ich werde dort im August sein.

614) AN AL. P. ČECHOV MELICHOVO, 26. 5. 1897

Sehr geehrter Nikanor Ivanyč!

Da Sie sich gegenwärtig im Sommerhaus aufhalten und bei den Kleinbürgern Erfolg haben, schreibe ich Ihnen auf Papier, dessen Farbe Ihrer Stimmung vollkommen entsprechen dürfte.

Ich bleibe den ganzen Juni über zu Hause. Suvorin lädt mich ein, mit ihm ins Ausland zu fahren, aber erstens habe ich kein Geld, und zweitens bin ich Tempelwächter und muß unbedingt bis Ende Juni den Bau beaufsichtigen.

Das Honorar vom Kontor der Kaiserlichen Theater habe ich noch nicht bekommen. Wenn du es an meiner Statt bekommen hast, dann schick mir bitte wenigstens einen Teil. Es ist nicht edelmütig von dir, deine Verwandten zu kränken. Ich befinde mich zur Zeit in der Lage der Frau Turnefor, die niederkommen muß, aber keine Kerze hat. Ich muß essen und Bauwerke errichten, aber Geld habe ich keine Kopeke. Offenbar hast du das Mädchen verführt und ihm all mein Geld abgeknöpft und bist, damit es nicht so auffällt, auf die Alandsinseln geflohen, angeblich, um dort ein Waisenhaus zu eröffnen. Aber ich kenne deine Gedanken und habe nicht gezögert, alles deinen Eltern zu erzählen (die, wie ich bemerken mußte, nicht hinter alles kommen).

Lejkin hat mir zwei Hunde geschenkt.

26. Mai. *Dein Wohltäter A. Čechov.*

615) AN AL. P. ČECHOV MELICHOVO, 28. 5. 1897

Hiermit habe ich die Ehre, zum Zwecke des allgemeinen Wohlbefindens ergänzend hinzuzufügen, daß das Mädchen, das einen so wohlanständigen Eindruck auf Sie gemacht hat, endlich Gewissensbisse verspürt und die Drachmen geschickt hat, ungeachtet aller Intrigen Ihrerseits. *A. Dobrodetelev.*

28. Juni.

Bekommen habe ich 740 Rub.

616) AN I. Ė. BRAZ MELICHOVO, 7. 6. 1897

Lopasnja, Gouv. Mosk. 97, 7/VI.

Sehr geehrter Iosif Ėmmanuilovič, ich werde im August nach Odessa kommen, wenn mir nicht irgendetwas Besonderes zustößt.

Jetzt, nachdem wir brieflich alle Städte durchgegangen sind, erlauben Sie mir, Sie zu mir aufs Land einzuladen. Ich tue das mit um so größerem Mut, als der Weg ins Gouv. Cherson über Lopasnja führt und der Schnellzug an unserer Station hält. Früher mangelte es mir an Mut, Sie einzuladen, weil der Ort, an dem ich lebe, der langweiligste in ganz Rußland ist und es in meinem Hause kein einziges Zimmer mit gutem Licht gibt. Es gibt ein Zimmer mit einer Wand aus drei Fenstern, die nach Norden gehen, in dem sogar auch schon Maler gearbeitet haben, aber Sie werden es wohl kaum für gut befinden, weil die drei Fenster, soweit ich es beurteilen kann, kein gutes Licht geben für ein menschliches Gesicht, wie ein Porträtmaler dies benötigt. Dennoch, trotz all diesen ungünstigen Umständen lade ich Sie ein. Wer weiß, ob ich bis Odessa komme, ob ich im Winter in Petersburg sein werde, und wenn Sie hier sind, werden Sie das Zimmer mit den drei Fenstern vielleicht nicht so streng beurteilen wie ich, und werden vielleicht einverstanden sein, mich auf dem Nachbargut zu malen, wo man uns einen riesigen Saal zur Verfügung stellen würde.

Entscheiden Sie, aber entscheiden Sie natürlich so, wie es Ihnen angenehmer ist, vergessen Sie nicht, daß ich freier bin als Sie (ich habe zur Zeit keinerlei Arbeit). Wenn Sie sich endgültig für Odessa entscheiden, werde ich mich jeden Abend mit dem Gedanken schlafenlegen, daß ich nach Odessa fahren muß, – obwohl das, nebenbei bemerkt, eine sehr langweilige Stadt ist. Von Odessa würde ich dann nach Jalta fahren.

Auf jeden Fall, wenn Sie mit dem Schnellzug nach Cherson fahren, dann telegraphieren Sie 2–3 Tage vor Ihrer Abreise (Lopasnja Čechov), ich würde nach Lopasnja kommen, um Sie abzuholen.

Gestatten Sie mir, Ihnen alles Gute zu wünschen und die Hand zu drücken. *A. Čechov.*

Meine Gesundheit hat sich gebessert, mein Gesicht sein früheres Aussehen angenommen.

617) AN A. S. SUVORIN MELICHOVO, 21. 6. 1897

21. Juni.

Seien Sie gegrüßt! Ich, Unterzeichneter, sitze die ganze Zeit zu Hause, bei mir in Melichovo, und werde allmählich zur Gutsbesitzerin Korobočka. Ich bin manchmal in Moskau, aber jedesmal nur für kurz. Vor ein paar Tagen war ich auf dem Gut des Millionärs Morozov; ein Haus wie der Vatikan, Lakaien in weißen Pikeewesten mit goldenen Knöpfen auf den Bäuchen, geschmacklose Möbel, Weine von Leve, der Hausherr ohne jeden Gesichtsausdruck – da bin ich geflohen.

Wahrscheinlich fahre ich nach dem 15. Juli nach Boržom, weil ich offenbar nirgendswoanders hinfahren kann. Vor Boržom nach Abbas-Tuman. Ich würde ins Ausland fahren, aber ich habe kein Geld, und allein zu reisen ist langweilig.

Mit dem Buch (»Die Bauern«) hat es eine kleine Verzögerung gegeben. Die erste Korrektur bekam ich erst am 12. Juni, als das Buch eigentlich schon hätte fertig sein sollen; man schickte sie mir zusammen mit Erzählungen, die mit den »Bauern« nichts zu tun haben (zum Beisp. das »Haus mit dem Zwischenstock«). Ich wurde böse und habe an die Druckerei geschrieben, man solle den Druck einstellen. Aber gestern kam ein Brief von Konstantin Semënovič – die Sache ist offenbar wieder eingerenkt worden.

Bei uns ist es kalt; Neuigkeiten gibt es nicht und wird es auch so bald nicht geben. Das Leben ist langweilig und dumm, weil ich noch immer für krank gehalten werde, unter Kuratel stehe und mir vieles versagen muß. Wenn Sie nach Rußland kommen (wie Sie schreiben), so telegraphieren Sie mir von Veržbolov oder von Granica (Lopasnja Čechov); ich komme Ihnen entgegengefah-

ливъ, на солнце, на свѣтлую, точно помолодѣвшую церковь, и слезы текли у нея и дыханіе захватывало оттого, что страстно хотѣлось уйти куда-нибудь, куда глаза глядятъ, хоть на край свѣта. А ужъ было рѣшено, что она пойдетъ опять въ Москву, въ горничныя, и съ нею отправится Кирьякъ наниматься въ дворники или куда-нибудь. Ахъ, скорѣе бы уйти!

Когда подсохло и стало тепло, собрались въ путь. Ольга и Саша съ котомками на спинахъ, обѣ въ лаптяхъ вышли чуть свѣтъ; вышла и Марья, чтобы проводить ихъ. Кирьякъ былъ нездоровъ, задержался дома еще на недѣлю. Ольга въ послѣдній разъ помолилась на церковь, думая о своемъ мужѣ, и не заплакала, только лицо у нея поморщилось и стало некрасивымъ, какъ у старухи. За зиму она похудѣла, подурнѣла, немного посѣдѣла и уже вмѣсто прежней миловидности и пріятной улыбки на лицѣ у нея было покорное, печальное выраженіе пережитой скорби, и было уже что-то тупое и неподвижное въ ея взглядѣ, точно она не слышала. Ей было жаль разставаться съ деревней и съ мужиками. Она вспоминала о томъ, какъ несли Николая и около каждой избы заказывали панихиду, и какъ всѣ плакали, сочувствуя ея горю. Въ теченіе лѣта и зимы бывали такіе часы и даже дни, когда казалось, что эти люди живутъ хуже скотовъ, жить съ ними было страшно, но все же они люди, они страдаютъ и плачутъ какъ люди. Они грубы, не честны, грязны, не трезвы, живутъ не согласно, постоянно ссорятся, потому что не уважаютъ, боятся и подозрѣваютъ другъ друга и потому что—кто держитъ кабакъ и спаиваетъ народъ? Мужикъ. Кто растрачиваетъ и пропиваетъ мірскія, школьныя, церковныя деньги? Мужикъ. Кто укралъ у сосѣда, поджогъ, ложно показалъ на судѣ за бутылку водку? Кто въ земскихъ и другихъ собраніяхъ первый ратуетъ противъ мужиковъ? Мужикъ. Но среди этихъ пороковъ нѣтъ ни одного, которому нельзя было бы найти оправданія. Тяжкій трудъ, отъ котораго по ночамъ болитъ все тѣло, жестокія зимы, скудные урожаи, тѣснота, а помощи нѣтъ и неоткуда ждать ея. Тѣ, которые богаче и сильнѣе ихъ, помочь не могутъ, такъ какъ сами грубы, не честны, не трезвы и сами бранятся такъ же отвратительно; самый мелкій чиновникъ или приказчикъ обходится съ мужиками какъ съ бродягами, и даже старшинамъ и церковнымъ старостамъ говоритъ *ты*, и думаетъ, что имѣетъ на это право. Да и можетъ ли быть какая-нибудь помощь или добрый примѣръ отъ людей корыстолюбивыхъ, жадныхъ, развратныхъ, лѣнивыхъ, которые наѣзжаютъ въ деревню только за тѣмъ, чтобы оскорбить, обобрать, напугать? Ольга вспоминала, какой жалкій,

»Die Bauern«.
Neuntes Kapitel. Seite aus der Zeitschrift »Russkaja mysl«, die auf Verlangen der Zensur entfernt worden war.

ren. Vor meiner Abreise ins Winterquartier muß ich mich mit Ihnen treffen und mit Ihnen sprechen – nicht über Geschäfte, sondern über so manches andere. A propos, ich bitte Sie, in Ihr Theater die Schauspielerin Šavrova (die Schwester der Schriftstellerin) aufzunehmen, die zu uns gekommen ist, um in Serpuchov zu spielen, und sehr gut gespielt hat. Sie hat etwas Lispelndes an sich, aber nicht in der Stimme, sondern im Ausdruck, in der Nase, glaube ich, aber sie ist intelligent, kleidet sich mit großem Geschmack und spielt wie eine echte Schauspielerin. Daß Sie bei Ihnen in »Hannele« debütiert und keinen Erfolg gehabt hat, sollte nicht ins Gewicht fallen.

Die Ernte wird schlecht; der Preis für Getreide und Heu steigt. Krankheiten gibt es keine. Es wird ungeheuerlich viel Vodka getrunken, und moralische und physische Verkommenheit gibt es ebenfalls ungeheuerlich viel. Ich komme mehr und mehr zu dem Schluß, daß ein anständiger und nicht dem Trunke ergebener Mensch nur widerstrebend auf dem Lande leben kann, und selig der russische Intellektuelle, der nicht auf dem Lande, sondern im Sommerhaus lebt.

Aber Sie schreiben nichts von Anna Ivanovna und Nastja. Was machen sie, wie geht es ihnen? Ist Borja mit Ihnen gefahren? Bitte grüßen Sie sie und sagen Sie ihnen, daß ich jeden Tag an sie denke. Grüßen Sie auch Emily.

Nach Kislovodsk werde ich nicht fahren. Maša ist auf der Krim.

Bleiben Sie gesund und wohlauf und vergessen Sie nicht den Gutsbesitzer Korobočka. *Ihr A. Čechov.*

618) AN A. S. SUVORIN MELICHOVO, 12. 7. 1897

12. Juli.

Der Maler malt und malt noch immer, und ich glaube nicht, daß er mich, wie versprochen, am 14. fertighaben wird. Wie dem auch sei, ich komme trotzdem nach Petersburg; ich habe mich endgültig entschlossen, und von der Reise nach Petersburg abhalten könnte mich nur ein Brief von Ihnen, der ankündigt, daß Sie wieder ins Ausland fahren.

Heute schicke ich Ihnen die Korrekturen von »Mein Leben« zurück. Also, mir ist bis heute nicht bekannt, was man beschlossen hat, d. h. aus welchen Erzählungen mein Buch bestehen wird. Neupokoev hat mir vor ein paar Tagen geschrieben, in Ihrem Auftrag; er fragte, wie er mir die Korrekturen schicken solle – in den Fahnen und im Umbruch oder nur in den Fahnen. Ich denke sowohl die Fahnen als auch den Umbruch zu lesen. Das ist besser.

Meine Gesundheit ist großartig, denn Hitze und Trockenheit dauern an.

Ich lese Maeterlinck. Gelesen habe ich »Les aveugles«, »L'intruse«, lese gerade »Aglavaine et Sélysette«. Das sind alles merkwürdige, seltsame Sachen, aber der Eindruck ist gewaltig, und wenn ich ein Theater hätte, würde ich unbedingt »Les aveugles« spielen lassen. Übrigens gibt es da auch ein großartiges Bühnenbild mit dem Meer und einem Leuchtturm in der Ferne.

Das Publikum ist zur Hälfte idiotisch, aber es ist möglich, den Durchfall des Stückes zu vermeiden, indem man den Inhalt des Stückes auf das Plakat setzt, kurzgefaßt natürlich; das Stück ist ein Werk von Maeterlinck, einem belgischen Schriftsteller, einem Décadent, und sein Inhalt besteht darin, daß der alte Blindenführer in aller Stille gestorben ist und die Blinden, ohne das zu wissen, dasitzen und auf seine Rückkehr warten.

In den »Mirovye otgoloski« lese ich jeden Tag über das »Novoe vremja«, und im »Novoe vremja« über die Javorskaja. Offenbar ist sie jeden Tag genial.

Ich habe haufenweise Gäste. Aleksandr hat mir seine Knaben abgetreten, ohne Wäsche und Kleider dazulassen, sie wohnen bei mir, und niemand weiß, wann sie wieder abfahren; ich glaube, sie werden bis Ende des Sommers hierbleiben, vielleicht auch für immer. Sehr liebenswürdig von seiten ihrer Eltern. Ein Cousin aus dem Süden ist gekommen.

Ežov (der Nichtfeuilletonist) schreibt, er wolle mich besuchen kommen usw. usw.

Ich habe lange keinen Brief mehr von Ihnen bekommen. Wo sind Sie? Sind Sie gesund? Wie fühlt sich Aleksej Alekseevič?

Bleiben Sie gesund und wohlauf. *Ihr A. Čechov.*

619) AN M. P. ČECHOVA PETERSBURG, 23./24. 7. 1897

Liebendes und dankbares Schwesterlein Marja Pavlovna!

Ich bin wohlbehalten in Petersburg angekommen.

Grüß alle Unsrigen.

Die allgemeine Enttäuschung ist groß: man hatte einen Schwindsüchtigen erwartet, einen Entkräfteten, kaum mehr Atmenden – und auf einmal sehen sie statt eines Gesichtes den Mond!

Sei glücklich.

Sag Mutter, wenn sie Schwindelanfälle habe, solle sie 15 Hoffmannstropfen nehmen. *Dein A. Čechov.*

Ich bin nicht gewöhnt, mit fremden Federn zu schreiben: ich mache Kleckse.

620) AN N. A. LEJKIN MELICHOVO, 4. 8. 1897

Lopasnja, Gouv. Moskau. 97 4/VIII.

Lieber Nikolaj Aleksandrovič, die Kläffer sind gestern abend angekommen. Sie haben sich schon eingewöhnt, spielen und winseln leise wegen der Flöhe und der Hitze; wenn es ihnen zu viel wird, legen sie sich in den Graben und liegen dort mit dem Bauch nach oben, die Beine in die Luft. Sie kamen als Überraschung und haben allen sehr gefallen, besonders das Weibchen, das, wie mir scheint, mehr Rasse hat als das Männchen. Die Dachshunde bellen sie böse an, sie haben Angst vor ihnen und legen sich platt auf die Erde. Sie kommen weder auf Rufe noch auf Pfiff; sie beschnuppern alle Ecken. Überhaupt vielbeschäftigte Geschöpfe.

Ich werde im September ins Ausland fahren – nach Norditalien und Südfrankreich, etwa nach dem Zwanzigsten. Wenn ich weiß, daß Sie in Biarritz sind, werde ich Sie besuchen kommen. Ich war übrigens noch nie in Biarritz. Vor der Auslandsreise werde ich noch in den Kaukasus fahren.

Nach der Rückkehr von Ihnen habe ich gepackt und bin noch am selben Tag mit dem Schnellzug nach Moskau gefahren. Ich hatte es eilig. Jetzt dagegen, zugegeben, bedauere ich, mich so beeilt zu haben und nicht noch ein bis zwei Tage in Piter geblieben zu sein. Die, derentwegen ich mich so beeilt hatte, habe ich in Moskau nicht mehr angetroffen, so daß das geschäftliche Gespräch gar nicht zustandekam.

Also, wegen der Hunde stehe ich in Ihrer Schuld. Sie sind ein sehr, sehr schönes Geschenk, und ich weiß nicht, wie ich Ihnen danken soll. Ich gehe dauernd hinaus, um nach ihnen zu sehen. Meine Schwester desgleichen. Sie plagt sich die ganze Zeit mit ihnen herum.

Praskovja Nikiforovna danke ich für die Gastfreundschaft und grüße sie herzlichst. Fedja und Katja grüße ich ebenfalls, und Ihnen drücke ich fest die Hand und wünsche alles Gute.

Ihr A. Čechov.

621) AN L. S. MIZINOVA — MELICHOVO, 8. 8. 1897

Liebe Lika, Ihr Brief vom 1. August, auf den Sie am Montag Antwort erwarteten, kam erst am Mittwoch, dem 6. Aug. Und wozu fragen Sie, ob ich wolle, daß Sie kämen, und was brauchen Sie für eine Antwort, wenn Sie selbst versprochen hatten, am Dienstag zu kommen, und wenn wir Sie jeden Tag voller Ungeduld erwarten? Alle erwarten Sie, und ich werde nicht wegfahren, weil ich die ganze Zeit warte und warte, und wohl noch sehr lange warten werde, weil Sie, bevor Sie kommen, wahrscheinlich noch 17 Briefe schreiben werden.

Bei uns ist es heiß, trocken. Wir essen, trinken, schlafen. Jeden Tag ist die Malerin Chotjaincëva bei uns, die mich malt.

Kommen Sie doch, seien Sie kein Schuft, liebe Lika, lassen Sie sich nicht so lange bitten. *Ihr A. Čechov.*

97 8/VIII.

622) AN M. A. SABLIN MELICHOVO, 12. 8. 1897

Michail Alekseevič, mein lieber Grossvater, schreiben Sie mir, wo sich gegenwärtig V. M. Sobolevskij befindet.

Die »Russkie vedomosti« haben irgendwie aus »völlig zuverlässiger Quelle« mitgeteilt, ich sei im Kaukasus. Das schreiben sie mit Absicht. Ich bin in Melichovo, wohin ich Sie auch zu schreiben bitte.

Ich drücke Ihnen tausendmal die Hand, und umarme Sie, s'il vous plaît. Ich warte auf Ihre Antwort. *Ihr A. Čechov.*

12. Aug.

Lopasnja, Gouv. Moskau.

623) AN V. M. SOBOLEVSKIJ MELICHOVO, 19. 8. 1897

Lopasnja, Gouv. Mosk. 97 19/VIII.

Lieber Vasilij Michajlovič, ich war auf der Suche nach Ihrer Adresse, um mich mit Ihnen zu treffen und herauszubekommen, ob Sie nicht nach Nizza führen – und wenn ja, ob Sie mich nicht in Ihre Begleitung aufnehmen wollten. Gestern bekam ich Ihren Brief und weiß Sie nun in Biarritz. Vortrefflich, ich werde auch nach Biarritz kommen. Von zu Hause freimachen kann ich mich nicht vor Ende August (so um den 26.–27.), und es besteht auch kein Grund zur Eile, denn das Wetter bei uns ist warm und trokken. Seien Sie vorläufig so gut und schreiben Sie mir, welchen Zug von Moskau man besser nimmt, den nach Berlin oder den nach Wien, welchen Zug von Paris, in welchem Hotel Sie abgestiegen sind... Ich bitte Sie um eine so detaillierte Reiseroute, weil ich noch kein einziges Mal in Biarritz gewesen bin und ein bißchen Angst habe. Ich spreche doch alle Sprachen, nur keine Fremdsprachen; wenn ich im Ausland deutsch oder französisch spreche, fangen die Schaffner in der Regel an zu lachen, und in Paris vom einen Bahnhof zum anderen zu gelangen, ist für mich dasselbe wie Blindekuh spielen.

Ich denke, einen Monat in Biarritz zu bleiben, wie Sie, danach fahre ich irgendwoanders hin, ins Warme.

Auf Wiedersehen! In Erwartung Ihrer Antwort drücke ich Ihnen die Hand und wünschen Ihnen alles Gute.

Ihr A. Čechov

Danke für den Brief!

Anhang

Editorische Notiz

Der vorliegende Band enthält Briefe Čechovs aus der Zeit von März 1892 bis August 1897.

In diese Zeit fallen die Übersiedlung der Familie nach Melichovo, Čechovs Annäherung an die Zeitschrift ›Russkaja mysl‹, die Novellen ›Krankensaal Nr. 6‹ und ›Erzählung eines Unbekannten‹, die, wie auch ›Die Insel Sachalin‹, in der ›Russkaja mysl‹ erscheinen. Zweite Westeuropareise Čechovs, die Novelle ›Drei Jahre‹, Čechovs erster Besuch bei Lev Tolstoj, die Uraufführung der ›Möwe‹ in Petersburg, Čechovs Beteiligung am Kampf gegen die Cholera im Kreis Serpuchov, an der Volkszählung 1897, das Erscheinen der Erzählung ›Die Bauern‹, Čechovs erster schwerer Zusammenbruch und Aufenthalt in der Klinik von Professor Ostroumov, schließlich die Abreise Čechovs nach Nizza zum ersten Winteraufenthalt außer Landes.

Von den rund 950 bekanntgewordenen Briefen, Postkarten und Telegrammen Čechovs aus diesem Zeitraum enthält der vorliegende Band 245, also gut ein Viertel.

Zum Vergleich wurden bei der Auswahl folgende Ausgaben herbeigezogen:

Anton Tschechow, Briefe 1879–1904, herausgegeben von Gerhard Dick, Berlin, Rütten & Loening, 1968;

Letters of Anton Chekhov, Selection, commentary and introduction by Simon Karlinsky, London, The Bodley Head, 1973;

Anton Chekhov, Letters on the short story, the drama, and the other literary topics, selected and edited by Louis S. Friedland, New York, Dover publications, 1966 (Nachdruck der Ausgabe von 1924);

Letters of Anton Chekhov, Selected and edited by Avraham Yarmolinsky, New York, Viking Press, 1973.

Prinzip der vorgelegten Auswahl war, nicht nur die ›großen‹ und z. T. bereits bekannten Briefe Čechovs, seine grundsätzlichen Äußerungen über Literatur, Gesellschaft und Politik zu dokumentieren, sondern Zusammenhänge, Abläufe und Entwicklungen, soweit sie sich in den Briefen niederschlagen, erkennbar bleiben zu lassen, damit der Leser sie auch ohne ausführlichere Kommentare selbst nachvollziehen kann. Das bedeutete auch, in der Korrespondenz mit den einzelnen Briefpartnern nach Möglichkeit keine allzu großen Lücken entstehen zu lassen, zumindest solange der betreffende Kontakt für Čechov biographisch und/oder literarisch von Wichtigkeit war.

Zu den Prinzipien dieser Ausgabe gehörte ferner, die Briefe ungekürzt vorzulegen und nicht, wie in den Ausgaben von Friedland und Yarmolinsky, nur die ›bedeutenden Stellen‹ zu zitieren. Dies stieß insofern auf Schwierigkeiten, als es bis heute noch keine russische Čechov-Ausgabe gibt, die an bestimmten Briefstellen nicht purgierend eingegriffen hätte; auch die neueste, 1974 begonnene historisch-kritische Čechov-Gesamtausgabe setzt, vor allem in Briefen Čechovs an seinen Bruder Aleksandr, an Lejkin, an Suvorin und später auch in denen an O. L. Knipper, dort wo Čechov gelegentlich ›obszöne‹ Wörter gebraucht, eckige Klammern und drei Pünktchen.

Übersetzt wurde nach den Ausgaben:

Anton Čechov, Polnoe sobranie sočinenij i pisem, Moskau, Nauka, 1974f. In dieser, auf 30 Bände berechneten Gesamtausgabe sind 12 Bände den Briefen Čechovs vorbehalten; davon sind bis Mai 1979 sechs erschienen, die Briefe bis einschließlich Mai 1897.

Anton Čechov, Polnoe sobranie sočinenij i pisem, Moskau, OGIZ, 1944–1951, 20 Bände; davon 8 Bände Briefe.

Hinzugezogen wurden, nachdem die 20bändige Ausgabe bei weitem nicht vollständig ist, folgende Editionen:

Anton Čechov, Sobranie sočinenij v dvenadcati tomach, Moskau, Chudožestvennaja literatura, 1950–1964; 12 Bände, davon 2 Bände Briefe;

Literaturnoe nasledstvo (Literarisches Erbe): Čechov, Moskau, Izd. Akademii nauk, 1960;

Literaturnoe nasledstvo (Literarisches Erbe): Iz istorii literaturnoj i obščestvennoj mysli 1860–1890 ych godov, Moskau, Nauka, 1977 (Aus der Geschichte des literarischen und gesellschaftlichen Denkens der 1860er–1890er Jahre);

Die Anmerkungen der deutschen Ausgabe stützen sich im wesentlichen auf die zitierten Gesamtausgaben; hinzugezogen wurden zusätzlich folgende Editionen:

Čechov v vospominanijach sovremennikov (Čechov in Erinnerungen von Zeitgenossen), Moskau, Goslitizdat, 2. Aufl. 1954;

M. P. Čechov, Vokrug Čechova (Rund um Čechov), Moskau-Leningrad, Academia, 1933, 2. Aufl. 1960;

N. I. Gitovič, Letopis' žizni i tvorčestva A. P. Čechova (Chronik zu Leben und Werk von A. P. Čechov), Moskau, Goslitizdat Chudožestvennoj literatury, 1955.

An Enzyklopädien und Nachschlagewerken hervorzuheben ist der große Ėnciklopedičeskij slovar', Petersburg 1890–1907, 82 Bände und 4 Supplementbände, erschienen im Verlag I. Efron.

Die Briefe sind auch in der vorliegenden Ausgabe numeriert. Im Briefkopf erscheint jeweils die fortlaufende Nummer, danach, versal, der Name des Adressaten und das aufgrund des Poststempels eruierte Briefdatum, das nicht immer mit der Datierung Čechovs übereinstimmt. Es folgt, in der Grundschrift, der Brieftext. Fremdsprachige Zitate innerhalb der Briefe erscheinen gesperrt, Hervorhebungen Čechovs kursiv.

Die Anmerkungen enthalten neben der deutschen Numerierung, dem Briefdatum und dem Namen des Adressaten jeweils auch die Numerierung der russischen Ausgabe, hier jedoch durchgehend die Numerierung der abgeschlossenen 20bändigen Ausgabe von 1944–1951 und, zusätzlich in Klammern, die Numerierung der neuen Ausgabe von 1974f., soweit bereits erschienen. Der Leser hat damit Gelegenheit, selbst zu verfolgen, wieviele Briefe zwischen Brief a und Brief b der deutschen Ausgabe ausgelassen worden sind.

Namen – von Briefadressaten wie Personen, die in Čechovs Briefen auftauchen – werden in der Regel nur einmal ausführlicher erklärt, und zwar dort, wo sie zum ersten Mal in den Briefen erscheinen. Ihre Identifikation und ihr Auffinden in den verschiedenen Bänden dieser Ausgabe soll das Personenregister erleichtern, das in Band 5 dieser Ausgabe enthalten ist. Das Personenregister gibt auch, soweit feststellbar, Auskunft über die Zahl der Briefe, die zwischen Čechov und dem betreffenden Briefpartner gewechselt worden sind.

Band 5 enthält neben einem Werkregister ferner ein Verzeichnis der erwähnten Zeitschriftentitel und Verlagsnamen, eine Übersicht über die russischen Titel und Rangklassen, über die russischen Feiertage, Fasten und Kirchenfeste, die Erklärung der Transkription sowie der nichtübersetzten Ausdrücke.

Jedem Band beigegeben sind zwei Verzeichnisse der Adressaten – chronologisch und alphabetisch geordnet – sowie eine kurze Chronologie, die sich jedoch aus Umfangsgründen auf die wesentlichsten Daten aus Čechovs Leben beschränken muß.

Anmerkungen

1892

379) *9. 3. 1892 – I. L. Leontjev-Ščeglov.* 1086 (1135).

eine Erzählung an die »Nedelja« – in den ›Knižki Nedeli‹, Heft 7 (Juli) 1892, erschien Čechovs Erzählung ›Die Nachbarn‹.

Sagen Sie dem Steuermann – M. O. Menšikov, Publizist und Herausgeber der Zeitschrift, war in seiner Jugend zur See gefahren.

Račinskij – Sergej Aleksandrovič, 1833–1902, Professor an der Universität Moskau, Pädagoge, Verfechter einer religiösen Erziehung.

Burenin – V. P. Burenin, Literaturkritiker des ›Novoe vremja‹.

Averkiev – Dmitrij Vasiljevič, 1836–1905, Publizist, Dramatiker, Übersetzer.

für mich ein dunkler Wald – russisches Sprichwort: ›Eine fremde Seele ist ein dunkler Wald.‹

... schön, Lord zu sein – Čechov war Anfang März 1892 auf das Landgut Melichovo im Kreis Serpuchov übersiedelt.

Exemplar Ihrer letzten Novelle – ›Um die Wahrheit‹, erschienen in Heft 2 (Februar) 1892 der Zeitschrift ›Russkij vestnik‹. Vgl. Nr. 386.

380) *11. 3. 1892 – A. S. Suvorin.* 1087 (1136).

die »Legendären Charaktere« – von N. S. Leskov, erschienen 1892 im Februarheft der Zeitschrift ›Russkoe obozrenie‹.

Pisarevs Puškinkritik – meint den Aufsatz ›Puškin und Belinskij‹ (1865) des Kritikers D. I. Pisarev.

ihr lieber Brief – der berühmte Brief Tatjanas an den Helden des Versromans ›Evgenij Onegin‹, in dem sie ihm ihre Liebe gesteht (Kapitel III des ›Onegin‹).

ein Sujet für eine Komödie – am 17. 3. an Suvorin: ›Werden Sie eine Komödie schreiben? Wann? Und wann werden Ihre Erzählungen erscheinen? All das interessiert mich sehr. Wenn Sie eine Komödie schreiben, dann komme ich ganz bestimmt zu den Proben nach Petersburg.‹

Aleksej Alekseevič – A. A. Suvorin junior.

381) *21. 3. 1892 – Al. P. Čechov.* 1094 (1143).

Feuerwehr-Saša – Čechovs Bruder Aleksandr redigierte in dieser Zeit in Petersburg die Zeitschrift ›Der Feuerwehrmann‹; vgl. Nr. 377.

Löwen- und Sonnenorden – bzw. ›Sonnen- und Löwenorden‹, 1808 nach dem Vorbild der franz. Ehrenlegion begründeter persischer Orden, fünf Klassen, der auch an Ausländer verliehen wurde. Vgl. Čechovs Erzählung aus dem Jahre 1887, detebe Nr. 50/XIII.

Cincinnatus – Lucius Quinctius, ›ein Muster altröm. Tugend und Sitteneinfalt‹ (Brockhaus), 460 v.d.Z. zum Konsul, 458 zum Diktator gewählt, der nach siegreichem Krieg gegen die Äquer die Diktatur am 16. Tage niedergelegt und auf sein Gut zurückgekehrt sein soll. ›439 wurde C. als 80jähriger Greis noch einmal zum Diktator gewählt, da Spurius Mälius, ein reicher Plebejer, der bei Hungersnot Getreide an die Plebejer verteilt hatte, beschuldigt wurde, daß er nach der Königswürde strebte. Servilius Ahala, des Diktators Magister Equitum, forderte den Mälius vor des C. Tribunal und erschlug ihn, da er sich weigerte, ihm zu folgen. C. billigte die That, ließ das Vermögen des Mälius konfiszieren, worauf das vorhandene Getreide um einen geringeren Preis unter das Volk verteilt wurde.‹

Kampf gegen die Klassifikation... – russ. ›klassifikacija‹ anstelle von ›falsifikacija‹: Fälschung, Verfälschung.

Vom Onkel – Mitrofan E. Čechov aus Taganrog.

Turnefor – Französischlehrer am Gymnasium Taganrog.

missen essen – stehende Wendung unter den Gebrüdern Čechov.

Bescinskij – Nachbar der Familie Čechov in Taganrog.

»Naum, naum...« – jüdisches Spottlied, das in Taganrog gesungen wurde.

Natalja Aleksandrovna – Aleksandrs Frau, N. A. Čechova-Golden.

pueri – russisch transkrib., latein. ›Knaben, Jungen‹.

Michajlo – jüngster Sohn Aleksandrs.

mit einem Grafen– D. A. Šeremetjev, Gründer der Zeitschrift, an der A. P. Čechov arbeitete, vgl. Nr. 377.

mein Herrz – Scherz, ›Schreibfehler‹.

382) *23. 3. 1892 – E.P. Goslavskij.* 1096 (1145).

»Soldatenbraut« – Komödie des Adr., erschien, auf Betreiben der Zensur mit verändertem Titel (›Getrenntes Leben‹), erst 1894 in der Zeitschrift ›Artist‹ (September). Das Stück wurde ein katastrophaler Mißerfolg und nach drei Vorstellungen (Premiere: 21. 9. 1894) abgesetzt.

»Reicher Mann« – erschienen im Dezemberheft der Zeitschrift ›Artist‹, 1891.

mouches volantes – franz., wörtlich: ›fliegende Fliegen‹, meint: Flimmern vor den Augen.

383) *25. 3. 1892 – L.S. Mizinova.* 1098 (1147).

Kellerschaben sind noch da – dem Sprichwort zufolge verlassen die Kellerschaben das Haus, bevor darin ein Feuer ausbricht.

384) *27. 3. 1892 – L.S. Mizinova.* 1099 (1148).

in der Mjasnickaja – Adresse der Malerin S.P. Kuvšinnikova in Moskau, mit der I.I. Levitan ein Verhältnis hatte, vgl. auch Nr. 385.

Ich lieb in dir … – Zitat eines bekannten Gedichts von M. Ju. Lermontov aus dem Jahr 1841, das Thema und Text zahlreicher Romanzen bildete. In der Übersetzung von Friedrich Fiedler:

›Nicht dir gilt meiner Liebe Leidenschaft:
Kalt seh ich dich im Glanz der Schönheit strahlen –
Ich lieb in dir nur meine Seelenqualen
Und meine früh verwelkte Jugendkraft.‹

In der Übersetzung von W. Groeger:

›Nicht dich, nicht dich lieb' ich mit solcher Glut,
Und nicht für mich ist deiner Schönheit Strahlen –
Ich lieb' in dir unüberwundne Qualen
Und meiner Jugend schattenhafte Flut.‹

385) *29. 3. 1892 – L.S. Mizinova.* 1101 (1150)

Liebe Melitta – Anspielung auf Grillparzers Trauerspiel ›Sappho‹ von 1818, das in der Spielzeit 1891/92 am Kleinen Theater in Moskau gespielt wurde; Sappho nannte Čechov die Malerin Sofja P. Kuvšinnikova.

›Sappho kehrt von Olympia, wo sie in der Dichtkunst den Sieg errang, unter dem Jubel des Volkes in ihre Heimatstadt zurück. Ihr zur Seite steht auf dem Triumphwagen der Jüngling Phaon. Im Zusammenhang des Dramas repräsentieren beide zwei einander problematisch entgegengesetzte Bereiche: Phaon das »Leben«, Sappho die »Kunst«. Phaon ist es von Sappho zugedacht worden, die Kunst aus ihren »wolkennahen Gipfeln / In dieses Lebens heitre Blütentäler / Mit sanft bezwingender Gewalt herabzuziehn.« Die Symbiose von Kunst und Leben soll durch ein Liebesfest zeichenhaft vollzogen werden … Schritt für Schritt deckt das Drama auf, daß eine Vereinigung nicht zustandekommen kann. Phaon hält Sappho nicht die Treue, sondern fühlt sich mehr von Melitta, ihrer Sklavin, angezogen. Als Melitta beim Schmücken des Saales für das bevorstehende Fest durch eine ungeschickte Bewegung zu Fall kommt, fängt Phaon sie auf und küßt sie unwillkürlich. Sappho wird Zeuge dieser Szene. Verzweifelt zieht sie sich in eine Grotte zurück und macht – paradoxerweise – ihr eigenes Leiden sich zum Vorwurf: die Kompliziertheit ihrer Person, in der sich doch nur die Problematik der Situation ausdrückt, nimmt sich neben der natürlichen Unschuld der beiden Liebenden wie Schuld und Versagen aus. Doch ist Melittas und Phaons Naivität nur scheinbar ungebrochen: »Gleicher Schmerz«, zu dessen geistiger Analyse sie im Gegensatz zu Sappho allerdings unfähig sind, hat sie zueinander getrieben. Sappho versucht den Schein ihres Glücks eifersüchtig zu zerstören. Phaon flieht mit Melitta, als diese entführt werden soll‹ usw. (Kindler, Literaturlexikon)

Salomonskij – A. Salomonskij, Besitzer des Zirkus Šapito in Moskau.

die Übersetzung – eines deutschen Titels, die L. S. Mizinova dann doch nicht übernahm; möglicherweise die Interlinearversion von Hermann Sudermanns Stück ›Sodoms Ende‹ (1891), das Čechov bearbeiten wollte.

Fürst Urusov – A. I. Urusov.

386) *31. 3. 1892 – A. S. Suvorin.* 1103 (1153).

schreibe an einer Novelle – ›Krankensaal Nr. 6‹, vgl. Nr. 389. Čechov reichte das Manuskript Anfang Mai der Redaktion der Zeitschrift ›Russkoe obozrenie‹ ein, zog dieses aber wieder zurück. ›Krankensaal Nr. 6‹ erschien im Novemberheft der Zeitschrift ›Russkaja mysl‹, vgl. Nr. 406, 407, 410.

Jean Ščeglov – vgl. Nr. 379.

in spe – latein., wörtlich: ›in der Hoffnung‹; in der Zukunft.

da ich zur Zeit viel schreibe – vgl. oben; außerdem schrieb Čechov an einer Reihe von Humoresken für N. A. Lejkins ›Oskolki‹, die er am 7. 4. abschickte (›Geschichte eines Handelsunternehmens‹, ›Aus dem Notizbuch eines alten Pädagogen a. D.‹ u. a.).

brauche den Börne – Ludwig Börne, 1786–1837; um welchen Börne-Band es sich handelt, ist ungeklärt; möglicherweise um den Band ›Aus dem Tagebuch‹, erschienen im Petersburger Verlag A. S. Suvorin, vgl. Nr. 449.

Daudets neue Novelle – ›Rose et Ninette‹ von Alphonse Daudet, erschien, übersetzt von I. I. Jasinskij, im Märzheft der Zeitschrift ›Trud‹, zugleich waren (anonyme) Übersetzungen in den Zeitschriften ›Sever‹ und ›Russkoe obozrenie‹ erschienen; die Novelle stieß wegen bestimmter Parallelen mit Tolstojs ›Kreutzersonate‹ auf besonderes Interesse.

387) *8. 4. 1892 – A. S. Suvorin.* 1110 (1159).

Ivans Adresse – Ivan P. Čechov, der wieder nach Moskau versetzt worden war.

Šapiro – K. A. Šapiro, gest. 1900, bekannter Photograph in Petersburg.

mit der Reise ins Ausland – nach Österreich, Italien und Frankreich, Frühjahr 1891, vgl. Band II.

schoß auf eine Schnepfe – vgl. ›Die Möwe‹, II. Akt, detebe Nr. 50/I.

Ščeglov – I. L. Leontjev-Ščeglov.

Kundasova – O. P. Kundasova.

Giljarovskij – Vladimir Alekseevič, 1853–1935, Schriftsteller.

388) *26. 4. 1892 – N.A. Lejkin.* 1121 (1168).

Moskau – Čechov war, nachdem am 22. 4. Suvorin nach Melichovo gekommen war, am 24. 4. mit ihm nach Moskau gefahren.

Nach der Neva und Tosna – Lejkin besaß ein Sommerhaus im Dorf Ivanovskoe an der Neva.

»Slavjanskij bazar« – eines der ersten Hotels in Moskau, in dem Suvorin während seiner Moskauaufenthalte regelmäßig abstieg.

389) *27./28. 4. 1892 – L.S. Mizinova.* 1188 (1170).

bei Mochin – bzw. Machin, in Moskau, Geschäft für Optikerbedarf und medizin.-chirurgische Instrumente.

390) *29. 4. 1892 – L.A. Avilova.* 1122 (1171).

eine Fabel ins Poesiealbum – gemeint ist A. A. Kiselëva, der Čechov 1885 in Babkino ein Gedicht ins Poesiealbum geschrieben hatte.

Gestern war ich in Moskau – laut Tagebuch von P.E. Čechov war Čechov am 27. 4. nach Melichovo zurückgekehrt.

eine 42jährige Dame – S.P. Kuvšinnikova, die mit dem Maler I.I. Levitan zusammenlebte. Vgl. die Erzählung ›Flattergeist‹, detebe Nr. 50/XIV. Über dieser Erzählung kam es auch zum Bruch zwischen Čechov und A.P. Lenskij.

Ich beende gerade eine Novelle – ›Krankensaal Nr. 6‹.

eine Komödie geschrieben – vgl. auch Nr. 386.

391) *4. 5. 1892 – P.V. Bykov.* 1123 (1172).

Ieronim Ieronimovič – I.I. Jasinskij.

der Redaktion der »Vsemirn. illjustracija« nahe – der Adressat war faktisch Redakteur des von Ė. Goppe herausgegebenen Blatts. Čechov moniert die Anzeige auf Seite 1 der Ausgabe vom 25. 4. 1892: ›In der nächsten Nummer der »Vsemirnaja illjustracija« erscheint das neue Werk unseres hochtalentierten Belletristen Anton Pavlovič Čechov »In der Verbannung« (Milieuskizze).‹

mein erster Brief... – war zugleich der letzte an Bykov.

392) *11. 5. 1892 – A.S. Kiselëv.* 1125 (1174).

Vasilisa Pantelevna – so nannte Čechov im Scherz die Tochter des Adressaten, A.A. Kiselëva.

der hochverehrte Bosco – im russ. Original: Bosko. Bartolomeo Bosco, 1793–1863, berühmter italienischer Zauberkünstler, der während des Rußlandfeldzugs 1812 in russische Gefangenschaft geraten war. Die russische Ausgabe 1944–1951 vermutet hier den franz. Feldmarschall Pierre-François-Joseph Bosquet, 1810–1861, – für den Sohn des Adressaten.

Marija Vladimirovna – M. A. Kiselëva.
Die Nachbarn... – in Melichovo, Varenikovs; vgl. Nr. 397.
Egorov – E. P. Egorov.

393) *19. 5. 1892 – A. S. Suvorin.* 1130 (1182).
Burenin – V. P. Burenin.
Nastja – Tochter des Adressaten.
tables d'hôte – als russisches Lehnwort gebraucht, ›Gästetafel‹, Pensionsessen.
so schlecht und langweilig es sein mag... – Čechov am 15. 5. an Suvorin: ›Nach Melichovo werden Sie nun natürlich nicht mehr kommen wollen? Mir tut das furchtbar leid; nachdem Melichovo Ihnen nicht gefallen hat, hat es in meinen Augen die Hälfte seines Wertes eingebüßt.‹
Bethanien – Einsiedelhof nahe Troico-Sergievskaja Lavra.
Mezzanin – Zwischenstock, Zwischengeschoß; vgl. Čechovs Erzählung ›Das Haus mit dem Zwischenstock‹ (1896), detebe Nr. 50/XV.
die Kundasova – O. P. Kundasova.
Fürst Certelev – D. A. Certelev, Redakteur der Zeitschrift ›Russkoe obozrenie‹, in der Čechov den ›Krankensaal Nr. 6‹ ursprünglich hatte veröffentlichen wollen; Čechov zog das Manuskript später zurück.
zurück zu meinen Penaten – nach Melichovo; ›Penaten‹: römische Hausgötter.
Zandrok – M. F. Zandrok, Angestellter in Suvorins Buchhandlung. Seit Erscheinen des Buches hatte Čechov bereits mehrfach um diese 50 Expl. gebeten.

394) *28. 5. 1892 – A. S. Suvorin.* – 1133 (1183).
Miša – Michail P. Čechov.
mit dem Monte Christo... – A. Dumas, ›Der Graf von Monte Christo‹, den Suvorin in gekürzter Form veröffentlichen wollte. Es existiert eine Karikatur von P. M. Svobodin, die Čechov darstellt, während er den Roman kürzt, und ihm über die Schulter schaut, Tränen vergießend, A. Dumas.
dyskratisch – mediz. Fachausdruck, Dyskrasie: fehlerhafte Zusammensetzung der Körpersäfte, insbesondere des Blutes.
drei junge Damen – L. S. Mizinova, K. I. Mamuna und N. M. Lintvarëva, die am 26. 5. gekommen waren.
eine von ihnen ist Gräfin – K. I. Mamuna.
faire la carrière – franz. ›Karriere machen‹; in der Folgezeit erschien Michail P. Čechov in Melichovo oft in Begleitung von K. I. Mamuna.
Das Geheimnis ist groß – vgl. das Neue Testament, Epheser 5, 32: ›Das Geheimnis ist groß; ich sage aber von Christo und der Gemeinde.‹

395) *4. 6. 1892 – A. S. Suvorin.* – 1134 (1184).
die drei Jungfrauen... – in Verlegenheit hätte Suvorin nur N. M. Lintvarëva bringen können, die S. während dessen Besuch in Sumy demonstrativ unfreundlich empfangen hatte.
längst wieder abgefahren – laut Tagebuch von P. E. Čechov: L. S. Mizinova am 30. 5., K. I. Mamuna am 1. 6. 1892.
schreibe an einer Novelle... – ›Die Nachbarn‹, vgl. detebe Nr. 50/XIV.
der künftige Schwiegervater des Barons – meint A. N. Pleščeev, dessen Tochter den Baron Stahl von Holstein heiratete.
Vejnberg – Pëtr Isaevič, 1831–1908, Lyriker, Übersetzer.
solo – italien. ›allein‹.
schreiben Sie dorthin – Suvorin hatte Čechov, offenbar auf dessen Bemerkung hin (vgl. Nr. 393), das Haus in Feodosija für den Sommer angeboten.
»Russkoe obozrenie« wird nicht erscheinen – meint: wird nicht erscheinen mit der Novelle ›Krankensaal Nr. 6‹; den ersten Teil des Manuskripts hatte Čechov Mitte April der Redaktion übergeben, Mitte Mai die korrigierten Fahnen des ersten Teils und das Manuskript des Schlusses abgeliefert, die Redaktion hatte ihm einen Vorschuß von 500 Rubel versprochen; Čechov war deshalb am 19. Mai nach Moskau gefahren und unverrichteter Dinge zurückgekehrt, woraufhin er über seinen Bruder Ivan das Manuskript des ›Krankensaals‹ zurückforderte. ›Krankensaal Nr. 6‹ erschien dann im Novemberheft der ›Russkaja mysl‹.
Svobodin – P. M. Svobodin.
Ihre Schwester – Zinaida Sergeevna, Frau von A. P. Kolomnin.
Pëtr Sergeevič – P. S. Kolomnin, den Čechov im Dorf Korevo bei Bobrov in Begleitung Suvorins kennengelernt hatte (Anfang 1892).

396) *16. 6. 1892 – A. S. Suvorin.* 1140 (1190).
warte auf Ihre Novelle – ›Am Ende des Jahrhunderts‹, vgl. auch Nr. 398, erschien als Beilage zum ›Novoe vremja‹ in Fortsetzungen ab 5. 12. 1892; als Einzelausgabe 1893.
Die Astronomin – O. P. Kundasova.
Sorochtin, mein Vorgänger – als Besitzer des Gutes Melichovo; über N. P. Sorochtin vgl. Nr. 374, 378.
der kranke Svobodin – P. M. Svobodin, der Čechov in Melichovo besucht hatte, starb noch im selben Jahr, vgl. Nr. 406.
das 50jährige Jubiläum von Grigorovič – D. V. Grigorovič; meint das literarische Jubiläum, gerechnet von der ersten Veröffentlichung. Vgl. auch Čechovs Korrespondenz über sein eigenes 25jähriges Jubiläum Ende 1903.
Rjumin – Pëtr Michajlovič, Adelsmarschall im Kreis Serpuchov.

397) *28. 6. 1892 – L.S. Mizinova.* 1148 (1198)

Ballas – hier im Plural; E.N. Ballas, Medizinstudent in Moskau, einer der Verehrer der Adressatin.

Semaško ist gekommen – M.R. Semaško, kam am 27. 6. nach Melichovo.

die Gräfin – K.I. Mamuna, war am 25. 6. abgereist.

was in Mišas Sprache Karriere heißt – vgl. Nr. 394, wohl im Sinne von ›gute Partie‹.

Kantalupe – Melonensorte, ›mit gerippten oder gerieften Früchten, deren Schale glatt oder warzig sein kann‹ (Brockhaus).

die Kinder meines ältesten Bruders – Aleksandr war mit seinen Kindern am 22. 6. nach Melichovo gekommen.

in Person Lavrovs – Brief vom 23. 6. 1892, in dem Lavrov schrieb: ›Unser gemeinsamer Freund P.M. Svobodin sagte mir von Ihrer Absicht, der »Russkaja mysl« eine Erzählung zu geben. Natürlich wäre ein Werk von Ihnen auf den Seiten der »Russkaja mysl« herzlichst willkommen, und außerdem würde es ein für alle Male das traurige Mißverständnis beenden, das vor zwei Jahren zwischen uns entstanden ist.‹ Lavrov schreibt weiter, er habe Čechov auf dessen Brief (vgl. Nr. 281) damals antworten wollen, Čechov sei aber bereits ins Ausland gefahren, ehe er zum Schreiben gekommen sei.

die liberale Novelle – ›Erzählung eines meiner Patienten‹, später mit dem Titel ›Erzählung eines Unbekannten‹, vgl. detebe Nr. 50/XVIII.

Levitan – I.I. Levitan.

Ihre siebzigjährige Rivalin – meint S. P. Kuvšinnikova, vgl. Nr. 385, 384; 390.

Basov – Scherz; lt. Mitteilung von M.P. Čechova: entfernter Verwandter der Adressatin.

Kukuruz meines Herzens – russ. ›kukuruz‹: Mais, Maiskorn.

398) *3. 7. 1892 – A.S. Suvorin.* 1149 (1199).

»Fin du siècle« – meint Suvorins Roman ›Am Ende des Jahrhunderts‹, vgl. Nr. 399. Suvorin hatte Čechov ein Exemplar des Umbruchs der Einzelausgabe (1893) geschickt.

fin – französisch, ›das Ende‹.

Die Cholera... – die Cholera-Epidemie von 1892 nahm ihren Verlauf vom Südosten Rußlands nach Norden. Am 3. Juli hatte der Zemstvovorsitzende des III. Bezirks Serpuchov Čechov um dessen Einverständnis gebeten, sich am Kampf gegen die Cholera zu beteiligen.

Dr. Galanin – Modest Ivanovič, 1852–1896, Petersburger Arzt, Verfasser einer 7-teiligen Artikelfolge über die Cholera, veröffentlicht im ›Novoe vremja‹ vom 25. 6. bis 4. 7. 1892.

Grigorovič – D.V. Grigorovič.

Vsevoložskij – Ivan Aleksandrovič, 1835–1909, Theaterfunktionär, von

1881–1896 Direktor der Staatstheater von Moskau und Petersburg, 1886–1899 von Petersburg.

die Savina – M. G. Savina, Schauspielerin.

Projekt der Theatergesellschaft, Statut – ›Projekt des Statuts einer Russischen Theatergesellschaft‹, veröffentlicht im April 1892 und unterzeichnet (außer den von Čechov Genannten) von A. A. Potechin, V. N. Davydov, N. F. Sazanov. Die Theatergesellschaft wurde 1892 gegründet und bestand bis 1932; sie unterstellte sich per Statut der ›unmittelbaren Kontrolle ... des Ministeriums des Innern‹ und machte selbst Satzungsänderungen von einer Genehmigung des Innenministeriums abhängig.

eine literarische Neuigkeit – den Brief Lavrovs, vgl. Anm. zu Nr. 397. Aus Briefen Čechovs an L. A. Avilova geht allerdings hervor, daß Čechov mit dem Redakteur V. A. Golcev zumindest in losem Kontakt gestanden hatte.

habe gerührt geantwortet – Čechovs Antwort auf Lavrovs Brief vom 23. 6. ist nicht überliefert.

Zdekauer – Nikolaj Fëdorovič, 1815–1897, Arzt, Professor der Medizin an der Militär-Medizin. Akademie, hatte im ›Novoe vremja‹ eine Notiz über die Cholera veröffentlicht.

Bazarov-père – vgl. Ivan Turgenevs Roman ›Väter und Söhne‹.

399) *6. 7. 1892 – A. S. Suvorin.* 1150 (1200).

Ihre Novelle – ›Am Ende des Jahrhunderts‹.

die Savina – M. G. Savina, Schauspielerin.

»Widerstehe nicht dem Übel« – zentraler Satz der Lehre L. N. Tolstojs, auch Titel einer der zahlreichen Broschüren Tolstojs, in denen er sein philosophisches System propagierte.

»Tatjana Repina« – Drama A. S. Suvorins, vgl. Briefe 1888/89, als Čechov nach dem Besuch der Petersburger Premiere des Stücks sich aktiv an den Vorbereitungen der Moskauer Aufführung beteiligte.

in status quo – latein. ›in unverändertem Zustand‹.

400) *13. 7. 1892 – N. A. Lejkin.* – 1151 (1201).

... so lange nicht geantwortet – auf Lejkins Brief vom 13. 6. 1892.

bin zum Sanitätsarzt bestellt worden – vgl. Anm. zu Nr. 397.

Fürst Šachovskoj – Sergej Ivanovič, 1865–1908, Besitzer des Gutes Vaskino bei Melichovo, Zemstvovorsitzender, vgl. auch Nr. 402 u. a.

Percovka – selbstgebrannter Schnaps.

Das Honorar ... – für einige Humoresken, die im Frühjahr 1892 in den ›Oskolki‹ erschienen waren.

Dr. Sirotinin – Vasilij Nikolaevič, geb. 1855, Kollege Čechovs am Krankenhaus Voskresensk Anfang der 80er Jahre, Schüler P. Botkins.

401) *15. 7. 1892 – E.P. Egorov.* – 1152 (1202).

402) *16. 7. 1892 – L.S. Mizinova.* 1153 (1203).
Sie suchen Streit – Antwort auf Brief der Adressatin vom 2./3. 71892.
dessen Namen ich nicht nennen will – I. I. Levitan.
Maša – Marija P. Čechova, kam am 28. 7. aus Sumy zurück.
Mamuna – K. I. Mamuna.
Luka – nach Sumy, auf das Gut der Familie Lintvarëv.
Sappho – S.P. Kuvšinnikova, vgl. Nr. 385.
Fedotova – G. N. Fedotova.
Ist das Stück fertig? – vgl. Anm. zu Brief Nr. 385.

403) *1. 8. 1892 – A.S. Suvorin.* 1158 (1207).
Material für die Kleinen Briefe – ›Kleine Briefe‹: ständige Glosse in Suvorins Zeitung ›Novoe vremja‹.
Wunder, die sogar Tolstoj... – L. N. Tolstoj, dessen Haß auf Ärzte und Medizin Čechov in Briefen an Suvorin des öfteren kritisiert hatte. In Nižnij Novgorod wurden, wie in den Zeitungen zu lesen war, auf dem Jahrmarkt Desinfektionsmittel zu ermäßigten Preisen verkauft und an mittellose Bürger sogar kostenlos verteilt.
Die Astronomin – O. P. Kundasova.
Čertkov – V. G. Čertkov.
Ščeglov – I. L. Leontjev-Ščeglov; unrecht: in seiner Novelle ›Um die Wahrheit‹, die den Kreis um den Verlag ›Posrednik‹ darstellt; möglicherweise auch eine Replik Čechovs auf Suvorins Mitteilungen über das Auslandsecho auf Leontjev-Ščeglovs Novelle.
Astyrev – Nikolaj Michajlovič, 1857–1894, Publizist, Ethnologe, Autor des Buches ›Unter Dorfschreibern. Skizzen über die ländliche Selbstverwaltung‹, Moskau 1886. 1892 erschienen von ihm in den ›Russkie vedomosti‹ Aufsätze über die Bergwerke von Nižneudinsk in Transbajkalien.
Schulkamerad Aleksej Petrovič – Kolomnin.
Methode Cantani – Arnoldo Cantani, 1837–1893, italien. Arzt, Pharmakologe, Arbeiten auf dem Gebiet der Infektions- und Stoffwechselkrankheiten, u. a. ›Zur Behandlung des Choleraanfalls‹ (dt. [3]1884). Mit der von Čechov beschriebenen Methode gelang es Cantani 1884 in Neapel, die Cholerasterblichkeit um die Hälfte zu senken.
›Die Behandlung der ausgebrochenen Krankheit ist Sache des Arztes. Sie geschieht durch Darreichen von Opiumpräparaten, nachdem als Abführmittel Ricinusöl oder Kalomel gereicht worden sind, durch deren abführende Wirkung große Mengen von Bacillen aus dem Darm entfernt werden. Darmeingießungen warmer Tanninlösungen sind meist ohne besondere Wirkung. Dagegen wirken Kochsalzinfusionen

unter die Haut, zwischen die Muskeln oder in das Blutgefäßsystem, die in Dosen von 1 bis 21 mehrmals täglich wiederholt werden, sehr günstig, indem sie die Herzthätigkeit beleben und die Urinsekretion anregen.‹ (Brockhaus, [14]1901).

404) *16. 8. 1892 – A.S. Suvorin.* 1160 (1210).
Abbazia – der italien. Name des heutigen Opatija, Adriabadeort nahe Rijeka (Fiume), Jugoslawien.
halte den Pečenegen Vorträge – Pečenegen: turkotatarisches Steppenvolk aus der Zeit des Kiever Reichs, in Čechovs Russisch Äquivalent für ›Urmensch‹, ›Heide‹, ›Hinterwäldler‹.
Žitel – der Publizist A. A. Djakov.
Methode Cantani – vgl. Anm. Nr. 402.
von meinem »Bären« ernähren – ›Der Bär‹, besonders beliebter Einakter Čechovs, der viel gespielt wurde.
Solange Galkin-Vraskij... – M.N. Galkin-Vraskij, geb. 1834, Leiter der Hauptgefängnisverwaltung in Petersburg, mit dem Čechov, seiner Sachalinreise wegen, Kontakt aufgenommen hatte, vgl. Nr. 263.
Die Astronomin – O.P. Kundasova.
Svobodin – P.M. Svobodin, vgl. auch Nr. 405.
Tatiščev – Sergej Spiridonovič, 1846–1906, Diplomat, Publizist, Mitarbeiter am ›Russkij vestnik‹ und ›Novoe vremja‹, den Čechov 1891 in Begleitung Suvorins in Paris kennengelernt hatte.
Virchow – Rudolf Virchow, berühmter deutscher Arzt, Pathologe, Anthropologe und Politiker, 1821–1902; als Politiker Mitglied des preuß. Abgeordnetenhauses und (1880–1893) des Deutschen Reichstags, Mitbegründer der Fortschrittspartei, dann der deutschfreisinnigen Partei. Unternahm mehrere Forschungsreisen, u. a. in den Kaukasus; besuchte Petersburg am 13. 8. 1892 und wurde dort triumphal empfangen; der Russ. Brockhaus vermerkt, daß die ›russischen Ärzte und Gelehrten V. und seinem Institut in Berlin besonders viel verdanken‹.
berühmte Otrada – Familiensitz der Grafen Orlov seit Katharina II., später der Familie Orlov-Davydov.

405) *10. 9. 1892 – L.Ja. Gurevič.* 1163 (1213).
habe eine kleine Novelle geschrieben... – ›Krankensaal Nr. 6‹, angefangen: ›Erzählung eines Unbekannten‹, vgl. Nr. 396.
Michail Nilovič – M.N. Albov.

406) *10. 10. 1892 – A.S. Suvorin.* 1166 (1218).
Tod Svobodins – P.M. Svobodin war am 9. 10. 1892 in Petersburg gestorben, vgl. auch Nr. 407.

Adresse in Moskau – Adresse der Schule, an der Ivan P. Čechov inzwischen unterrichtete.
20. Sanitätskongreß – vgl. Nr. 409.
zwei kleine Novellen – vgl. Nr. 405, 407, 408. In der Zeitschrift ›Russkaja mysl‹ erschien in Heft 11 (November) der ›Krankensaal Nr. 6‹; in derselben Zeitschrift, anfangs 1893, die ›Erzählung eines Unbekannten‹.
von Lavrov – M.V. Lavrov, vgl. Nr. 397, 396, 407.
Fürst Šachovskoj – S. I. Šachovskoj war Enkel des Dekabristen Fëdor Petrovič Šachovskoj, der 1829 in geistiger Umnachtung gestorben war. ›Dekabristen‹: russische Adelige, Offiziere, die den Dezember (dekabr) 1825 – den Tod Alexanders I. – zum Zeitpunkt gewählt hatten, in Rußland durch einen Aufstand die Einführung einer konstitutionellen Monarchie zu erzwingen. Der Aufstand schlug fehl, seine Führer wurden, wenn nicht hingerichtet, in die Verbannung nach Sibirien geschickt.
den Monte Christo gekürzt – vgl. Anm. zu Nr. 394.

407) *12. 10. 1892 – V. M. Lavrov.* – 1167 (1219).
meine Arbeit – ›Krankensaal Nr. 6‹.
Svobodin – vgl. Nr. 406.

408) *12. 10. 1892 – M. O. Menšikov.* 1168 (1220).
»Über das Lesen« – in den ›Knižki Nedeli‹, Oktober (Heft 10) 1892.
danke für die Adresse ... – I. L. Leontjev-Ščeglov war ins Gouvernement Vladimir verzogen, vgl. Nr. 395. Čechov schrieb ihm am 24. 10. einen Brief, in dem er im wesentlichen die Briefe Nr. 404–409 zusammenfaßt.

409) *18. 10. 1892 – A. S. Suvorin.* 1170 (1222).
Sumbatovs Stück – A. I. Sumbatov-Južin, ›Zar Ivan IV. oder die Jugend des Schrecklichen‹, uraufgeführt am Kleinen Theater in Moskau am 13. 10. 1892; veröffentlicht in Heft 24 der Zeitschrift ›Artist‹.
Šuf – Vladimir, Lyriker; das erwähnte Gedicht erschien im Augustheft des ›Vestnik Evropy‹.
Monrepos – Čechovs Bezeichnung für Melichovo, als franz. Lehnwort; franz. ›mon‹: mein; ›repos‹: Ruhe, Erholung, Ruhepunkt, -stätte, -platz, auch: Schlaf, Schlummer, Untätigkeit.
meine Novellen zur »Russkaja mysl« gebracht – vgl. Nr. 406. Vermutlich hat Čechov zunächst nur die eine Novelle abgeliefert, die ›Erzählung eines Unbekannten‹, während er den ›Krankensaal Nr. 6‹, der ›Nedelja‹ zugesagt, erst noch versuchte, von der Redaktion zurückzubekommen, vgl. auch Nr. 410.

410) *25. 10. 1892 – V.M. Lavrov.* 1177 (1229).
zuerst den »Krankensaal« – das Manuskript des ›Krankensaals‹ hatte Čechov am 17. 10. aus der Zeitschrift ›Nedelja‹ zurückgezogen.
Boborykin – P.D. Boborykin, damals Redakteur der ›Nedelja‹.
Muir & Merilees – Großkaufhaus in Moskau auf der Petrovka.
der Anfang des Sienkiewicz – Henryk Sienkiewicz, 1846–1916, polnischer Romanschriftsteller, am bekanntesten durch seinen Roman ›Quo vadis?‹; seine ›Briefe aus Afrika‹ waren, in der Übersetzung Lavrovs, in den Heften X–XII (1891) und I–III (1892) der ›Russkaja mysl‹ erschienen.
Viktor Aleksandrovič – V.A. Golcev, zweiter Redakteur der Zeitschrift.
Mitrofan Nilovič – M.N. Remezov, 1835–1901, Redaktionsangestellter.

411) *23. 11. 1892 – L.M. Mizinova.* 1185 (1238).
aus Melichovo wegzufahren... L.S. Mizinova war am 15. 11. in Melichovo gewesen.
Archipov – pseud. Arbatov, Nikolaj Nikolaevič, 1868–1926, Regisseur, Theaterpädagoge.
Kupernik – T.L. Ščepkina-Kupernik.
Fürst Urusov – A.I. Urusov.

412) *25. 11. 1892 – A.S. Suvorin.* 1186 (1239).
Korolenko – V.G. Korolenko.
Nadson – S.Ja. Nadson, 1862–1887, vgl. Nr. 60, 63.
Repin – I.E. Repin, 1844–1930, einer der führenden realistischen Maler der Gruppe der Peredvižniki.
Šiškin – Ivan Ivanovič, 1831–1898, Maler, Mitglied der Peredvižniki.
Stasov – Vladimir Vasiljevič, 1824–1906, Schriftsteller, Essays über Kunstkritik.
Guttaperchakinder – Anspielung auf die gleichnamige Novelle von D.V. Grigorovič.
Burenin – V.P. Burenin, Literaturkritiker des ›Novoe vremja‹.
Denis Davydov – Denis Vasiljevič Davydov, 1784–1839, Lyriker, Liederdichter, befehligte im Napoleonischen Krieg ein Reitercorps.
wie Garšin in einen Treppenschacht... – V.M. Garšin, 1855–1888, Lyriker, beging 1888 Selbstmord, indem er sich in einen Treppenschacht stürzte, vgl. Nr. 116f.
Amfiteatrov – A.V. Amfiteatrov, 1862–1923, Schriftsteller, Feuilletonist.
Ežov – N.M. Ežov.
Ich werde kommen... – Čechov war zwischen dem 31. 10. und 7. 11. in Petersburg gewesen, er fuhr am 19. 12. wieder nach Moskau und noch am selben Tag weiter nach Petersburg, vgl. Nr. 416.

Schweden und Dänemark? – meint die politische Entwicklung in beiden Ländern. In Schweden hatte das Parlament mehrmals hintereinander das Wehrpflichtgesetz der Regierung abgelehnt (am 23. 11. 1892 wurde die allgemeine Wehrpflicht in Schweden eingeführt), in Dänemark hatte das Parlament, wo, wie auch in Schweden, die Sozialdemokratie eine wachsende Rolle spielte, mehrmals den Regierungsetat abgelehnt, was jeweils die Auflösung des Folketings nach sich zog; nach den Neuwahlen vom 20. 4. 1892 und der Eröffnung des neuen Reichstags am 3. 10. kam eine Einigung über vermehrte Rüstungsausgaben (Ausbau der Festungsartillerie usw.) wieder nicht zustande.

413) *Ende November* 1892 – *L.S. Mizinova.* 1189 (1241).
Stelle, die sich auf Europa reimt – ›žopa‹, der Arsch.

414) *3. 12. 1892* – *A.S. Suvorin.* 1192 (1244).
Sazonova – Sofja Ivanovna, Mitarbeiterin des ›Novoe vremja‹.
V. Krylov über Theater... – V.A. Krylov, ›Skizze des Theaterbetriebs in Europa‹, ›Russkaja mysl‹ Nr. XI und XII, 1892.
wird erzählt, daß in Moskau... – darüber hatte N.M. Ežov an Čechov geschrieben (am 29. 11.); eine Reihe Moskauer Autoren, darunter V.I. Nemirovič-Dančenko, Gurljand u.a., hätten bei Suvorin gegen ein Feuilleton Amfiteatrovs vom 7. 10. protestiert.

415) *17. 12. 1892* – *A.S. Suvorin.* 1196 (1248).
Aleksej Alekseevič – A.A. Suvorin junior.
Sokolov – Nil Ivanovič, 1844–1894, Arzt, Professor für Pathologie an der Militärmedizinischen Akademie in Petersburg.
Afanasjev – wahrscheinlich Michail Ivanovič Afanasjev, 1850–1903 oder 1904, Professor in Petersburg, bekannter Bakteriologe; Redakteur der Zeitschrift ›Praktičeskaja medicina‹
bis zum nec plus ultra – latein. ›bis zum äußersten‹, bis zum ›gehtnichtmehr‹.
der öffentliche Vortrag von Merežkovskij – D.S. Merežkovskij, ›Über den Niedergang der zeitgenössischen Literatur‹, Vortrag, gehalten am 8. 12. 1892; 1893 erschien Merežkovskijs Buch ›Über die Gründe des Niedergangs und über neue Strömungen in der zeitgenössischen russischen Literatur‹, ein Buch, das viel Staub aufwirbelte und als eines der ersten theoretischen Zeugnisse des russischen Symbolismus angesehen werden kann.
Leskov – N.S. Leskov.
»Wie es euch gefällt«, Akt II – vgl. 1. Szene: Der Ardenner Wald. Der Herzog, Amiens und andere Edelleute in Jägerkleidung.
›Es kam dahin ein arm verschüchtert Wild,

Das von des Jägers Pfeil beschädigt war,
Um auszuschmachten; und gewiß, mein Fürst,
Das arme Thier stieß solche Seufzer aus,
Daß jedesmal sein ledern Kleid sich dehnte
Zum Bersten fast: und dicke runde Thränen
Längs der unschuld'gen Nase liefen kläglich
Einander nach‹ usw.

»Innenseite des Fells« – Erzählung im ›Novoe vremja‹ vom 8. 12. 1892, unterschrieben mit ›K. N. V.‹

von der Gurevič – L. Ja. Gurevič.

Erzählung von Botkin – Čechov hatte am 8. 12. eine Erzählung von P. Botkin an Suvorin zurückgeschickt, die, zumindest 1892, nicht mehr erschien. Der Titel der Erzählung taucht in Čechovs Briefen nicht auf.

416) *19. 12. 1892 – L.S. Mizinova.* 1197 (1249)

fahre noch heute weiter – nach Petersburg, wo Čechov am 20. 12. eintraf.

417) *28. 12. 1892 – L.S. Mizinova.* 1200 (1252).

par dépit – franz. ›aus Ärger, Verdruß‹, ›jemandem zum Trotz‹.

1893

418) *9. 1. 1893 – L. Ja. Gurevič.* 1205 (1256).

mich entschuldigen ... – Čechov hatte dem ›Severnyj vestnik‹ eine Erzählung versprochen, vgl. Nr. 404; nachdem sich der Kontakt zur ›Russkaja mysl‹ gefestigt hatte, schrieb Čechov am 5. 2. dem Redakteur M.N. Albov ab; vgl. auch Nr. 432, 433.

Michail Nilovič – M. N. Albov.

419) *12. 1. 1893 – I. F. Gorbunov.* 1207 (1259).

Jasinkij – I. I. Jasinskij.

Atava – S. N. Terpigorev.

Gnedič – P. P. Gnedič.

Nemirovič-Dančenko – V. I. Nemirovič-Dančenko.

Mamin-Sibirjak – D. N. Mamin-Sibirjak.

Tatjanentag – traditioneller Feiertag der Akademiker, Gründungstag der Universität Moskau.

Dmitrij Vasiljevič – D. B. Grigorovič.

Außer Ihnen ... – außer den Genannten nahmen an dem Essen (insgesamt 18 Autoren) teil: A. S. Suvorin, V. A. Tichonov, N. N. Karazin, M. N. Volkonskij, N. A. Lejkin, K. S. Barancevič, A. N. Červinskij,

N.M. Egorov, N.M. Ežov. Über dieses erste Essen, das in Zukunft regelmäßig einmal im Monat stattfinden sollte und das auf Idee und Initiative von Čechov zustandegekommen war, erschien im ›Novoe vremja‹ vom 14. 1. 1893 eine anonyme Notiz, die Čechov verfaßt hatte.

420) *14. 1. 1893 – L.S. Mizinova.* 1210 (1261).
Freitag mit Maša nach Melichovo – Čechov am 15. 1. 1893 an N.M. Lintvarëva: ›Maša wohnt sowohl zu Hause als auch in Moskau. Freitags kommt sie nach Hause, und montags fährt sie wieder weg‹, zur Arbeit. Derselbe Brief enthält die Mitteilung, daß Čechovs Bruder Michail in den Kreis Serpuchov versetzt worden sei und jetzt ständig zu Hause lebe.

421) *20. 1. 1893 – V.G. Čertkov.* 1213 (1266).
Herr Chirjakov – Aleksandr Modestovič, geb. 1863, Journalist, Tolstojaner, Angestellter im Verlag ›Posrednik‹.
meine Erzählungen geschickt... – Čechov stand mit Čertkov, dem Leiter des Verlags ›Posrednik‹, seit 1891 in losem Briefwechsel und hatte 1892 die Erzählungen ›Meine Frau‹ und ›Der Namenstag‹ an den Verlag geschickt; beide Erzählungen erschienen 1893 in der Reihe ›Für den intellektuellen Leser‹.
I.I. Gorbunov – I.I. Gurbunov-Posadov.
Den »Krankensaal« – der 1893 im Verlag A.S. Suvorin erschienene Prosaband von Čechov enthielt: ›Krankensaal Nr. 6‹, ›Weiber‹, ›Angst‹, ›Gusev‹. Der ›Krankensaal Nr. 6‹ erschien 1893 auch als Einzelausgabe im Verlag ›Posrednik‹, vgl. Nr. 429.

422) *23. 1. 1893 – I.E. Repin.* 1216 (1268).
meine Krankenhauserzählung – ›Krankensaal Nr. 6‹, über die Repin schrieb, nach Lektüre, es sei ›geradezu unbegreiflich, wie aus einer solch einfachen, ungekünstelten, sogar vollkommen inhaltsarmen Erzählung am Schluß eine derart unentrinnbare, tiefe und kolossale Idee von Menschlichkeit erwachsen‹ könne.
ob im Garten Gethsemane – Čechov hatte bei seinem Besuch im Atelier des Adressaten das Bild ›Christus im Garten Gethsemane‹ gesehen, wobei Repin bedauert haben soll, daß er nicht habe in Erfahrung bringen können, ob in dieser Nacht der Mond geschienen habe.
Didon – Henri, 1840–1900, franz. theologischer Schriftsteller.
Auch Ge malt... – meint das Bild gleichen Titels von Nikolaj Nikolaevič Ge aus dem Jahr 1868/69.
L.L. Tolstoj – Lev Lvovič, 1869–1945, Sohn L.N. Tolstojs.
nach Amerika fahren – im April, zur Eröffnung der Weltausstellung in

Chicago. Am 23. 1. an G.M. Čechov: ›Wenn ich nicht nach Chicago fahre, werde ich bis Oktober zu Hause bleiben.‹

423) *5. 2. 1893 – A.S. Suvorin.* 1222 (1277).

Mein Vater ist krank – vgl. Nr. 424.

Burenins Feldzüge gegen Leskov – im ›Novoe vremja‹ vom 29. 1. ein Artikel von Graf Alexis Asminov (Burenin): ›Ein literarischer Abend. Symbolische Erzählung‹, in dem Leskovs Vegetariertum verspottet wurde; diesem Artikel folgte am 1. 2. ein Feuilleton zum Problem des Vegetarianismus (Untertitel: ›Aus den Aufzeichnungen von Rabbinern‹) von N. Tembe.

der Titel »Die Möwe« – Überlegungen zu einem Zeitschriftentitel, die Suvorin und Čechov in Petersburg herausgeben wollten, ein Plan, der nicht realisiert wurde.

Jan.-Heft des »Trud« – Literarisch-wissenschaftliche Vierteljahresschrift; das genannte Stück war in Buch Nr. XVII, Januar 1893 erschienen.

Warum verfahren Sie so grausam... – meint Suvorins Kommentare zum Panamaskandal. Ferdinand Lesseps, 1805–1894, auf dessen Initiative der Suezkanal gegraben worden war, wurde, nach dem Scheitern der Pläne, auch die Landenge von Panama zu durchstechen, und nach Auflösung der Panamagesellschaft und der im Zusammenhang damit aufgedeckten Bestechungsaffären 1893 mit anderen Verantwortlichen vor Gericht gestellt und im März 1893 zu fünf Jahren Gefängnis verurteilt.

Die Astronomin – O.P. Kundasova.

ihre Freundin, die Ärztin – Vera Andreevna Gluchovskaja-Pavlovskaja, Ärztin im Kreis Serpuchov.

der Doktor, ein Schulkamerad – I.I. Ostrovskij, Arzt aus dem Gouvernement Kazan, der Čechov am 27. 1. 1893 geschrieben hatte.

424) *6. 2. 1893 – Al.P. Čechov.* 1225 (1278).

daß du dich gekümmert hast... – Al. P. Čechov kümmerte sich für seinen Bruder darum, daß Čechov beim Departement für Medizin in Dienst genommen wurde; einziger Zweck dieser Operation war, wie Aleksandr später beschrieb, den Paß zu bekommen und in Ruhestand zu treten. Vgl. Nr. 436.

Ragozin – Lev Fëdorovič, Direktor des Medizinischen Departements.

Vukov – Ivan Ivanovič, Direktor des Gymnasiums Taganrog, Starost des Kleinbürgerstands in der Taganroger Stadtverwaltung.

Nikolaj und Anton – N. und A. A. Čechov, die beiden ältesten Söhne des Adressaten.

Miša – sein jüngster Sohn.

Gagara – Schwiegermutter des Adressaten, Spitzname in der Familie.

425) *9. 2. 1893 – V. M. Lavrov.* 1227 (1280).

Zeit, Ihnen zu antworten – die ›Erzählung eines Unbekannten‹ erschien in den Heften 2 (Februar) und 3 der Zeitschrift: das Februarheft wurde offenbar mit Verspätung ausgeliefert. Vgl. auch Nr. 426.

426) *24. 2. 1893 – A. S. Suvorin.* 1231 (1284).

»Russkaja mysl« noch nicht gesehen – das Februarheft, das auch einen Aufsatz des Kritikers M. A. Protopopov, 1848–1915, enthielt, der gegen A. A. Suvorin und das ›Novoe vremja‹ polemisierte.

Žitel – A. A. Djakov, Publizist, Mitarbeiter des ›Novoe vremja‹.

Antokolskij – Mark Matveevič, 1842–1902, Bildhauer, von dem am 10. 2. 1893 in Petersburg eine Ausstellung eröffnet worden war. Über diese Ausstellung hatte A. A. Djakov-Žitel im ›Novoe vremja‹ eine Rezension mit scharf antisemitischen Ausfällen veröffentlicht. V. V. Stasov hatte darauf, in der Zeitung ›Novosti‹, Antokolskij verteidigt und einen Aufsatz geschrieben, der schloß mit dem Satz: ›Der Biß der Wanze ist ungefährlich, aber der Gestank, der von ihr ausgeht, ist ekelhaft.‹

Skabičevskij – Aleksandr Michajlovič, 1838–1910, Literaturkritiker und -historiker, Verfasser einer ›Geschichte der neuesten russischen Literatur‹ (von 1848–1892, später erweitert, 4. Aufl. 1848–1898), die auch einen (wenig inspirierten) Abschnitt über Čechov enthielt.

Palästina geschrieben – illustrierte Ausgabe, ›Palästina‹, in 30 Folgen, mit Texten von A. A. Suvorin, Petersburg 1893.

Martens – Fëdor Fëdorovič, geb. 1845, Jurist, Politiker, Prof. an der Universität Petersburg, Spezialist für Internationales Recht.

Feuilleton über seine Reise – ›Von einer Reise nach Paris‹ von A. A. Suvorin, ›Novoe vremja‹ vom 12. 1. 1893.

Meine Novelle... – ›Erzählung eines Unbekannten‹.

»Väter und Söhne« – Roman von Ivan S. Turgenev, 1818–1883, aus dem Jahr 1862. Vgl. über Turgenevs Romane und ihre Rezeption in Rußland Pëtr Kropotkin, ›Ideale und Wirklichkeit in der russischen Literatur‹ (Neuaufl. Frankfurt, 1975), S. 92f.

Bazarov – aus dem Roman ›Väter und Söhne‹, die Gestalt des ›Nihilisten‹.

die Kukšina – Gestalt aus ›Väter und Söhne‹, Typ des emanzipierten Blaustrumpfs, vgl. weiter unten.

»Vorabend« – Roman Turgenevs, erschienen 1860.

»Asja« – Novelle, 1858.

»Stille« – Novelle, 1854.

»Rauch« – Roman, 1867.

Das »Adelsnest« – Roman, 1859.
Lizas Mutter – im Roman ›Das Adelsnest‹.
Elenas Mutter – vgl. ›Vorabend‹.
Mutter Lavreckijs – vgl. ›Das Adelsnest‹.
die Odincova – vgl. ›Väter und Söhne‹.
über die Belletristentafel – meint das zweite gemeinsame Essen der Schriftsteller in Petersburg, vgl. Nr. 419.

427) *4. 3. 1893 – A.S. Suvorin.* 1239 (1291).
4. März Moskau – im Original deutsch; Čechov war am 1. 3. zusammen mit L.S. Mizinova nach Moskau gefahren.
Aufsatz von Bacevič – vgl. Nr. 370.
bei Lavrov gegessen – am 3. 3. 1893.
Früher... Schmähbriefe – vgl. Nr. 281.
über Sie und Ihren Brief – den ›Kleinen Brief‹ Suvorins im ›Novoe vremja‹ zur Kritik von Protopopov, vgl. Brief und Anm. Nr. 426.
Ėrtel – Aleksandr Ivanovič, 1855–1908, Schriftsteller; Ėrtel lebte damals im Gouvernement Voronež.
solo zu Tolstoj – nach Jasnaja Poljana; der Besuch dort kam erst viel später, 1895, zustande.
schuldet mir jenes Denken – Spiel mit dem Titel der Zeitschrift, russ. ›mysl‹: der Gedanke, das Denken.
zum Schluß meiner Novelle – der ›Erzählung eines Unbekannten‹, vgl. Nr. 426.
würde ein dickes Buch werden – die ›Erzählung eines Unbekannten‹ erschien nicht in der angedeuteten Kombination, vgl. Nr. 421.

428) *8. 3. 1893 – V.A. Golcev.* 1241 (1294).
Timeo Danaos... – Zitat aus der ›Aeneis‹ (II, 49): ›Ich fürchte die Danaer, auch wenn sie Geschenke bringen‹, nicht von Ovid, den Čechov irrtümlich als Quelle angibt.
Libgart & Co. – dort hatte Čechov einen Pflug gekauft als Einstandsgeschenk für Golcev, der im Gouvernement Moskau ein Gut gekauft hatte (das Gut Šolkovka).
Le mouton – franz., ›das Schaf‹; V. A. Golcev hatte Čechov einen Widder geschenkt.
Wenn V. M.... – V.M. Lavrov. Lavrov kaufte sich noch im selben Frühjahr ein Gut im Dorf Obratilovka, wo Čechov ihn Anfang Mai für einige Tage besuchte.

429) *28. 3. 1893 – I.I. Gorbunov-Posadov.* 1252 (1306).
irgendwann verbreitet... – vgl. Nr. 421.
nach der Ausgabe bei Suvorin setzen – im Verlag ›Posrednik‹ erschien die

Novelle mit derselben Kapiteleinteilung wie bei A.S. Suvorin; demnach hatte man den Text also neu setzen lassen.

Die Beanstandungen der Zensur – Adressat hatte Čechov am 13. 3. mitgeteilt, daß die folgende Stelle gestrichen worden sei: ›Er versah seinen Dienst unehrlich, aber Pension erhalten doch unterschiedslos alle, gleichgültig ob sie ehrlich sind oder nicht. Die moderne Gerechtigkeit besteht doch gerade darin, daß mit Orden, Titeln und Pensionen nicht sittliche Qualitäten und Fähigkeiten belohnt werden, sondern der Dienst überhaupt, wie auch immer er ausgeübt werden mag. Warum sollte er also eine Ausnahme machen?‹ Der Adressat fragte an, ob er statt der gestrichenen Stelle Punkte setzen solle.

Die Erzählungen ... erwähnt – im selben Brief vom 13. 3. hatte Gorbunov geschrieben, der Verlag wolle die Erzählungen ›Angst‹, ›Schlafen, nur schlafen‹, ›Vor Gericht‹, ›Volodja‹ und ›Gram‹ zu einem Band zusammenfassen.

430) *4. 4. 1893 – Al.P. Čechov.* 1257 (1310).

Sohn alla Tremontana – tremontana: italienischer Wind, Nordost; Čechov nannte so im Scherz seinen Vater.

weiter ohne Paß – vgl. Anm. Nr. 424.

missen essen – stehende Redensart unter den Gebrüdern Čechov, ursprünglich gemünzt auf Papa und Mama, vgl. Briefe (Band I) an Aleksandr.

habe Suvorin schreiben wollen – Čechov am 25. 3. an M. Djukovskij: ›Suvorin ist ins Ausland gefahren und kommt erst im Frühjahr wieder zurück‹. Aleksandr hatte Čechov am 31. 3. geschrieben: ›Ich kenne den Inhalt deines Briefs an den Alten Suvorin nicht, ich kenne aber seine Folgen. Mich. Aleks. und der Dauphin A. A. Suvorin werfen dir beide finsterste Undankbarkeit vor. Du wärst von der ersten Faser bis zur letzten, vom Geld bis hin zum Ruhm, in allem dem Alten verpflichtet. Ohne ihn wärst du eine Null. Du dagegen steckst zum Zeichen der Dankbarkeit deine Nase in Familienangelegenheiten und hetzt ihn gegen seine Kinder auf. Darüber sprechen sie bei uns in der Redaktion ganz offen, sogar in meiner Gegenwart...‹

Der Brief, der die Söhne Suvorins so empört hat, ist vermutlich Nr. 426. Čechov hatte sich darüber empört, daß Suvorins Sohn, Aleksej Alekseevič, ›Lavrov eine Ohrfeige gegeben‹ hatte, extra deswegen gekommen sei. ›Mit Suvorin ist für mich also alles aus, auch wenn er mir jammernde Briefe schreibt. Ein Hurensohn, der alltäglich Beschimpfungen ausstößt und sich damit brüstet, einen Menschen geschlagen zu haben, weil man ihn angegriffen hat. Schöne Gerechtigkeit. Widerwärtig.‹ (11. 3. an M.P. Čechova) Čechov am 30. 4. an Aleksandr.:

›Ich habe vom alten Suvorin einen Brief aus dem Ausland bekommen. Ich hab ihm geantwortet. Es ist also alles wieder in seiner alten Ordnung.‹ Vgl. auch Čechovs Antwort Nr. 431.

animam – latein. ›die Seele‹, hier im Akkusativ.

volens nolens – latein., ›gezwungenermaßen‹, ›ob man will oder nicht‹.

Miška Čeremis – Ladenschwengel aus P. E. Čechovs Kolonialwarengeschäft in Taganrog.

Ivan – I. P. Čechov.

Aleksej Dolženko – A. A. Dolženko, Vetter Čechovs mütterlicherseits.

Egoruška – G. M. Čechov, Vetter Čechovs väterlicherseits.

431) *26. 4. 1893 – A. S. Suvorin.* 1263 (1317).

hatte einmal Bauchfellentzündung – in den Jahren 1875 und 1877; in dieser Erkrankung sieht der Charkover Arzt B. E. Meve den ersten Hinweis auf Čechovs Lungentuberkulose.

Lese Pisemskij – Aleksij Feofilaktovič, 1820–1881, Schriftsteller; sein Roman ›Das Zimmerleute-Artel‹ stammt aus dem Jahr 1855.

Skabičevskij in seiner »Geschichte« – ›Geschichte der neuesten russischen Literatur‹, Petersburg 1891 (diese Ausgabe befand sich in Čechovs Bibliothek); der Autor kritisiert in Kap. XII Pisemskijs ›Abkehr‹ von der liberalen Bewegung der 60er Jahre und wirft ihm Verrat an den Idealen des Fortschritts vor.

»Cosmopolis« von Bourget – Paul Bourget, 1852–1935, vgl. auch Čechovs Briefe zu Bourgets Roman ›Le disciple‹. ›Cosmopolis. Bilder aus der vornehmen römischen Welt‹ (1892) erschien 1893 im Verlag der ›Russkaja mysl‹ in Moskau, Übersetzung von M. N. Remezov.

Miša ... kleine Gräfin – K. I. Mamuna.

Das Weib hat ... – Paraphrase des Monologs des Hamlet, 1. Akt, 2. Szene, ›Schwachheit, dein Nam' ist Weib! – Ein kurzer Mond; bevor die Schuh verbraucht, womit sie meines Vaters Leiche folgte, wie Niobe, ganz Thränen‹ usw.

Fofanov – Konstantin Michajlovič, 1862–1911, Lyriker.

Čermnyj – Pseudonym für Apollon Nikolaevič Čerman, gest. 1891; Autor der Erzählungsbände ›Meer und Matrosen‹ 1891, ›Der schwarze Kapitän‹ 1894 u. a.

et tutti quanti – italien., ›und alle andern‹, alle ohne Ausnahme.

432) *22. 5. 1893 – L. Ja. Gurevič.* 1268 (1322).

Michail Nilovič – M. N. Albov, an den Čechov nach Erscheinen der ersten Kapitel von ›Sachalin‹ am 15. 11. einen ähnlich lautenden Brief richtete. Čechov hatte an Albov am 15. 2. 1893 in dem Sinne geschrieben, an die Adressatin am 10. 9. 1892, vgl. Nr. 405.

an die Buchhandlung – des ›Novoe vremja‹.

433) *28. 6. 1893 – L. Ja. Gurevič.* 1271 (1325).

in Ihrem letzten Brief – vom 17. 6. 1893. Am selben Tag, dem 28. 6. 1893, fragte Čechov in einem Brief V. A. Golcev um Rat, ob er sich ›Sachalin‹ in der ›Russkaja mysl‹ vorstellen könne: ›Das Sujet ist speziell. Es riecht ein bißchen nach Ethnographie, außerdem ist es unmöglich detailliert und lang. Wenn es ein Essay von 8–10 Bogen wäre, dann wäre darüber nicht zu reden, aber es ist doch eine Riesengeschichte von 25, ja sogar von 30 Bogen!‹

›Die Insel Sachalin‹ begann ab Heft X (Oktober) 1893 in Fortsetzungen in der ›Russkaja mysl‹ zu erscheinen.

434) *23. 7. 1893 – L. S. Mizinova.* 1273 (1326).

China, Brom – die beiden Dachshunde, die Čechov im Sommer 1893 von N. A. Lejkin geschenkt bekommen hatte; ›China‹, ältere Bezeichnung für Chinarinde, Chinin.

übergeben. Die Stachelbeeren ... – die die Adressatin nicht mochte. L. S. Mizinova war in der ersten Julihälfte in Melichovo zu Gast gewesen.

Golcev war bei uns – Notiz in P. E. Čechovs Tagebuch: ›18. 7. V. A. Golcev war bei uns.‹

war in Moskau, bei den russischen Denkern – Übersetzung des Zeitschriftentitels ›Russkaja mysl‹: Russisches Denken. Čechov war am 21. 7. in Moskau in der Redaktion gewesen.

der Fürst – I. S. Šachovskoj.

Frol und Vasilij – Knechte auf Melichovo.

Klenja – Cousine der Adressatin.

Potapenko – Ignatij Nikolaevič, 1856–1928, Schriftsteller, Dramatiker, Feuilletonist (unter dem Pseudonym Fingal); Čechov am 28. 7. an Suvorin: ›Potapenko, der Gott der Langeweile‹. Potapenko kam am 31. 7. nach Melichovo, vgl. dazu auch Nr. 435.

435) *2. 8. 1893 – A. S. Suvorin.* 1276 (1330).

Amfiteatrov – A. V. Amfiteatrov, 1862–1938, Schriftsteller, Feuilletonist.

Süße Klänge ... – Zitat aus dem Gedicht ›Der Dichter und die Menge‹ von A. S. Puškin.

436) *18. 8. 1893 – A. S. Suvorin.* 1280 (1334).

Čertkov ... »Krankensaal Nr. 6« gegeben – als Einzelausgabe im Verlag ›Posrednik‹, die für den Erzählungsband im Verlag Suvorin, der die Novelle ebenfalls enthielt, Konkurrenz darstellte.

Die Abrechnung aus der Buchhaltung – erwies sich als falsch, wie I. N. Potapenko später feststellte; seine Nachforschungen ergaben, daß nicht Čechov Suvorins Verlag Geld schuldete, sondern umgekehrt.

Ein phantastisches Projekt – vgl. dazu die Bedingungen, unter denen Čechov 1899 sein Gesamtwerk an den Verleger A.F. Marks verkaufte (Čechovs Briefe Januar 1899 an P.A. Sergeenko), vgl. auch Nr. 437.
Die Sachalinfahnen – die Korrekturfahnen des ersten Teils von ›Sachalin‹ für das Oktoberheft der ›Russkaja mysl‹. Die Veröffentlichung des gesamten Manuskriptes zog sich bis in den Juli 1894.
Vas. Nemirovič-Dančenko – Vasilij I. Nemirovič-Dančenko, Bruder des Dramatikers und späteren Direktors des Moskauer Künstlertheaters Vladimir Iv. Nemirovič-Dančeko.
Ihre Frage nach dem »Schwarzen Mönch« – Čechov hatte Suvorin am 28. 7. en passant mitgeteilt, er habe eine kleine Novelle geschrieben mit dem Titel ›Der Schwarze Mönch‹, Umfang etwa 2 Bogen; vgl. detebe Nr. 50/XV; erschien in Nr. 1, 1894, der Zeitschrift ›Artist‹. Suvorin fragte offenbar aufgrund einer Vorankündigung.
»Loskutnaja« – Hotel in Moskau. In diesem Hotel stieg Čechov meistens ab, wenn er von Melichovo nach Moskau kam. In der Tverskaja ulica, zentral gelegen, vom Baedeker als ›ganz russischer Gasthof‹ geführt.
Den Paß... – vgl. Nr. 424.

437) *24. 8. 1893 – A.S. Suvorin.* 1282 (1336).
Was die Erzählung betrifft – vgl. Nr. 436 und das Versprechen, ab 1. Januar 1894 wieder regelmäßig kurze Erzählungen im ›Novoe vremja‹ zu publizieren.
mein Vorschlag ist ein dummer Scherz – vgl. Nr. 436.
den »Pascal« – ›Docteur Pascal‹, Roman von Emile Zola, der 1893 im Verlag A.S. Suvorin erschienen war; vgl. Nr. 441.
Pasternackij – Fëdor Ignatjevič, geb. 1845, Arzt, Professor der Medizin an der Universität Petersburg.
Maulhenkolie – verballhornt für ›Melancholie‹, russ.: ›merlechljundija‹; Čechov hat diesen Ausdruck später in den ›Drei Schwestern‹ verwendet, vgl. Maša im 1. Akt. ›Maulhenkolie‹ für Melancholie bei Grimmelshausen (›Landstörzerin Courasche‹).
tu l'as voulu George Dandin – franz., geflügeltes Wort, Zitat aus der Komödie ›George Dandin oder Der zum Schweigen gebrachte Gatte‹ von Molière. Für: du hast es so gewollt, du wolltest es nicht anders.
Voronež verlassen... – Suvorin war aus dem Kreise Bobrov, Gouvernement Voronež gebürtig.
Miša, nachdem er derart reingelegt... – vgl. Nr. 431.
Sagen Sie Vitte – Sergej Julievič Vitte, geb. 1849, 1888 zum Direktor des Departments für Eisenbahn-Angelegenheiten ernannt und Februar 1892 zum Finanzminister berufen; Autor eines bekannten Werks über Eisenbahntarife.

Ivan und Frau – Čechovs Bruder Ivan hatte am 9. Juli in Melichovo geheiratet.

Ivanenko – A.I. Ivanenko, lebte lange Zeit in Melichovo, weil er in Moskau keine Anstellung finden konnte, zeitweise als Sekretär des Fürsten I.S. Šachovskoj beschäftigt; konnte im September eine Lehrstelle in Moskau antreten.

438) *1. 9. 1893 – L.S. Mizinova.* 1285 (1339).

Wenn ich nach Petersburg fahre – über Moskau; Čechov hatte den ganzen Sommer über vorgehabt, nach Petersburg zu fahren, richtete am 4. 9. an Aleksandr die Frage, ob er ihm ein Quartier mieten könne, er wolle einen Monat bleiben, einen Abstecher nach Finnland machen (›wohin der Erzbischof mich beordert hat‹), von dort nach Moskau, ›wo ich einen Monat bleibe, und dann wieder nach Piter‹.

wahrscheinlich 10. September – fuhr erst Ende September.

439) *10. 10. 1893 – L.S. Mizinova.* 1290 (1344).

440) *24. 10. 1893 – V.A. Golcev.* 1294 (1348).

»Sachalin«-Fahnen – der ersten Fortsetzung im November-Heft der ›Russkaja mysl‹.

Aus Moskau sind Gäste gekommen – Notiz in P.E. Čechovs Tagebuch: ›21. Okt.: Maša und Mizinova abends angekommen.‹

Vukol Michajlovič – V.M. Lavrov.

Mitrofan Nilovič – M.N. Remezov.

441) *11. 11. 1893 – A.S. Suvorin.* 1299 (1355).

letzter Brief vom 24. August – Čechovs Briefe der Zwischenzeit sind offenbar verlorengegangen.

Pleščeevs Miterbin – A.N. Pleščeev hatte 1890 eine Millionenerbschaft gemacht, vgl. Anm. Nr. 311.

Plevako – Fëdor Nikiforovič, 1842–1909, Moskauer Rechtsanwalt und Notar.

Avelan – Fëdor Karlovič, geb. 1839, russischer Admiral, 1893 zum Kommandanten einer Mittelmeerflotte ernannt, die von der Regierung anläßlich des Russisch-Französischen Pakts nach Frankreich entsandt worden war und die in Frankreich wie in Rußland vielmals gefeiert wurde; nach 1903 Minister der Russischen Marine.

»Sachalin« nicht in den Fahnen – vgl. Čechov am 25. 11. an Suvorin: ›Galkin-Vraskij hat sich bei Feokistov beschwert; das November-Heft der ›Russkaja mysl‹ ist zwei, drei Tage zurückgehalten worden. Aber es ist alles gut gegangen.‹ *Feokistov* – Evgenij Fëdorovič, 1829–1898, seit 1883 Chef der Zensur.

442) *28. 11. 1893 – A. S. Suvorin.* 1307 (1361).

Ich weiß, daß die Gurevič... – Čechov am 25. 11. an Suvorin: ›Große Bitte!! Seien Sie so gut, telephonieren Sie gleich nach Lektüre dieses Briefes mit dem Kontor, damit man von dort an die Redaktion des ›Sev. vestnik‹ 400 R. schicken und sagen möge, sie kämen von Čechov.‹ Erklärt Suvorin die Geschichte des Vorschusses, vgl. Nr. 432, 433.

alle meine Bücher in neuer Auflage – 1894 im Verlag A. S. Suvorin: ›In der Dämmerung‹ 7. Aufl., ›Bunte Erzählungen‹ 5. Aufl., ›Erzählungen‹ 8. Aufl., ›Mürrische Menschen‹ 4. Aufl., desgleichen ›Das Duell‹; 3. Auflage von ›Krankensaal Nr. 6‹.

443) *18. 12. 1893 – A. S. Suvorin.* 1310 (1365).

»Graf von Monte Christo« – vgl. Nr. 394, 406 u. a.

der selige Svobodin – P. M. Svobodin, Schauspieler, war am 9. 10. 1892 gestorben, vgl. Nr. 405, 406.

das Stück von Potapenko – I. N. Potapenko, ›Das Leben‹, hatte am 13. 12. 1893 am Kleinen Theater in Moskau Premiere.

»Weiberreich« – erschien im Januar-Heft 1894, vgl. detebe Nr. 50/XV.

»Der schwarze Mönch« – vgl. Nr. 436, detebe Nr. 50/XV.

Bücher nicht neu aufgelegt – vgl. Nr. 442.

Sytin – Ivan Dmitrievič, 1851–1934, bekannter Verleger und Buchhändler in Moskau, Herausgeber der Zeitung ›Russkoe slovo‹.
Bei ihm erschien 1894 der Čechov-Band ›Novellen und Erzählungen‹; dieser Band enthielt die Titel: ›Der Schwarze Mönch‹, ›Weiberreich‹, ›Rothschilds Geige‹, ›Auf dem Gutshof‹, ›Volodja der Große und Volodja der Kleine‹, ›Der Vater‹, ›Die Nachbarn‹, ›In der Verbannung‹, ›Der Student‹, ›Der Literaturlehrer‹.

die Zankoveckaja – M. K. Zankoveckaja, 1860–1934, ukrainische Schauspielerin; das Stück, in dem Čechov sie gesehen hatte: ›Ivan Kupala‹ von Starickij. Čechov hatte die Zankoveckaja am 3. 1. 1892 kennengelernt.

444) *28. 12. 1893 – V. A. Golcev.* 1314 (1369).

daß du nicht kommen kannst – am 22. 12. hatte Čechov dem Adressaten bereits geschrieben, er werde am 24. zum Morgenzug Pferde an die Bahn schicken.

Meine Erzählung in den »Russkie vedomosti« – vom 28. 12. 1893: ›Volodja der Große und Volodja der Kleine‹, vgl. detebe Nr. 50/XV; die zensierten Stellen sind unbekannt geblieben.

über das Stück sprechen – Čechov wollte, wie schon 1889 mit Suvorin und mit A. S. Lazarev-Gruzinskij, gemeinsam mit Golcev ein Stück schreiben.

Sablin – Michail Alekseevič, 1842–1898, Mitherausgeber der ›Russkie vedomosti‹.

die weitere Mitarbeit ablehne – Februar 1894 erschien in der Zeitung die Erzählung ›Rothschilds Geige‹, danach ›Der Student‹, ›Die Erzählung des Obergärtners‹ u. a.

1894

445) *2. 1. 1894 – A.S. Suvorin.* 1317 (1371).

spotten über meine Gründlichkeit – in der »Insel Sachalin«, vgl. auch weiter unten.

Akademiepreis des Metropoliten – der Moskauer Metropolit Makarij Bulgakov hatte einen Preis bis zu 50 000 Rubel ausgesetzt, der von der Akademie und dem Synod für wissenschaftliche Werke verliehen wurde, von der Akademie für weltliche, vom Synod für religionswissenschaftliche Werke. Surovin hatte Čechov geraten, sich um diesen Preis zu bewerben.

Brief über das Schisma – im ›Novoe vremja‹ vom 29. 12. 1893, der der Kirchenspaltung der russischen Kirche gewidmet war.

Ihr neues Vaudeville – ›Er ist im Ruhestand‹, Szene in einem Akt, die am 12. 1. 1894 am Alexandratheater Petersburg uraufgeführt, am 26. 1. 1894 im ›Novoe vremja‹ gedruckt wurde.

Sergeenko – P. A. Sergeenko, ›Sokrates. Historische Szenen in vier Akten‹, erstmals veröffentlicht in den Monatsbeilagen der Zeitschrift ›Niva‹, Februar/März 1900.

fünfaktige Tragödie von Burenin – V. P. Burenin hatte auch Theaterstücke geschrieben, u. a. eines mit A.S. Suvorin gemeinsam (›Medea‹, 1883). Hier geht es vermutlich um den ›Tod der Agrippina‹, Petersburg, A.S. Suvorin, 1888.

der »Graf von Monte Christo« – vgl. Nr. 394, 406.

Ihren Pisemskij – vgl. Nr. 431.

Potapenko – I. N. Potapenko.

Nemirovič-Dančenko – der Dramatiker und Regisseur Vladimir Ivanovič Nemirovič-Dančenko, im Unterschied zu dessen Bruder Vasilij Iv. Nemirovič-Dančenko, der Prosa schrieb; vgl. Brief und Anm. Nr. 436.

die Astronomin – O. P. Kundasova.

Gajdeburov gestorben – Pavel Aleksandrovič, 1841–1893, Redakteur der Zeitschrift ›Nedelja‹, war am 31. 12. 1893 gestorben.

nur einmal bei ihm veröffentlicht – 1892 die Erzählung ›Die Nachbarn‹, in Heft 7 der ›Knižki nedeli‹.

446) *10. 1. 1894 – A. S. Suvorin.* 1318 (1373).
die Astronomin – O. P. Kundasova.
Akademiepreis des Metropoliten – vgl. Anm. Nr. 445.
böse auf Viktor Krylov – V. A. Krylov, Dramatiker und 1893–1898 Leiter des Repertoire-Komitees der Staatstheater Petersburg.
Maša Krestovskaja – Marija Vsevolodovna, 1862–1910, Schriftstellerin.
diesen Winter nicht nach Petersburg – Čechov fuhr erst im Februar 1895 wieder für 14 Tage nach Petersburg.
für drei Wochen in den Süden – Čechov fuhr vom 2. 3. bis 4. 4. nach Jalta.
Am 12. Jan. – dem Tatjanentag, dem traditionellen Fest der russischen Akademiker, Gründungstag der Universität Moskau.

447) *15. 1. 1894 – M.O. Menšikov.* 1319 (1375).
Pavel Aleksandrovič – P. A. Gajdeburov, vgl. Nr. 445.
Übersetzung ins Englische – ungeklärt, von wem und wann erschienen. Menšikov hatte geschrieben, sein Freund (und Korrespondent der ›Nedelja‹ in England) S.I. Rappoport habe ihm mitgeteilt, der ›Krankensaal Nr. 6‹ sei übersetzt und werde demnächst als Einzelausgabe englisch erscheinen. Die erste englische Übersetzung des ›Krankensaals‹ lt. der russ. Gesamtausgabe 1974f. erschien 1903 in dem Sammelband ›The Black Monk & other Stories‹, übersetzt von R.E.C. Long.
in Gefangenschaft – meint die Veröffentlichung der ›Insel Sachalin‹ in Fortsetzungen in der ›Russkaja mysl‹, die sich bis Juni hinzog, die letzte Fortsetzung des Zeitschriften-Texts erschien im Juli-Heft.
je eine Erzählung – in der ›Russkaja mysl‹ erschien die Erzählung ›Weiberreich‹, vgl. detebe Nr. 50/XV, im ›Artist‹ der ›Schwarze Mönch‹.
historia morbi – latein., ›Krankengeschichte‹.

448) *25. 1. 1894 – A. S. Suvorin.* 1324 (1380).
der »Arzt« – die medizinische Fachzeitschrift ›Vrač‹.
der Sie eine junge Frau geschaffen – in dem Roman ›Am Ende des Jahrhunderts‹, vgl. Nr. 398, 399.
habe Miša von ihm erzählt – M. P. Čechov beschreibt in seinen Erinnerungen ›Rund um Čechov‹, M. 1933, diesen Moment, als Čechov verstört aus dem Haus gekommen sei und erzählte, er habe von einem schwarzen Mönch geträumt; nur sei es ihm, M. P. Čechov, ›bis heute unverständlich und sonderbar‹, daß Čechov, ›ein halbes Jahr nach diesem Vorfall‹, in seinem Brief an Suvorin vom 25. 1. sage, dies sei morgens gewesen: ›Diese Episode ereignete sich nicht morgens, sondern um zwei Uhr, nach dem Mittagsschlaf.‹
Ėrtel – A.I. Ėrtel.

Iv. Iv. Ivanov – Ivan Ivanovič, 1862–1929, Literaturhistoriker, Autor einiger Aufsätze über Čechov.
Ihre monatlichen Essen – die, von Čechov initiiert, einmal monatlich im Kreise von Schriftstellern stattfanden, vgl. Nr. 419.
»Arzamas«, das ist falsch – »Arzamas«: Name eines berühmten literarischen Zirkels der Puškinzeit.
Ėrismans Rede – Fëdor Fëdorovič, 1842–1915, Arzt, Hygieniker; Begründer und Vorsitzender der Moskauer Hygienischen Gesellschaft. ›Der Vegetarianismus angesichts der modernen Wissenschaft‹, Vortrag, gehalten auf dem V. Kongreß der Russischen Ärztegesellschaft in Petersburg.

449) *16. 2. 1894 – A.S. Suvorin.* 1333 (1392).
Ludwig Börne – vgl. Nr. 386, vermutlich ›Aus dem Tagebuch‹, erschienen im Verlag A.S. Suvorin.
Insarov – Held des Romans ›Vorabend‹ von Ivan S. Turgenev.
Lassalle – Ferdinand Lassalle, 1825–1864, deutscher Sozialist.
Dedlov – V.L. Kign-Dedlov.
Auf die Krim fahre ich – um seinen Husten auszukurieren, fuhr Čechov am 2. 3. auf die Halbinsel Krim, nach Jalta.
Miša hat es geschafft... – Notiz im Tagebuch von P.E. Čechov, derzufolge M.P. Čechov am 28. 2. nach Uglič reiste, um eine Stelle als Steuerinspektor anzutreten.

450) *26. 2. 1894 – A.S. Suvorin.* 1338 (1396).
Potapenko reist ab – lt. Tagebuch von P.E. Čechov: ›Am 22. 2. L.S. Mizinova und I.N. Potapenko nach Melichovo gekommen.‹ Potapenko reiste nach Paris, wohin ihm L.S. Mizinova bald folgte, vgl. Nr. 452f.

451) *6. 3. 1894 – M.P. Čechova.* 1342 (1399).
Hotel »Rossija« – Čechov war am 5. März in Jalta angekommen.
Zvjagin – Aleksandr Ivanovič, Akzisebeamter in Jalta, später beim Zoll in Baku angestellt.
Beljaev – Rechtsanwalt in Jalta.
Javorskaja – Lidija Borisovna, 1872–1921, Schauspielerin, 1893/94 am Theater Korš engagiert.
Golcev – V.A. Golcev.
Großvater – M.A. Sablin, mit Spitznamen ›Großvater‹, Journalist und Mitherausgeber der Zeitung ›Russkie vedomosti‹, 1842–1898.
Mirov – Viktor Sergeevič Miroljubov, 1860–1939, Sänger, damals am Bolšoj Theater engagiert; später Redakteur der Zeitschrift ›Žurnal dlja vsech‹ (1896–1906).

452) *18. 3. 1894 – Jules Legras.* 1346 (1402).

hoffe, daß wir uns im Sommer sehen werden – der Adressat, Prof. für Literatur an der Universität Bordeaux, Übersetzer einiger Erzählungen Čechovs ins Französische (›Volodja der Große und Volodja der Kleine‹), hatte 1892 und 1893 den Sommer auf dem Melichovo benachbarten Gut von N. I. Gladkov verbracht. Spätere Begenungen zwischen Čechov und Legras fanden nicht statt.

453) *27. 3. 1894 – L. S. Mizinova.* 1349 (1405).

der »Faust« – ›Faust et Marguérite‹, bekannteste Oper des französischen Komponisten Charles Gounod, 1818–1893, geschrieben 1859, in Deutschland unter dem Titel ›Margarethe‹ bekannt.

Direktorin des Mädchengymnasiums – Varvara Konstantinovna Charkeevič.

mich keinen Augenblick der Gedanke losläßt – vgl. ›Die Möwe‹, Trigorin, II. Akt; detebe Nr. 50/I.

wenn Sie tatsächlich sterben – L. S. Mizinova hatte am 15. 3. geschrieben, sie wolle reisen, sogar nach Berlin, ›weil ich bald sterben und nichts mehr sehen werde‹.

Varja Ėberle – Varvara Apollonovna, Sängerin, Freundin der Adressatin, Bekannte der Familie Čechov.

Mirov – V. S. Miroljubov.

Großvater Sablin – M. A. Sablin.

454) *27. 3. 1894 – A. S. Suvorin.* 1347 (1406).

Lieblingsschauspielerin Abarinova – Antonina Ivanovna, 1842–1901, Opernsängerin, Schauspielerin, ab 1878 am Alexandratheater Petersburg, spielte im ›Ivanov‹ die Babakina (1889), in der ›Möwe‹ (1896) die Polina Andreeevna.

Čechov am 10. 4. an Surovin: ›Ein Stück habe ich auf der Krim nicht geschrieben, obwohl ich die Absicht hatte; ich hatte keine Lust. In dem Hotel, in dem ich wohnte, wohnte auch unsere Moskauer N. M. Medvedeva, eine einfache, köchinnenhafte, Gespenster fürchtende, aber sehr liebe alte Frau. Selbst ihre Nachbarschaft und die täglichen Gespräche über das Theater haben mich der Dramatik nicht nähergebracht. Prosa habe ich geschrieben.‹

Schwätzer wie Max Nordau – ins Russische übersetzte Titel des deutschen Arztes und Schriftstellers M. N., 1849–1923: ›Auf der Suche nach der Wahrheit‹ 1891, ‹Entartung‹ 1893, ›Die Bewegung der menschlichen Seele‹ 1893, ›Die Krankheit unseres Jahrhunderts‹ 1893.

wie Mamaj – tatarischer Heerführer, Herrscher der Goldenen Horde ab 1361, dem Moskauer Fürsten Dmitrij Donskoj in der Schlacht auf dem Schnepfenfeld unterlegen.

Ein Deutscher aus Stuttgart – Carl Malcomes, Verleger, der Čechov mit Brief vom 6. 3. 1894 das Honorar für die Übersetzung der Erzählung ›Meine Frau‹ schickte, erschienen unter dem Titel ›Die Gattin‹ in Band V der ›Internationalen Bibliothek‹.

in den Zeitungen, ich hätte... – meint ein Interview in der Zeitung ›Novosti dnja‹ vom 1. 3. 1894, in dem ein ›N.R.‹ (der Journalist N.D. Rakšanin) Čechov über seine Meinung zur Berner Konvention befragt hatte.

bleibe bis zum 5. April – Čechov reiste am 3. 4. 1894 aus Jalta ab und war am 5. 4. bereits nach Melichovo zurückgekehrt.

455) *7. 4. 1894 – A. M. Skabičevskij.* 4179 (1410).

Ihr Jubiläum – A.M. Skabičevskij, Jahrgang 1838, hatte 1859 zu publizieren begonnen, gemeint ist also das 35-jährige Jubiläum seiner literarischen Tätigkeit.

Čechov über Skabičevskij und die Literaturkritik: ›Ich lese Skabičevskij nie. Neulich ist mir seine ›Geschichte der neuesten Literatur‹ in die Hände gefallen; ich habe ein Stückchen gelesen und sie weggeworfen – hat mir nicht gefallen. Skabičevskij & Co. – das sind Märtyrer, die freiwillig die Heldentat auf sich genommen haben, durch die Straßen zu gehen und zu rufen: ›Der Schuster Ivanov näht die Schuhe schlecht!‹ und ›Der Tischler Semënov macht gute Tische!‹ Wer braucht das? Die Schuhe und Tische werden davon nicht besser... Überhaupt erscheint mir die Arbeit dieser Herrschaften, die parasitär neben fremder Arbeit und in Abhängigkeit von ihr leben, ein pures Mißverständnis zu sein. Was hingegen das betrifft, daß man Sie beschimpft hat, so macht das nichts. Je früher man Sie anschießt, desto besser.‹ (2. 7. 1891 an F.A. Červinskij).

456) *15. 4. 1894 – Al.P. Čechov.* 1359 (1417).

Rolle von Erakita – laut Auskunft v. M. P. Čechova Stammkunde im Geschäft P. E. Čechovs in Taganrog, griechischer Abstammung, der – offenbar – kaum etwas kaufte.

die Ölbäume, die an deiner Tafel... – vgl. auch ›Tatjana Repina‹, Einakter; Paraphrase des Briefstils von M. E. Čechov, dem frommen Onkel in Taganrog.

Vladimir Tichonov – V. A. Tichonov hatte Čechov am 7. 4. 1894 mitgeteilt: ›Evdokimov hat die Zeitschrift ›Sever‹ an M-me Remezova verkauft. Die neue Herausgeberin wird, nach Vorstellungen des Grafen Deljanov, 10 Tausend Rub. Subsidien erhalten und die Zeitschrift selbst redigieren, ohne mich auch nur einen einzigen Tag vorher gewarnt zu haben, und ich sitze jetzt da wie der Krebs in der Kreide.‹

457) *9. 5. 1894 – A.S. Suvorin.* 1363 (1422).

Wann fahren wir denn... – über den Plan, nach Kiev oder an die Volga zu fahren, hatte Čechov an Suvorin am 10. und am 21. 4. geschrieben, vgl. auch Nr. 460, 461.

kann jetzt vor dem 20. nicht mehr... – die Arbeit: vgl. Nr. 458, Punkt 2, möglicherweise aber auch die Arbeit an der Erzählung ›Der Literaturlehrer‹, die am 10. 7. 1894 in den ›Russkie vedomosti‹ erschien. Ein erster Teil dieser Erzählung war 1889 mit dem Titel ›Spießbürger‹ veröffentlicht worden.

Dr. Jakovenko – Vladimir Ivanovič, 1857–1923, bekannter Psychiater.

wie Moskau einst nach Troica – um den Zaren, der sich in das nahe Moskau gelegene Kloster Troice-Sergieva Lavra zurückgezogen hatte, zur Rückkehr zu bewegen.

Tichonov – vgl. Anm. Nr. 456.

ein bißchen Chlestakov – meint den Hochstapler, Spieler und falschen Revisor aus N.V. Gogols Komödie ›Der Revisor‹.

458) *19. 5. 1894 – Jules Legras.* 1366 (1424).

Sehr geehrter Herr! – im Orig. deutsch.

betreffs des Weines – vgl. Nr. 452.

einen Seitenflügel zu bauen – es handelt sich um das Nebengebäude auf dem Melichover Gut, in dem Čechov später ›Die Möwe‹ schrieb.

Marija Pavlovna – M.P. Čechova.

Brom, China – Čechovs Hunde, vgl. Nr. 434.

Gladkov – Nikolaj Petrovič Gladkov, Gutsbesitzer, auf dessen Anwesen (Kurnikovo, nahe Melichovo) der Adressat den Sommer der Jahre 1892 und 1893 verbracht hatte.

459) *21. 5. 1894 – Al.P. Čechov.* 1368 (1426).

der Hauptpunkt – Aleksandr hatte Čechov am 18. 4. gefragt, ob er ihm nicht ein Manuskript schicken könne, damit er, der eben in der Zeitschrift ›Artist‹ die Erzählung ›Der schwarze Mönch‹ veröffentlicht habe und diese Zeitschrift genauestens kenne, dem ›Artist‹ dieses Manuskript anbieten solle.

wie im »Sever« – vgl. Anm. Nr. 456.

Kumanin – A.F. Kumanin.

Novikov – S.N. Novikov, Schauspieler.

auf dem Arbat – Platz im Moskauer Stadtteil Zamoskvorečje.

460) *22. 6. 1894 – A.S. Suvorin.* 1371 (1430).

Otrada – Moskauer Otrada: Melichovo. Otrada: Familiensitz der Fürsten Orlov-Davydov.

Abrechnung – vgl. Nr. 462.

Stück, dessen Inhalt ich Ihnen erzählt... – vgl. Nr. 449.

um nüchterne Gedanken zu schreiben – vermutlich Anspielung Čechovs auf eine Broschüre des Verlags Posrednik: ›Das geheime Laster. Nüchterne Gedanken über die sexuellen Beziehungen‹, Moskau 1894, Band XXIX der Reihe ›Für den intellektuellen Leser‹.

461) *11. 7. 1894 – A.S. Suvorin.* 1374 (1434).

Zeitung mit »kleinen Briefen« – das ›Novoe vremja‹, in dem Suvorin die Rubrik ›Kleine Briefe‹ (Feuilletons, Glossen) führte; wenn das ›Novoe vremja‹ ›Kleine Briefe‹ enthielt, mußte Suvorin noch in Petersburg sein.

Jasnaja Poljana – Landsitz des Grafen Lev N. Tolstoj, den zu besuchen Čechov seit längerem vorhatte, vgl. Nr. 427 u.a.

meinen Onkel behandeln – M.E. Čechov, der noch im selben Jahre starb.

Vitte, dem Herrn Finanzminister – vgl. Anm. Nr. 437; Vitte war seit 1892 Finanzminister.

Lejkin – N.A. Lejkin, für Čechov eine Art Inbegriff vom alten, steinreichen Geizkragen; vgl. auch Nr. 493.

kein Bär – russ. Sprichwort: ›Die Arbeit ist kein Bär, sie läuft nicht in den Wald.‹

Jasinskij hat nicht übel begonnen – I.I. Jasinskij, ›Das Sommerhaus am schwarzen Fluß‹, erschien in Fortsetzungen im ›Novoe vremja‹.

Pleščeevs Tochter – Ljubov (vgl. weiter unten: Ljubočka) A. Pleščeeva, jüngste Tochter A.N. Pleščeevs, hatte den Sohn des Herausgebers der ›Peterburgskaja gazeta‹, N.S. Chudekov geheiratet.

Letzte Korrektur – der letzten Folge der ›Insel Sachalin‹, die im Juliheft der ›Russkaja mysl‹ erschien. Als Buch erschien die ›Insel Sachalin‹, um die Kapitel XX–XXIII vermehrt (deren Publikation die Zensur verhindert hatte, vgl. Nr. 463), erst 1895: vgl. Nr. 494.

462) *15. 8. 1894 – A.S. Suvorin.* 1380 (1441).

Unsere Reise an die Volga – vgl. Nr. 457; aus der Volgareise mit Suvorin war nichts geworden. Čechov am 4. 8. an V.A. Fausek: ›Nach Feodosija fahre ich mit der Eisenbahn, und wenn ich nach Jalta kommen sollte, so nicht anders als via Theodosia.‹

Sergeenko, der Freund von Lev Tolstoj – ironisch; P.A. Sergeenko, der Čechov mehrfach anbot, ihn mit L.N. Tolstoj ›bekanntzumachen‹, vgl. Nr. 427.

die Frau... unsere Frau – die erste Frau von I. N. Potapenko, die in Feodosija lebte.

die 400 R. an Frau Gurevič – vgl. Nr. 432, 433 und Anm. Nr. 442.

mein Onkel – vgl. Nr. 461; Čechovs Onkel starb Anfang September.

Ajvazovskij – I.K. Ajvazovskij, den Čechov während seines ersten Besuchs bei Suvorin in Feodosija kennengelernt hatte.
Barancevič – K.S. Barancevič.

463) *4. 9. 1894 – V.A. Golcev.* 1381 (1442).
Feodosija – vgl. Nr. 462. Čechov war am 24. 8. nach Taganrog und von dort am 1. 9. weiter nach F. gefahren.
Sonderdruck deines Vortrags – im Juliheft der »Russkaja mysl«: V. A. Golcev, ›A.P. Čechov. Versuch einer literarischen Charakteristik.‹
und werde in zehn Tagen in Moskau... – Čechov verließ Feodosija am 7./8. 9. (›heimlich wie ein Dieb‹) in Richtung Ausland, vgl. Nr. 464f.
Vukol – V.M. Lavrov.
Potapènko – I.N. Potapenko.

464) *18. 9. 1894 – L.S. Mizinova.* 1388 (1450).
Abbazia – aus Abbazia (Opatija) schrieb Čechov an L. S. Mizinova am 21. September (im westlichen Kalender: 3. Oktober) und teilte ihr seine Adresse in Nizza mit: Nice, poste restante.
Varvara Apollonovna – V.A. Ėberle.
genauso entglitten wie Sie – L. S. Mizinova antwortete auf diesen Brief am 7. 10. 1894: ›Ich habe einfach kein Glück. Ich schreibe Ihnen überallhin und kann Sie nirgends erwischen! Ich bin in Montreux am Genfer See. Ich habe Ihnen nach Abbazia geschrieben, aber da man Ihnen die Briefe aus Paris nachgeschickt hat, sind sie zu spät gekommen. Meine Adresse: Suisse Veytaux. Wenn Sie kämen, wäre ich glücklich, aber ich sage es Ihnen gleich, *Sie dürfen sich über nichts wundern.* Schreiben Sie, Onkel, schreiben Sie bald, wann Sie kommen und ob Sie kommen. Sagen auch Sie niemandem meine Adresse, denn sie ist für alle: Montreux poste restante!...‹
Vgl. weiter Nr. 466.

465) *29. 9. 1894 – M.P. Čechova.* 1393 (1455).
ich bin in Italien... – vgl. Nr. 464; in einem undatierten Brief (etwa Mitte September) hatte sich Čechov aus Odessa gemeldet mit der Bemerkung, daß er vor Oktober wohl kaum nach Hause kommen werde.
zur Schande von Sienkiewicz und V. Lavrov – V.M. Lavrov, dem Übersetzer von Sienkiewicz, der ›Briefe aus Afrika‹, die in der ›Russkaja mysl‹ erschienen, desgl. ›Die Familie Polaniecki‹ u. a.
Fiume – heute Rijeka.
einen Roman aus dem Moskauer Leben – ›Drei Jahre‹, vgl. detebe Nr. 50/XIX, erschien in den ersten beiden Heften der ›Russkaja mysl‹ 1895.
Boborykins Lorbeeren – P.D. Boborykin, ›Der Gebirgspaß‹, erschienen

in der Zeitschrift ›Vestnik Evropy‹ in sechs Fortsetzungen, Nr. I–VI, 1894.

Lika – L.S. Mizinova.

Varja – V.A. Ėberle.

466) *2. 10. 1894 – M.P. Čechova.* 1395 (1458).

Tod und Beerdigung unseres Onkels – vgl. Anm. Nr. 462.

dann nach Rußland – Čechov kehrte am 14. 10. nach Moskau zurück.

Potapenko ist ein Jude – in der russischen Ausgabe Strich und Anmerkung: ›Laut Mitteilung von M.P. Čechova waren diese Worte provoziert durch das Benehmen Potapenkos in bezug auf L.S. Mizinova (die Nähe zu ihr, dann der Bruch, wonach sie im Ausland mit dem Kind im Arm allein blieb).‹

467) *2. 10. 1894 – L.S. Mizinova.* 1396 (1457).

Hôtel Beau Rivage – mittleres Hotel am Quai du Midi Nr. 19, Nizza.

Grand-Hôtel – in Paris, Boulevard des Capucines Nr. 12, vom Baedeker als eines der Hotels ›allerersten Ranges‹ eingestuft, ›beim Opernhaus, von Deutschen viel besucht‹.

über meine Gleichgültigkeit... – am 21. 9. (3. Oktober neuen Stils) hatte L.S. Mizinova an Čechov geschrieben: ›Schreiben Sie schnell, wann Sie zu kommen gedenken, wenn Sie es sich nicht anders überlegen. Ich warne Sie, Sie dürfen sich über nichts wundern. Wenn Sie keine Angst davor haben, von der früheren Lika enttäuscht zu sein, dann kommen Sie. Von ihr ist nicht die Spur mehr geblieben. Ja, sechs Monate haben ein ganzes Leben auf den Kopf gestellt, sie haben, wie man so sagt, keinen Stein auf dem andern gelassen. Übrigens glaube ich nicht, daß Sie einen Stein auf mich geworfen haben. Mir scheint, Sie waren immer gleichgültig gegenüber den Menschen und ihren Fehlern und Schwächen...‹

468) *6. 10. 1894 – M.P. Čechova.* 1399 (1461).

Hôtel Bristol – Berlin, Unter den Linden 5–6, vom Baedeker unter den ›allerersten Häusern, mit feinen Restaurants‹ geführt: ›300 Z. (125 mit Bad) von 10 M an, mit Teekonzert und Garten‹.

469) *6. 10. 1894 – V.A. Golcev.* 1398 (1459).

die Sachalinkorrekturen – für die Buchausgabe, vgl. Anm. Nr. 461, vgl. auch Nr. 494.

Innokentij Fëdorovič – I. F. Klimov, Kontorist im Verlag der ›Russkaja mysl‹.

meine Buchabrechnungen – vgl. Nr. 436, 470, 472, 473.

für die »Russkaja mysl« eine Novelle – ›Drei Jahre‹.

Vukol – V.M. Lavrov.
Michail Alekseevič – M.A. Remezov.

470) *2. 11. 1894 – A.S. Suvorin.* 1407 (1471).
mit den Abrechnungen... – vgl. Nr. 436, 470, 472, 473.
die 400 R., die Sie seinerzeit... – vgl. Nr. 432, 433, Anm. Nr. 442.
Sytin druckt 10 Tsd. – vgl. Nr. 443, meint den Erzählungsband: A.P. Čechov, Novellen und Erzählungen, Moskau 1894.
»Göttlicher Funke« von Salias – Graf Evgenij A. Salias-de-Turnemir, 1840–1908, Autor historischer Romane.
Schicke meine Bücher nach Taganrog – ungeklärt, an wen. Möglicherweise war Čechov bereits bei seinem Aufenthalt von 1894 der Gedanke gekommen, seiner Vaterstadt beim Aufbau einer öffentlichen Bibliothek behilflich zu sein, vgl. die späteren Briefe an P.F. Iordanov.
Schreibe an einer langen Novelle – ›Drei Jahre‹.

471) *25. 11. 1894 – V.A. Golcev.* 1417 (1480).
Geschworener war... – Čechov war am 21. 11. nach Serpuchov gefahren, hatte dort 3 Tage lang als Obmann und Sprecher der Geschworenen an Gerichtsverfahren teilgenommen, vgl. auch Nr. 472, und war am 25. 11. nach Melichovo zurückgekehrt.

472) *27. 11. 1894 – A.S. Suvorin.* 1418 (1481).
L. A. Kazarinov – Ivan Alekseevič, Direktor der Kanzlei des Stadthauptmannes von Odessa, Leiter eines Obdachlosenasyls.
Der Lehrer – Aleksej Antonovič Michajlov, Lehrer an der Schule von Talež. Vgl. hierzu die ›Möwe‹, Medvedenko, auch die Varianten in detebe Nr. 50/I.
Hat die Presse etwas bekommen... – vgl. dazu auch Nr. 473. Am 20. Oktober 1894 war Zar Alexander III. gestorben; anläßlich des Machtantritts von Zar Nikolaus II. waren bestimmte finanzielle Erleichterungen verkündet worden, so z.B. Zinssenkungen für Kredite. Erwartet wurde u.a. auch eine Lockerung der Pressezensur.

473) *5. 12. 1894 – A. S. Suvorin.* 1423 (1486).
Lorbeeren Boborykins – P. D. Boborykin, vgl. Anm. Nr. 465.
alle erwarten etwas – Erleichterungen im Zusammenhang mit dem Amtsantritt des neuen Zaren.
Fëdor Ivanovič – F.I. Kolesov, Direktor der Buchhandlung Suvorins.
gratuliere zum neuen Tarif – am 1. 12. 1894 war ein neuer, ermäßigter Eisenbahntarif eingeführt worden, vgl. auch Nr. 461, 437.
an Pavlovskij schicken – I. Ja. Pavlovskij.

irgendein französischer Verleger – der die Absicht hatte, Čechov herauszugeben: Albert Langen, ab 1894 in Leipzig und München (vorher in Paris); an dt. Übers. von Čechov erschienen bei A. Langen: A. Tschechow, ›Ein Zweikampf, Erzählung‹, Dt. von K. Holm, 1897; A. Tschechow, ›Starker Tobak und andere Novellen‹, Dt. von W. Czumikow, 1898; A. Tschechoff, ›Ja, die Frauenzimmer! und andere Novellen‹, Dt. von K. Holm, 1901; A. Tschechow, ›Schatten des Todes. Aus den Papieren eines alten Mannes‹, Dt. von Korfiz Holm, 1902.

Šuvalov – P. A. Šuvalov, 1885–1894 russischer Gesandter in Berlin.

Malcev – Aleksej Petrovič, 1854–1915, Geistlicher, ab 1886 Vorsteher der russischen Gesandtschaftskirche in Berlin.

Tatiščev – S. S. Tatiščev.

474) *5. 12. 1894 – V. M. Lavrov.* 1424 (1485).

V. A. – V. A. Golcev.

475) *11./12. 12. 1894 – V. M. Lavrov.* 1425 (1489).

Ich komme bald – Čechov fuhr am 18. 12. nach Moskau, um das Manuskript der Novelle ›Drei Jahre‹ zur ›Russkaja mysl‹ zu bringen.

476) *22. 12. 1894 – Redaktion Handwörterbuch.* 4182 (1493).

Redaktion des Enzyklopädischen Handwörterbuchs – die Čechov um bibliographische Daten gebeten hatte (am 16. 12. 1894); ein Čechov-Stichwort erschien in Band 8 des ›Enzyklopädischen Hand-Lexikons‹ Moskau, Verlag A. Granat & Co, 1895.

477) *25. 12. 1894 – M. P. Čechova.* 1432 (1497).

Dieses Papier... – rosa Briefpapier mit einem in Gold aufgedruckten humoristischen Sujet, das Čechov oft mit entsprechenden Bildunterschriften versah.

Großväterchen und Küster – Geistliche aus der Umgebung, die zu Weihnachten zu Besuch gekommen waren.

Kurkin – Pëtr Ivanovič, 1858–1934, Zemstvoarzt, mit Čechov noch aus Studentenzeiten bekannt.

Ivan – I. P. Čechov.

Natalja Michajlovna – N. M. Lintvarëva.

von Lika einen Brief... – L. S. Mizinova am 15. 12. an Čechov: ›Jetzt bin ich schon seit zwei Monaten in Paris, und von Ihnen kein Wort. Haben denn auch Sie sich von mir abgewandt? Es ist langweilig, traurig, schlimm. Und Paris verstärkt dies alles noch. Es ist feucht, kalt, fremd! Ohne Sie fühle ich mich vollkommen vergessen und verlassen! Ich würde, glaube ich, mein halbes Leben dafür geben, wenn ich in Melichovo erscheinen, eine Zeitlang auf Ihrem Divan sitzen, zehn Minuten mit Ihnen reden, zu Abend essen und überhaupt mir vorstellen könnte, daß dieses ganze Jahr nicht existiert hat, daß ich nie aus Rußland weggefahren bin und daß überhaupt alles beim alten geblieben ist! Übrigens hoffe ich, daß ich wenigstens ein wenig von all dem verwirklichen kann, und zwar sehr bald.‹

Brief von der Schriftstellerin – E. M. Šavrova.

Tanja – Tatjana L. Ščepkina-Kupernik.

dem Großvater ein Zigarrenetui – M. A. Sablin.

Aleksandra Vasiljevna – A.V. Lintvarëva.

478) *25. 12. 1894 – A.S. Kiselëv.* 1433 (1496).

Vasilisa Pantelevna – Tochter des Adressaten, die Čechov im Scherz so nannte, vgl. Nr. 260.

479) *30. 12. 1894 – Al.P. Čechov.* 1434 (1498).

Dein Buch – Al.P. Čechov-Sedoj (Pseudonym Aleksandrs: ›Sedoj‹, d.i. der Graue), ›Weihnachtserzählungen‹, Petersburg 1895.

Vasilevskij – Ippolit Fëdorovič, 1850–1920, Feuilletonist, der unter dem Pseudonym ›Bukva‹ schrieb, in den ›Russkie vedomosti‹, im ›Novoe vremja‹ u. a.

Nat. Arabaži – Natalja Viktorovna; um nicht an die Redaktion zu schreiben, schrieb Čechov am 5. 1. 1895 an sie, daß er leider keine Erzählungen schicken könne, weil er 1894 überhaupt wenig geschrieben habe und dies Wenige, eine längere Novelle, an die ›Russkaja mysl‹ gegeben habe.

Chudekova – Nadežda Alekseevna, Frau von S.N. Chudekov, Schwester von L.A. Avilova.

480) *31. 12. 1894 – I.I. Gorbunov-Posadov.* 1435 (1499).

»Erzählung des Obergärtners« – vgl. detebe Nr. 50/XV, erschienen am 25. 12. 1894 in den ›Russkie vedomosti‹; erschien in keiner Ausgabe des ›Posrednik‹.

Biron, Arakčeev – Ernest Ioann Biron, 1690–1772, kurländischer Adeliger, Günstling der Zarin Anna (1730–1740); Graf Aleksej Andreevič Arakčeev, 1769–1834, einflußreicher Staatsmann unter Alexander I., Inbegriff des Zarismus, der Autokratie Anfang des XIX. Jahrhunderts. Die von der Zensur gestrichenen Zeilen sind auch in den folgenden Ausgaben der Erzählung nicht wieder aufgenommen worden.

zu Lev Nikolaevič fahren – L. N. Tolstoj; nach Jasnaja Poljana zu fahren war seit längerem ein Vorhaben Čechovs; vgl. Nr. 427, 461.

Tiščenko – Fëdor Fëdorovič Tiščenko, geb. 1858, Autor des Romans »Semën, die Waise«; am 8. 11. 1894 hatte Čechov an Gorbunov-Posadov wegen T. geschrieben und sich für ihn, einen 32–33 Jahre alten

Schriftsteller mit Frau und 6 Kindern verwendet: ob Gorbunov-Posadov nicht etwas für ihn tun könne; in seiner Antwort vom 25. 12. hatte dieser versprochen, alles in seinen Möglichkeiten stehende für T. zu tun.

1895

481) *6. 1. 1895 – A. S. Suvorin.* 1440 (1505).

Bol'šaja moskovskaja gostinica – wörtlich: Großes Moskauer Hotel, Grandhotel Moskau, heute ›Hotel Moskau‹, Voskresenskaja ploščad', in unmittelbarer Nähe des Roten Platzes, Tverskaja ulica, Theaterplatz, vom Baedeker geführt als ›Ganz russischer Gasthof, ersten Ranges‹.

in Moskau, aus Gründen... – unklar; Čechov war am 4. 1. nach Moskau gefahren in Begleitung seiner Mutter, die nach Petersburg weiterreiste.

wenn Sie nicht Kolbasin sind... – Elisej Jakovlevič Kolbasin, Literat aus Petersburg, Bekannter Ivan Turgenevs; im ›Novoe vremja‹ waren Oktober bis Dezember 1894 Briefe Turgenevs an Kolbasin veröffentlicht worden, in denen Turgenevs sich ständig mit ›geschäftlichen‹ Fragen und Bitten an K. wendet.

»L'abesse de Jouarre« – Theaterstück von Ernest Renan, 1823–1892, erschienen 1886; das Stück erschien, in der Übersetzung von P. Vejnberg, 1895 im Juniheft der ›Russkaja mysl‹. Die russische Ausgabe der ›Philosophischen Essays‹ von Renan war 1888 verboten und konfisziert worden, vgl. Anm. Nr. 325.

Argutinskij-Dolgorukov – Fürst Vladimir Nikolaevič, 1874–1941; Čechov hatte ihn als Studenten September 1894 in Odessa kennengelernt. Wie aus späteren Briefen hervorgeht, besuchte Arg.-Dolgorukov Čechov in dessen Moskauer Hotel beinahe täglich.

die Fahnen meiner neuen Erzählung – ›Drei Jahre‹; das Januarheft erschien mit Verspätung erst um den 20. Januar.

neues Stück von Ibsen – meint das Stück ›Lille Eyolf‹ (›Klein Eyolf‹), das am 3. 12. 1894 in London uraufgeführt worden war. Čechovs Transkription des Namens offenbar nach Hörensagen. Die russische Premiere des Stücks: 1905.

die Astronomin – O. P. Kundasova, die in Petersburg lebte und Not litt. Čechov hatte bereits im Herbst 1894 nach seiner Rückkehr aus dem Ausland eine Geldsammlung organisiert, vgl. dazu auch Nr. 482.

482) *10. 1. 1895 – A.S. Suvorin.* 1441 (1506).

Dieser Person helfen... – O.P. Kundasova, vgl. Nr. 481.

Die Adresse unterschreibe ich... – die Rede ist von einer Petition der Petersburger Schriftsteller anläßlich der Thronbesteigung des Zaren Nikolaus II. Diese Petition, unterzeichnet von 78 Petersburger und 36 Moskauer Schriftstellern, enthielt die Forderung nach Verabschiedung eines Gesetzes, das der Willkür der Administration in der Presse Einhalt gebieten sollte. Unter den Untertanen des Zaren, hieß es in dieser Petition, befinde sich ein ganzer Berufsstand ›außerhalb der Rechtsprechung. Wir, Schriftsteller, sind der Möglichkeit, unserem Vaterland zu dienen, wie es uns Gewissen und Pflichtgefühl befehlen, entweder vollkommen beraubt oder befinden uns jenseits der gerichtlichen Anklage und des Schutzes durch das Gesetz, erleiden ohne Untersuchung und Gerichtsurteil Strafen, die sogar bis zum Verbot ganzer Publikumsorgane reichen. Durch bloße Verfügungen der Administration werden dem Kreis der gedruckten Erörterung Fragen unseres gesellschaftlichen Lebens entzogen, die am meisten der richtigen und allseitigen Beleuchtung bedürfen; durch bloße Verfügungen der Administration werden aus öffenlichen Bibliotheken und Arbeitsräumen Bücher entfernt, die von der Zensur durchaus nicht verboten und im Handel befindlich sind‹ usw.

In Moskau war die Unterschriftenaktion von der Redaktion der ›Russkaja mysl‹ organisiert worden. Veröffentlicht wurde der Text der Petition in der Broschüre ›Autokratie und Presse in Rußland‹, Berlin 1898. A.S. Suvorin lehnte die Unterschrift unter die Petition, die im übrigen von höchster Seite negativ beschieden wurde, ab.

bei Korš, die »Sans Gêne« gesehen – ›Madame sans gêne‹, Komödie von Victorien Sardou, 1831–1908, uraufgeführt in Paris am 27. 10. 1893; russische Erstaufführung in der Übersetzung von F.A. Korš 1894. L.B. Javorskaja spielte darin die Rolle der Cathérine, der Waschfrau, die zur Marschallin von Frankreich avancierte.

über die Getreidekrise – meint den von der Regierung verfügten Stopp für Getreideimporte.

Javorskaja – Lidia Borisovna Javorskaja, 1872–1921, Schauspielerin; ab 1895 am Theater Suvorins engagiert.

483) *18. 1. 1895 – V.V. Bilibin.* 1446 (1512).

Ihr letzter Brief – vom 20. 12. 1894, in dem Bilibin u. a. schrieb, daß er an einem fünfaktigen Theaterstück schreibe und 3 Akte bereits fertighabe; Čechov antwortet darauf: ›*Ich* schreibe kein Stück...‹

Protektion bei Korš – um es im Theater F. A. Korš auf die Bühne zu bringen; Bilibin schrieb, es werde ein Stück ausschließlich für Benefizvorstellungen von Provinzschauspielern.

»Borodino« – berühmtes Gedicht von Michail Ju. Lermontov aus dem Jahre 1837 (25 Jahre nach der berühmten Schlacht von Borodino); die letzte Strophe:

›Ja, dazumal gab es noch Recken,
Der Heimat Schirm, der Feinde Schrecken,
Nicht Schwächlinge wie ihr!‹ usw.
(Übersetzung A. Ascharin)

wörtlich: ›Ja, zu unsrer Zeit, da gabs noch Menschen, /ein mächtiges, wildes Volk: / Recken seid ihr nicht.‹ bzw.: ›Recken – nicht wie ihr.‹

484) *19. 1. 1895 – Al.P. Čechov.* 1448 (1515).

Zu den »Russkie vedomosti« – vgl. Nr. 479.

Sobolevskij – Vasilij Michajlovič, Herausgeber und Redakteur des ›Russkie vedomosti‹.

Bukva – Pseudonym von Ippolit Fëdorovič Vasilevskij, 1850–1920.

Deine Erzählung – die Aleksandr Čechov geschickt hatte, vgl. Nr. 479; der Titel, den Čechov moniert, lautete: ›Abgesetzte und Entlassene‹, ähnlich dem Dostoevskij-Titel ›Erniedrigte und Beleidigte‹.

du kopierst Bazarovs Vater – den alten Bazarov aus Ivan Turgenevs Roman ›Väter und Söhne‹.

langen Vortrag über »Protektion« – Aleksandr hatte am 3. 1., als Antwort auf Nr. 479, geschrieben, er habe vorgeschlagen, in der Zeitung Berichte aus Petersburg zu schreiben, er, Anton, habe Erzählungen ins Spiel gebracht und von Protektion angefangen zu reden: ›Von Protektion kann hier schon deshalb nicht die Rede sein, weil es doch so ist, daß man einen Arbeiter an seiner Arbeit erkennt. Wenn ich tauge – schön, wenn nicht – auch gut...‹

A. Dostojnov-Blagorodnov – fiktiver Name, russisch ›dostojnyj‹: würdig, würdevoll; ›blagorodnyj‹: edelmütig, vornehm, wohlgeboren.

485) *19. 1. 1895 – A.S. Suvorin.* 1451 (1514).

... fahre ich aufs Land – Čechov fuhr am 21. 1. nach Melichovo zurück, am 27. 1. wieder nach Moskau, wo er u. a. an einem Jubiläums-Diner der ›Russkaja mysl‹ (15jähriges Bestehen der Zeitschrift) teilnahm.

Vasiljeva – Olga Rodionovna, Adoptivtochter einer Hausbesitzerin in Odessa; übersetzte ab 1898 einige Erzählungen Čechovs ins Französische. Der Brief, den Čechov hier erwähnt, ist unbekannt.

Frohlocken anläßlich der großen Ereignisse – meint die Hoffnungen liberaler Kreise der russischen Gesellschaft, verbunden mit einem Empfang des Zaren für Deputationen von Adel, Zemstvos und Städten am 17. 1. 1895. Zar Nikolaus II. erklärte auf diesem Empfang, bestimmte Kreise der Gesellschaft hätten sich »unsinnigen Träumereien« (von

Schritten in Richtung auf eine konstitutionelle Monarchie) hingegeben, er dagegen werde ›ebenso fest und standhaft das Prinzip der Autokratie bewahren wie mein unvergeßlicher verstorbener Vater‹.

schreiben wie Potapenko – I.N. Potapenko.

die sich auf die Religion beziehen – die von der Zensur eliminierten Stellen sind, nachdem das Zensur-Manuskript als verloren gilt und Čechov die gestrichenen Passagen in späteren Ausgaben nicht wiederhergestellt hat, nicht mehr zu rekonstruieren. Anhaltspunkte liefern jedoch Eintragungen in Čechovs Notizbuch I, Seite 27: ›Ich würde sofort ein Nachtasyl einrichten, aber ich befürchte, daß es den Frömmlern in die Hände fällt, die die Obdachlosen zwingen, Kirchenlieder zu singen, und anfangen, von ihnen Geld einzusammeln für eine Ikone‹. Oder S. 24 Kostjas, die Sintflut habe es eigentlich gar nicht gegeben, u.a.

bei Levitan im Atelier – I.I. Levitan.

486) *21. 1. 1895 – A.S. Suvorin.* 1451 (1517).

Die Kundasova habe ich nicht darstellen wollen – offenbar hatte Suvorin bei Lektüre des 1. Teils der Novelle ›Drei Jahre‹ in der Figur der Rassudina O.P. Kundasova wiedererkannt.

Andreevskij habe ich das Buch geschickt – die ›Insel Sachalin‹ (laut Kommentar der 20-bändigen Ausgabe), vermutlich aber, wie aus dem Inhalt des Briefs hervorgeht, den Band ›Novellen und Erzählungen‹; vgl. Nr. 494. Sergej Arkadjevič Andreevskij, 1847–1919 Petersburger Anwalt, Kritiker und Lyriker, der 1891 in Petersburg eine Sammlung seiner ›Verteidigungsreden‹ herausgebracht hatte.

Ihre »Liebe« – meint Suvorins Roman ›Am Ende des Jahrhunderts – Liebe‹, vgl. Nr. 398, 399; Suvorin schenkte ihm seinen Roman, der Widmung zufolge, am 6. Februar 1895.

Sytin hat mir auch erst 10 Expl. geschickt – des Bandes ›Novellen und Erzählungen‹, Moskau, Verlag Sytin, 1894, der Ende 1894 erschienen war, möglicherweise auch erst Anfang 1895. Vgl. dazu Nr. 443, 470. Kann auch heißen: ›nur 10 Expl.‹

Katharina – Zarin Katharina II.

Marija Andreevna – die zweite Frau von I. N. Potapenko.

werde nach Petersburg kommen – Čechov fuhr am 1. 2. nach Petersburg.

487) *21. 1. 1895 – L.S. Mizinova.* 1452 (1516).

Antwort Čechovs auf Briefe der Mizinova vom 15. 12. 1894 und 2. 1. 1895. Nachdem L.S. Mizinova auf ihren Brief vom 15. 12. keine Antwort erhalten hatte, schrieb sie am 2. 1. 1895 u.a.: ›Schreiben Sie mir, Onkel, einen *lieben* Brief! Wirklich, ich bin seiner wert! Wo ist Maša? Was gedenken Sie zu tun und wohin zu fahren? Ich hörte, Sie seien oft in Moskau! Daß Tanja [T. L. Ščepkina-Kupernik] sich in Melichovo niedergelassen und meinen Platz auf Ihrem Divan eingenommen habe? Ist Ihre Hochzeit mit Lidija Borisovna [Javorskaja] bald? Laden Sie mich dann ein, damit ich sie zerstreuen und in der Kirche einen Skandal machen kann! Na, ich schreibe zu viel dummes Zeug! Wenn ich Klügeres schriebe, wäre es noch schlimmer. Dies ist mein letzter Brief, und ich entschuldige mich schon im voraus dafür, daß ich nochmals schreibe, wenn Sie mir tatsächlich mit Verachtung antworten. Leben Sie wohl, und alle Donner des Himmels mögen über Ihnen zusammenbrechen, wenn Sie nicht antworten. Ihre Lika.‹

wenn ich in Petersburg sein sollte – Čechov fuhr am 1. 2. dorthin.

488) *15. 2. 1895 – L.A. Avilova.* 1462 (1528).

Marconi und Battistini – Francesco Marconi, 1855–1916; Mattia Battistini, 1857–1928; italienische Sänger.

Ihre beiden Erzählungen – die die Adressatin Čechov gegeben hatte. Čechov war L. A. Avilova am 12. 2. bei N. A. Lejkin und, wie aus den Erinnerungen der Avilova hervorgeht, auch am 8. 2. auf einem Maskenball im Marien-Theater Petersburg begegnet. Die beiden Erzählungen der Adressatin sind unveröffentlicht geblieben.

morgen reise ich unbedingt ab – am 16. 2. Čechov meldete sich am 17. 2. aus Moskau bei seiner Schwester: ›Ich bin angekommen und in der Bolšaja mosk. gostinica abgestiegen.‹

489) *19. 2. 1895 – A.S. Suvorin.* 1465 (1531).

bereits in Melichovo – Č. hatte sich auf dem Rückweg noch einige Tage in Moskau aufgehalten, vgl. Anm. Nr. 488.

muß für den »Artist« schreiben – die Erzählung ›Ariadna‹ war ursprünglich der Zeitschrift ›Artist‹ zugesagt, diese jedoch stellte (vgl. 11. 3. an V. M. Lavrov: ›Ist es wahr, daß der »Artist« geplatzt ist?‹) ihr Erscheinen ein; vgl. auch Nr. 494. ›Ariadna‹ erschien in Heft XII (Dezember) der ›Russkaja mysl‹, vgl. detebe Nr. 50/XV.

»Ganz Rußland« – Jahresalmanach (vgl. in früheren Briefen auch den ›Kalender‹) im Verlag A.S. Suvorin.

Šapiro – K. A. Šapiro, Petersburger Photograph.

wie Wilhelm – der deutsche Kaiser, Wilhelm II.

alle möglichen unsinnigen Träumereien – vgl. Anm. 485.

Schriften von Elizavet Vorobej – Pseudonym der Schriftstellerin E. M. Šavrova, die Čechov, wie T. L. Ščepkina-Kupernik und L. A. Avilova, Arbeiten zur Beurteilung schickte. Vgl. Nr. 491.

490) *25. 2. 1895 – A.S. Suvorin.* 1467 (1533).

Cion eine hervorragende Lektion erteilt – Čechov meint A. S. Suvorins

›Offenen Brief an Herrn Cion‹ im ›Novoe vremja‹ vom 22. 2. 1895, Antwort auf das Buch ›M. Witte et les finances russes‹, Paris 1895; ›Ihr Buch‹, schrieb Suvorin u. a., ›steckt voller Verleumdungen, die den kleinen Teil an Wahrheit, den Ihr Buch enthält, überdecken wie eine Wagenladung Stroh eine Garbe Getreide.‹ Ilja Faddeevič Cion; 1842–1912, Professor, lebte in den 80er Jahren in Paris.

Herrn Vitte, dem Minister – S. Ju. Vitte, vgl. frühere Erwähnungen à conto Eisenbahnen, war von 1892–1903 Finanzminister.

Skotom – ›(grch.), Bezeichnung dunkler (blinder) Stellen im Gesichtsfeld des Auges, die eine bestimmte Stelle in demselben unbeweglich einnehmen und auf herdförmigen Erkrankungen der Netzhaut oder des Sehnerven beruhen.‹ (Brockhaus, 1903)

Skrotum – scrotum, latein. der Hodensack.

daß wir Leskov nie wiedersehen – Nikolaj S. Leskov war am 21. 2. 1895 gestorben. Wann Čechov ihn zum letztenmal gesehen hatte, ist ungeklärt. In seinen Erinnerungen berichtet der Übersetzer F. Fiedler von einer Begegnung zwischen Leskov und Čechov November 1892; damals habe Čechov einen Herzfehler und Unregelmäßigkeiten der Nierenfunktionen festgestellt.

in seinem Testament geschrieben – Leskov hinterließ ein Testament vom 2. 12. 1892 mit der Bitte, nach seinem Tode eine Obduktion vorzunehmen, ›damit die Ursachen der Herzkrankheit gefunden werden, an der ich lange gelitten habe, trotz der allgemeinen Überzeugung der Ärzte, daß sich mein Herz in keinem krankhaften Zustand befände.‹ Kurz vor Abfassung des Testaments, November 1892, hatte Čechov Leskov in Petersburg besucht, hatte ihn abgehorcht und den Herzfehler festgestellt und F. Fiedler davon erzählt.

Atava – Pseudonym des Schriftstellers S. N. Terpigorev, der, mit Leskov befreundet, diesen nur um kurze Zeit überlebte; Terpigorev starb am 13. 6. 1895.

Elizavet Vorobej – E. M. Šavrova, vgl. Anm. Nr. 489; ihr Mann: der Petersburger Beamte Just.

Nietzsche – eine Nietzsche-Ausgabe in russischer Übersetzung erschien erst 1909–1912, der russische Brockhaus schreibt noch 1897 (Band 41), große Nietzsche-Monographien gebe es nicht, und verweist auf Aufsätze von V. P. Preobraženskij in der Zeitschrift ›Voprosy filosofii‹, von N. Ja. Grot und L. M. Lopatin, auf die Übersetzung des ›Falls Wagner‹, erschienen in der Zeitschrift ›Artist‹ 1894, auf die Übersetzung eines Aufsatzes von G. Brandes u. Zeitungsberichte.

491) *28. 2. 1895 – E. M. Šavrova.* 1468 (1534).

die Erzählung – blieb unveröffentlicht.

die Krankheit (diskreterweise … S) – Syphilis.

noch andere »geschäftliche Papiere« – wie die Adressatin ihre Erzählungen zu nennen pflegte.

492) *10. 3. 1895 – A. V. Žirkevič.* 1472 (1539).
bei Šapiro – vgl. Nr. 489.
Ihre Verserzählung – ›Kindheitsbilder‹, unter dem Pseudonym A. Nivin 1890 erschienen; der Adressat hatte sie Čechov am 15. 12. 1894 geschickt mit der Bitte um Beurteilung.
versucht, mit Lyrikern zu korrespondieren – vgl. z. B. an Ja. Polonskij, Nr. 101, 109f.
Brief des verstorbenen Krestovskij – Brief von V. V. Krestovskij an A. V. Žirkevič vom 21. 2. 1892, veröffentlicht im ›Istoričeskij vestnik‹, 1895. In diesem Brief antwortet Krestovskij auf Fragen nach dem literarischen Schaffensprozeß.
Vsevolod Vladimirovič Krestovskij, Schriftsteller, geb. 1840, war am 18. 1. 1895 gestorben.

493) *16. 3. 1895 – A. S. Suvorin.* 1474 (1541).
Lejkin – N. A. Lejkin, kam in Begleitung von N. M. Ežov und A. S. Lazarev-Gruzinskij am 10. 3. nach Melichovo und blieb, während Ežov und Lazarev am 11. 3. abreisten, bis 12. 3.
wird bald sterben – N. A. Lejkin starb am 6. 1. 1906.
der Doktor – P. I. Kurkin.
Ivanenko, der Flötist – A. I. Ivanenko.
»Sachalin« lassen wir erscheinen – als Einzelausgabe vgl. Nr. 494. Am 11. 3. 1895 hatte Čechov an V. M. Lavrov geschrieben: ›In Petersburg wurde mir der Rat zuteil: das Buch erscheinen zu lassen, ohne Rücksicht auf irgend etwas. Wenn das Buch erschienen ist, wird man weitersehen.‹
die »Geheimnisvolle Korrespondentin« – im ersten Buch des ›Istoričeskij vestnik‹, Januar-März 1895, veröffentlichte A. V. Amfiteatrov Aufzeichnungen einer unbekannten Autorin unter dem Titel ›Die geheimnisvolle Korrespondentin‹, die, wie Amfiteatrov in seinem Vorwort schrieb, eine ›sehr merkwürdige Rolle bei Hofe gespielt‹ habe, und zwar unter drei Herrschern: Katharina II., Paul I. und Alexander I. ›Das Manuskript ist Anfang des XIX. Jahrhunderts geschrieben‹, schrieb Amfiteatrov, Čechov vermutete wohl eine Mystifikation.
über die physischen Spiele – im ›Novoe vremja‹ vom 10. 3. hatte Suvorin ein Feuilleton über die Notwendigkeit sportlicher Betätigung vor allem der studentischen Jugend geschrieben.
schließen Sie mich in Ihre heiligen Gebete ein – vgl. ›Hamlet‹, III. Akt, 1. Szene: ›... Ophelia. – Nymphe, / schließ in dein Gebet all meine Sünden ein.‹

494) *17. 3. 1895 – V. M. Lavrov.* 1475 (1542).
am Montag ... – am 19. 3. an Lavrov: ›Lieber Freund, ich schicke dir die Schlußkapitel für das Buch. Mehr wird nicht mehr kommen. Finis. Laß sie setzen und mir die Fahnen der letzten beiden Kapitel schicken (als einfacher Streifband) oder meiner Schwester schicken, die am Freitag nach Melichovo kommen wird.‹
Die Erzählung für den »Artist« – ›Ariadna‹; Čechov schickte sie Lavrov dann doch, am 13. 4. 1895.
zusammen mit der kleinen Novelle – ›Der Mord‹, erschien in Heft XI, 1895; vgl. detebe Nr. 50/XV, ›Ariadna‹ erschien im Dezemberheft der ›Russkaja mysl‹.
Viktor Aleksandrovič – V. A. Golcev.
Mitrofan Nilovič – M. N. Remezov.

495) *23. 3. 1895 – A. S. Suvorin.* 1478 (1545).
Sergeenko – P. A. Sergeenko.
Michail Alekseevič – M. A. Suvorin junior.
zum fokino – ›fokino‹ im Orig. lateinisch geschrieben; ›focus‹: latein. Brennpunkt.
Grigorovič – D. V. Grigorovič.
Mamin-Sibirjak – D. N. Mamin-Sibirjak, dessen Roman »Korn« in Fortsetzungen in den ersten acht Heften der ›Russkaja mysl‹ 1895 veröffentlicht wurde.
in »Herr und Knecht« – Novelle von Lev N. Tolstoj, erschienen in der Zeitschrift ›Severnyj vestnik‹ Nr. 3, 1895.
aus dem Bereich der unsinnigen ... Träumereien – vgl. Anm. Nr. 485, auch Nr. 489, meint: aus der Politik.
Wilhelm hat General W. abberufen – im ›Novoe vremja‹ vom 21. 3. war die Abschiedsrede des deutschen Botschafters in Petersburg, General Bernhard Franz von Werder, veröffentlicht, der ›nach dem Tode des Kaisers März 1895 von seinem Posten abberufen‹ worden war (Brockhaus, 1903).
Šubinskij – Sergej Nikolaevič Šubinskij, 1834–1913, Historiker, Herausgeber des ›Istoričeskij vestnik‹.

496) *25. 3. 1895 – E. M. Šavrova.* 1479 (1546).
cher maître – französisch, ›lieber Meister‹, wie die Adressatin Čechov in Briefen anzureden pflegte.
Ihre letzte Erzählung – ›Die Sphinx‹; ob diese Geschichte je veröffentlicht wurde, ist ungeklärt.
empfehle mich Ihren heiligen Gebeten – von Čechov oft scherzhaft gebrauchtes Zitat aus dem ›Hamlet‹, III/1: ›Nymphe / schließ in dein Gebet all meine Sünden ein.‹

497) *30. 3. 1895 – A.S. Suvorin.* 1482 (1549).
Die Panova – Glafira Viktorovna, geb. 1869, Ballerina, danach Schauspielerin, von 1888–1895 am Kleinen Theater, danach am Alexandra-Theater Petersburg engagiert (bis 1907); Čechov hatte sie im Sommer 1889 in Odessa kennengelernt.
in »Hannele« – ›Hanneles Himmelfahrt‹, Theaterstück von Gerhart Hauptmann, Uraufführung 1894 in Berlin, russische Premiere 1895 (Spielzeit 1894/95) in Petersburg, Oktober 1895 weitere Aufführung im Kleinen Theater Petersburg, 1896 in Moskau (Stanislavskij) in der Gesellschaft der Liebhaber der Kunst und Literatur.
»Madame Sans Gêne« – vgl. Nr. 482.
Tochter von... Gibenet – L. B. Javorskaja war die Tochter des Kiever Polizeimeisters B. Gibenet.
erster Akt der »Romantiker« – ›Les Romanesques‹, erstes Theaterstück von Edmond Rostand, 1868–1918, uraufgeführt 1894 in Paris, russische Premiere in der Übersetzung von T.L. Ščepkina-Kupernik am Theater Korš, Moskau 1894.
Feuilleton der Smirnova – S.I. Smirnova, im ›Novoe vremja‹ vom 28. 3. 1895; unter der Überschrift ›Was tun?‹ empfiehlt die Autorin Frauen ohne besondere Begabung, statt nach höherer Bildung zu streben, sich besser in der Landwirtschaft zu betätigen, im Garten nützlich zu machen etc.
Aleksej Petrovič – A.P. Kolomnin.

498) *2. 4. 1895 – V.A. Žirkevič.* 1485 (1552).
Str. M.-K. – Strecke Moskau-Kursk.
Ihre Erzählung – Žirkevič hatte Čechov die Erzählung ›Gegen die eigene Überzeugung‹ geschickt, die 1892 in Heft 3 des ›Vestnik Evropy‹ veröffentlicht worden war.
Heute ist der erste Feiertag – Ostern.
Hr. Stasjulevič – Michail Matveevič, 1826–1911, Publizist, Historiker, Herausgeber der Zeitschrift ›Vestnik Evropy‹.
»Talentiert, und klug...« – aus der ›Langweiligen Geschichte‹, vgl. Kapitel IV, über die russischen Neuerscheinungen der letzten zehn bis fünfzehn Jahre: ›Sie sind entweder klug und edel, aber untalentiert; oder talentiert und edel, aber nicht klug; oder schließlich talentiert und klug, aber nicht edel.‹

499) *13. 4. 1895 – A.S. Suvorin.* 1491 (1558).
Sie »Tatjana Repina« und ich... – Ende 1888, Anfang 1889, Suvorins ›Tatjana Repina‹ am Kleinen Theater Moskau, Čechovs ›Ivanov‹ am Alexandratheater Petersburg; vgl. die Nr. 166f.
»Familie Polaniecki« von Sienkiewicz – ›Rodzina Polanieckich‹, Roman

von Henryk Sienkiewicz, 1846–1916; erschien 1895 in der russischen Übersetzung von V.M. Lavrov.

Rubens – Peter Paul, 1577–1640, niederländischer Maler.

Borghese – Villa Borghese in Rom, im XVII. Jahrhundert von Scip. Caffarelli Borghese erbaut, berühmt für die dort aufbewahrten Kunstschätze.

Correggio – 1494–1534, italienischer Maler.

Botticelli – 1446–1510, italienischer Maler.

die Vorstellung im lit.-artist. Zirkel – von ›Hanneles Himmelfahrt‹ im von Suvorin gemieteten Theater Panaev, vgl. Nr. 500.

zum japanisch-chinesischen Frieden – vom 17. 4. 1895 (neuen Stils), in dem das unterlegene China auf alle Rechte in Korea verzichten und Formosa an Japan abtreten mußte; auf Intervention von Rußland, Deutschland und Frankreich mußte Japan die ihm bereits zugestandene Halbinsel Liao dung (mit dem Hafen Port Arthur) zurückgeben.

eisfreier Hafen – Port Arthur; vgl. zu den ›pazifischen Träumereien‹ Rußlands auch Nr. 310.

futura sunt in manibus deorum – latein. ›Die Zukunft liegt in den Händen der Götter.‹

Miša – M.P. Čechov, der ›Steuerinspektor‹.

500) *18. 4. 1895 – A.S. Suvorin.* 1492 (1559).

japanische Frage... – vgl. Nr. 499; Čechov schickte Suvorin den Ausschnitt aus Kapitel XIV der ›Insel Sachalin‹, das von der Rolle Japans auf Südsachalin handelt.

über Nevelskoj – vgl. ›Die Insel Sachalin‹, Kapitel I, das Oktober 1893 in der ›Russkaja mysl‹ erschienen war; Gennadij Ivanovič Nevelskoj, 1813–1876, russischer Admiral, der 1849–1855 eine Expedition ins Amurgebiet unternommen hatte.

nach Troica – d.h. Troice-Sergievskaja Lavra.

über die Javorskaja – L.B. Javorskaja; ›Bericht‹: im ›Novoe vremja‹ vom 8.4. 1895 über die Vorstellung der ›Madame sans Gêne‹ in der Iszenierung des Theaters F. A. Korš, die Suvorin mit der Pariser Aufführung verglich und zu dem Schluß kam, die Nachahmung der Pariser Aufführung sei nicht immer geglückt, im übrigen aber offenkundig.

Erfolg von »Hannele« – ›Hanneles Himmelfahrt‹, russischer Erstaufführung im von Suvorin gemieteten Theater Panaev in Petersburg, vgl. 499. Die Premiere hatte am 11. 4. stattgefunden.

Krieg gegen das Makao – Kartenspiel, Glücksspiel, ›das, obwohl gesetzlich verboten, bei uns bis heute weit verbreitet ist‹ (Enz. Wörterbuch, Petersburg, Brockhaus/Efron, 1896).

Potapenko und Mamin... – I.N. Potapenko und D.N. Mamin-Sibirjak, aus Petersburg.

Die Astronomin – O.P. Kundasova, vgl. Nr. 482.
»Früchte der Bildung« – Theaterstück von L.N. Tolstoj.
Sytin – I.D. Sytin.

501) *16. 5. 1895 – N.A. Lejkin.* 1496 (1564).
mit überaus großem Vergnügen – Lejkin hatte Čechov in seinem Brief vom 11. 5. auf sein Landhaus eingeladen, ›um die weißen Nächte auszunutzen und nach Valaam zu fahren‹.
Kemmern – ›Badeort im Kreis Riga des russ. Gouvernements Livland, an der Grenze gegen Kurland, 6 km vom Meere entfernt und an der Eisenbahn Riga–Tukkum, hat Schwefelquellen, Park, Gesellschaftshaus, Bibliothek und jährlich 1000–1200 Kurgäste‹ (Brockhaus 1902). Lejkin antwortete auf Čechovs Vorschlag am 20. 5., er sei zwar noch nie dort gewesen, habe auch Riga noch nie gesehen, er werde jedoch, um Čechov zu sehen, erst gegen Ende von Čechovs Badekur kommen. Die Reise kam nicht zustande, auch nicht die auf das Gut von V.M. Lavrov.
die Bücher bekommen – Lejkin hatte am 3. 4. 1895 geschrieben, er schicke an M.P. Čechova über das Kontor der ›Russkaja mysl‹ sein Buch ›Unsere Landsleute im Ausland‹.
Dem Maler – Vladimir Dmitrievič Suchov, der sich erboten hatte, Lejkin zu porträtieren. Čechovs Brief an Suchov ist nicht bekanntgeworden.

502) *31. 5. 1895 – N.A. Lejkin.* 1500 (1568).
Ivanovskoe – Dorf, in dem Lejkin sein Landhaus hatte; Lejkin war leidenschaftlicher Gärtner.
Vladimir Dmitrievič – Suchov, Maler, der ein Porträt Lejkins malen wollte und den Čechov an Lejkin vermittelt hatte.
Lidija Alekseevna – L.A. Avilova.
den ganzen Juni in Melichovo – Eintragung im Tagebuch P.E. Čechovs: ›28. Juni. Maša und Miša aus dem Kaukasus zurückgekehrt.‹

503) *16. 6. 1895 – A.S. Suvorin.* 1503 (1569).
den französischen Autor lesen – ungeklärt.
daß mein »Sachalin« durchgegangen... – am 9. Mai hatte der Sekretär der ›Russkaja mysl‹, A.A. Popov-Monastyrskij, Čechov darüber informiert, daß das Buch von der Zensur freigegeben worden sei.
Džan-koj – auf der Halbinsel Krim.
fahre für 2 Tage nach Moskau – lt. Tagebuch von P.E. Čechov: am 17. 6.
Botvinja – ›die Botwinja, kalte Beetensuppe (kalte Suppe aus verschiedenen Küchenkräutern, hauptsächlich aber aus Beetenblättern, mit Kwaß, eingeschnittenen Zwiebeln, Gurken u. gesalzenem Fisch)‹ (Pavlovskij).

Die Astronomin war bei mir – Eintragung in P. E. Čechovs Notizbuch: ›12. Juni. Kundasova wohnt bei uns.‹ Reiste am 13. 6. ab.
Menšikov war bei mir – am 7./8. 6. 1895.

504) *12. 7. 1895 – I. I. Gorbunov-Posadov.* 1506 (1572).
Lev Nikolaevič – Tolstoj; vgl. Nr. 506.
Petersburg – Čechov war am 10. Juli nach Petersburg gefahren, um mit Suvorin über dessen Theaterpläne zu reden.
Gorbunov besuchte Čechov in Melichovo vom 3.–5. August, fuhr dann, allein, weiter nach Jasnaja Poljana; Čechov fuhr am 8. August dorthin.

505) *23. 7. 1895 – M. P. Čechova.* 1509 (1575).
Suvorin und ich kommen morgen – Suvorin kam mit Čechov für einen Tag nach Melichovo.
Tanja – T. L. Ščepkina-Kupernik.
Dies Ganze ließe sich … – geflügeltes Wort, Schlußvers der Fabel ›Die Gänse‹ von Ivan Krylov, vgl. auch ›Drei Schwestern‹, Solënyj, III. Akt.
Aleksandra Lvovna – A. L. Selivanova-Krauze, die in Melichovo zu Gast war.

506) *11. 8. 1895 – Al. P. Čechov.* 1512 (1577).
Vorgestern früh in Jasnaja Poljana – Čechov war am 8./9. 8. bei Lev N. Tolstoj zu Gast gewesen, vgl. auch Nr. 507.
Spezialist für den Blindensektor – Al. P. Čechov war in den Jahren 1892–1894 Redakteur der Zeitschrift ›Slepec‹ (Der Blinde) in Petersburg.
Bericht von Galkin-Vraskij – in Nr. 5, 1895, der offiziösen Zeitschrift ›Tjuremnyj vestnik‹ (Gefängnis-Bote) war ein Bericht des Chefs der Hauptgefängnisverwaltung, N. M. Galkin-Vraskij, über dessen Inspektionsreise nach Sachalin, 1894, erschienen: ›Die Insel Sachalin. Notwendige und wünschenswerte Maßnahmen.‹
das Buch schicken – ›Die Insel Sachalin‹.
Tarabrin – Georgij Jakovlevič, Arzt in Taganrog, der M. E. Čechov behandelt hatte.
Wenn du jetzt kommen könntest! – Aleksandr war im Mai in Melichovo gewesen; Tagebuch von P. E. Čechov: ›7. 5. Saša angekommen.‹

507) *21. 8. 1895 – A. S. Suvorin.* 1514 (1580).
war bei Lev Nikolaevič – L. N. Tolstoj; vgl. Nr. 506.
sind Sie in Biarritz … – Čechov am 22./23. 9. an Aleksandr: ›A. S. Suvorin schreibt mir nicht, ich weiß nicht, wo er steckt.‹

508) *5. 10. 1895 – I. L. Leontjev-Ščeglov.* 1527 (1595).

Kardinal Rampolla – Mariano, Marchese del Tindaro, geb. 1843, Kardinal, von Papst Leo XIII. zum Kardinalstaatssekretär berufen, Vertrauter und Ratgeber des Papstes, dessen Politik auf Wiederherstellung der weltlichen Macht des Papstes gerichtet war.

Ihre im Verlag »Artist« erschienenen Bücher – Adressat hatte eine Sammlung Erzählungen, Moskau 1894, im Verlag ›Artist‹ erscheinen lassen; in Čechovs Bibliothek befand sich dieser Band nicht.

Ihr Buch »Das Volkstheater« – ›Über das Volkstheater‹, Moskau 1895.

Sonderdruck der »Million Plagen« – Roman von I. L. Leontjev, erschienen in der konservativen Zeitschrift ›Russkoe obozrenie‹ Januar, März, Mai 1895; der Schluß erschien in den Heften XI und XII sowie im Maiheft 1896.

die scheinheilige Zeitschrift – die ›literarisch-politische und wissenschaftliche‹ Zeitschrift ›Russkoe obozrenie‹, herausgegeben von Anatolij Aleksandrov, Moskau 1890–1898; Richtung konservativ-reaktionär.

auf dem Grabe Pleščeevs – dem zweiten Jahrestag des Todes von A. N. Pleščeev; Pleščeevs Grab befindet sich auf dem Novo-Devičje-Friedhof.

Gorlenko Sie lobt – Anspielung auf den Artikel ›Notizen über Schriftsteller. 1. Ivan Ščeglov‹, ›Russkoe obozrenie‹, Januar 1895.

509) *15. 10. 1895 – V. M. Sobolevskij.* 1529 (1597).

schicke die Erzählung – ›Anna am Halse‹, die am 22. Oktober in der Zeitung ›Russkie vedomosti‹ erschien, vgl. detebe Nr. 50/XV.

Michail Alekseevič – M. A. Sablin, Herausgeber der ›Russkie vedomosti‹; der ›Großvater‹.

510) *21. 10. 1895 – A. S. Suvorin.* 1531 (1598).

werde kommen, nicht vor Ende November – Čechov fuhr erst Anfang Januar 1896 nach Petersburg.

in dem Dorf, wo ich Kurator bin – im Dorf Talež bei Melichovo, vgl. Nr. 472, 501.

schreibe an einem Stück – ›Die Möwe‹; erste briefliche Erwähnung des Stücks. Vgl. detebe Nr. 50/I.

Reinfall der Ozerova – am 13. 10. brachte die ›Peterburgskaja gazeta‹ einen Verriß der Aufführung von ›Kabale und Liebe‹ (12. 10. 1895) am Michaels-Theater Petersburg; L. I. Ozerova spielte die Louise.

vom Erfolg der »Macht der Finsternis« – Theaterstück von L. N. Tolstoj, das am 16. 10. in Suvorins Theater (Literar.-Artistischer Zirkel) Premiere gehabt hatte. Der Rezensent der ›Peterburgskaja gazeta‹, A. R. Kugel, hatte diese Aufführung über die des Alexandratheaters gestellt.

die Domaševa – Marija Petrovna, 1875–1952, Schauspielerin am Lit.-Artist. Zirkel, Petersburg.
der »kleine Krümel« – L. I. Ozerova.
Als ich im August bei Tolstoj war – am 8./9. 8., vgl. Nr. 506, 507.
L. N. – Lev Nikolaevič: Tolstoj. Tolstoj schrieb, nach Čechovs Besuch in Jasnaja Poljana, an seinen Sohn L. L. Tolstoj: ›Čechov war bei uns, und er hat mir gefallen. Er ist sehr begabt, und er hat sicherlich ein gutes Herz, aber bis jetzt hat er noch keine feste Weltanschauung.‹
werde in toto genehmigt – ›in toto‹ latein., ›insgesamt‹, ›im Ganzen‹; das Stück war bestimmter Passagen wegen von der Zensur für Staatstheater verboten worden.
»Chirurgičeskaja letopis« – ›Chirurgische Annalen‹, ›Chirurgische Chronik‹, erschien 1891–1895 in Moskau mit 6 Ausgaben jährlich; ›früher und danach unter dem Titel: »Chronik der Chirurgischen Gesellschaft in Moskau.«‹ (Enzykl. Wörterbuch, Petersburg, Brockhaus/Efron, 1903) Vgl. Nr. 512, 513.
Sklifosovskij – Nikolaj Vasiljevič, 1836–1904, seit 1880 Professor an der Universität Moskau, Chirurg.
Djakonov – Pëtr Ivanovič, 1855–1908, Professor an der Universität Moskau, Chirurg.
so habe ich eifrig gesucht – Čechov hatte sich u. a. an den Verleger Sytin gewandt, erhalten ist ein Briefentwurf an Sytin Mitte Oktober (undadiert), in dem das Problem dargelegt wird.
Soldatenkov – Kuzma Terentjevič, 1818–1901, Buchhändler, Verleger in Moskau.
das Stück von Potapenko – I. N. Potapenko, ›Die Fremden‹, das an Suvorins Theater, dem Theater des Liter.-Artist. Zirkels, vorbereitet wurde; Premiere war am 24. 10. 1895.
die Astronomin – O. P. Kundasova.
Jean Ščeglov – I. L. Leontjev-Ščeglov.

511) *26. 10. 1895 – A. S. Suvorin.* 1532 (1599).
Fingal – Pseudonym, unter dem I. N. Potapenko seit dem 8. Oktober 1895 wöchentlich im ›Novoe vremja‹ Feuilletons veröffentlichte.
Stanjukovič – Konstantin Michajlovič, 1844–1903, Schriftsteller.
im Stile Atavas – Atava, Pseudonym von S. N. Terpigorev.
in der B. Morskaja – Bolšaja Morskaja, Querstraße des Nevskij prospekt; Hotel ›Francija‹ oder ›Hotel de France‹, Hotel ›ersten Ranges‹ (Baedeker).
Die Töchter Tolstojs – Tatjana Lvovna, Marija Lvovna.
für diese Notiz hundert Rubel – zur Unterstützung von O. P. Kundasova, offenbar Antwort auf Čechovs Bemerkung, die Astronomin leide Not, vgl. Nr. 510.

512) *2. 11. 1895 – A.S. Suvorin.* 1534 (1600).
Die anderthalbtausend gehen zurück – nachdem sich P.I. Djakonov kategorisch geweigert hatte, von dem Reaktionär Suvorin Geld anzunehmen; daraufhin begannen erneut Verhandlungen mit Sytin, zu deren Ergebnis vgl. Nr. 513.
Die Astronomin – O.P. Kundasova, vgl. Nr. 511.
mit der Javorskaja – L.B. Javorskaja.
Mein Stück – ›Die Möwe‹.
das Stück »Das Ehrenwort« – Komödie in vier Akten von A.S. Suvorin, vgl. Nr. 513, 516, 517.
Maeterlinck – Maurice Maeterlinck, 1862–1949, belgischer Schriftsteller, Dramatiker; Čechov plädierte mehrfach für die Aufführung von Stükken von Maeterlinck, so z.B. dessen symbolistisches Drama ›Die Blinden‹; vgl. später seine Briefe an Vertreter des Moskauer Künstlertheaters.
Theater der Dekadenz – wie die neu aufkommende Strömung in der Literatur, die Symbolismus genannt wurde.
Zola – Emile Zola, 1840–1902; ›Thérèse Raquin‹, Bühnenfassung des gleichnamigen Romans, uraufgeführt am 11. 7. 1873; französisch erschienen 1878, die russische Übersetzung 1891 Petersburg.
Das neue Stück von Sumbatov – A.I. Sumbatov-Južin, ›Von altem Schrot und Korn‹, Drama in 5 Akten, das am 31. 10. 1895 am Moskauer Kleinen Theater Premiere gehabt hatte.

513) *10. 11. 1895 – A.S. Suvorin.* 1541 (1609).
»Das Ehrenwort« – vgl. Nr. 512, 516, 517.
Mein Stück... – ›Die Möwe‹.
Pčelnikov – Pavel Michajlovič, 1851–1913, Direktor des Kontors der Kaiserlichen Theater in Moskau; Čechov am 7. 11. 1895 an E.M. Šavrova: ›Ich schreibe ein Stück für das Mosk. Kleine Theater.‹
Nemirovič – V.I. Nemirovič-Dančenko.
»Chirurgičeskaja letopis«... in Ordnung – am 15. 11. erfuhr Čechov von einem ihm bekannten Mediziner von einem neuen Hindernis von unerwarteter Seite: der Herausgeber N.V. Sklifosovskij stellte die Forderung nach einem jährlichen Honorar von 350 Rubel. Die Zeitschrift stellte ihr Erscheinen 1896 ein, über Versuche, sie zu neuem Leben zu erwecken, vgl. Čechov am 1. 11. 1896 an N.I. Korobov.

514) *14. 11. 1895 – I.L. Leontjev-Ščeglov.* 1545 (1613).
gleich nach meiner Ankunft... – Čechov fuhr am 3. 12. nach Moskau.
schon fast zu Ende mit dem Stück – so am selben Tag auch an D.V. Garin-Vinding, ihm gegenüber nennt Čechov erstmals auch den Titel: ›Es heißt so: »Die Möwe.«‹

am Mosk. Kleinen Theater – vgl. Nr. 513.

515) *21. 11. 1895 – A.I. Urusov.* 1548 (1617).

Angenehmes zu sagen... – A.I. Urusov hatte am 14. 11. an Čechov geschrieben und die Bitte der Redaktion des ›Severnyj vestnik‹ weitergereicht, den Abdruck des Čechov-Stückes ›Der Waldschrat‹ zu genehmigen: ›Genehmigen Sie es, Anton Pavlovič. Außenstehende können besser beurteilen, welche Qualitäten diese hervorragende, zutiefst originelle Sache in sich einschließt. Was ist denn Schlimmes dabei, wenn sie auch Mängel hat! Wo gäbe es die nicht?‹

eine große, schöne Witwe – A. L. Selivanova-Krauze, die am 18. 11. nach Melichovo gekommen war.

Remington – vgl. Nr. 516.

516) *21. 11. 1895 – A.S. Suvorin.* 1549 (1616).

Aleksandr – Al.P. Čechov, der im ›Novoe vremja‹ (14.–19. November) über Überschwemmungen in Petersburg berichtete.

Die Schauspielerinnen in Ihrem Brief – vgl. weiter unten: am 16. 11. hatte Suvorin sein regelmäßiges Feuilleton, die ›Kleinen Briefe‹, dem 40jährigen Jubiläum des Schauspielers I.F. Gorbunov gewidmet.

neu inszenierter »Ivanov« – am Theater Suvorins in Petersburg, für das Suvorin auf Stücksuche war.

»Paraša Sibirjačka« – Stück von N.A. Polevoj.

»Der weiße General« – Stück von E. Zalesova.

»Macht der Finsternis« – von L.N. Tolstoj.

die »Heirat« – Komödie von N.V. Gogol.

517) *1. 12. 1895 – A.S. Suvorin.* 1554 (1622).

Jubiläumsdiner (Čuprov) – Čechov fuhr am 3. 12. nach Moskau. Aleksandr Ivanovič Čuprov, 1842–1908, Ökonom, Mitarbeiter der ›Russkie vedomosti‹, feierte im Säulensaal der Eremitage das 25jährige Jubiläum seiner literarisch-wissenschaftlichen Tätigkeit.

die Javorskaja – L.B. Javorskaja.

Mein eigenes Stück – ›Die Möwe‹, vgl. Nr. 515, 516.

Der Remington und das Mädchen... – am 6. 12. aus Moskau an Suvorin, das Mädchen habe ihn versetzt, das Stück sei immer noch nicht fertig, in den 14 Tagen sei so gut wie nichts geschehen; er habe das Manuskript jetzt zurückgezogen und schicke es jetzt ihm, vgl. weiter Nr. 518.

518) *7. 12. 1895 – A.S. Suvorin.* 1558 (1626).

519) *13. 12. 1895 – A.S. Suvorin.* 1560 (1628).

Sagen Sie dem Buchhalter... – vgl. Nr. 521.

die »Geheimnisse der Seele« – von Maurice Maeterlinck; Premiere war am 10. Dezember im Theater Solodovnikov, Moskau, Regie: M.V. Lentovskij.

der »Durchgehaltene Stil« – von I.N. Potapenko, das am 12. 12. 1895 im Theater des Literar.-Artist. Zirkels Petersburg Premiere hatte.

der »Börsenkrach« – Schwank in einem Akt von A.S. Suvorin, ›Das Börsenfieber‹, der (ohne Namensnennung des Autors) zusammen mit Potapenkos Stück gezeigt wurde.

was meine eigene Dramatik betrifft... – In der ersten Dezemberhälfte hatte Čechov das Stück in der Wohnung von L.B. Javorskaja vorgelesen. T.L. Ščepkina-Kupernik beschreibt in ihren Erinnerungen den Eindruck, den das Stück machte, mit der Reaktion der Arkadina auf das Stück Treplevs: ›»Dekadenz«... »neue Formen«? Das Stück setzte durch seine Neuheit in Erstaunen, und denjenigen, die, wie Korš und die Javorskaja, nur effektvolle Dramen von Sardou, Dumas u.ä. anerkannten, konnte es nicht gefallen... Ich erinnere mich an Streit, Lärm, das unechte Entzücken von Lidija, das Staunen Koršs: »Liebster, das ist doch nicht für die Bühne: Sie lassen sich einen Menschen hinter der Bühne erschießen und lassen ihn nicht einmal etwas sagen vor seinem Tod!« usw. Ich erinnere mich auch an ein halb verlegenes, halb strenges Gesicht Čechovs.‹

Čechov gab das Stück daraufhin V.I. Nemirovič-Dančenko, der ebenfalls Kritik übte: ›An eine Einzelheit erinnere ich mich sehr gut. In jener Redaktion endete der erste Akte mit einer großen Überraschung: in der Szene zwischen Maša und Doktor Dorn stellte sich plötzlich heraus, daß sie seine Tochter war. Darüber wurde später im Stück kein Wort mehr gesprochen. Ich sagte: eines von beidem – entweder muß dieses Motiv entwickelt werden, oder man muß sich ganz von ihm trennen. Um so mehr, als damit der erste Akt endet... Čechov sagte: »Das Publikum liebt es aber, wenn am Schluß eines Aktes ein geladenes Gewehr hingestellt wird.« »Das stimmt vollkommen, – antwortete ich, – aber dann muß daraus auch geschossen werden, und es darf in der Pause nicht einfach in der Garderobe verschwinden.« ... Er stimmte mir zu. Der Schluß wurde geändert. (Nemirovič-Dančenko, ›Aus der Vergangenheit‹, Moskau 1936).

520) *17. 12. 1895 – A.S. Suvorin.* 1563 (1631).

von einer Jubiläumsfeier zurück – am 16. 12. hatte ein Essen in der Eremitage anläßlich des 10. Jubiläums von V.A. Golcev als Redakteur der Zeitschrift ›Russkaja mysl‹ stattgefunden, zu dem Čechov eingeladen worden war.

Aleksin – Ferienwohnsitz Čechovs im Jahre 1891.

Mein Stück... durchgefallen – offenbar hatte Suvorin die Ansicht geäußert, in der ›Möwe‹ sei die Affäre zwischen I. N. Potapenko und L. S. Mizinova dargestellt.

521) *29. 12. 1895 – A. S. Suvorin.* 1566 (1635).

rechtzeitig zum Benefiz der Javorskaja – im Theater des Lit.-Art. Zirkels am 4. 1. 1896, in dem Stück ›La princesse lointaine‹ von Edmond Rostand, in der Übersetzung von T. L. Ščepkina-Kupernik (Tanja).

am 4. morgens – Nevskij prospekt, Ecke Ml. Morskaja, im Hotel ›Francija‹, vgl. Nr. 511. Čechov fuhr am 2. Januar, traf am 3. 1. 1896 in Petersburg ein.

schreibe an einer kleinen Novelle – ›Das Haus mit dem Zwischenstock‹, erschien 1896 im Aprilheft der ›Russkaja mysl‹, vgl. auch detebe Nr. 50/XV.

drängt sich das Volk – über die Feiertage bei Čechov zu Gast: A. L. Selivanova, A. I. Ivanenko, D. T. Saveljev, das Ehepaar Šachovskoj, das Ehepaar Semenkovič, I. P. Čechov.

1896

522) *9. 1. 1896 – M. P. Čechova.* 1568 (1637).

Mamin-Sibirjak – D. N. Mamin-Sibirjak; am Abend zuvor war Čechov bei Mamin-Sibirjak in Carskoe Selo gewesen.

schickt nach dem Lehrer – vermutlich A. A. Michajlov.

In Petersburg... – kam Čechov am 3. Januar an und blieb bis zum 13. oder 14. 1. ›Hôtel d'Angleterre‹, im Orig. französisch, Voznesenskij prospekt 10, gegenüber der Isaakskathedrale, lt. Baedeker ›ersten Ranges‹.

523) *17. 1. 1896 – L. A. Avilova.* 1573 (1642).

Nadežda Alekseevna – Chudekova, Schwester der Adressatin.

Ihr Buch... – ›Der Glückliche und andere Erzählungen‹, Petersburg 1896; mit der persönlichen Widmung ›Dem stolzen Meister von der Gesellin. 12. Jan. 1896.‹

Nach dem 20. komme ich... – Čechov fuhr am 23. 1. wieder nach Petersburg und blieb bis Mitte Februar.

524) *10. 2. 1896 – V. G. Korolenko.* 1580 (1650).

Heute fahre ich nach Moskau – fuhr, zusammen mit A. S. Suvorin, am 13. 2. und am 18. 2. weiter nach Melichovo.

In Finnland... – wohin Čechov zusammen mit I. N. Potapenko hatte fahren wollen.

morgen bei Vukol – V.M. Lavrov.
Jahrestag... feiern – Jahrestag des 16jährigen Bestehens der Zeitschrift.

525) *15. 2. 1896 – F.O. Šechtel.* 1584 (1653).
Heute abend sind wir bei Tolstoj – L.N. Tolstoj in dessen Moskauer Wohnung; am 19. 2. an Korolenko: ›Auf der Durchreise war ich in Moskau bei Lev Tolstoj und habe mit Vergnügen etwa zwei Stunden bei ihm verbracht.‹ In seinem Tagebuch von 1896 schreibt Čechov: ›Im Februar war ich auf der Durchreise durch Moskau bei L.N. Tolstoj. Er war gereizt, äußerte sich schroff über die Dekadenten und stritt sich anderthalb Stunden mit B. Čičerin, der, wie mir schien, die ganze Zeit dummes Zeug redete. Tatjana und Marija Lvovna legten mir eine Patience; beide baten mich aus irgendeinem Grunde, eine Karte abzuheben, und beiden hob ich das Pique-As ab, was sie betrübte; zufällig war in dem Stapel Karten zweimal das Pique-As. Beide sind außerordentlich sympathisch, und ihr Verhältnis zu ihrem Vater ist rührend. Die Gräfin bestritt den ganzen Abend die Bedeutung des Malers Ge. Sie war ebenfalls gereizt.‹

526) *5. 3. 1896 – D.L. Manučarov.* LN 43 (1661).
Auf Sachalin keine Bekannten mehr... – der Inselkommandant Baron A.N. Korf war 1893 gestorben; 1894 starb Dr. A.V. Ščerbak. Der Adressat, 1867–1942, bei der Eisenbahn angestellter Techniker, hatte Čechov am 26. 2. brieflich um Hilfe gebeten für seinen Bruder, einen ehemaligen Studenten der Universität Petersburg, der, nach Verbüßung einer zehnjährigen Einzelhaft in der Festung Schlüsselburg, nach Sachalin deportiert werden sollte; Manučarov hatte Čechov um einen ›Empfehlungsbrief oder dergleichen‹ gebeten; vgl. auch Nr. 528.

527) *15. 3. 1896 – P.F. Iordanov.* 1598 (1670).
Ich kenne Sie seit langer Zeit – seit 1887; der Adressat, 1858–1920, war zunächst Sanitätsarzt, danach Mitglied der Stadtverwaltung Taganrog, zuletzt Bürgermeister der Stadt.
Iordanov hatte sich am 8. 3. bei Čechov bedankt für die Bücher, die Čechov teils per Post, teils über seinen Vetter G.M. Čechov an die Städt. Bibliothek geschickt hatte: ›Ich bin Ihnen zutiefst dankbar für die Anteilnahme, die Sie an der Ergänzung unserer Bibliothek nehmen. Ihre freigebige Spende hat sowohl beim Publikum als auch bei der Stadtverwaltung Interesse an der Bibliothek geweckt, und dank Ihnen wird unsere Bibliothek bald einen hervorragenden Platz in der Reihe der öffentlichen Bibliotheken einnehmen.‹
Vorliegender Brief ist der erste von insgesamt 77 Briefen Čechovs (aus

den Jahren 1896 bis 1904), die mehr oder weniger sämtlich den Beständen der Stadtbibliothek Taganrog gewidmet sind.

In der Liste – Iordanov hatte Čechov als eine Art Empfangsbestätigung eine Liste all der bisher von Čechov an die Bibliothek Tangarog geschickten Bücher mitgeschickt.

528) *21. 3. 1896 – D.L. Manučarov.* LN 44 (1672).

Ihre Fragen – Manučarov hatte gefragt (am 14. März), ob politische Gefangene Körperstrafen zu erleiden hätten, und ob ein freier Mensch, z. B. er selbst, sich auf Sachalin ansiedeln und im technischen Bereich Arbeit finden könne.

Baron Korf – vgl. Anm. Nr. 526, ferner ausführlich ›Die Insel Sachalin‹.

habe mein Ehrenwort geben müssen – Čechov hatte am 30. 7. 1890 die schriftliche Erlaubnis erhalten, auf Sachalin Gefängnisse und Bevölkerung zu besuchen, statistische Erhebungen anzustellen und Material für die literarische Arbeit zu sammeln. Zugleich hatte der Inselkommandant eine Geheimvorschrift an die Kreiskommandanten erlassen, unverwandt darauf zu achten, ›daß Čechov keinerlei Kontakte aufnimmt zu Strafgefangenen, die wegen Staatsverbrechen verbannt sind, und Verbannten, die unter Polizeilicher Aufsicht stehen‹.

529) *29. 3. 1896 – A.A. Tichonov.* 1601 (1674).

beneiden mich ohne Grund – Tichonov hatte am 26. 3. geschrieben, er beneide Čechov, der den Frühling auf dem Lande verbringen könne.

danke der »Niva« – Tichonov hatte Čechov 1895, als er die Redaktion der ›Niva‹ übernahm, zur Mitarbeit eingeladen.

Vladimir Alekseevič – V.A. Tichonov.

daß Marks... – A.F. Marks, Verleger der ›Niva‹, später auch der Werke Čechovs, vgl. Januar 1899. Auf Čechovs Frage schrieb Tichonov am 1. 5., es stimme, daß Marks das Gesamtwerk von A.A. Fet gekauft habe, aber für welche Summe, das sei sein Geheimnis. Die Fet-Ausgabe bei A.F. Marks erschien jedoch erst 1901.

Fet – Afanasij Afanasjevič Fet, 1820–1892, Lyriker, Übersetzer u. a. von Schopenhauers ›Welt als Wille und Vorstellung‹.

Die Polonskij-Ausgabe – Ja.P. Polonskij, 1820–1898, ›Werke in fünf Bänden‹, Petersburg, A.F. Marks, 1891.

530) *8. 4. 1896 – I.N. Potapenko.* 1605 (1678).

Was ist mit meinem Stück – ›Die Möwe‹; erste briefliche Erwähnung seit dem 8. 3., in dem Čechov seinem Bruder Aleksandr mitteilte: ›Ich schlage mich mit dem Stück herum. Ich überarbeite es.‹ Am 15. 3. war das Stück bei der Zensur zur Genehmigung eingereicht worden. Potapenko antwortete in einem undatierten Brief (Vermerk Čechovs:

›96,IV‹): ›Das Stück ist bei der Zensur. Ich fürchte, Vesevoložskij wird in Moskau und niemand da sein, der draufschreiben könnte: »nicht an der Reihe«.‹ Am 9. 5. 1896 schrieb Potapenko aus Karlsbad an Čechov: ›Mit deinem Stück ist eine kleine Geschichte passiert. Wider alles Erwarten hat es sich in allen Netzen der Zensur verstrickt, übrigens nicht sehr... Der ganze Kummer besteht darin, daß dein Dekadenter sich so indifferent gegenüber den Liebesangelegenheiten seiner Mutter verhält, was laut Statut der Zensur nicht erlaubt ist.‹

schreibe an einem Roman für die »Niva« – ›Mein Leben‹, erschien in den monatlichen Literaturbeilagen zur ›Niva‹, Hefte 10, 11 und 12, 1896; vgl. detebe Nr. 50/XIX.

Freund Fiedler – Friedrich Fiedler, 1859–1918, Übersetzer russischer Autoren ins Deutsche, gebürtiger Petersburger.

Autor des »Sokrates« – P. A. Sergeenko.

531) *13. 4. 1896 – F. O. Šechtel.* 1610 (1684).

vor nicht allzu langer Zeit – Mitte Februar, vgl. Nr. 525.

Bar. Števen – Baronesse Aleksandra Alekseevna Števen, bekannt für ihre großzügigen Spenden, vor allem für die Volksbildung.

en grand – franz. ›im großen Stil‹.

gestern... einen Brief – von A.V. Pogoževa vom 10. 4. 1896 über das Projekt des ›Volkspalasts‹, der eine Einladung zu einer Besprechung bei V.A. Morozova enthielt.

vor der Krönung – meint die Krönungsfeierlichkeiten für Zar Nikolaus II. im Mai 1896.

bei der Nikitina – Anna Dmitrievna, Ballerina des Moskauer Bolšoj Theaters; das Essen, das Čechov erwähnt, hatte Ende Februar, Anfang März stattgefunden; am 5. 3. war Čechov aus Moskau nach Melichovo zurückgekehrt.

eine Poststation eröffnet worden – seit Januar 1896.

das Panaev-Theater – in Petersburg.

Brief von Frau P. – Anna Vasiljevna Pogoževa vom 10. 4. 1896.

baue eine Schule – im Dorf Talež, wo Čechov zum Schulkurator ernannt worden war.

532) *27. 4. 1896 – A.A. Tichonov.* 1616 (1690).

die Erzählung... – ›Mein Leben‹; Teile des Manuskripts schickte Čechov am 16. 6. an Tichonov, vgl. Nr. 536.

533) *28. 4. 1896 – E. M. Šavrova.* 1617 (1691).

Nikša... – Personen aus einer Erzählung der Adressatin, die diese an Čechov zur Lektüre geschickt hatte; nachdem in der ›Russkaja mysl‹ vom April 1896 gerade ihre Novelle ›Altweibersommer‹ erschienen war, die Čechov gelobt hatte (in einem Brief an die Šavrova vom 18. oder 19. 4.), zu der er jedoch angemerkt hatte, daß der Themen- und Motivkreis der Autorin ein wenig eng sei.

mouches volantes – im Orig. franz., wörtlich ›fliegende Fliegen‹, meint Geflimmer, Flimmern vor den Augen.

cher maître – franz. ›lieber Meister‹; Titel, mit dem die Adressatin Čechov anzureden pflegte.

Für den Sonderdruck und für Elizavet Vorobej – Elizavet Vorobej: Pseudonym der Adressatin. Meint den Sonderdruck aus der ›Russkaja mysl‹.

534) *24./25. 5. 1896 – V.N. Argutinskij-Dolgorukov.* 1623 (1697).

nur als Gouvernementssekretär – der Adressat hatte seinen Abschied vom Staatsdienst genommen.

Kislovodsk – Kurort im Kaukasus, Nordkaukasus; ›das feinste der nordkaukasischen Bäder, wird auch als Höhenkurort besucht‹ (Baedeker); der Adressat hatte Čechov dorthin eingeladen.

futura sunt... – latein. ›Die Zukunft liegt in den Händen der Götter‹.

A.A. Andreeva – ›I.S. Turgenev im Kreise französischer Schriftsteller. Materialien zur Charakteristik seiner letzten 12 Lebensjahre‹, erschienen in einem Almanach der Moskauer Gesellschaft der Liebhaber der schönen Literatur, M. 1896.

der Lehrer am Schreibtisch – A.A. Michajlov, Lehrer an der Schule von Talež.

535) *10. 6. 1896 – L.S. Mizinova.* 1629 (1704).

Brief aus »Dresden« – Čechov war vom 30. 5.–2. 6. in Moskau gewesen, hatte im Hotel ›Dresden‹ gewohnt; der erwähnte Brief von L.S. Mizinova an Čechov gilt als verloren.

am 15.–16. zusammen... – Čechov fuhr am 17. 6. nach Moskau, vgl. auch Nr. 357; in Moskau suchte er einen Augenarzt auf, vgl. auch Nr. 539.

536) *16. 6. 1896 – A.A. Tichonov.* 1634 (1709).

meine Novelle – ›Mein Leben‹.

von dort weiter... zu Bekannten – fuhr am 20. Juni nach Melichovo zurück, wo er den Sommer über blieb, mit Ausnahme eines kurzen Besuchs bei Suvorin vom 20.–25. Juli.

537) *16. 6. 1896 – L.S. Mizinova.* 1633 (1708).

Montag morgen nach Moskau – vgl. Nr. 535.

Sonja – Sofja V. Čechova, Ehefrau von Čechovs Bruder Ivan.

V.A. – Viktor Aleksandrovič Golcev.

538) *20. 6. 1896 – A.S. Suvorin.* 1637 (1711).

»Pastor Sang« ist... – russischer Titel des Theaterstücks ›Over Ævne‹ (Über unsere Kraft) des norwegischen Dramatikers Björnstjerne Björnson, 1832–1910, entstanden 1896; die russische Übersetzung erschien 1897.

»Karl Bühring« – für ›Karla Bühring‹, Theaterstück, Frauendrama von Laura Marholm, 1854–1905, geschrieben 1895.
Titel der russischen Übersetzung: ›Frauen‹. Čechov hatte die Absicht, dieses Stück für Suvorins Theater zu überarbeiten, vgl. Nr. 545.

S.I. Smirnova – Journalistin, Mitarbeiterin des ›Novoe vremja‹.

... war in Moskau – vom 17.–19. 6.

Jar, Eremitage – vornehme Restaurants in Moskau, das ›Jar‹ außerhalb der Stadt gelegen; ›Dagegen versäume der Fremde nicht, falls er die Kosten eines Soupers und das Zusammentreffen mit möglicherweise lockerer Gesellschaft nicht scheut, die russischen und die Zigeuner-Sängerchöre anzuhören, die ihre sehr originellen Vorträge meist in den eleganten außerstädtischen Restaurants zum besten geben, die im Winter das Ziel der nächtlichen Troiken(Schlitten)-Fahrten der Jeunesse dorée sind‹ (Baedeker).

in Nižnij eine glänzende Ausstellung – die XVI. Allrussische Kunst- und Industrie-Ausstellung in Nižnij Novgorod.

Baranov – N.M. Baranov, 1837–1901, Gouverneur von Nižnij Novgorod, den Čechov im Januar 1892 auf seiner Reise in die Hungergebiete kennengelernt hatte, vgl. Nr. 370.

539) *26. 6. 1896 – A.S. Suvorin.* 1640 (1716).

das Billett – für kostenlose Eisenbahnfahrten auf dem gesamten Streckennetz in Rußland.

Anfang der Novelle – vgl. Nr. 536.

daß Herr Marks... – wie A.A. Tichonov Čechov am 21. 6. 1896 mitgeteilt hatte, nur habe ›Marks darum gebeten, die Höhe des Honorars einstweilen geheimzuhalten‹.

Die Astronomin war bei mir – in Melichovo, vom 22. bis 24. 6.

für die Fortführung des Theaters – vgl. Nr. 531.

Viktor Krylov – der Dramatiker V.A. Krylov.

540) *11. 7. 1896 – A.S. Suvorin.* 1642 (1718).

Maksaticha – Dorf und Bahnstation im Gouvernement Tver nahe Bologoe, wo Suvorin 1896 den Sommer verbrachte; Čechov besuchte ihn dort am 20.–25. 7.

Brief von Viktor Krylov – V.A. Krylov, Brief vom 6. 7., in dem dieser sein Gespräch mit den Zensor Litvinov schilderte, die Genehmigung der ›Möwe‹ betreffend. Am 15. 7. schrieb Litvinov selbst an Čechov:

›Ich habe mit Blaustift einige Stellen angestrichen, wobei ich für notwendig halte zu erklären, daß ich weniger die Ausdrücke selbst im Auge hatte als vielmehr den allgemeinen Sinn der Verhältnisse, die durch diese Ausdrücke benannt werden. Es geht nicht um das Zusammenleben der Schauspielerin mit dem Literaten, sondern um die Gelassenheit, mit der ihr Sohn und ihr Bruder dieses Phänomen betrachten. Aus Sicht der Zensur wäre es wünschenswert, wenn diese Frage überhaupt nicht erwähnt würde, aber wenn Sie vom künstlerischen Gesichtspunkt das Verhältnis zwischen Trigorin und der Treplëva unbedingt charakterisieren müssen, so hoffe ich, Sie werden dies so tun, daß die Sanktionierung durch die Zensur ungehindert erfolgen kann.‹

...an den Zensor geschrieben – Čechovs Brief an M. I. Litvinov ist unbekannt geblieben.

Čechov am 27. 7. 1896 an Suvorin: ›Sagen Sie Potapenko, daß ich ihn bei mir erwarte. Kann er mir nicht seine Ferienadresse mitteilen? Kann ich mein unseliges Stück nicht an seinen Namen schicken, damit er es zu Litvinov bringt und ihm die geeigneten Erklärungen gibt?‹ vgl. dazu weiter Nr. 542.

... das Komitee an der Reihe – im Theater-Literatur-Komitee wurde das Stück am 14. September begutachtet, vgl. Anmerkung zu Nr. 542.

541) *10. 8. 1896 – A.A. Tichonov.* 1651 (1728).

von Ihnen noch immer keine Antwort – Čechov hatte am 2. 8. gefragt, wo er das fertige Manuskript hinschicken solle, an Tichonovs Privatadresse oder an die Redaktion; mit ›Manuskript‹ ist der Schluß der Novelle gemeint, dessen Empfang Tichonov am 14. 8. bestätigte.

mein Haus verlasse ich auf unbestimmte Zeit... – vgl. dazu auch Nr. 542.

542) *11. 8. 1896 – I.N. Potapenko.* 1654 (1732).

das Stück – ›*Die Möwe*‹, vgl. Brief und Anm. Nr. 540.

Stellen angestrichen – vgl. Anm.Nr. 540.

Litvinov – Ivan Michajlovič, 1844–1906, Zensor für Dramatik bei der Hauptverwaltung für Pressewesen.

fahre in den Süden... – nach der Einweihung des Schulneubaus im Dorf Talež am 4. 8., nach der Fertigstellung des Glockenturms Mitte August sowie nach den ›Möwe›-Korrekturen fuhr Čechov am 20. 8. nach Taganrog und weiter nach Kislovodsk (Ankuntt 24. 8.), von dort über Novorossijsk nach Feodosija. Am 31. 8. an M.P. Čechova: ›Wenn dir Potapenkos Adresse bekannt ist, bitte ihn, mir nach Feodosija zu schreiben über das Schicksal meines Stücks.‹

das Komitee!! – das Stück mußte nach der Zensur noch das Repertoire-

Komitee der Kaiserlichen Theater passieren. Das Komitee, im Fall der ›Möwe‹ bestehend aus dem Dramatiker A.A. Potechin, dem Schriftsteller und Übersetzer P.I. Vejnberg und dem Literaturhistoriker I.A. Šljapkin, ließ die ›Möwe‹ am 14. 9. 1896 zur Aufführung zu. Die Begründung des Komitees vermerkt, daß das Stück einige Personen enthalte, die mit feinem Humor gezeichnet seien, sowie einige Szenen, die von echter Dramatik durchdrungen seien, es leide aber ›auch an wesentlichen Mängeln. Schon der »Symbolismus«, richtiger »Ibsenismus« (in diesem Fall sogar allzu nahe, wenn man an Ibsens »Wildente« denkt), der sich wie ein roter Faden durch das ganze Stück zieht, wirkt unangebracht, – um so mehr, als hierfür keinerlei Notwendigkeit besteht (es sei denn, um zu zeigen, daß Treplëv bei seiner Dekadenz in der Literatur auch für den Symbolismus Partei ergreift), – und wäre diese »Möwe« nicht, so würde sich an der Komödie nicht das Mindeste ändern, sie würde weder im Ganzen noch in den Details irgendetwas verlieren, wohingegen sie mit ihr nur verliert.‹
Weiter vermerkt das Protokoll der Sitzung Unstimmigkeiten in der Charakterzeichnung Treplëvs, die Arkadina und Trigorin seien nicht hinreichend charakterisiert, Maša sei überzeichnet (Tabakschnupfen und Vodkatrinken); es verweist auf Mängel in der Dramaturgie des Stücks, in dieser Hinsicht sei ›eine gewisse Nachlässigkeit oder Flüchtigkeit der Arbeit‹ zu konstatieren, einige Szenen wirkten ›zufällig aufs Papier hingeworfen, ohne strenge Verbindung zum Ganzen, ohne dramatische Konsequenz‹.

543) *13. 8. 1896 – A.S. Suvorin.* 1657 (1733).
schickt mir das Honorar nicht – aus Petersburg, von der ›Niva‹, für ›Mein Leben‹.
Tag meiner Abreise ... – das Telegramm an Suvorin ist nicht erhalten; Čechov fuhr am 20. 8. gen Süden. Dazu Notiz im Notizbuch: ›23. Aug. aus Taganrog abgereist, Rostov, Nachičevan.‹
Die Novelle für die »Niva« – ›Mein Leben‹.
Die Einweihung der Schule – im Dorf Talež hatte am 4. 8. stattgefunden, vgl. das Tagebuch 1896: ›4. August. Einweihumg der Schule in Talež. Die Bauern von Talež, Beršov, Dubki und Šelkovo überreichten mir vier Brote, eine Ikone, zwei silberne Salzstreuer. Der Bauer Postnov aus Šelkovo hielt eine Rede.‹
Das Stück habe ich ... – ›Die Möwe‹, vgl. Nr. 542.
gestern vom Zensor einen Brief – vom 9. 8. 1896, in dem I.M. Litvinov mitteilte, er habe ihm das Stück am 15. Juli an die Adresse Lopasnja geschickt, da er das Stück aber bis heute nicht zurückerhalten habe, bitte er Čechov, ihm mitzuteilen, ob das Stück angekommen sei und wann er es zurückzuschicken gedenke.

544) *13. 9. 1896 – A.A. Tichonov.* 1666 (1742).
Titel... telegraphisch – das Telegramm an Tichonov ist nicht erhalten.
wohin ich morgen fahre – Čechov fuhr am 16. 9. nach Charkov, am 17. 9. nach Melichovo weiter.
In den ersten Oktobertagen... – vgl. am 12. 9. an G.M. Čechov: ›Am 17. Okt. wird in Petersburg mein neues Stück gespielt. Am 5.–6. Oktober werde ich also bereits in Petersburg sein.‹
Aufsatz von Solovjëv – Vladimir S. Solovjëv, ›Die ›Lyrik Ja.P. Polonskijs‹, Literaturbeilage der ›Niva‹, Nr. 2 und 6, 1896.
wenn Sie Ėrisman veröffentlichen – F.F. Ėrisman, ›Plaudereien über Hygiene‹, in den Lit.-Beilagen der ›Niva‹ Nr. 4, 5, 7 und 8, 1896.

545) *23. 9. 1896 – A.S. Suvorin.* 1672 (1749).
weder zu Tolstoj kommen... – nach Jasnaja Poljana, vgl. Nr. 561.
kommen Briefe von Lugovoj – Pseudonym des ›Niva‹-Redakteurs A.A. Tichonov.
Apollonskij – Roman Borisovič, 1865–1928, Schauspieler des Alexandra-Theaters seit 1881. Spielte im ›Ivanov‹ (1889, Petersburg) den Doktor Lvov. Vgl. dazu, wie auch bei den nachfolgenden Schauspielern, Čechovs Briefe 1889 (Band 1).
Pisarev – Modest Ivanovič, 1844–1905.
Savina – Marija Gavrilovna, 1854–1915, spielte im ›Ivanov‹ 1889 Saša, später die Sarrah, im ›Bär‹ die Popova, im ›Heiratsantrag‹ Natalja Stepanovna.
Varlamov – Konstantin Aleksandrovič, 1848–1915; ihm ist der Einakter ›Tragöde wider Willen‹ gewidmet. Spielte im ›Ivanov‹ 1889 den Lebedev, Čubukov im ›Heiratsantrag‹, 1904 im ›Kirschgarten‹ Simeonov-Piščik.
Čitau – Narija Michajlovna, 1860–1935, spielte in der ›Möwe‹ die Masă.
Sazonov – Nikolaj Fëdorovič, 1843–1902, spielte im ›Bär‹ Smirnov.
Djužikova – Antonina Michajlovna, 1853–1918, spielte in der ›Möwe‹ die Arkadina
die Abarinova – Antonina Ivanovna, 1842–1901, ehemalige Opernsängerin, spielte im ›Ivanov‹ die Babkina.
die Levkeeva – Elizaveta Ivanovna, 1851–1904.

Zur ›Möwe‹-Besetzung vgl. auch Nr. 547, 548.

Die Uraufführung der ›Möwe‹ am 17. 10. fand in folgender Besetzung statt:

Arkadina – A.M. Djužikova
Treplëv – R.B. Apollonskij
Sorin – V.N. Davydov
Nina – V.F. Komissarževskaja
Šamraev – K.A. Varlamov

Polina Andreevna – A.I. Abarinova
Maša – M.M. Čitau
Trigorin – N.F. Sazonov
Dorn – M.I. Pisarev
Medvedenko – Pančin
Jakov – Loktev

Die Benefiziantin, E.I. Levkeeva, nahm an der Aufführung nicht teil.

Miša – M.P. Čechov; ›noch ein Vaudeville‹: ›Das blaue Band‹.

die Laura Marholm – vgl. Nr. 538; Čechov hatte die Absicht, das Stück ›Karla Bühring‹ von Laura Marholm für das Suvorinsche Theater zu bearbeiten.

Karpov – E.P. Karpov, Regisseur am Alexandra-Theater, vgl. Nr. 547, 548.

Cholmskaja – Zinaida Vasiljevna, Schauspielerin am Alexandra-Theater.

546) *23. 9. 1896 – I.L. Leontjev-Ščeglov.* 1671 (1746).

ein tapferer Hauptmann – der Adressat selbst.

das Nördliche Palmyra – Petersburg; Čechov fuhr am 1. 10. nach Moskau, am 8. 10. weiter und kam tags drauf in Petersburg an.

von der Benefiziantin selbst – Scherz, vgl. auch Anm. Nr. 545; für die Rolle der Zarečnaja hatte die Komikerin E.I. Levkeeva niemand vorgeschlagen.

Evtichij Karpov – E.P. Karpov.

»Der Doktor empfängt« – Einakter von I.L. Leontjev-Ščeglov.

Anatolij Aleksandrov – Redakteur und Herausgeber der konservativen Zeitschrift ›Russkoe obozrenie‹, vgl. Nr. 508.

Fudel – Iosif Ivanovič, 1864–1918, Priester und Publizist.

»Der Autor ist nicht im Theater« – Einakter von I.L. Leontjev-Ščeglov, 1891 bereits als Textbuch in der Theaterbibliothek Rassochin erschienen.

547) *29. 9. 1896 – E.P. Karpov.* 1675 (1751).

Davydov vernarrt... – zur Besetzung vgl. Nr. 545.

548) *4. 10. 1896 – E.P. Karpov.* 1678 (1756).

bestätige Ihre Besetzung – E.P. Karpov hatte am 3. 10. an Čechov telegraphiert: ›Sorin – Davydov; Doktor – Pisarev, Lenskij; Verwalter – Varlamov; der Sohn – Apollonskij; Schriftsteller – Sazonov; Medvedenko – Pančin, Petrov; Möwe – Savina; Schauspielerin – Djužikova; Verwaltersfrau – Abarinova; Tochter – Nikitina, Čitau.‹

Aleksej Sergeevič – A.S. Suvorin.

Aleksandra Pavlovna – die Schauspielerin A.P. Nikitina, ab 1899 am Theater des literarisch-artist. Zirkels, Petersburg.

in meiner eigenen Wohnung, Ėrtelev 6 – d.i. im Haus Suvorins, vgl. Nr. 550.

549) *10. 10. 1896 – M.A. Krestovskaja.* 1679 (1757).

Marija Aleksandrovna – vermutlich Versehen Čechovs, als Adressatin des Briefs nennt der Kommentar der 20bändigen Ausgabe die Schriftstellerin und Schauspielerin Marija *Vsevolodovna* K.

Meine Stücke... – erste briefliche Erwähnung einer Buchausgabe der Stücke; die Adressatin hatte am 3. 10. angefragt, wo welche Stücke Čechovs publiziert seien. Der Stücke-Band bei Suvorin erschien April 1897.

550) *12. 10. 1896 – M.P. Čechova.* 1682 (1760).

Natalja Aleksandrovna... – Schwägerin Čechovs, Frau Aleksandr P. Čechovs.

Selitra genannt – russ. ›selitra‹: Salpeter. Auf diesen Namen hatte Čechov das erste Junge getauft, das seine beiden Hunde Brom und China zustandegebracht hatten.

Marija Andreevna – Potapenko, zweite Frau von I.N. Potapenko.

Lika dann... – L.S. Mizinova; vgl. Nr. 520. M.P. Čechova kam am 17. 10. allein, vgl. Nr. 552.

die »Möwe« uninteressant – Proben zur ›Möwe‹ hatten am 9., 11. und 12. 10. stattgefunden.

551) *18. 10. 1896 – A.S. Suvorin.* 1686 (1765).

Stachovič – Michail Aleksandrovič, 1861–1923, Gutsbesitzer, Adelsmarschall des Gouv. Orlov, Mitglied der Reichsduma.

Druck der Stücke – vgl. Nr. 549, 555. Der Stücke-Band erschien im Mai 1897.

den gestrigen Abend – an dem die ›Möwe‹ Premiere hatte.

552) *18. 10. 1896 – M.P. Čechova.* 1687 (1766).

553) *18. 10. 1896 – M.P. Čechov.* 1688 (1767).

554) *19. 10. 1896 – Schaffner des Zuges Nr.* 13. 1689 (1768).

555) *19. 10. 1896 – A.I. Suvorina.* 1890 (1770).

auch nach dem »Ivanov«... – am Alexandra-Theater vom 31. 1. 1889, vgl. Nr. 185.

556) *20. 10. 1896 – Druckerei Suvorin.* 1692 (1771).

557) *22. 10. 1896 – A.S. Suvorin.* 1695 (1775).
bei Romanov gegessen – Restaurant in Petersburg.
Davydov – V.N. Davydov.
Jean – I.L. Leontjev-Ščeglov.
Telegramm von Potapenko – von I.N. Potapenko vom 22. Oktober: ›Großer Erfolg. Vorhänge nach jedem Akt, nach dem vierten viele und Tumult. Komissarževskaja ideal, drei Vorhänge speziell für sie. Rufe nach dem Autor. Erklärung, sei nicht da. Wunderbare Stimmung. Schauspieler bitten, dir ihre Freude mitzuteilen.‹
Veselitskaja (Mikulič) – Lidija Ivanovna, 1857–1936, Schriftstellerin, schrieb unter dem Pseudonym Mikulič; vgl. auch Nr. 561. Čechov schrieb ihr am 11. 11. 1896.
»Almanach T. Filippov« – Tertij Ivanovič, 1825–1899, Staatsmann, Schriftsteller; der ›Almanach T. Filippov‹, erschienen 1896, vereinigte eine größere Anzahl von Aufsätzen zur Literatur.
Stachovič – vgl. Nr. 551.
Aleksej Alekseevič – A.A. Suvorin.

558) *Ende Oktober 1896 – L.S. Mizinova.* 1702 (1783).
Sie schreiben... – in ihrem Brief vom 25. 10. 1896 an Čechov.
den Plan für einen Anhänger – Scherz, vgl. die Szene im III. Akt der ›Möwe‹, wo Nina Trigorin zum Abschied ein Medaillon schenkt, auf dessen Vorderseite der Titel eines Buches von Trigorin und auf dessen Rückseite ›Seite 121, Zeile 11 und 12‹ eingraviert ist; als Trigorin nachschlägt, liest er: ›Wenn du je mein Leben brauchst, so komm und nimm es.‹
Wenn L.S. Mizinova in dem angegebenen Werk, dem Stückekatalog der ›Gesellschaft russischer dramatischer Schriftsteller‹ von 1890 nachschlug, las sie auf Seite 73, erste Zeile den Titel: ›Ignaša der Dummkopf oder Der Wahnsinn aus Versehen‹, Einakter von Kugušev. Anspielung auf L.S. Mizinovas Affäre mit Potapenko; ›Ignaša‹: Koseform von Ignatij.
bei Chlebnikov in Auftrag – Juweliergeschäft in Moskau.
Firma »Saper & Co.« – Saper – Bekannter von L.S. Mizinova; auf den ironischen Satz Čechovs antwortete die Adressatin: ›Saper ist ein sehr guter Mensch, wirklich! Er ist besser als Sie und besser zu den Menschen als Sie! Sie sollten nicht auf ihn herabsehen.‹

559) *1. 11. 1896 – E.M. Šavrova.* 1707 (1790).
Komissarževskaja – V.F. Komissarževskaja.
Alle meine Stücke... als Buch – vgl. Nr. 556, 570, 574; der Stückeband erschien 1897 und enthielt neben den Einaktern die Stücke ›Ivanov‹, ›Die Möwe‹ und ›Onkel Vanja‹.

Am 8. 11. 1896 schrieb Čechov an Suvorin: ›Große Nachfrage nach der »Möwe«. Irgendwelche Liebhaber wollen mit ihr in die Provinz gehen. Sie fordern das Stück an, aber ich habe kein einziges Exemplar, und der Druck des Bandes hat sich in der Druckerei verzögert. Wenn man Ihnen erzählt, daß ich die Korrekturen so lange behielte, glauben Sie es nicht. In den Band kommen 7 Stücke: 4 Einakter und 3 große. Wenn das Buch zu dick werden sollte, könnte man ein großes rauswerfen. Der Preis des Bandes – nach Ihrem Gutdünken. Beim Festsetzen der Auflagenhöhe und des Preises muß man im Auge behalten, daß Stücke auf dem Markt sehr langsam und zäh gehen.‹

ein kaltes Narzanbad – Narzan, für den/das Kislovodsk berühmt war: ›von den Tscherkessen Trank der Helden genannt, ist eine starke kohlensäurehaltige Quelle (12, 7° C; 2½ Millionen Liter in 24 St.), deren Wasser (dem Apollinaris ähnlich) zum Trinken und zum Baden (Bad 75 Kop.) viel benutzt wird‹ (Baedeker, Rußland).

560) *1. 11. 1896 – V. V. Bilibin.* 1709 (1784).

für den Brief – vom 25. 10. 1896, der den großen Erfolg der ›Möwe‹ (3. Vorstellung) beschreibt.

bei Testov Rastegaj – Testov: bekanntes Restaurant in Moskau; ›Rastegaj‹: ›eine Art Pirogen (oben geöffnet, gew. mit Fischfüllsel), die Fischpastete)‹ (Pavlovskij).

Gruzinskij – A.S. Lazarev-Gruzinskij.

Ežov – N.M. Ežov.

Ihre Dienststelle – die Zeitschrift ›Oskolki‹ in Petersburg.

Nr. mit der Karikatur – Nr. 43 der ›Oskolki‹ 1896 enthielt eine Karikatur von N.N. Amalatbekov: Čechov, auf einer fliegenden Möwe sitzend, während unten, im Sumpf, die Jäger-Kritiker auf ihn anlegen.

Buch, pour les enfants – im Orig. franz. ›für die Kinder‹; Čechov schickte die illustrierte Ausgabe von ›Kaštanka‹.

561) *1. 11. 1896 – V. M. Lavrov.* 1703 (1786).

in meinem Brief an V. A. – V. A. Golvec; dieser Brief ist nicht bekannt; am 25. 10. 1896 hatte L.S. Mizinova an Čechov geschrieben: ›Übrigens hat er, Golvec, mich gebeten, Ihnen zu schreiben, daß sie Sie dringend bäten, die ›Möwe‹ im Dezemberheft zu veröffentlichen. Er habe Ihnen das schon vor langer Zeit geschrieben, aber keine Antwort erhalten.‹

ein Stück taugt nicht für eine Zeitschrift – da das Russische keinen Unterschied macht zwischen bestimmtem und unbestimmtem Artikel, kann dieser Satz auch lauten: ›das Stück taugt nicht für die/eine Zeitschrift.‹ Čechov hatte des öfteren die Ansicht vertreten, Stücke sollten nicht gedruckt werden, z. B. im Falle des ›Waldschrat‹.

Feliksov – Nikolaj Andreevič, Schulinspektor; der erwähnte Aufsatz erschien in Fortsetzungen in der ›Russkaja mysl‹, in den Heften IX, X und XI.

Veselitskaja – Lidija Ivanovna, vgl. Anm. Nr. 557.

Sei mir nicht böse wegen der »Möwe« – vgl. Nr. 567; am 7. 12. Čechov an Suvorin: ›Die »Möwe« wird im Dez.-Heft der ›Russkaja mysl‹ gedruckt. So wollten es die Redakteure. Darum kann sich die Druckerei mit dem Setzen Zeit lassen. Soll sie zuerst das Stück »Onkel Vanja« setzen. Kann man es nicht im ganzen setzen? Wenn man es im ganzen liest, kann man es leichter korrigieren und entscheiden, ob es sich lohnt, eine Novelle daraus zu machen. Ach, warum habe ich Stücke geschrieben und nicht Novellen! Sujets sind da zugrundegegangen, sinnlos zugrundegegangen, mit Skandal, unproduktiv.‹

562) *2. 11. 1896 – A.S. Suvorin.* 1711 (1792).

das neue Buch... – erschien 1897 und enthielt nur die Novellen ›Die Bauern‹ und ›Mein Leben‹.

die Novelle, die in der »Niva«... – ›Mein Leben‹.

Konstantin Semënovič – K.S. Tyčinkin, Chef der Druckerei Suvorin.

Stachovič – vgl. Nr. 551, 545.

Schauspieler Garin – Dmitrij Viktorovič Garin-Vinding, gest. 1921, Schauspieler, Schriftsteller, Verfasser einiger Theaterstücke sowie des Buchs ›Die Fehler des Theaters‹.

Zeitschrift »Teatral« – ›Der Theaterfreund‹, illustrierte Zeitschrift, erschien 1895–1898 in Moskau, hrsg. von F. A. Kumanin und, nach dessen Tod, von A.S. Sergeev.

habe dem Autor geschrieben – am 2. 11. 1896: ›Schicken Sie Suvorin alle bereits erschienenen Bogen, ich bin überzeugt, daß ihm Ihre Arbeit, wenn er dazukommt und Lust hat, sie zu lesen, gefallen wird. Ich werde ihm heute davon schreiben, und Sie schicken ihm sie in 1–2 Tagen‹.

Wieviele Briefe ich bekomme! – vgl. Čechovs Antworten vom 1. 11.; an diesem Tage schrieb er ferner an N.I. Korobov, V.N. Semenkovič, G.M. Čechov, M.P. Čechova.

Miša – Michail P. Čechov.

563) *7. 11. 1896 – E.M. Šavrova.* 1718 (1800).

schöne Maske – Anspielung auf den letzten Brief der Adressatin, der unterzeichnet war mit: ›Eine aus dem Publikum‹.

Mögen die Liebhaber... – E.M. Šavrova hatte am 4. 11. mitgeteilt, daß eine Gruppe von Liebhabern, ›(ernsthaften, glauben Sie mir)‹, und Schauspielern den Wunsch habe, die »Möwe« in Serpuchov und Tver aufzuführen, und um Genehmigung dieses Vorhabens gebeten.

werde Ihnen die Korrektur... – ob Čechov der Adressatin die Fahnen geschickt hat, ist unbekannt.

»Caesars Frau« – Erzählung der Adressatin, vgl. Nr. 568; die Erzählung erschien im Dezemberheft der ›Russkaja mysl‹ von 1897.

Alexandrinka – familiär-umgangssprachlich für: das Alexandratheater, Petersburg.

564) *9. 11. 1896 – T. L. Tolstaja.* 1721 (1804).

meine Rückkehr von der Krim – im September 1896; der Brief, auf den Čechov antwortet, datiert vom 20. 8. 1896.

Jasnaja Poljana – Landsitz der Familie Tolstoj.

Lev Nikolaevič – L. N. Tolstoj.

565) *11. 11. 1896 – A. F. Koni.* 1722 (1806).

wie sehr ich mich über Ihren Brief... – vom 7. 11. 1896. Dieser Brief lautete: ›Sehr geehrter Anton Pavlovič!

Mein Brief wird Sie vielleicht in Erstaunen setzen, aber ich kann es mir, obwohl ich in Arbeit versinke, nicht versagen, Ihnen zu schreiben anläßlich Ihrer »Möwe«, die zu sehen ich mir endlich die Zeit genommen habe. Ich hörte (von der Savina), daß die Reaktion des Publikums auf dieses Stück Sie sehr betrübt habe... Erlauben Sie einem aus dem Publikum, – vielleicht einem Laien in der Literatur und der dramatischen Kunst, aber einem, der das Leben aus seiner Dienstpraxis kennt, – Ihnen zu sagen, daß er Ihnen dankt für den hohen Genuß, den Sie ihm mit Ihrem Stück bereitet haben. »Die Möwe« ist ein Werk, das durch seine Idee, die Neuartigkeit des Denkens, die einfühlsame Beobachtung der Lebenssituationen aus der Reihe fällt. Das ist das Leben selbst auf der Bühne, mit seinen tragischen Verknüpfungen, seiner beredten Gedankenlosigkeit und seinen schweigsamen Leiden, – das alltägliche, allen zugängliche und von fast niemandem in seiner inneren grausamen Ironie verstandene Leben, – das uns allen derart zugänglich und nahe ist, daß man zuweilen vergißt, daß man im Theater sitzt, und fähig wäre, selbst an dem dort vorn geführten Gespräch teilzunehmen. Und wie gut ist der Schluß! Wie lebenswahr es ist, daß nicht sie, die Möwe, sich das Leben nimmt (was ein durchschnittlicher Dramatiker, der auf die Tränenseligkeit des Publikums spekuliert, unbedingt getan hätte), sondern der junge Mann, der in einer abstrakten Zukunft lebt und »nicht versteht«, weshalb und wozu dies alles um ihn her geschieht. Und daß das Stück plötzlich abbricht und es dem Zuschauer überläßt, die matte, träge und vage Zukunft selbst zu Ende zu zeichnen – gefällt mir sehr. So enden oder, besser gesagt, schlagen epische Werke um. Ich spreche nicht von der Darstellung, in der die Komissarževskaja wundervoll ist, während Sazonov und Pisarev, wie mir scheint, ihre Rollen nicht begriffen haben und nicht spielen, was Sie darstellen wollten.

Sie werden vielleicht dennoch erstaunt die Achseln zucken. Was geht Sie meine Meinung an, und wozu schreibe ich das alles. Ich will es Ihnen sagen: ich liebe Sie für jene Augenblicke der seelischen Regungen, die mir Ihre Werke bereitet haben und bereiten, und ich will Ihnen von fern und aufs Geratewohl ein Wort der Sympathie sagen, das Sie vielleicht ganz und gar nicht nötig haben.

Ihr sehr ergebener A. Koni.‹

mehr als allen Kritiken... – vgl. hierzu Brief und Anm. Nr. 574.

566) *20. 11. 1896 – L.S. Mizinova.* 1732 (1818).

567) *20. 11. 1896 – V.I. Nemirovič-Dančenko.* 1734 (1819).

einen Riesenmißerfolg – Nemirovič-Dančenko hatte Čechov am 11. 11. geschrieben, er habe gehört, daß die ›Möwe‹ in Petersburg durchgefallen wäre, inzwischen habe aber A.I. Sumbatov-Južin die 4. Vorstellung gesehen und berichtet, die Regie sei einfach unmöglich, der Regisseur habe das Stück nicht verstanden und deshalb habe das Stück keinen Erfolg haben können. ›Was hat Karpov bloß gemacht? Wo hat er seinen literarischen Geschmack gelassen? Oder hat er ihn tatsächlich nie besessen?‹

Sumbatov – A.I. Sumbatov-Južin.

Lavrov und Golcev haben darauf bestanden – Čechov war am 17./18. 11. in Moskau gewesen, wahrscheinlich hatten ihn V.M. Lavrov und V.A. Golcev während dieses Aufenthalts bestürmt, die ›Möwe‹ in der ›Russkaja mysl‹ zu publizieren.

Eurer Philharmon. Gesellschaft – in Moskau, wo Nemirovič-Dančenko das dramatische Fach unterrichtete.

Ekaterina Nikolaevna – Ehefrau des Adressaten.

568) *20. 11. 1896 – E.M. Šavrova.* 1735 (1820).

den Boccaccio gekauft – eine 10 Rubel teure Luxusausgabe des ›Dekameron‹, vgl. Nr. 569.

die Erzählung – ›Caesars Frau‹, die die Adressatin Čechov am 17. 11. in Moskau übergeben hatte, erschien dann in Heft XII, 1897 in der ›Russkaja mysl‹.

Šapir – meint die Schriftstellerin Olga Andreevna Šapir, 1850–1916, ›Antipoden‹ 1880, ›Fata morgana‹ 1889, ›Liebe‹ 1896 u.a.

569) *24. 11. 1896 – P.F. Iordanov.* 1738 (1823).

schicke Ihnen Frachtbrief und die Bücher... – vgl. Nr. 527.

»Germinal« – Roman von E. Zola, russ. erschienen 1894.

Sudermann – Hermann, 1857–1928, deutscher Schriftsteller und Dramatiker.

Leskov – N. S. Leskov.

Dieser Band ist verboten – der 6. Band der Leskov-Ausgabe bei A. F. Marks, Petersburg, erschienen 1897 (bereits Ende 1896 fertig), enthielt die ›Familienchronik der Fürsten Protazanov‹, die Erzählung ›Schafochs‹, sowie den Zyklus ›Alte Jahre im Dorf Plodomasovo‹; wie lange dieser Band verboten war, wird nicht mitgeteilt.

Maupassant – eine 12bändige M.-Ausgabe war 1894 erschienen, 2. Aufl. 1896.

Nazarjeva – Kapitolina Valerianovna, geb. 1847, Schriftstellerin und Dramatikerin; welche beiden anderen Werke sie Čechov geschickt hatte, ist ungeklärt; Čechovs Brief an K. V. Nazarjeva ist nicht überliefert.

Bruder Vasilij – Vasilij I. Nemirovič-Dančenko, 1848–1936, Schriftsteller.

Vladimir und Lavr Korolenko – Vladimir: V. G. Korolenko; Lavr Galaktionovič Korolenko, Bruder V. G. Korolenkos.

Vengerov – Semën Afanasjevič, 1855–1920, Kritiker, Literaturhistoriker, gab seit 1886 ein ›Kritisch-Biographisches Wörterbuch der russischen Literatur‹ heraus (6 Bände, bis 1904), das unvollendet blieb; ebenfalls unvollendet blieb das bibliographische Werk, auf das Čechov hier anspielt, ›Russische Bücher‹, I–III, 1897–1899.

Nachschlagewerke im Dezember … – am 17. 12. brachte Čechov eine weitere Büchersendung auf den Weg, ohne Antwort von P. F. Iordanov erhalten zu haben, die Bücher betreffend.

In Taganrog meine »Möwe« gespielt? – Iordanov am 12. 12. an Čechov, die ›Möwe‹ sei sehr schön und mit großen Erfolg gespielt worden, nicht nur in Taganrog, sondern auch in Rostov-am-Don und in Novočerkassk.

nach Kiev geschickt – an den Schauspieler, Regisseur und Theaterunternehmer N. N. Solovcov, der seit 1891 ein eigenes Theater in Kiev leitete; Solovcov hatte dort 1891 ›Bär‹ und ›Hochzeit‹ inszeniert, am 12. November 1896 die ›Möwe‹, 1897 ›Ivanov‹, 1898 ›Onkel Vanja‹ und 1901 ›Drei Schwestern‹. Über die ›Möwe‹-Aufführung erschienen mehrere Kiever Kritiken, über die wiederum in den Zeitungen der Hauptstädte berichtet wurde.

Sache mit der Apotheke – am 3. 10. 1896 hatte Iordanov Čechov geschrieben, daß sich Komplikationen ergeben hätten im Zusammenhang mit den Räumlichkeiten für die Bibliothek: ›So merkwürdig es auch sein mag, die Frage nach der Räumlichkeit für die Bibliothek befindet sich in direkter Abhängigkeit von der Frage, wie das Problem der Apotheke gelöst wird.‹

Ragozin – Lev Fëdorovič, Beamter, Direktor des Medizinischen Departements beim Innenministerium

Evtuševskij – A. P. Evtuševskij, der Čechov gebeten hatte, ihm behilflich zu sein beim Finden einer Anstellung in Taganrog.

Čackij – Held der klassischen Komödie ›Verstand schafft Leiden‹ von A. Griboedov.

570) *25. 11. 1896 – A. S. Suvorin.* 1740 (1824).

Jean Ščeglov – I. L. Leontjev-Ščeglov; »Kokoresvskoe podvorje«: Hotel in Moskau.

Kontrakt zur Unterschrift – vgl. weiter Nr. 573.

Ihre Vorstellung – im Theater des Lit.-Artist. Zirkels, Ende November, Premiere des Stückes ›Zerstörung‹ von P. P. Gnedič.

Ivanov – Pëtr Ivanovič, Verwalter auf dem Gut der Fürsten Barjatinskij.

571) *26. 11. 1896 – V. I. Nemirovič-Dančenko.* 1741 (1825).

wie mit Lugovoj... – Lugovoj: Pseudonym von A. A. Tichonov.

mein Freund Sergeenko – P.A. Sergeenko.

572) *2. 12. 1896 – E. M. Šavrova.* – 1747 (1834).

Ihre Weihnachtsgeschichte – ungeklärt, um welche Erzählung der Adressatin es sich handelt.

573) *2. 12. 1896 – A. S. Suvorin.* 1746 (1833).

Wenn im Frühjahr Krieg ausbricht – Ende 1896 erwartete man allgemein den Ausbruch eines Konflikts zwischen England und Rußland wegen der englischen Nahostpolitik.

à la Vronskij – vgl. den Roman ›Anna Karenina‹ von L.N. Tolstoj.

was für ein Dučinskij – um welches Stück es sich handelt, ist ungeklärt; der dichtende Beamte auf Sachalin, vgl. ›Die Insel Sachalin‹, Kapitel II, dort nur als ›D‹.

Skalkovskij – K.A. Skalkovskij, Bergbauingenieur.

Parodie auf »Borodino« – berühmte Ballade von Michail Ju. Lermontov auf die Schlacht von Borodino, 1812; geschrieben 1837.

Beiliegenden Korrespondentenbericht – von V.N. Semenkovič, erschien am 6. 12. im ›Novoe vremja‹ unter dem Titel ›Aus dem Kreis Serpuchov‹, handelte von der zu verlegenden Chaussee zwischen Lopasnja und dem Dorf Chotun.

Neffe von Fet – A.A. Fet.

noch niemandem auf der Welt bekannte »Onkel Vanja« – erschien 1897 in dem Band ›Stücke‹, Petersburg, Verlag Suvorin. Erste Erwähnung des Stücks, nachdem Čechov den ›Waldschrat‹ 1889 verworfen hatte; wann Čechov den ›Waldschrat‹ zum ›Onkel Vanja‹ umgearbeitet hat, ob noch 1889 oder Oktober/November 1896, ist ungeklärt. Der ›Stücke‹-Band bei Suvorin enthielt die Einakter ›Der Bär‹, ›Der Heiratsantrag‹, ›Ivanov‹, die ›Möwe‹ und ›Onkel Vanja‹.

zu dem Vertrag – vgl. Nr. 570, sowie weitere Briefe 1897.

Karpov – E.P. Karpov, Regisseur am Alexandra-Theater.

am 18. Oktober bereits in Ljuban – Station an der Eisenbahnstrecke Petersburg-Moskau.

Gnedič – P.P. Gnedič; die ›Brennenden Briefe‹ waren 1886 am Alexandratheater aufgeführt worden.

Ežov – N.M. Ežov.

Gorbunov – Ivan Fëdorovič Gorbunov, ca. 1825–1895, Schauspieler, Erzähler, Dramatiker; ›Am Fluß‹ Szene aus dem Volksleben.

Michajlov – Michail Adolfovič, 1843–1914, Schauspieler, wie die nachfolgenden: Schauspieler am Theater des Lit.-Artist. Zirkels in Petersburg.

Orlenev – Pavel Nikolaevič (Orlov), 1869–1932, Schauspieler.

Domaševa – Marija Petrovna, 1875–1952, Schauspielerin.

574) *14. 12. 1896 – A.S. Suvorin.* 1754 (1842).

den einen in Moskau – wo Čechov am 11./12. 12. gewesen war und sich mit E.M. Šavrova und L.S. Mizinova getroffen hatte.

Lejkin Anlaß, mir in einem Brief... – vom 27. 10., in dem Lejkin schrieb, wie empört ›wir, Ihre Freunde‹ über die Rezensenten waren! Sie haben doch schon nach dem ersten Akt angefangen zu zischen, sind die Korridore auf- und abgelaufen und haben mit Aplomb gerufen: »Wo ist hier die Handlung! Wo sind hier Typen? Nichts als Geschwätz«, – und haben auf diese Weise den Mißerfolg der Premiere geradezu vorbereitet.‹

der »Nedelja« Anlaß zu fragen... – vom 27. 10. 1896, in dem Artikel ›Gedanken und Begegnungen. IV‹ von V.G., der u. a. schrieb: ›Wem hat Čechov denn so etwas Böses getan, wen hat er so beleidigen, wen so stören können, um diese Bosheit zu ernten, die ihm auf einmal von irgendwo entgegenschlug? Reicht es etwa hin, talentiert, beliebt, berühmt zu sein?‹

dem »Teatral« (Nr. 95), einen ganzen Bericht... – von S.T. (›Petersburger Briefe. Das Alexandra-Theater. Premiere der »Möwe«‹), der u. a. schrieb: ›Es war eine Art Verhöhnung des Autors und der Schauspieler, eine Art unbändiger Schadenfreude seitens eines Teils des Publikums, so als sei der Zuschauersaal zur Hälfte überfüllt mit den ärgsten Feinden des Hrn. Čechov...‹

dennoch kann ich nicht vergessen... – am 11. 4. 1890 Čechov an Suvorin: ›Ich bin im »Verführer von Sevilla« gewesen, Maslov dagegen hat sich alle Mühe gegeben, nicht in den »Ivanov« zu gehen und ständig den Anschein zu erwecken, er sei nicht dringewesen, woraus ich aber nicht den Schluß ziehe, daß man in Petersburg nicht wisse, wie man Kollegen unterstützt. Einen Kollegen unterstützen heißt applaudieren; anfangen zu applaudieren heißt, das Protestzischen seitens der Nichtkollegen provozieren.‹

Ihren Kalender – den ›Russischen Kalender‹, der jährlich im Verlag Suvorin erschien.

die Zeitschrift »Chirurgija« – vgl. dazu auch Čechovs Briefe über das Schicksal der ›Chirurgičeskaja letopis‹; vgl. Nr. 579.

Prof. Djakonov - P.I. Djakonov.

Sytin – I.D. Sytin.

»Bankrotteure« – ›Der Bankrott‹, Stück von Björnstjerne Björnson, das am Theater des Lit.-Artist. Zirkels gezeigt wurde.

Dalmatov – Vasilij Pantelejmonovič, Schauspieler am Theater des Lit.-Artist. Zirkels.

Michajlov – M.A. Michajlov.

sammle Material für ein Buch... – Čechov hat diesen Plan nicht realisiert, vielmehr hat er das gesammelte Material im Juni 1897 dem Schriftsteller N.M. Ežov angetragen.

575) *18. 12. 1896 – F.O. Šechtel.* 1757 (1846).

Volkszählung – die Volkszählung aus dem Jahr 1897, die Januar 1897 begann, vgl. Nr. 579 f.

Levitan ist ernstlich krank – am 20. 12. fuhr Čechov für 3 Tage nach Moskau, besuchte I.I. Levitan dort, notierte in seinem Tagebuch: ›Levitan hat Erweiterung der Aorta. Trägt einen Lehmverband auf der Brust. Hervorragende Skizzen und leidenschaftlicher Durst nach Leben.‹

I.I. Levitan starb am 22. Juli 1900 an Lungentuberkulose.

576) *27. 12. 1896 – L.S. Mizinova.* 1763 (1852).

da Sie kommen – L.S. Mizinova kam am 31. 12. in Begleitung des Malers P.I. Seregin.

1897

577) *1. 1. 1897 – E.M. Šavrova.* – 1766 (1853).

der Moskauer Offizier... – ungeklärt, wen Čechov meint.

schreibe und streiche – Čechov arbeitete an der Erzählung ›Die Bauern‹, die, vgl. weiter unten, in Heft IV (April) der ›Russkaja mysl‹ erschien.

in spe – latein., wörtlich ›in der Hoffnung‹, in Zukunft; dem Sinne nach ›die vor der Tür steht‹.
werden die Liebhaber ... spielen – vgl. Nr. 563, 585.

578) *4. 1. 1897 – A. S. Suvorin.* 1769 (1857).
erste Nummer der »Rus« – ›erste Nummer‹ des Jahres 1897; die Tageszeitung ›Rus'‹ (Rußland) erschien ab 1894 in Petersburg, ab 1896 herausgegeben von V. P. Gajdeburov, Redaktion: S. N. Syromjatnikov.
Achmylov – A. K. Achmylov, Chef der Petersburger Buchhandlung des ›Novoe vremja‹.
Gajdeburov – Vasilij Pavlovič, geb. 1866, Journalist, Sohn des 1893 verstorbenen Herausgebers der ›Nedelja‹, P. A. Gajdeburov.
in status quo – latein. ›im selben Zustand wie vorher‹, unverändert.
Anna Ivanovna – A. I. Suvorina.
Mit diesem Stück verbindet sich ... – vgl. Nr. 574 und Anm.
Sofja Ivanovna – Schwägerin des Adressaten, S. I. Smirnova-Sazonova.
Ihr Brief über Grinmut – Suvorins ›Kleiner Brief‹ im ›Novoe vremja‹ vom 24. 12. 1896, in dem sich Suvorin kritisch mit den fortschrittlichen Leitartikeln des Herausgebers und Redakteurs der Zeitung ›Moskovskie vedomosti‹, V. A. Grinmut, auseinandersetzt.
Brief über die Studentenunruhen – vom 7. 12. 1896, in dem Suvorin ein wohlwollend-liberales Verhältnis gegenüber der studierenden Jugend fordert.

579) *11. 1. 1897 – A. S. Suvorin.* 1776 (1886).
Die »Chirugija« ist genehmigt – eine Ankündigung der ersten Nummer der neuen Fachzeitschrift erschien im ›Novoe vremja‹ vom 16. 1. 1897.
Denisenko – Arzt in Brjansk; die hier beschriebene Heilmethode wurde auf dem nächsten Pirogov-Kongreß der Russischen Ärztegesellschaft als unwirksam verworfen.
Aleksej Petrovič – A.P. Kolomnin.
was ist mit dem »Luč« – am 8. 1. 1897 war im ›Novoe vremja‹ das Erscheinen einer neuen Zeitung diesen Titels (Der Strahl) angekündigt, Verlag A. Volf, Redaktion Čujko.

580) *17. 1. 1897 – A. S. Suvorin.* 1784 (1873).
Im Panaev-Theater ... bleiben – A. S. Suvorin hatte in Petersburg für eine Spielzeit das Panaev-Theater als Spielstätte des Lit.-Artist. Zirkels gemietet.
furchtbar viel zu tun – mit der Volkszählung, mit eigener literarischer Arbeit, Čechov schrieb an den ›Bauern‹, korrigierte den Stücke-Band, vgl. dazu Nr. 581.

wichtig vor allem für mich – Čechov wollte sich in Petersburg, wie die russ. Ausgabe mitteilt, um die Genehmigung kümmern, eine eigene Zeitung herausgeben. V. A. Golcev am 31. 12. 96 an Čechov: ›Und wann fährst du nach Petersburg? Man muß sich um die Zeitung kümmern. Ich möchte Sie schrecklich gern.‹

Chavkin – Vladimir Markovič, 1860–1930, Arzt, Bakteriologe; Schüler Pasteurs, der 1893–1896 in Indien Methoden der Seuchenbekämpfung erforschte.

Uhr von Aleksej Petrovič – vgl. Nr. 579.

581) *18. 1. 1897 – Druckerei Suvorin.* 1785 (1876).

»Möwe«-Korrekturen – für den Stückeband.

Bogen des »Krankensaals Nr. 6« – für die 5. Auflage der Einzelausgabe.

582) *23. 1. 1897 – N. M. Ežov.* 1791 (1881).

sich mit ihm treffen – am 1. 2. schrieb Ežov an Čechov: ›Vor ein paar Tagen war Doktor Korobov bei mir, und wir sind so verblieben: sowie Sie nach Moskau kommen, – geben Sie mir Nachricht; ich komme dann zu Ihnen und wir besprechen, wann Sie, Hr. Korobov und ich zusammentreffen und über die sympathische Sache sprechen können, die die Unterstützung der Presse verdient ...‹

583) *27. 1. 1897 – F. O. Šechtel.* 1794 (1888).

werde nach Petersburg fahren – am 24. 1. hatte der Adressat an Čechov geschrieben: ›Tretjakov möchte sehr gern wissen, wann Sie in Moskau sind und ob Sie für eine mehr oder weniger lange Zeit nach Petersburg kommen, überhaupt möchte er in seine Gemäldegalerie sehr gern Ihr Porträt haben (ich glaube, gemalt von Repin).‹

Tretjakov – P. M. Tretjakov, berühmter Kunstsammler und Mäzen in Moskau.

Repin – I. E. Repin.

584) *30. 1. 1897 – V. I. Jakovenko.* 1795 (1889).

Ihr Brief im »Vrač« – Leserbrief in der medizinischen Zeitung ›Vrač‹ (Der Arzt) Nr. 4, 1897; Jakovenko war auf dem VI. Ärztekongreß in eine Kommission gewählt worden, die sich mit den Auswirkungen körperlicher Strafen auseinandersetzen sollte. Der Leserbrief enthielt die Aufforderung an die Leser, Fälle von körperlicher Strafe, Züchtigung etc. zu beschreiben und an die Kommission zu schicken.

Jadrincev – N. M. Jadrincev, 1842–1894, Ethnograph und Archäologe, Sibirienforscher, Autor einiger Arbeiten über die Lage der Strafgefangenen. Hinweise auf Jadrincev in der ›Insel Sachalin‹, Kapitel XXI, vgl. detebe Nr. 50/XX, S. 339.

Dr. Haas – Fëdor Petrovič, bzw. Friedrich Joseph, 1780–1853, deutscher Mediziner in russischen Diensten seit 1806, berühmt geworden als Leiter des Moskauer Gefängniskrankenhauses; die erwähnte Biographie von A.F. Koni erschien 1897 in Petersburg.

Kistjakovskij – A.F. Kistjakovskij, 1833–1885, bekannter Kriminologe; seine ›Abhandlung über die Todesstrafe‹ (1867) war 1896 neu aufgelegt worden.

Nadežda Fëdorovna – Ehefrau des Adressaten.

Genike und Vasiljev – Genike, eigentl. Genika, Evgenij Aleksandrovič, geb. 1861; Vasiljev, Vasilij Ivanovič, geb. 1861, Ärzte im Nervensanatorium in Pokrovsko-Meščerskoe.

585) *2. 2. 1897 – E. M. Šavrova.* 1796 (1891).

Antwort des »Ältestenrats« – in dem, vermutlich, der Tag für die Aufführung festgesetzt worden war, gilt als verloren. Die Adressatin am 4. 2. an Čechov: ›Wir waren sehr froh über Ihren Brief. Jetzt fangen wir an, uns zu kümmern.‹

Serikov – Ivan Mitrofanovič, 1867–1929, Sekretär der Zemstroverwaltung von Serpuchov.

Trutovskij – Sergej Konstantinovič, Steuerinspektor in Serpuchov. Sohn des bekannten Malers Konstantin Aleksandrovič Trutovskij, 1826–1893.

die Vorstellung – der ›Möwe‹, vgl. Nr. 563, 577.

586) *4. 2. 1897 – M. P. Čechov.* 1798 (1895).

der »Waldschrat« darf nicht... – Čechovs Bruder hatte geschrieben, in Jaroslavl, wo er damals lebte, werde eine Inszenierung des Stücks geplant.

einer gewissen Person – O. G. Čechova, Frau des Adressaten.

zum Kaffeesatz – Scherz, Wortspiel mit dem Namen des Wohnungsnachbars von M. P. Čechov in Jaroslavl; ›Gušča‹ – russ. ›Bodensatz, Hefe‹.

587) *8. 2. 1897 – A. S. Suvorin.* 1805 (1901).

I.A. Chlestakov – vgl. die Komödie ›Der Revisor‹ von N.V. Gogol.

baue schon wieder eine Schule – nach der 1896 im Dorf Talež fertiggestellten nun eine im Dorf Novoselki nahe Melichovo.

haben Sie den Vertrag... vgl. dazu weiter Nr. 590.

Hannele-Ozerova – Ljudmila Ivanovna Ozerova, Schauspielerin am Theater des Lit.-Artist. Zirkels, hatte in ›Hanneles Himmelfahrt‹ von G. Hauptmann die Titelrolle gespielt. Notiz aus Čechovs Tagebuch 1897: ›22. Febr.‹

Die Astronomin – O.P. Kundasova.

Ključevskij – Vasilij Osipovič, 1841–1911, Historiker, Professor an der Universität Moskau.

Čertkov – V.G. Čertkov; die erwähnte Haussuchung hatte sich am 2. 2. 1897 in den Wohnungen von Čertkov und P.I. Birjukov abgespielt.

Pobedonoscev – Konstantin Petrovič, 1827–1907, Jurist, Politiker, Oberstaatsanwalt des Heiligen Synod.

Goremykin – Ivan Loginovič, 1839–1917, russischer Politiker, Innenminister in den Jahren 1895–1899.

Chilkov – Fürst Dmitrij Aleksandrovič, 1850–1914, Tolstojaner, Publizist.

588) *12. 2. 1897 – E. M. Šavrova.* 1809 (1905).

die Redaktion – der Zeitschrift ›Russkaja mysl‹.

Ihre Novelle – ›Caesars Frau‹, vgl. Nr. 568.

junger Mann (Zivilist) – im Unterschied zu dem ›Offizier‹, einem Verehrer der Adressatin. Nach Beendigung der Volkszählung war Čechov am 6. 2. nach Moskau gefahren und dort bis zum 22. Februar geblieben.

Am 20. 2. an E. M. Šavrova: ›Wenn Sie wüßten, wie gern ich schlafen möchte, und wie erschöpft ich bin von den Jubiläumsdiners.‹

589) *25. 2. 1897 – A. L. Selivanova-Krauze.* 1813 (1909).

Maša – M.P. Čechova.

Bei dem Diner vom 19. Februar – Jubiläumsdiner im ›Kontinental‹, vgl. Tagebuchnotiz Čechovs vom 19. 2.: ›Essen im »Kontinental« zum Gedächtnis an die große Reform. Langweilig und unsinnig. Essen, Champagner trinken, Lärm, Reden halten zum Thema vom Bewußtsein des Volkes, dem Gewissen des Volkes, der Freiheit usw., während gleichzeitig rund um den Tisch Sklaven in Fräcken sitzen, dieselben Leibeigenen, und auf der Straße in der Kälte die Kutscher warten, – das bedeutet, den heiligen Geist belügen.‹

590) *Ende Februar – Al. P. Čechov.* 1816 (1914).

»Syn otečestva« mit dir abgerechnet – Zeitschrift ›Der Sohn des Vaterlands‹; am 24. 2. hatte Aleksandr geschrieben: ›Ich habe 1800 R. Jahreseinkommen verloren. Der ›Hundesohn des Vaterlands‹, der mir diese Summe zahlte, ist in andere Hände übergegangen, und mich hat man davongejagt, als schlechten Schriftsteller.‹

Tyčinkin – K.S. Tyčinkin.

Jetzt eine Bitte – vgl. dazu Nrr. 570, 573.

Čechov am 11. 3. an Aleksandr: ›Man muß sich mühen. Geh darum ins Kontor der Kaiserlichen Theater und sag, man solle mir den Vertrag zur Unterschrift schicken, und erkläre, daß den bereits unterschriebenen Vertrag der gute Hr. Suvorin verloren habe.‹

Čechov am 12. 4. an Aleksandr: ›Das Theaterkontor schickt und schickt mir das Geld nicht. Ich habe den unterschriebenen Vertrag längst abgeschickt, auch die 1 R. 25 Kop., und sie schicken und schikken es nicht.‹

Čechov am 20. 5. an Aleksandr: ›Das Honorar habe ich vom Theaterkontor immer noch nicht bekommen und werde es wahrscheinlich nie bekommen, obwohl ich bereits ein Telegramm geschickt habe...‹

591) *1. 3. 1897 – A.S. Suvorin.* 1819 (1915).

in Moskau ... etwa 20 Tage – vom 6. bis zum 22. 2.

auf den Schauspielerkongreß – Allrussischer Kongreß der Bühnenbeschäftigten, einberufen von der Russischen Theatergesellschaft zum Zweck einer allgemeinen Bestandsaufnahme zur Lage des Theaters in Rußland, wurde am 9. 3. 1897 in Moskau eröffnet.

Projekt eines riesigen Volkstheaters – vgl. Nr. 531; über den Plan des Volkspalasts hatte Čechov, der Adressat u. a. am 16. 2. in der ›Russkaja mysl‹-Redaktion konferiert.

Neulich in Serpuchov – vgl. die Briefe an E.M. Šavrova; die Vorstellung hatte am 22. 2. stattgefunden und, zugunsten der Schule, 101 Rubel erbracht.

Der Maler Levitan – I.I. Levitan, vgl. Nr. 575 und Anm. Am 4. 3. fuhr Čechov erneut nach Moskau, und schrieb am 7. 3. an F.O. Šechtel: er habe Levitan abgehört, es stehe schlecht um ihn, ›sein Herz klopft nicht, sondern es faucht. Statt des tuk-tuk hört man pf-tuk.‹

eine Novelle aus dem bäuerlichen Leben – ›Die Bauern‹, erschien in Heft IV der ›Russkaja mysl‹.

Petersburg, um eine bestimmte Sache – vgl. Briefe Nr. 583, 592.

meinen Bruder bevollmächtigt... – vgl. Nr. 590.

592) *11. 3. 1897 – V.F. Komissarževskaja.* 1820 (1924).

man ruft mich dorthin – vgl. Nr. 583, 593.

Für die Photographie... – mit einem undatierten Brief (Vermerk Čechovs: ›III/97‹) hatte V.F. Komissarževskaja geschrieben: ›Ich schicke Ihnen einen Kopf aus der ›Möwe‹ aus jedem Akt, die übrigen nicht – es war dunkel und ich war an dem Tag höllisch nervös.‹

593) *11. 3. 1897 – I.Ė. Braz.* 1828 (1923).

Mein Freund Levitan – hatte am 2. 3. an Čechov geschrieben, der Galeriebesitzer P.M. Tretjakov sei eben bei ihm gewesen und habe von ihm wissen wollen, wann er, Čechov, nach Petersburg fahren könne, um sich von I.Ė. Braz malen zu lassen; Braz lebe in Petersburg. ›Er

möchte dich leidenschaftlich gern malen. Er hat Tretjakov versprochen, dich nicht lange zu quälen. Antworte rasch...‹
Čechov hatte sich darauf, in Unkenntnis der Adresse von Braz, an F.O. Šechtel gewandt, der ihm die Adresse schickte.

ein Zemstvobau – meint den Schulneubau im Dorf Novoselki.

594) *15. 3. 1897 – V.A. Golcev.* 1830 (1928).

komme am 20. März – nach Moskau. Am 18. 3. an Golcev: ›Deinen letzten Brief bekam ich, nachdem ich die Novelle bereits abgeschickt hatte.‹ Die Novelle – ›Die Bauern‹.

595) *18. 3. 1897 – L.A. Avilova.* 1833 (1930).

vor dem 26. März – Čechov fuhr am 22. 3. nach Moskau; lt. Tagebuch von E.P. Čechov bereits am 21., war aber wegen eines plötzlichen Blutsturzes die Nacht auf den 22. 3. noch zu Hause geblieben.

596) *22. 3. 1897 – N.N. Obolonskij.* 1841 (1940).

597) *24. 3. 1897 – L.A. Avilova.* 1840 (1943).

curriculum vitae – latein. ›der Lebenslauf‹.

»Slavjanskij bazar« – Hotel in Moskau, in dem Suvorin gewöhnlich abstieg.

598) *23. 3. 1897 – N.N. Obolonskij.* 1842 (1945).

599) *26. 3. 1897 – E.M. Šavrova.* 1847 (1950).

Ostroumov – Aleksej Aleksandrovič, Professor an der Universität Moskau, Direktor der Therapeutischen Klinik Moskau.

600) *27. 3. 1897 – R.F. Vaščuk.* LN 58 (1952).

Ihre Erzählung... in der Klinik gelesen – am 22. 3. hatte Čechov an die Adressatin geschrieben, er habe ihren Brief in Moskau bekommen und freue sich, ihre Manuskripte zu lesen; ›Manuskripte lese ich mit Vergnügen und werde Ihnen ehrlich meine Meinung dazu sagen.‹
Čechov am 28. 3. an die Adressatin: ›Statt böse zu sein, lesen Sie meinen Brief aufmerksamer durch. Ich habe, glaube ich, klar geschrieben, daß Ihre Erzählung *sehr gut* ist, außer dem Anfang, der den Eindruck eines überflüssigen Anbaus macht. Ihnen das Schreiben zu gestatten oder zu verbieten – das ist nicht meine Sache; ich habe auf Ihre Jugend hingewiesen, weil es mit 30–40 Jahren schon zu spät ist, damit anzufangen; ich habe auf die Notwendigkeit hingewiesen, zu lernen, wie man die Interpunktionszeichen richtig und literarisch setzt, weil diese Zeichen im Kunstwerk oft die Rolle von Noten spielen, und dies nach

einem Lehrbuch zu lernen ist unmöglich; dafür braucht man Gespür und Erfahrung. Mit Vergnügen schreiben – das bedeutet nicht, daß man spielt, sich amüsiert. Vergnügen an irgendeiner Sache verspüren – bedeutet, daß man diese Sache liebt.

Verzeihen Sie, es fällt mir schwer zu schreiben; ich liege immer noch. Verzeihen Sie mir noch einmal meinen Brief und hören Sie auf, mir böse zu sein. Ich war vollkommen ehrlich, und ich schreibe Ihnen wieder, weil ich Ihnen ehrlich Erfolg wünsche‹ (im Manuskript folgen einige unkenntlich gemachte Worte).

601) *28. 3. 1897 – L.A. Avilova.* 1852 (1956).

602) *29. 3. 1897 – P.M. Tretjakov.* 1854 (1959).
Iosif Ėmmanuilovič – I. Ė. Braz. Čechov schrieb noch am selben Tag in diesem Sinne an Braz.

603) *29. 3. 1897 – A.S. Suvorin.* 1856 (1958).
Tolstoj war da – Eintragung im Tagebuch 1897: ›Am 28. März kam Tolstoj L. N.; wir sprachen über die Unsterblichkeit. Ich erzählte ihm den Inhalt von Nosilovs Erzählung »Das Theater bei den Wogulen« – er hörte offenbar mit großem Vergnügen zu.‹ – L. N. Tolstoj, vgl. Nr. 604, 608.

604) *1. 4. 1897 – A.S. Suvorin.* 1858 (1962).
Prozeß in den Lungenspitzen – für: Lungenschwindsucht, Lungentuberkulose.
Autor des »Krankensaals Nr. 6« – Čechov.
als Tolstoj da war... – am 29. 3., vgl. Nr. 603.
über die Vorstellung im Pavlova-Saal... – in der ›Peterburgskaja gazeta‹ vom 29. 3. hatte eine Notiz über eine Wohltätigkeitsveranstaltung zugunsten des erkrankten Schauspielers P.I. Vejnberg gestanden; daran beteiligt waren, neben der Tochter des Adressaten, die Schauspielerinnen M.G. Savina, V.F. Komissarževskaja u. a.

605) *2. 4. 1897 – Al.P. Čechov.* 1861 (1965).
im Aprilheft der »Russkaja mysl« – ›Die Bauern‹.

606) *4. 4. 1897 – A.S. Suvorin.* 1862 (1967).
Solodovnikovsches Theater – in Moskau.
Korš – F.A. Korš, Moskauer Theaterunternehmer.
Volkstheater – vgl. Nr. 531, auch Nr. 609.
auch Stanislavskij... – den Čechov am 16. 2. in Moskau in der Redak-

tion der ›Russkaja mysl‹ kennengelernt hatte anläßlich eines Gesprächs über das Volkstheater, den Volkspalast.

607) *7. 4. 1897 – A.S. Suvorin.* 1865 (1970).
was ich dem Maler bereits geschrieben habe – vgl. Nr. 602 und Anm.
am Donnerstag – dem 10. 4.; am 11. 4. kehrte Čechov nach Melichovo zurück.
das neue Kochsche Präparat – gegen Lungentuberkulose.

608) *16. 4. 1897 – M.O. Menšikov.* 1874 (1979).
Lidija Ivanovna – Ehefrau des Adressaten.
Aus den »Bauern«... – das Aprilheft der ›Russkaja mysl‹ war bereits gedruckt, als es am 2. 4. dem Zensurkomitee vorgelegt wurde; der Zensor S. Sokolov beanstandete vor allem, daß das Leben der Bauern auf dem Lande in allzu düsteren Farben gezeichnet worden sei, und nahm besonders an einer Seite (Seite 193) Anstoß, auf der die Bauern pauschal verunglimpft seien; aufgrund dieses Berichts verfügte das Moskauer Zensurkomitee: ›Seite 193 von Čechov entfernen, im Falle der Weigerung konfiszieren.‹
Daraufhin wurden die Seite 193 und Rückseite (194) aus dem Heft herausgelöst und durch eine neue, gereinigte Seite ersetzt. In späteren Ausgaben der Erzählung setzte Čechov die von der Zensur gestrichenen Stellen wieder ein, teilweise in verändertem Wortlaut.
In der Klinik Besuch von Lev Nikolaevič – L.N. Tolstoj, vgl. Nr. 603, 604.
Ihr Buch nicht erschienen? – das Buch ›Gedanken über das Glück‹ von M.O. Menšikov, nach dem Čechov den Adressaten bereits Januar 1896 gefragt hatte; das Buch befand sich in der Druckerei, erschien erst 1898.
I. L.Ščeglov – I.L. Leontjev-Ščeglov war von Petersburg ins Gouv. Vladimir (Studenaja gora) gezogen.

609) *17. 4. 1897 – A.I. Ėrtel.* 1875 (1980).
vinum – latein. ›der Wein‹.
Volkstheater – vgl. Nr. 531, 606.
Auf dem Kongreß – dem Kongreß der Bühnenbeschäftigten in Moskau, vgl. Nr. 591. Resolution: 6/631 oben.
Golcev – V.A. Golcev.
Tolstoj schreibt ein Buch über die Kunst – ›Was ist Kunst?‹, geschrieben Januar bis Dezember 1897, erschien in der Zeitschrift ›Voprosy filosofii i psichologii‹ (Fragen der Philosophie und Psychologie) Heft 5, 1897, und 1, 1898.
seine Novelle »Auferstehung«... – eine entsprechende Tagebuchnotiz

im Tagebuch Tolstojs (5. Januar 1897); an die Fortsetzung und Überarbeitung des Romans ging Tolstoj erst Juli 1898. ›Auferstehung‹ erschien 1899 in der Zeitschrift ›Niva‹ und, als Einzelausgabe, 1900.

610) *28. 4. 1897 – V. N. Argutinskij-Dolgorukov.* 1890 (1992).
Balmont – Konstantin Dmitrievič, 1867–1943, Lyriker.

611) *17. 5. 1897 – E. M. Šavrova.* 1497 (2019).
Dieser Brief wurde von früheren Ausgaben auf das Jahr 1895 datiert, die Ausgabe 1974 f. stellt diesen Irrtum richtig: bei vorliegendem Brief handelt es sich um Čechovs Antwort auf den Brief von E. M. Šavrova an Čechov vom 12. 5. 1897.
collega – im Original latein.
das Manuskript – der Novelle ›Altweibersommer‹ von E. M. Šavrova, das ihm zu schicken Čechov die Adressatin am 7. 5. gebeten hatte.
ein Bel-Ami – Anspielung auf den gleichnamigen Roman des französischen Schriftstellers Guy de Maupassant.
gefahren, um die Schuljungen zu examinieren – Čechov war Kurator an der Dorfschule von Talež.
Auswahl der Stücke ... »Der Handschuh« – E. M. Šavrova hatte Čechov mitgeteilt, im nächsten Jahr wolle man in Serpuchov Theaterstücke von Sudermann (›Die Schmetterlingsschlacht‹), Ostrovskij und Solovjëv, Gogol (›Die Heirat‹), Alfred de Musset und den ›Handschuh‹ von Björnstjerne Björnsen spielen.

612) *20. 5. 1897 – A. S. Suvorin.* 1911 (2022).
Eine Schule im vergangenen Jahr – die Schule im Dorf Talež.
eine andere – in Novoselki.
Veržbolov – oder Veržbolovo, Grenzbahnhof zwischen Rußland und Deutschland auf der Strecke Petersburg-Warschau, poln. Wierzbolów, deutsch Wirballen; der Grenzbahnhof in Ostpreußen: Eydtkuhnen.
neuer Mitarbeiter Ėngelgardt – Nikolaj Aleksandrovič, 1867–1942, Publizist, Kritiker und Literaturhistoriker am ›Novoe vremja‹.
Rozanov – Vasilij Vasiljevič, eigtl. Varvarin, 1856–1919, Schriftsteller, Kritiker, Publizist, Philosoph.
Petuch – P. P. Petuch, Gestalt aus den ›Toten Seelen‹ von N. V. Gogol.
Was ist mit dem Kleinen Theater – Gerüchten zufolge hatte Suvorin für die nächsten 5 Jahre als Spielstätte für den Lit.-Artist. Zirkel das Kleine Theater Petersburg gemietet. So Čechov schon am 7. 5. 1897 an E. M. Šavrova.
gestern las ich im »Nov. vremja« – vom 17. 5. 1897, Dementi der Gerüchte, das Kleine Theater betreffend.

Brief von der Komissarževskaja – V.F. Komissarževskaja, vgl. Čechovs Antwort an sie, Nr. 613.

Aleksandr auf die Alandsinseln – Čechovs Bruder hatte am 17. 5. mitgeteilt, daß er zusammen mit dem Psychiater Olderogge auf die Alandsinseln reise, um nach einem geeigneten Platz für ein Sanatorium für Alkoholiker zu suchen.

»Alexander I.« – von Nikolaj Karlovič Šilder, 1842–1902, Historiker, Spezialist auf dem Gebiet der russischen Geschichte Anfang des XIX. Jahrhunderts; ›Populär wurde der Name Š. nach Erscheinen der gewaltigen Untersuchung »Kaiser Alexander I., sein Leben und seine Herrschaft«, 4 Bde., SPb., 1897–1898.‹ (Enzyklop. Wörterbuch Brockhaus/Efron, 1903)

613) *20. 5. 1897 – V.F. Komissarževskaja.* 1912 (2021).

fragen nach dem Anhänger – den Erinnerungen von L. A. Avilova zufolge hatte L. A. Avilova nach ihrer Begegnung mit Čechov 1895 in Petersburg beim Juwelier eine Berlocke in Form eines Buches herstellen lassen, auf deren Vorderseite eingraviert war: ›Novellen und Erzählungen. von An. Čechov‹, auf der Rückseite: ›Seite 267, Zeile 6 und 7‹; dies ergab den Satz: ›Wenn du je mein Leben brauchst, so komm und nimm es.‹ Čechov hat diese Art, sich zu erklären, in der ›Möwe‹ aufgenommen und, lt. Anmerkung der 20-bändigen Ausgabe, die auf einem ›unveröffentlichten Brief an/von V.F. Komissarževskaja Anfang 1897‹ fußt, dieses Geschenk der L. A. Avilova an die Komissarževskaja weitergeschenkt.

Vgl. auch Nr. 558.

das Astrachaner »Möwe«-Plakat – V.F. Komissarževskaja beabsichtigte, in Astrachan zu ihrer Benefizvorstellung die ›Möwe‹ zu spielen; die Aufführung kam nicht zustande.

614) *26. 5. 1897 – Al.P. Čechov.* 1920 (2030).

Nikanor Ivanyč – scherzhafte Anrede.

den Bau beaufsichtigen – Bau der Schule in Novoselki.

Das Honorar vom Kontor... – für die ›Möwe‹ am Alexandratheater, vgl. auch Nr. 615.

Frau Turnefor – Frau des Französischlehrers der Gebrüder Čechov am Gymnasium Taganrog.

Lejkin – N.A. Lejkin.

615) *28. 5. 1897 – Al.P. Čechov.* 1921 (2033).

das Mädchen, das... – d. h. das ›Möwe‹-Honorar war endlich abgeschickt worden.

28. Juni – laut Poststempel: 28. Mai.

616) *7. 6. 1897 – I. Ė. Braz.* 1925.

im August nach Odessa – Vorschlag, den Braz in einem Brief vom Mai unterbreitet hatte; zuvor hatte er Taganrog vorgeschlagen.

ins Gouvernement Cherson – wo I. Ė. Braz auf dem Gut eines ihm bekannten Malers 2–3 Monate verbringen wollte, 35 Verst von Odessa entfernt.

lade Sie ein – woraufhin Braz die Einladung offenbar annahm; in einem weiteren Brief an I. Ė. Braz (vom 20. 6.) beschreibt Čechov ausführlich, wie man von Petersburg resp. Moskau nach Melichovo kommt.

617) *21. 6. 1897 – A.S. Suvorin.* 1936.

Gutsbesitzerin Korobočka – vgl. den Roman ›Die toten Seelen‹ von N.V. Gogol.

bin manchmal in Moskau, aber nur kurz – so am 28./29. 5. und am 16.–19. 6.

Millionär Morozov – Sergej Timofeevič, reicher Moskauer Fabrikant, Bruder des Mäzens und späteren Mit-Direktors des Moskauer Künstlertheaters Savva T. Morozov.

habe an die Druckerei geschrieben – dieser Brief Čechovs wird in den vorliegenden Ausgaben nicht mitgeteilt, ist offenbar verloren.

Konstantin Semënovič – K.S. Tyčinkin.

Schauspielerin Šavrova – Olga Michajlovna, Schwester von E. M. Šavrova.

Maša ist auf der Krim – in Jalta, von wo M.P. Čechova am 25. 6. nach Hause zurückkehrte.

618) *12. 7. 1897 – A.S. Suvorin.* 1950.

der Maler malt und malt – I. Ė. Braz, der am 5. 7. in Melichovo angekommen war; Čechov am 7. 7. an Suvorin: ›Der Maler hat mich bereits verhaftet und malt. Das wird um den 14.–16. Juli zu Ende sein, dann werde ich zu Ihnen kommen.‹

Nach Petersburg fuhr Čechov am 22. 7.

Neupokoev – A.I. Neupokoev.

Maeterlinck – Maurice Maeterlinck; ›Aglavaine et Sélysette‹ 1896, die beiden Einakter ›Les aveugles‹ (Die Blinden) und ›L'intruse‹ (Der Eindringling), beide 1890. ›In Rußland erlangte der »Shakespeare der Dekadenz« Anfang der 90er Jahre große Popularität: die wichtigsten Dramen wurden ins Russische übersetzt, vor allem im »Severnyj vestnik« (»Sieben Prinzessinnen«) und den »Beilagen zum Novoe vremja« (»Prinzessin Maleine«, »Geheimnisse der Seele« u. a.). In Pbg. übernahm man auch (nicht sonderlich geglückte) Versuche der Aufführung der Dramen M.‹ (Enzyklop. Wörterbuch, Brockhaus/Efron, S.-Pbg. 1897)

In den »Mirovye otgoloski« ... – erschien eine Reihe von Artikeln, die sich mit dem reaktionären Kurs des ›Novoe vremja‹ kritisch auseinandersetzten.
und im »Novoe vremja« ... Javorskaja – L.B. Javorskaja, die in der Rubrik ›Musik und Theater‹ beinahe täglich erwähnt wurde (so am 4., 6., 8. Juli u.a.).
haufenweise Gäste – dem Tagebuch von P.E. Čechov, das minutiös die Ankunft und Abreise jedes Gasts verfolgt, ist zu entnehmen, daß sich im Sommer in Melichovo, außer Čechovs Geschwistern und entfernteren Verwandten, V.I. Zembulatov, P.I. Kurkin, O.P. Kundasova und sehr oft L.S. Mizinova aufhielten.
Aleksandr – Al.P. Čechov war am 29. 6. nach Melichovo gekommen, dann wieder weggefahren, die Kinder holte er am 17. 7. ab.
ein Cousin aus dem Süden – Vladimir Mitrofanovič Čechov.
Ežov – N.M. Ežov.
Aleksej Alekseevič – A.A. Suvorin.

619) *23./24. 7. 1897 – M.P. Čechova.* 1952.
in Petersburg angekommen – am 23. oder 24. 7.; Čechov blieb bis 28. 7.

620) *4. 8. 1897 – N.A. Lejkin.* 1960.
werde im September ins Ausland fahren – vgl. Nr. 622, 623 und weitere. Čechov fuhr am 1. 9. nach Biarritz, mit Zwischenaufenthalt in Paris.
nach der Rückkehr von Ihnen – Čechov hatte Lejkin am 27. 7. auf dessen Landhaus in Ivanovskoe besucht.
das geschäftliche Gespräch ... – ungeklärt, mit wem und worüber; in Moskau war Čechov am 28. 7. in der Redaktion der ›Russkaja mysl‹ gewesen.
Praskovja Nikiforovna – P.N. Lejkina, Ehefrau des Adressaten.
Fedja, Katja – Adoptivkinder Lejkins.

621) *8. 8. 1897 – L.S. Mizinova.* 1963.
Malerin Chotjaincëva – Aleksandra Alesandrovna, 1865–1942, Malerin, Bekannte Čechovs; bei ihr, in ihrem Atelier nahm M.P. Čechova privaten Unterricht in Malerei. Von A.A. Chotjaincëva stammt eine Reihe von Karikaturen, darunter ›A.P. Čechov in der Tretjakovschen Galerie, sein Porträt von I.Ė. Braz betrachtend‹, Zeichnungen: ›Čechov in Nizza‹, ›Čechov an der table d'hôte‹ u. a.

622) *12. 8. 1897 – M.A. Sablin.* 1967.
V.M. Sobolevskij – seit 1892 Redakteur der gemäßigt-liberalen Tageszeitung ›Russkie vedomosti‹.
s'il vous plaît – franz. ›bitte‹, wörtlich: ›wenn es Ihnen gefällt‹.

623) *19. 8. 1897 – V. M. Sobolevskij.* 1970.
werde auch nach Biarritz kommen – Čechov am 22. 8. an Suvorin: ›Am 29. und spätestens 30. August fahre ich von Moskau nach Biarritz... Bei uns ist es kaltgeworden. Ich muß abhauen.‹
Čechov fuhr am 1. September.

Verzeichnis der Adressaten

1) chronologisch

417)	1892, 28. 12.	L. S. Mizinova
418)	1893, 9. 1.	L. Ja. Gurevič
419)	1893, 12. 1.	I. F. Gorbunov
420)	1893, 14. 1.	L. S. Mizinova
421)	1893, 20. 1.	V. G. Čertkov
422)	1893, 23. 1.	I. E. Repin
423)	1893, 5. 2.	A. S. Suvorin
424)	1893, 6. 2.	Al. P. Čechov
425)	1893, 9. 2.	V. M. Lavrov
426)	1893, 24. 2.	A. S. Suvorin
427)	1893, 4. 3.	A. S. Suvorin
428)	1893, 8. 3.	V. A.Golcev
429)	1893, 28. 3.	I. I. Gorbunov-Posadov
430)	1893, 4. 4.	Al. P. Čechov
431)	1893, 26. 4.	A. S. Suvorin
432)	1893, 22. 5.	L. Ja. Gurevič
433)	1893, 28. 6.	L. Ja. Gurevič
434)	1893, 23. 7.	L. S. Mizinova
435)	1893, 2. 8.	A. S. Suvorin
436)	1893, 18. 8.	A. S. Suvorin
437)	1893, 24. 8.	A. S. Suvorin
438)	1893, 1. 9.	L. S. Mizinova
439)	1893, 10. 10.	L. S. Mizinova
440)	1893, 24. 10.	V. A. Golcev
441)	1893, 11. 11.	A. S. Suvorin
442)	1893, 28. 11.	A. S. Suvorin
443)	1893, 18. 12.	A. S. Suvorin
444)	1893, 28. 12.	V. A. Golcev
445)	1894, 2.1.	A. S. Suvorin
446)	1894, 10. 1.	A. S. Suvorin
447)	1894, 15. 1.	M. O. Menšikov
448)	1894, 25. 1.	A. S. Suvorin
449)	1894, 16. 2.	A. S. Suvorin
450)	1894, 26. 2.	A. S. Suvorin
451)	1894, 6. 3.	M. P. Čechova
452)	1894, 18. 3.	Jules Legras
453)	1894, 27. 3.	L. S. Mizinova
454)	1894, 27. 3.	A. S. Suvorin
455)	1894, 15. 4.	Al. P. Čechov
456)	1894, 7. 4.	A. M. Skabičevskij
457)	1894, 9. 5.	A. S. Suvorin
458)	1894, 19. 5.	Jules Legras
459)	1894, 21. 5.	Al. P. Čechov

460)	1894, 22. 6.	A. S. Suvorin
461)	1894, 11. 7.	A. S. Suvorin
462)	1894, 15. 8.	A. S. Suvorin
463)	1894, 4. 9.	V. A. Golcev
464)	1894, 18. 9.	L. S. Mizinova
465)	1894, 22. 9.	M. P. Čechova
466)	1894, 2. 10.	M. P. Čechova
467)	1894, 2. 10.	L. S. Mizinova
468)	1894, 6. 10.	M. P. Čechova
469)	1894, 6. 10.	V. A. Golcev
470)	1894, 2. 11.	A. S. Suvorin
471)	1894, 25. 11.	V. A. Golcev
472)	1894, 27. 11.	A. S. Suvorin
473)	1894, 5. 12.	A. S. Suvorin
474)	1894, 5. 12.	V. M. Lavrov
475)	1894, 11./12. 12.	V. M. Lavrov
476)	1894, 22. 12.	Redaktion Handwörterbuch
477)	1894, 25. 12.	M. P. Čechova
478)	1894, 25. 12.	A. S. Kiselëv
479)	1894, 30. 12.	Al. P. Čechov
480)	1894, 31. 12.	I. I. Gorbunov-Posadov
481)	1895, 6. 1.	A. S. Suvorin
482)	1895, 10. 1.	A. S. Suvorin
483)	1895, 18. 1.	V. V. Bilibin
484)	1895, 19. 1.	Al. P. Čechov
485)	1895, 19. 1.	A. S. Suvorin
486)	1895, 21. 1.	A. S. Suvorin
487)	1895, 21. 1.	L. S. Mizinova
488)	1895, 15. 2.	L. A. Avilova
489)	1895, 19. 2.	A. S. Suvorin
490)	1895, 25. 2.	A. S. Suvorin
491)	1895, 28. 2.	E. M. Šavrova
492)	1895, 10. 3.	A. V. Žirkevič
493)	1895, 16. 3.	A. S. Suvorin
494)	1895, 17. 3.	V. M. Lavrov
495)	1895, 23. 3.	A. S. Suvorin
496)	1895, 25. 3.	E. M. Šavrova
497)	1895, 30. 3.	A. S. Suvorin
498)	1895, 2. 4.	A. V. Žirkevič
499)	1895, 13. 4.	A. S. Suvorin
500)	1895, 18. 4.	A. S. Suvorin
501)	1895, 16. 5.	N. A. Lejkin
502)	1895, 31. 5.	N. A. Lejkin

503)	1895, 16. 6.	A. S. Suvorin
504)	1895,. 12. 7.	I. I. Gorbunov-Posadov
505)	1895, 23. 7.	M. P. Čechova
506)	1895, 11. 8.	Al. P. Čechov
507)	1895, 21. 8.	A. S. Suvorin
508)	1895, 5. 10.	I. L. Leontjev-Ščeglov
509)	1895, 15. 10.	V. M. Sobolevskij
510)	1895, 21. 10.	A. S. Suvorin
511)	1895, 26. 10.	A. S. Suvorin
512)	1895, 2. 11.	A. S. Suvorin
513)	1895, 10. 11.	A. S. Suvorin
514)	1895, 14. 11.	I. L. Leontjev-Ščeglov
515)	1895, 21. 11.	A. I. Urusov
516)	1895, 21. 11.	A. S. Suvorin
517)	1895, 1. 12.	A. S. Suvorin
518)	1895, 7. 12.	A. S. Suvorin
519)	1895, 13. 12.	A. S. Suvorin
520)	1895, 17. 12.	A. S. Suvorin
521)	1895, 29. 12.	A. S. Suvorin
522)	1896, 9. 1.	M. P. Čechova
523)	1896, 17. 1.	L. A. Avilova
524)	1896, 10. 2.	V. G. Korolenko
525)	1896, 15. 2.	F. O. Šechtel
526)	1896, 5. 3.	D. L. Manučarov
527)	1896, 15. 3.	P. F. Iordanov
528)	1896, 21. 3.	D. L. Manučarov
529)	1896, 29. 3.	A. A. Tichonov
530)	1896, 8. 4.	I. N. Potapenko
531)	1896, 13. 4.	F. O. Šechtel
532)	1896, 27. 4.	A. A. Tichonov
533)	1896, 28. 4.	E. M. Šavrova
534)	1896, 24./25. 5.	V. N. Argutinskij-Dolgorukov
535)	1896, 10. 6.	L. S. Mizinova
536)	1896, 16. 6.	A. A. Tichonov
537)	1896, 16. 6.	L. S. Mizinova
538)	1896, 20. 6.	A. S. Suvorin
539)	1896, 26. 6.	A. S. Suvorin
540)	1896, 11. 7.	A. S. Suvorin
541)	1896, 10. 8.	A. A. Tichonov
542)	1896, 11. 8.	I. N. Potapenko
543)	1896, 13. 8.	A. S. Suvorin
544)	1896, 13. 9.	A. A. Tichonov
545)	1896, 23. 9.	A. S. Suvorin

546)	1896, 23. 9.	I. L. Leontjev-Ščeglov
547)	1896, 29. 9.	E. P. Karpov
548)	1896, 4. 10.	E. P. Karpov
549)	1896, 10. 10.	M. A. Krestovskaja
550)	1896, 12. 10.	M. P. Čechova
551)	1896, 18. 10.	A. S. Suvorin
552)	1896, 18. 10.	M. P. Čechova
553)	1896, 18. 10.	M. P. Čechov
554)	1896, 19. 10.	Schaffner des Zuges Nr. 13
555)	1896, 19. 10.	A. I. Suvorina
556)	1896, 20. 10.	Druckerei Suvorin
557)	1896, 22. 10.	A. S. Suvorin
558)	1896, Ende Oktober	L. S. Mizinova
559)	1896, 1. 11.	E. M. Šavrova
560)	1896, 1. 11.	V. V. Bilibin
561)	1896, 1. 11.	V. M. Lavrov
562)	1896, 2. 11.	A. S. Suvorin
563)	1896, 7. 11.	E. M. Šavrova
564)	1896, 9. 11.	T. L. Tolstaja
565)	1896, 11. 11.	A. F. Koni
566)	1896, 20. 11.	L. S. Mizinova
567)	1896, 20. 11.	V. I. Nemirovič-Dančenko
568)	1896, 20. 11.	E. M. Šavrova
569)	1896, 24. 11.	P. F. Iordanov
570)	1896, 25. 11.	A. S. Suvorin
571)	1896, 26. 11.	V. I. Nemirovič-Dančenko
572)	1896, 2. 12.	E. M. Šavrova
573)	1896, 2. 12.	A. S. Suvorin
574)	1896, 14. 12.	A. S. Suvorin
575)	1896, 18. 12.	F. O. Šechtel
576)	1896, 27. 12.	L. S. Mizinova
577)	1897, 1. 1.	E. M. Šavrova
578)	1897, 4. 1.	A. S. Suvorin
579)	1897, 11. 1.	A. S. Suvorin
580)	1897, 17. 1.	A. S. Suvorin
581)	1897, 18. 1.	Druckerei Suvorin
582)	1897, 23. 1.	N. M. Ežov
583)	1897, 27. 1.	F. O. Šechtel
584)	1897, 30. 1.	V. I. Jakovenko
585)	1897, 2. 2.	E. M. Šavrova
586)	1897, 4. 2.	M. P. Čechov
587)	1897, 8. 2.	A. S. Suvorin
588)	1897, 12. 2.	E. M. Šavrova

589)	1897, 25. 2.	A. L. Selivanova-Krauze
590)	1897, Ende Februar	Al. P. Čechov
591)	1897, 1. 3.	A. S. Suvorin
592)	1897, 2. 3.	V. F. Komissarževskaja
593)	1897, 11. 3.	I. Ė. Braz
594)	1897, 15. 3.	V. A. Golcev
595)	1897, 18. 3.	L. A. Avilova
596)	1897, 22. 3.	N. N. Obolonskij
597)	1897, 24. 3.	L. A. Avilova
598)	1897, 25. 3.	N. N. Obolonskij
599)	1897, 26. 3.	E. M. Šavrova
600)	1897, 27. 3.	R. F. Vaščuk
601)	1897, 28. 3.	L. A. Avilova
602)	1897, 29. 3.	P. M. Tretjakov
603)	1897, 29. 3.	A. S. Suvorin
604)	1897, 1. 4.	A. S. Suvorin
605)	1897, 2. 4.	Al. P. Čechov
606)	1897, 4. 4.	A. S. Suvorin
607)	1897, 7. 4.	A. S. Suvorin
608)	1897, 16. 4.	M. O. Menšikov
609)	1897, 17. 4.	A. I. Ėrtel
610)	1897, 28. 4.	V. N. Argutinskij-Dolgorukov
611)	1897, 17. 5.	E. M. Šavrova
612)	1897, 20. 5.	A. S. Suvorin
613)	1897, 20. 5.	V. F. Kommissarževskaja
614)	1897, 26. 5.	Al. P. Čechov
615)	1897, 28. 5.	Al. P. Čechov
616)	1897, 7. 6.	I. Ė. Braz
617)	1897, 21. 6.	A. S. Suvorin
618)	1897, 12. 7.	A. S. Suvorin
619)	1897, 23./24. 7.	M. P. Čechova
620)	1897, 4. 8.	N. A. Lejkin
621)	1897, 8. 8.	L. S. Mizinova
622)	1897, 12. 8.	M. A. Sablin
623)	1897, 19. 8.	V. M. Sobolevskij

Verzeichnis der Adressaten

2) alphabetisch

Kurze Chronologie

März 1892 – August 1897

1892 *März:* Übersiedelung der Familie nach Melichovo, Kreis Serpuchov, Gouvernement Moskau.

15. April: Čechov in Moskau, liefert den ›Krankensaal Nr. 6‹ bei der Zeitschrift ›Russkoe obozrenie‹ ab.

Ende April: Bruch mit S. P. Kuvšinnikova und I. I. Levitan, die sich in der Erzählung ›Flattergeist‹ wiedererkannt zu haben glauben.

12. Mai: Bringt den ersten Teil der Fahnen und den Schluß des ›Krankensaals Nr. 6‹ nach Moskau.

Frühjahr: Zu Gast in Melichovo: I. I. Levitan, L. S. Mizinova, A. S. Suvorin, P. M. Svobodin, I. E. Konovicer, K. I. Mamuna, N. M. Lintvarëva, A. A. Dolženko, M. R. Semaško u. a.

Anfang Juli: Die liberale Zeitschrift ›Russkaja mysl‹ erneuert ihr Angebot an Čechov, in der Zeitschrift zu publizieren; V. M. Lavrov schlägt vor, die in der Vergangenheit aufgetretenen Mißverständnisse beizulegen.

Anfang Juli: Čechov willigt in den Vorschlag der Zemstvoverwaltung Serpuchov ein, sich an der Bekämpfung der Choleraepidemie zu beteiligen. Čechov organisiert in Melichovo und Umgebung ein Sanitätsrevier, das 25 Dörfer, 4 Fabriken und 1 Kloster umfaßt.

Mitte Juli: In den ›Knižki Nedeli‹ erscheint Čechovs Erzählung ›Die Nachbarn‹.

15. Oktober: Die Choleraepidemie ist vorbei, das Sanitätsrevier wird offiziell geschlossen. Čechov in Moskau.

16. Oktober: Begegnung mit V. M. Lavrov und V. A. Golcev, übergibt beiden das Manuskript der ›Erzählung eines meiner Patienten‹, eine Woche darauf auch den ›Krankensaal Nr. 6‹.

November: In der ›Russkaja mysl‹ erscheint ›Krankensaal Nr. 6‹, der von der Kritik sehr positiv aufgenommen wird.

20. Dezember: Čechov trifft in Petersburg ein.

25. Dezember: Im ›Novoe vremja‹ erscheint die Erzählung ›Angst‹.

1893 *12. Januar:* Čechov organisiert ein gemeinsames Essen der Petersburger Schriftsteller.

ca. 20. Januar: Besuch in I. E. Repins Atelier.

Čechov plant mit dem Sohn Lev Tolstojs eine Reise nach Amerika.

29. Januar: Rückkehr nach Melichovo.

Anfang Februar: Im Februarheft der ›Russkaja mysl‹ erscheint die Novelle ›Erzählung eines Unbekannten‹, 1. Teil.
Anfang März: Teil 2 der ›Erzählung eines Unbekannten‹ in der ›Russkaja mysl‹.
Im Verlag A. S. Suvorin erscheint der ›Krankensaal Nr. 6‹ als Buch, zusammen mit den Erzählungen ›Gusev‹, ›Weiber‹ und ›Angst‹.
April: Im Moskauer Verlag ›Posrednik‹ erscheint als Einzelausgabe der ›Krankensaal Nr. 6‹.
Anfang Mai: Čechov besucht V. M. Lavrov auf dessen Landhaus. In Melichovo häufig zu Gast: L. S. Mizinova.
18. Juni: Wiedereröffnung des Sanitätsreviers wegen erneuter Choleragefahr.
21. Juli: Čechov in Moskau, übergibt der ›Russkaja mysl‹ die ersten ›Sachalin‹-Kapitel.
Juli: Čechov schreibt die Erzählung ›Der schwarze Mönch‹. Liest Korrektur der ersten Kapitel der ›Insel Sachalin‹.
Anfang Oktober: In der ›Russkaja mysl‹ erscheint die erste Folge der ›Insel Sachalin‹.
25. Oktober: P.I. Čajkovskij in Petersburg gestorben.
25. November: Čechov schließt die Erzählung ›Weiberreich‹ ab.
Mitte Dezember: Čechov lernt in Moskau den Verleger I. D. Sytin kennen, mit dem er einen Vertrag über einen Erzählungsband schließt.
28. Dezember: In der Zeitung ›Russkie vedomosti‹ erscheint die Erzählung ›Volodja der Große und Volodja der Kleine‹.

1894 *Januar:* In der ›Russkaja mysl‹ erscheint die Erzählung ›Weiberreich‹. Im Januarheft der Zeitschrift ›Artist‹ erscheint ›Der schwarze Mönch‹.
6. Februar: In der Zeitung ›Russkie vedomosti‹ erscheint die Erzählung ›Rothschilds Geige‹.
Februar: Im Februarheft der ›Russkaja mysl‹ weitere Kapitel der ›Insel Sachalin‹.
Ende Februar: I. N. Potapenko geht nach Paris, L.S. Mizinova folgt ihm, um in Paris eine Gesangsausbildung zu absolvieren.
2. März: Čechov fährt auf die Krim nach Jalta, lernt dort V. A. Fausek, V.S. Miroljubov, den Kritiker Obolenskij, kennen. Schreibt an der Erzählung ›Abends‹.
5. April: Rückkehr nach Melichovo.
Mai: Die ›Russkaja mysl‹ setzt die Veröffentlichung der ›Insel Sachalin‹ fort; das Maiheft enthält einen längeren Aufsatz von V. A. Golcev über Čechov.
Sommer: Čechov mehrere Male in Moskau.

24. Juni: Čechov auf drei Jahre zum Sprecher der Zemstvoversammlung Serpuchov gewählt.
Juli: Im Juliheft der ›Russkaja mysl‹ wird die Veröffentlichung der ›Insel Sachalin‹ abgeschlossen; den Druck der letzten Kapitel vereitelt die Hauptgefängnisverwaltung, sie erscheinen erst in der Buchausgabe.
10. Juli: In den ›Russkie vedomosti‹ erscheint der ›Literaturlehrer‹.
Mitte Juli: Potapenko in Melichovo.
2. August–13. August: Čechov und Potapenko fahren nach Jaroslavl, dann nach Sumy.
24. August: Čechov fährt nach Taganrog, um seinen erkrankten Onkel Mitrofan Egorovič zu besuchen. Von dort fährt Čechov weiter nach Feodosija, um Suvorin zu besuchen.
3. September: Ankunft in Feodosija.
13.–14. September: Čechov fährt, zusammen mit Suvorin, von Jalta über Odessa ins Ausland, nach Abbazia.
20.–22. September: In Abbazia. Čechov arbeitet an seiner Novelle ›Drei Jahre‹. Stationen der Italienreise: Triest, Venedig, Mailand, Genua.
1. Oktober: Čechov verläßt Genua mit dem Ziel Nizza.
nach 6. Oktober: Rückreise nach Rußland, über Paris und Berlin.
14. Oktober: Čechov zurück in Moskau.
19. Oktober: Rückkehr nach Melichovo.
13. November: Čechov schickt V.A. Golcev die letzten Kapitel der ›Insel Sachalin‹ für die Buchausgabe.
6. Dezember: Čechov wird zum Kurator der Dorfschule von Talež ernannt.
18. Dezember: Čechov in Moskau, liefert das Manuskript der Novelle ›Drei Jahre‹ ab.
Ende Dezember: Im Moskauer Verlag I.D. Sytin erscheint der Band ›Novellen und Erzählungen‹.
25. Dezember: In den ›Russkie vedomosti‹ erscheint die ›Erzählung des Obergärtners‹.

1895 *Januar:* In der ›Russkaja mysl‹ Teil 1 der Novelle ›Drei Jahre‹.
2. Januar: I.I. Levitan nach langer Pause zu Gast in Melichovo.
6.–19. Januar: Čechov in Moskau. Besuch bei Levitan in dessen Atelier.
1. Februar: Čechov fährt für 14 Tage nach Petersburg, dort Begegnungen mit Potapenko, N.A. Lejkin, A.S. Suvorin, L.A. Avilova.
Februar: In der ›Russkaja mysl‹ erscheint der Schluß der Novelle ›Drei Jahre‹.

16. Februar: Rückkehr nach Moskau.
21. Februar: S.N. Leskov gestorben.
7. März: Čechov kümmert sich um die Erweiterung der Buchbestände der Städtischen Bibliothek von Taganrog.
8. Mai: Die Zensur genehmigt die Buchausgabe der ›Insel Sachalin‹, die Ende Mai/Anfang Juni erscheint, im Verlag ›Russkaja mysl‹.
5. Juli: Čechov einige Tage bei Levitan auf dessen Sommerhaus zu Gast. Fährt im Anschluß nach Petersburg, um mit Suvorin über dessen Pläne, ein eigenes Theater aufzumachen, zu sprechen.
13. Juli: Rückkehr nach Melichovo.
8.–9. August: Čechov zu Gast bei L.N. Tolstoj in Jasnaja Poljana.
September: Čechov kümmert sich um die Finanzierung der Zeitschrift ›Chirurgičeskaja letopis‹, bis in den Oktober hinein.
21. Oktober: Erste Erwähnung der Arbeit an der ›Möwe‹.
22. Oktober: In den ›Russkie vedomosti‹ erscheint die Erzählung ›Anna am Halse‹.
Anfang November: In Heft 11 der ›Russkaja mysl‹ erscheint die Erzählung ›Der Mord‹, in der Zeitschrift ›Detskoe čtenie‹ die Erzählung ›Weißstirnchen‹.
Čechov arbeitet intensiv an der ›Möwe‹, die er für das Kleine Theater in Moskau bestimmt hat.
21. November: Teilt Suvorin mit, er habe die ›Möwe‹ zum Abschreiben nach Moskau geschickt.
7. Dezember: Schickt das Manuskript des Stückes an Suvorin, der zurückschreibt, in der Figur Trigorins sei Potapenko wiederzuerkennen, weshalb Čechov das Stück zurückziehen will.
Lernt in Moskau I.A. Bunin kennen.
Čechov arbeitet an dem ›Haus mit dem Zwischenstock‹.
Dezember: In der ›Russkaja mysl‹ erscheint ›Ariadna‹.

1896 *2. Januar:* Čechov fährt nach Petersburg. Begegnungen mit Potapenko, Mamin-Sibirjak, Suvorin, Leontjev-Ščeglov, L.A. Avilova.
15. Januar: Rückkehr nach Melichovo.
23. Januar: Čechov fährt erneut nach Petersburg.
14. Februar: Kehrt gemeinsam mit Suvorin nach Moskau zurück.
15. Februar: Besuch bei L.N. Tolstoj in Moskau.
Ende Februar-März: Čechov baut eine neue Schule im Dorf Talež.
Der Schulneubau in Talež zieht sich bis in den Mai.
Nimmt Korrekturen an der ›Möwe‹ vor.
April: In Heft IV der ›Russkaja mysl‹ erscheint die Erzählung ›Das Haus mit dem Zwischenstock‹.

Čechov arbeitet an der Novelle ›Mein Leben‹.
28. Mai: Der Sanitätsrat des Kreises Serpuchov wählt Čechov in eine Kommission zur Erarbeitung eines Musterplans für Schulneubauten.
16. Juni: Čechov schickt einen ersten Teil der Novelle ›Mein Leben‹ an die Zeitschrift ›Niva‹.
Sommer: O.P. Kundasova mehrere Male zu Gast in Melichovo, desgleichen L.S. Mizinova.
Ende Juli: Čechov hat die Novelle ›Mein Leben‹ abgeschlossen.
4. August: Einweihung der neuen Schule von Talež.
11. August: Bittet I. N. Potapenko, die von der Zensur geforderten Änderungen in das Zensurexemplar des Stückes zu übertragen.
20. August: ›Die Möwe‹ wird von der Zensur genehmigt.
Čechov fährt über Taganrog in den Kaukasus, wo er am 24. August in Kislovodsk eintrifft. Weiterreise nach Novorossijsk am 31. Aug.
3. September: Ankunft Čechovs in Feodosija, zu Gast bei Suvorin.
14. September: Tritt die Heimreise an, macht in Charkov Zwischenstation, Rückkehr nach Melichovo am 17. September.
1. Oktober: Čechov fährt nach Moskau, von dort am 6. Oktober weiter nach Petersburg. Übergibt in Petersburg Suvorin mit der ›Möwe‹ auch das Manuskript des ›Onkel Vanja‹ für eine Buchausgabe seiner Theaterstücke.
Oktober: In den ›Monatlichen Literaturbeilagen zur Zeitschrift »Niva«‹ Nr. 10 erscheint Teil I der Novelle ›Mein Leben‹.
9. Oktober: Probenbeginn der ›Möwe‹ am Alexandratheater.
17. Oktober: Uraufführung der ›Möwe‹ am Alexandratheater Petersburg, das Stück fällt ›mit Pauken und Trompeten‹ durch.
19. Oktober: Rückkehr nach Melichovo.
21. Oktober: Die zweite Vorstellung des Stücks wird ein Erfolg, wie auch die weiteren Vorstellungen, worüber Čechov von V.F. Komissarževskaja, I.N. Potapenko, V.V. Bilibin, Suvorin u. a. informiert wird.
November: In den ›Monatsbeilagen zur »Niva«‹ erscheint Teil II der Novelle ›Mein Leben‹.
17. November: Čechov in Moskau. Lavrov und Golcev bestehen auf der Veröffentlichung des Stücks in der ›Russkaja mysl‹, Čechov gibt nach, behält sich Korrekturen vor.
Dezember: In den ›Monatsbeilagen zur »Niva«‹ erscheint der Schluß der Novelle ›Mein Leben‹, in Heft XII der ›Russkaja mysl‹ die ›Möwe‹.

1897 *Januar:* Čechov beteiligt sich an der allgemeinen Volkszählung vom 10. Januar bis 5. Februar.

Liest Korrektur des Stückebandes, schickt die korrigierten Fahnen der ›Möwe‹ und des ›Onkel Vanja‹ an Suvorin.
Anfang Februar: Čechov begibt sich an die Ausführung eines zweiten Schulneubaus im Dorf Novoselki.
7.–22. Februar: Čechov in Moskau. Begegnungen mit F.O. Šechtel im Zusammenhang mit dem Plan eines Volkspalastes in Moskau mit eigenem Theater, Bibliotheken, Lesesälen. Čechov lernt K.S. Stanislavskij kennen.
Ende Februar: Čechov hat die Novelle ›Die Bauern‹ abgeschlossen.
18. März: Čechov wird zum Kurator der Schule von Čirkovo ernannt.
21. März: Čechov fährt nach Moskau, trifft sich dort mit Suvorin, erleidet am 24. März den bislang schwersten Anfall von Bluthusten und wird in die Klinik von Prof. Ostroumov gebracht.
28. März: Besuch von L.N. Tolstoj in der Klinik Ostroumov.
April: In Heft IV der ›Russkaja mysl‹ erscheint die Novelle ›Die Bauern‹, das Heft wird ihretwegen beschlagnahmt und nach Entfernung einer Seite zur Auslieferung freigegeben.
10. April: Čechov wird aus der Klinik entlassen, kehrt am 11. April nach Melichovo zurück. Denkt daran, sich auf der Krim niederzulassen.
April-Mai: Čechov kümmert sich um den Neubau der Schule im Dorf Novoselki. L.S. Mizinova häufig zu Gast in Melichovo.
6. Mai: Čechov erhält für Verdienste bei der Ersten Allgemeinen Volkszählung 1897 eine Bronzemedaille.
Ende Mai: Im Verlag A.S. Suvorin erscheint der Band ›Stücke‹ mit den Einaktern, ›Ivanov‹, der ›Möwe‹ und ›Onkel Vanja‹.
Mitte Juni: Čechov in Moskau, Besuch der Galerie Tretjakov.
4. Juli: I.Ė. Braz kommt nach Melichovo, beginnt tags drauf mit der Arbeit an seinem Čechov-Porträt.
13. Juli: Einweihung der neuen Schule in Novoselki.
22. Juli: Fährt zusammen mit I.Ė. Braz nach Petersburg. Begegnung mit Suvorin, mit N.A. Lejkin.
28. Juli: Rückkehr nach Moskau, tags drauf nach Melichovo.
Ende Juli: Im Verlag A.S. Suvorin erscheint der Band ›Die Bauern. Mein Leben‹.
31. August: Čechov fährt nach Moskau, um von dort nach Biarritz zu reisen. In Frankreich verbringt er aus Gesundheitsgründen den ganzen Winter.